MAŁGORZATA
GUTOWSKA-ADAMCZYK

CUKIERNIA POD AMOREM

DZIEDZICTWO HRYCIÓW

Prószyński i S-ka

Projekt okładki
Luiza Kosmólska

Zdjęcia na okładce
© Getty Images; Andreas Gradin/Shutterstock.com;

Redaktor prowadzący
Anna Derengowska

Redakcja
Anna Sidorek

Korekta
Maciej Korbasiński

Łamanie
Ewa Wójcik

ISBN 978-83-8123-358-3

Warszawa 2018

Wydawca
Prószyński Media Sp. z o.o.
ul. Gintrowskiego 28, 02-697 Warszawa
www.proszynski.pl

Druk i oprawa
CPI Moravia Books
www.cpi-moravia.com

DZIEDZICTWO HRYCIÓW

W poprzednim tomie

Sierpień 2016 roku. Trwają Dni Gutowa. W konkursie na Ciastko Roku jak zwykle bierze udział również cukiernia Pod Amorem. Tym razem receptury nie wymyślił Waldemar Hryć, lecz jego syn, Zbyszek, który właśnie ukończył szkołę i rozpoczął pracę w rodzinnej firmie. Mimo wahań i oporów ze strony ojca to właśnie ciastko z wróżbą zaproponowane przez Zbyszka zostanie wystawione do konkursu i ostatecznie zwycięży.

Troska związana ze startem syna w dorosłe życie zawodowe nie jest jednak największym zmartwieniem Waldemara i Heleny, którzy przypadkiem odkrywają, że chłopak uwikłał się w związek z obarczoną potomstwem dziewczyną o złej sławie. Przewidując opór rodziców, postawił ich przed faktem dokonanym, oświadczył się i został przyjęty. Hryciowie są wstrząśnięci. Sądzą, że Zbyszek jest zbyt młody na poważny związek, zresztą do niedawna spotykał się z miłą córką sąsiadów, która bardzo przeżywa rozstanie. Iga broni młodszego brata, twierdząc, że jest dorosły i ma prawo do samodzielnych decyzji, a jako cukiernik bez problemu zdoła utrzymać przyszłą rodzinę.

Waldemar uważa jednak, że syn zbytnio się pośpieszył z oświadczynami.

Kolejny problem Hryciów to zapowiedziana wizyta przybyłej z Nowego Jorku prawniczki – Moniki Grochowskiej-Adams, rodowitej gutowianki, autorki powieści o miasteczku, w której sportretowała również członków ich rodziny. Monika jest wysłanniczką spadkobierców przedwojennych właścicieli cukierni Pod Aniołem, Cukiermanów. Mimo że kwestia praw do kamienicy została już dawno prawnie uregulowana, Hryciowie są pełni złych przeczuć.

Podczas Dni Gutowa Monika Grochowska-Adams nieoczekiwanie spotyka dawną przyjaciółkę, Teresę Kuszel, obecnie Tessę Steinmeyer. Obie kobiety, dziś już pod siedemdziesiątkę, przyjeżdżają do miasteczka, gdzie upłynęło ich dzieciństwo. To nieprzypadkowe spotkanie. Tessa, poważnie chora na raka, pojawia się tu, aby załatwić niedokończone przed laty sprawy…

Gutowo,
niedziela 28 sierpnia 2016, 21:50

Z za uchylonego okna dobiegały głośne dźwięki kończącego się powoli weekendowego święta. Pod wieczór skwar na szczęście zelżał, firanka w salonie Hryciów lekko falowała. Helena upiła łyk wina i odstawiła kieliszek.

– Jesteś głodny? – spytała Zbyszka.

Zaprzeczył szybkim potrząśnięciem głowy. Nie myślał o jedzeniu. W domu było mu duszno. Podejrzewał, że starzy zaraz zaczną wypytywać o Martynę, a na razie nie miał im nic więcej do powiedzenia. Przynajmniej nic takiego, co by wspólnie ustalili, więc uznał, że lepiej wyjść i nie wracać, póki w sypialni rodziców będzie paliło się światło. Odstawił nietknięty kieliszek i poszedł do łazienki.

– Nie wypijesz za własny sukces? – zdziwił się Waldemar.

Zbyszek wrócił i posłusznie, szybkimi haustami, wypił wino. Teraz już przynajmniej wiedzieli, że nie siądzie za kierownicą.

– Muszę jeszcze wyskoczyć – powiedział, sondując nastrój rodziców.

Nie chciał sprawiać im zawodu, ale wysłuchiwanie morałów i rozmowa o przyszłości, na którą się zanosiło, zwyczajnie by go teraz nudziły. Zresztą sam nie wiedział, jak miałaby ona wyglądać. Pragnął tylko już nie rozstawać się z Martyną. Wydarzenia kilku ostatnich dni oszołomiły go. Nigdy nie przypuszczał, że zainteresuje się nim taka dziewczyna, że wybierze właśnie jego, że przyjmie jego oświadczyny. To było cudowne i nieoczekiwane, a jej ochota na seks wreszcie uczyniła z niego mężczyznę. Miał już swoją kobietę i za to, co dla niego zrobiła, gotów był oddać jej cały swój świat: samochód, dom przy rynku, który, teraz wynajmowany, miał być jego prezentem ślubnym, a kiedyś w przyszłości również cukiernię. Jednak szybkiej realizacji tego celu rodzice mogli się sprzeciwić. Zbyszek był tego niemal pewien, bo oboje wciąż uważali go za dziecko.

– Dokąd? – w głosie matki usłyszał nieprzyjemne zdziwienie.

– O dziesiątej będzie pokaz sztucznych ogni – wyjaśnił.

– Nie wiem, czy dotrwam – ciężko westchnął Waldemar. – Obawiam się, że jeśli usiądę na kanapie, to tak zostanę do jutra.

– To idź się połóż! – zakomenderowała Helena, zbyt rozemocjonowana kolejnym zwycięstwem ich firmy w konkursie, aby natychmiast usnąć. – Ja chyba zaczekam na ten pokaz. Ciekawe, czy będzie coś widać przez okno?

– Jak chcesz... – Hryć wzruszył ramionami i poszedł do łazienki, a Zbyszek, wykorzystując sytuację, zbiegał po schodach. Helena usłyszała tylko pełne ulgi „Siema!" i trzaśnięcie drzwiami, oznaczające, że syn znów wyrwał się na wolność.

– Korzystaj, póki możesz… – westchnęła, nalała sobie pół kieliszka wina i zapadła się w fotel.

Nieuważnie patrząc w telewizor, przeskakiwała z kanału na kanał. Żałowała już chyba bezpowrotnie minionego życia we troje, nasłuchując odgłosów muzyki i krzyków rozbawionych ludzi. Kolejne Dni Gutowa i znowu sukces! Spojrzała na trzymany w dłoni kieliszek. Uniosła go lekko, jakby wznosiła toast, i wypiła łyk za pomyślność rodziny.

Zbyszek rozejrzał się po rynku. Chciałby ten wieczór spędzić z Martyną, ale ona nawet dzwonić mu zabroniła.

– Muszę matce pokazać pierścionek – powiedziała, sugerując w związku z tym jakieś nieokreślone kłopoty.

Rozumiał to i postanowił zostawić jej wolną rękę. Przekonany, że sama najlepiej będzie wiedziała, jak wszystko rozegrać, czekał. Nie znał zbyt dobrze sytuacji, nie znał jej matki. Może wymarzyła sobie zięcia inżyniera albo lekarza? A tu trafił się cukiernik. Do tej pory Zbyszek był zadowolony ze swojego zawodu. W pracowni czuł się spełniony. Nigdy nie myślał, że cokolwiek stracił, nie zostając pilotem lub archeologiem. Zresztą i tak za bardzo nie miał głowy do nauki. Jedyne, co go kręciło, to wymyślanie nowych receptur. I teraz to mógł być problem. Nie ma nawet matury… Zresztą po co mu matura? Byt rodzinie i tak zapewni, ale może dla tej kobiety to za mało? Jak ją przekonać? Co zrobić, żeby go polubiła?

Z rękoma w kieszeniach przepychał się przez tłum, mimo późnej pory wciąż kłębiący się na rynku. Nie zamierzał brać udziału w zabawie. W tej chwili nie obchodziło go nic, co nie było związane z Martyną. Niecierpliwie czekał na jakiś znak, na SMS choćby, w którym by napisała, że wszystko już załatwione. Gdyby miał kumpla, może byłoby mu łatwiej. Z Igą nie chciał poruszać takich tematów. Ona i tak zaraz zaczęłaby te swoje morały. Nie rozumiała go, zawsze brała stronę starych. Żeby choć raz powiedziała: „Spoko, chłopie, to, co czujesz, jest dla mnie ważne!". Może zresztą kiedyś coś takiego usłyszał, ale to w końcu starsza siostra. Z babami nie da się tak wprost o dupach gadać. Strasznie mu dziś tego brakowało. Nagle poczuł się mężczyzną i bardzo potrzebował wsparcia. Wypiłby ze trzy piwa, popluł trochę na chodnik, porechotał, słysząc świńskie dowcipy, ale nie miał z kim.

Odruchowo skierował się ku Szewskiej. Może ten barman? Chociaż on zbyt zalatywał studentem. Inteligencik. Pewnie zawsze wiedział, co czuje i jak to wyrazić. Zbyszek pociągnął nosem i pchnął drzwi do winiarni. Chyba nigdzie nie było wolnego miejsca, ludzie tłoczyli się nawet na ulicy. Wszyscy spragnieni wina i rozrywki, wszyscy w towarzystwie. Stali tu grupkami po kilka osób. Niektórych znał, ale wielu było zamiejscowych. Poczuł się głupio, bo jak samemu żartować, śmiać się, wykrzykiwać. Rozejrzał się po wnętrzu i już zamierzał wyjść, kiedy usłyszał przeszywające gwizdnięcie. Szukając wzrokiem źródła dźwięku, zauważył barmana, który patrzył w jego kierunku i życzliwie machał dłonią. W końcu udało się dopchnąć do baru.

– Samotni mężczyźni mają dziś rabat! – usłyszał. – Jakiś problem? – dopytywał się tamten.

– Matka... – westchnął Zbyszek. – Jej matka – dodał tytułem wyjaśnienia.

– Słabo. – Maciek się uśmiechnął. Był w doskonałym nastroju, prawdopodobnie dlatego, że naprzeciwko niego popijała wino ta ładna blondynka. – Siadaj. Godzina jest młoda, jeszcze dużo przed nami – rzucił do Zbyszka.

– Przed tobą to głównie robota! – warknęła gdzieś z tyłu właścicielka winiarni, rozzłoszczona widokiem Mii, która niedawno zasiadła przy barze, leniwie sączyła białe wino i zdecydowanie psuła jej plany na dzisiejszą noc. Agata była wściekła. Jedyne pocieszenie stanowił ruch w firmie. I – co dziwne – do tej pory nie wydarzyła się jeszcze ani jedna bójka.

Zbyszek usiadł na stołku wystawionym zza lady. Maciek bez pytania nalał mu czerwonego wina, które wciąż nie wzbudzało w Zbyszku entuzjazmu.

– Czerwony to kolor miłości! – usłyszał, sięgając po kieliszek, jakby to była część przykrego obowiązku. Tamten to zauważył. – Satysfakcja przychodzi z czasem. Gdzieś po setnej butelce.

– Z piwem też tak miałem – Zbyszek odważył się na szczerość, usiłując ukryć beknięcie.

– Do wszystkiego trzeba przywyknąć.

– Fakt.

Nagle rozległ się huk wybuchających fajerwerków i towarzyszące im okrzyki zachwytu. Klienci wylegli przed lokal i zadarli głowy. Niektórzy biegli na deptak, wiedząc, że pokaz odbywa się nad jeziorem. Różnokolorowe kształty: wielkich bąbli, gwiazd rozpryskujących się na małe ogniki, wznosiły się w niebo i gasły, natychmiast zastępowane przez kolejne. Wszyscy stali jak urzeczeni, oszołomione winem dziewczyny piszczały. Martyna też pewnie by piszczała i zachwycała się fajerwerkami. A potem poszliby gdzieś daleko i całowali się na odległej ławce albo kochali ukryci w krzakach. Zbyszek wyjął telefon, ale po krótkim wahaniu wsunął go z powrotem do kieszeni.

Grzegorz Hryć kręcił się wśród gości burmistrza i udawał, że pokaz sztucznych ogni go zachwyca. Na wieży zamkowej panowała radosna atmosfera, kelner roznosił napoje chłodzące i Hryć też popijał colę z lodem i odrobiną czystej, uśmiechał się i żartował, ale jednocześnie czuł jakąś nie do końca uświadomioną gorycz. Coś ugniatało go w środku i psuło humor. Burmistrz Walczak, młody, szczupły i modnie ubrany, mimo zmęczenia wyraźnie promieniał. Cały czas w centrum uwagi, poklepywał rozmówców i kiwał głową, wysłuchując pochwał. Udawanie skromnego wychodziło mu nad podziw dobrze. Po kilku miesiącach przygotowań i dwóch ostatnich tygodniach, kiedy musiał być praktycznie wszędzie, nadal tryskał energią, gotów każdemu usłużyć i każdego wysłuchać. Grał swoją rolę bardzo przekonująco, toteż garnęli się ku niemu, jakby był Świętym Mikołajem. Ale on, poseł Hryć, stary polityczny wyjadacz, nie dał się zwieść. To tylko poza, miły obrazek na zakończenie Dni Gutowa. W gruncie rzeczy Walczak z pewnością gardzi wszystkimi, tak jak i on nimi gardził, kiedy jeszcze sam był burmistrzem.

Nie dało się nie zauważyć, że Walczaka nie odstępuje największy konkurent Amora, właściciel cukierni Jaga, Krzysztof Zagańczyk. Wyglądali na mocno zaprzyjaźnionych. Hryć przyglądał się im przez dłuższą chwilę.

A tego idioty oczywiście nie zaprosili... Nigdy nie umiał się ustawić! Jakim cudem on wygrywa te wszystkie konkursy?! Westchnął niechętnie, myśląc o młodszym bracie, który nigdy nawet nie spróbował wejść w jakieś układy.

To jeszcze bardziej rozdrażniło Hrycia. Mógł już tylko udawać sam przed sobą, że świetnie się bawi. Owszem, był tu kimś. Pierwszy poseł z Gutowa, w dodatku członek partii, która właśnie robiła w kraju od dawna oczekiwany porządek! I on był częścią tej zmiany! Ale tu, w tym mieście, na tej wieży, dla tych ludzi to przede wszystkim Walczak się liczył. On ściągał wszystkie spojrzenia, a dwóch poprzednich burmistrzów, ale też starosta, urzędnicy miejscy i inni goście, znajdowało się tu tylko po to, aby potwierdzić jego sukces.

Od chwili, gdy zdał sobie sprawę, że również pełni funkcję ozdobnika, Grzegorz Hryć pożałował, że w ogóle przyszedł. Trzeba było raczej zostać na kanapie przed telewizorem, jak radziła żona, która ostro zaprotestowała, kiedy stwierdził, że powinna się pokazać w towarzystwie.

– Po trzech dniach przygotowań i dwóch dniach harówy ty mi każesz teraz błyszczeć?! A widzisz moje stopy?! – warknęła, unosząc spuchniętą lewą nogę moczoną właśnie w miednicy.

Nie odpowiedział, bo i co tu gadać? Anita nie lubiła błyszczeć w towarzystwie. Pod tym względem się nie dopasowali. Ale jak to się działo, że zawsze stawiała na swoim?! Jeszcze teraz psuło mu to humor. No i ten Walczak... Hryć zaczął się zastanawiać, co mógłby zrobić, żeby zetrzeć burmistrzowi z twarzy ten głupawy uśmieszek, żeby się biedaczyna trochę ugiął pod ciężarem władzy. Może jakąś kontrolę życzliwie zasugerować? Na przykład dotyczącą reprywatyzacji albo rozliczeń funduszy unijnych? W końcu były burmistrz nadal szczerze troszczy się o sprawy miasta.

Ta myśl na krótką chwilę poprawiła mu humor, ale kiedy już niemal podjął decyzję i wybiegł w wyobraźni ku przyszłemu tygodniowi, znów ze złością przygryzł wargę. Choć otoczenie sądziło, że jest inaczej, to jego pozycja w Warszawie nie była aż tak godna pozazdroszczenia, jak mogłoby się z perspektywy prowincji wydawać. Kiedy już policzono głosy i okazało się, że zdobył upragniony mandat, w marzeniach snuł wielkie plany. Teraz, po niemal roku, z trudem odganiał natrętne spostrzeżenie, że służy partii wyłącznie jako chłopiec na posyłki. W sejmie, na sali obrad plenarnych, siedział w odległych ławach i nigdy nie było go widać podczas transmisji telewizyjnej. Jako nowicjusza i świeżaka nie wybrano go do żadnej prestiżowej komisji, nie mówiąc już o powierzeniu jakiegoś odpowiedzialnego stanowiska rządowego. Nie zapraszali go ani Pospieszalski, ani Morozowski, ani Olejnik. Młodzi dziennikarze nie dopytywali się o jego opinie, a na korytarzach sejmowych zawsze patrzyli gdzieś za plecy Hrycia. W Gutowie znali go wszyscy, w Warszawie był nikim. Poświęcił czas i poszedł parę razy na miesięcznicę smoleńską, ale do prezesa nie dawało się nijak dopchnąć, więc szybko sobie odpuścił. Nowogrodzka to już w ogóle były za wysokie progi! Z partyjnego okólnika dowiadywał się, jak ma głosować, i nikogo nie interesowało, że mógłby mieć odmienne zdanie. Wychodził ze skóry, ale nie znajdował sposobu, aby się jakoś mocniej zaznaczyć w świadomości kolegów. Zresztą wokół każdego z prominentnych posłów, co to z łatwością znajdowali drogę do ucha prezesa, kłębiły się tłumy. A on nawet nie bardzo wiedział, komu się podlizać.

Nienawidził takich sytuacji i natychmiast szukał rekompensaty. Pewnie dlatego tyle czasu poświęcał na sprawy drugorzędne. I chyba to nie jego wina, że wciąż mógł się podobać kobietom? Gdyby miał wybierać, bez żalu przerwałby ten romans z Renatą za jakąś funkcję państwową. Czuł się na siłach i na pewno podołałby trudom rządzenia oświatą czy kulturą, mógłby też zostać ambasadorem w jakimś mniejszym kraju. Jednak na widoku nie było żadnego stanowiska, a jego pozycja w Warszawie wydawała się bardziej niż skromna. Żyjąc w dziwnym rozdwojeniu między udawanym sukcesem a rzeczywistym poczuciem beznadziei, nie potrafił się niczym cieszyć i wszędzie wietrzył wrogów.

– Panie pośle… – Burmistrz Walczak spojrzał na niego pytającym wzrokiem. – Jutro o dwunastej będziemy wręczali nagrody zwycięzcom konkursów. Czy uświetni pan uroczystość?

– Przykro mi bardzo, ale akurat jutro mam ważne spotkanie w Warszawie – odparł Hryć z niepocieszoną miną i stanowczym postanowieniem, że nie da się już wmanewrować w żadne uświetniania.

Tessa Steinmeyer odłożyła na chwilę pierwszy tom powieści Moniki i zamyśliła się, próbując znaleźć odpowiedź na liczne pytania, które zrodziła w niej ta lektura.

Ochłodziło się, gdzieś z daleka dobiegło ciche dudnienie, jakby nadciągającej burzy. Starsza pani wstała, aby zamknąć okno.

– Pogoda się psuje, szkoda – westchnęła. – Ale przynajmniej będzie czym oddychać.

Wtedy ponad linią drzew jeden po drugim zaczęły wybuchać sztuczne ognie.

– Biedne ptaki…

Tessa nie lubiła fajerwerków. Nie zachwycała się pokazami organizowanymi w sylwestra. Nie lubiła huku i żal jej było przerażonych zwierząt. Spojrzała na zegarek. Dwadzieścia po dziesiątej. Ciekawe, czy Mia już wróciła? Nagle ktoś zapukał, drzwi się otworzyły i stanęła w nich Elena.

– Dobrze się czujesz, mamo?

– Zupełnie znośnie.

– Gdybym wiedziała o tym pokazie, oddałabym ci mój pokój.

– To nie ma znaczenia, zaraz skończą.

– Widziałyście? – Do pokoju weszła Monika.

– I słyszałyśmy! – odparła Tessa. – Niech się bawią. A skoro przyszłyście mimo późnej pory, to może usiądziecie? Mia już jest? – zapytała córkę.

Elena roześmiała się kwaśno.

– Nie, i chyba nie będę na nią czekać.

– Bardzo rozsądnie. Ale jak zaśniesz z otwartymi drzwiami?

– Zamknę drzwi. W końcu obie mamy komórki.

– Napijemy się jeszcze wina? – znienacka zaproponowała Monika.

– Ja chętnie! – skwapliwie podchwyciła Tessa. – Ale w minibarku są tylko dwie maciupeńkie buteleczki. Może zamówmy coś większego?

– Mamo… – nieśmiało wtrąciła Elena.

– „W twoim stanie powinnaś się chyba trochę oszczędzać…" – przedrzeźniając ton córki, Tessa weszła jej w słowo. – Nigdy nie szalałam – zwróciła się do Moniki. – Ani razu nie postąpiłam wbrew rozsądkowi czy zasadom. Chyba że nieświadomie. A ten cerber kochany stoi nade mną i nawet mi nie pozwala poczuć szumu w głowie. Sama powiedz, co mi teraz może zaszkodzić? Dobrze! – spojrzała z wyrzutem na córkę. – Zaparz herbaty! Najlepiej rumiankowej. Samo zdrowie.

– Przepraszam – bąknęła nieco zawstydzona Elena. – Pij, co chcesz.

– O! Wreszcie właściwa postawa! To co? Dzwonię do restauracji po wino?

Gutowo, czerwiec 1967

Pozornie zajęta lizaniem lodów, Monika czuła się głupio. Nie szczęśliwa, nie wniebowzięta, nie triumfująca, bo Grzesiek wrócił, i to wrócił do niej! Tylko dlaczego w ogóle pozwoliła mu się zaprosić na ten spacer? Przecież zostawił ją na cały rok i przepadł! Nie dawał znaku życia. Ani razu nie napisał, nie pojawił się nawet na święta! Owszem, studiował. Pierwszy rok jest zawsze najtrudniejszy, ale był studentem, nie więźniem! Miała mu teraz tak po prostu wybaczyć, że ją porzucił bez jednego słowa, i o wszystkim zapomnieć? Co prawda, cierpiąc jak potępieniec, uczyła się gorliwie do matury, więc gdyby nawet Grzesiek wpadał czasem do miasta, pewnie i tak niewiele by z tego wyszło. Zresztą musiał przyjeżdżać, choćby po pieniądze, tylko starannie omijał jej okolicę! Rok! Cały rok! Trudno uwierzyć, że to wytrzymała! Ale paradoksalnie dzięki jego nieobecności mogła się skupić na tym, co najważniejsze. I choć jeszcze wczoraj nie wiedziała, czy go kiedykolwiek zobaczy, to właśnie jemu przede wszystkim chciała pokazać, że nie jest gorsza, że stać ją na wiele. Tylko to jej pozostało.

Czasem zastanawiała się, co on robi w tej Warszawie. Jakoś trudno było uwierzyć, że nie korzysta z uroków życia studenckiego. Zdążyła go już trochę poznać. Lubił wywierać wrażenie, na dziewczynach zwłaszcza, a w Warszawie na uniwerku było ich przecież pod dostatkiem. Więc dlaczego wrócił? Dlaczego przyszedł pod szkołę? Ta myśl nurtowała ją, od kiedy go zobaczyła.

– Coś taka odęta? – Grzesiek przerwał milczenie.

– Nie chcę, żeby mi się lody rozpuściły – bąknęła bez sensu.

– Przyjechałem, żeby spłacić dług wdzięczności – powiedział, a jej serce stanęło.

A więc o to chodzi?! Tylko o to? Przecież to niemożliwe! Od kiedy Grzesiek tak bardzo przejmuje się długami wdzięczności?

– I spłaciłeś? – zapytała naiwnie.

– A co? Nie dostałaś mojej ściągi? – udał zdziwienie, bo żadnej ściągi nie było.

Monika domyślała się, że on blefuje. Zawsze był kiepski z matmy, zawsze myślał tylko o sobie. Pewnie przyjechał do matki po pieniądze, tak się złożyło, że dziś był pisemny z matmy, więc przyszedł pod szkołę trochę poszpanować. Nie była nawet pewna, czy gdyby się przypadkiem nie napatoczyła, w ogóle starałby się ją odnaleźć. Teraz miała dwa wyjścia: udawać słodką idiotkę i zatrzymać na jakiś czas jego zainteresowanie lub powiedzieć wprost, żeby spadał.

– Na długo przyjechałeś? – zapytała, chcąc zyskać na czasie.

– Jutro wracam, mam w czerwcu kupę egzaminów.

– To tak jak ja…

– No właśnie. Na co zdajesz?

– Na prawo. Nie wiem, czy się dostanę… – dodała, jakby prosiła o wsparcie.

Od dawna zaklinała w ten sposób rzeczywistość. Wiedziała, że ma braki, ciągle coś nadrabiała. Nie była pewna swojej wiedzy, a raczej była przekonana, że gdzieś ją uwalą. Bardzo potrzebowała kogoś, kto by w nią wierzył, kto by jej powtarzał, że da sobie radę, że jej się uda. Na matkę nie mogła liczyć. Stefanii nie mieściło się w głowie, że mogąc iść do pracy, którą Kazimierz pewnie by jej załatwił w jakimś urzędzie, Monika wybiera się na studia. Z radością przyjęłaby porażkę córki, sto razy powtarzając: „A nie mówiłam?! Po co żeś się tam pchała?!", a potem natychmiast zażądałaby pieniędzy na utrzymanie. Grzesiek wiedział, że życie studenta, a zwłaszcza egzaminy wstępne, to nie jest bajka, liczyła więc na kilka ciepłych słów.

– Ty, córka pierwszego sekretarza, masz się nie dostać?! – roześmiał się z niedowierzaniem.

– Nie jestem jego córką. Zresztą nie chcę, żeby mnie protegował – zaprotestowała żywiołowo.

Kłamała, z ulgą przyjęłaby wiadomość, że Kazimierz załatwił jej wstęp na studia. Wiedziała jednak, że nie może tak powiedzieć. Sama przed sobą nie chciała się do tego przyznać.

– Boże, aleś ty nieżyciowa! I co ci po tej ambicji?

– Nie uznaję dróg na skróty! – odparła wyniośle. Żeby mu się przypodobać, postanowiła grać nieugiętą. Egzaminów bała się strasznie, ale chyba jeszcze bardziej obawiała się kompromitacji, gdyby przyszło wrócić do miasta i stanąć przed matką.

– To piękne, ale potwornie naiwne, a już zwłaszcza w Polsce. – Grzesiek westchnął teatralnie. – Zresztą nie moja sprawa. „Ucz się, dziecię, ucz, bo nauka to potęgi klucz!" – wyrecytował.

– Po co właściwie przyjechałeś? – zapytała znienacka.

– Stęskniłem się.

– Za kim?

Irytowała go jej postawa. Dlaczego była taka twarda? Dlaczego się nie cieszyła, nie rzuciła mu w ramiona? Dlaczego wszystko utrudniała?

– Masz kogoś? – zapytał nieoczekiwanie, a Monika spojrzała na niego z politowaniem.

Nie, nie miała nikogo. Czasem marzyła o jakimś idealnym chłopaku, ale zaraz potem przeganiała tę myśl jako całkiem nierealną. Nikt jej nigdy nie mówił, że jest ładna, a ona nie zdawała sobie sprawy, że onieśmiela kolegów. Grzesiek był jedynym, który się jej nie bał, ale przepadł, utknął gdzieś w Warszawie.

– Chłopaki organizują wieczorem na zamku ognisko. Poszłabyś?

Początkowo chciała mu powiedzieć: „Nie!". Odmówić stanowczo i nieodwołalnie. A potem pomyślała, że spędzi ten wieczór, oglądając z matką i Kazimierzem „Kobrę" albo słuchając Trójki, zamknięta w swoim pokoju, więc odparła może trochę nazbyt szybko:

– Pewnie! Ale nie licz, że pójdę z tobą w krzaki! – dodała, chcąc zgasić jego przedwczesny triumf.

– Ciągle te same surowe zasady? Nie wiesz, ile tracisz. – Zachichotał.

– Być może. – Wzruszyła ramionami. – To o której?

Grzesiek nigdy nawet przed samym sobą nie przyznawał się do porażek. Jeśli coś poszło wbrew jego oczekiwaniom, stawał się bardziej aktywny na innym polu. Monika nie domyślała się prawdy, ale słusznie podejrzewała, że nie przyjechał do niej. Uciekł z Warszawy po okrutnym policzku, jaki wymierzyła mu jedna z koleżanek. Początkowo szło całkiem dobrze, umówili się raz czy dwa do kina, potem na jazz do Hybryd, było wesoło i nawet trochę popijali. Nie grzeszyła bystrością, ale miała inne atuty. Dość szybko poszła z nim nawet do łóżka, nie bardzo się certoląc, co początkowo go zdumiało, bo nie wyglądała na taką. Ale musiał w końcu przyznać, że doświadczeniem znacznie go przewyższała.

Ilona Suchar była świetną partią. Lodówka w jej domu zawsze pękała w szwach i nęciła prawie tak samo jak wiecznie rozgrzebane łóżko dziewczyny. Jej ojciec, wysoki urzędnik w KC, o czym nie lubiła mówić, a co było tajemnicą poliszynela, mógłby spełnić nadzieję przyszłego zięcia na szybką karierę. Wszystko szło świetnie aż do koncertu Rolling Stonesów. Załatwienie biletów graniczyło z cudem, ale dla Ilony ceną cudu był zaledwie jeden uśmiech do tatusia i jakieś bąknięte półgębkiem ni to pytanie, ni to rozkaz: „Załatwisz mi bilety na Stonesów?!".

Właściwie to nawet nie był uśmiech, bo traktowała go dość parszywie. Pyskowała tak, że gdyby była córką Grześka, niczego by nie dostała, ani kasy na ciuchy z Rembertowa, ani adaptera, ani tych biletów na koncert. Ale, nie wiadomo dlaczego, jej stary wszystko znosił w pokorze. I bilety załatwił.

Grzesiek by się może nawet o tym nie dowiedział, tylko Ilona komuś wypaplała i się rozniosło. Z całego roku tylko ona jedna miała pewność, że wejdzie na koncert. Wszyscy jej zazdrościli. Nie pierwszy i nie ostatni raz. Grzesiek też lubił być obiektem zazdrości, ale na dwa czy trzy dni przed koncertem ona jeszcze wciąż mu ani słówkiem o tym nie wspomniała! Wreszcie nie wytrzymał i zapytał wprost:

– Co z tym koncertem Stonesów? Masz dla mnie bilet?

– Jasne. O szóstej przed wejściem do Kongresowej – odparła, jakby to było oczywiste.

Nienawidził, kiedy go lekceważyła, ale przełykał to w imię przyszłości. W gruncie rzeczy mógł znieść jeszcze więcej. To była transakcja wiązana. Skoro dawała mu wstęp do wielkiego świata, nie bardzo mógł się boczyć na jej wybryki. Doskonale wiedział, że dobra posada, mieszkanie, a w przyszłości samochód, mają swoją cenę. I nawet czasem myślał, że jest w Ilonie zakochany.

Gdy w dniu koncertu dotarł przed Salę Kongresową, nie od razu zaczął podejrzewać, że z niego zakpiła. Na każdym skrawku ulicy falował tłum. Ludzie wchodzili na nieliczne drzewa, próbowali się wspinać na latarnie. Narażając się na poszturchiwania, popchnięcia i wyzwiska, brnął mozolnie w kierunku wejścia. Raz po raz powtarzał głośno: „Mam bilet, mam bilet!". Prowadziły go nienawistne spojrzenia, ktoś podstawił mu nogę. I gdy stanął już wreszcie pod drzwiami, przez które wpuszczano do środka, zaświtało mu, że został nabrany! Ilona nie powiedziała, przy którym wejściu się spotkają. Ponad godzinę czekał, przepychając się od jednych drzwi wejściowych do drugich z nadzieją, że ją wreszcie spotka. Nie spotkał. Najpierw myślał, że to zwyczajny pech, nieporozumienie, brak precyzji. Nie wierząc w to, co się zdarzyło, kręcił się w tłumie, póki nie uznał, że ma dość. Nie podzielał ekscytacji gawiedzi. Był zły. Został wystrychnięty na dudka. I tak jak ponad godzinę temu przepychał się znowu, tylko w przeciwnym kierunku. Szedł wzdłuż Dworca Śródmieście, a potem Alejami Jerozolimskimi i zagryzając wargi, walczył z nieoczekiwanym upokorzeniem. Wreszcie kupił marne wino w jakimś sklepie spożywczym i raz po raz wyjmując je z kieszeni płaszcza, popijał, aby zapomnieć o wstydzie.

O dziewiątej wieczorem już zmierzchało, ale na górnym zamku było jeszcze dość widno. Zresztą chłopaki już rozpalili ogień. Grzesiek niósł siatkę z sześcioma butelkami wina i trzema oranżady. Monika zabrała z domu dwa pęta kiełbasy, czekoladę, chleb i słoik musztardy. Pod pachę wzięła też koc, żeby można było wygodnie usiąść. Matka kazała jej wrócić o dziesiątej, ale stojący za plecami Stefanii Kazimierz porozumiewawczo pokręcił głową.

– Wrócę przed północą. Chyba że będzie drętwo – odparła, jakby nie usłyszała matki, która fuknęła pod nosem i ostentacyjnie poszła oglądać telewizję. – Będzie kilka osób z osiedla, nic mi się nie stanie.

W tej chwili do drzwi zapukał Grzesiek. Stefania nawet nie wyjrzała. Grzesiek wymienił z Kazimierzem uścisk dłoni, ale nie rozmawiali, ponieważ Monika była już gotowa. Humor jej dopisywał. Nie robiła sobie wielkich nadziei, niczego nie planowała, chciała się tylko dobrze bawić.

Wokół ogniska siedziało ze dwadzieścia osób. Przeważnie pary, choć było też kilkoro samotnych. Ktoś przyniósł radio tranzystorowe, bez przerwy leciały więc modne przeboje. Grzesiek usiadł obok Moniki. Opowiadał niesamowite rzeczy o Warszawie, uniwerku, Hybrydach, a wreszcie ni stąd, ni zowąd rzucił obojętnym tonem:

– Byłem na koncercie Stonesów.

Wszyscy na chwilę zamilkli. Przejęci, wstrzymali oddech.

– Opowiadaj! – zapiszczały dziewczyny, a on się tylko skrzywił.

– Koncert jak koncert.

– No, ale tłumy były! Widzieliśmy w kronice filmowej.

– Nawet tam gdzieś miga moja głowa. I marynarka, bo w końcu wszyscy nimi wywijaliśmy – brnął Grzesiek.

– Boże… – westchnęła Alina. – Znam kogoś, kto był na koncercie Stonesów! – Poderwała się i pociągnęła Grześka za rękę, a potem wpiła mu się w usta namiętnym, soczystym pocałunkiem, aż w końcu wrzasnęła: – Ludzie! Słuchajcie, a ktoś ma w ogóle płytę Stonesów?

Monika, zapatrzona w ogień, pomyślała o swoim skromnym zbiorze płyt. Miała zaledwie trzy longplaye: Filipinek, Czerwonych Gitar i Anny German, resztę stanowiły plastikowe pocztówki dźwiękowe. W radiu leciała właśnie *Matura* Czerwonych Gitar, więc Monika przeżegnała się ukradkiem, bo przecież to piosenka o zawalonym egzaminie, który trzeba za rok powtarzać, a ona wciąż miała przed sobą ogłoszenie wyników pisemnych i ustne.

Zajęta opiekaniem kiełbasy, nie śledziła, co robi Grzesiek. Nie był jej chłopakiem, mógł robić, co mu się podoba.

Ale on, o dziwo, zaraz wrócił. Usiadł jak gdyby nigdy nic i wyjął z siatki wino. Po kolei odbijał korki i podawał butelki kolegom. Monika urwała kawałek chleba i ze smakiem jadła kiełbasę. Kiedy już skończyła, popiła oranżadą. Było naprawdę wesoło. Podobnie jak w poprzednim roku pary raz po raz opuszczały krąg światła i oddalały się w ciemność. Ale Grzesiek, uprzedzony zawczasu, nie nalegał. Tylko objął ją wpół i przytulił. Kiedy w radiu zaczął się jakiś wolny numer, zapytał, czy z nim zatańczy. Wstała, ujęta jego elegancją. Tańczyli, nie patrząc sobie w oczy, ale coraz bliżej, wreszcie musnął wargami jej włosy, potem szyję.

Monice zrobiło się gorąco.

– Tak bardzo za tobą tęskniłem! – usłyszała.

Tym razem jednak postanowiła być ostrożna.

Płock,
niedziela 28 sierpnia 2016, 22:00

Gdzieś w torebce telefon zadźwięczał sygnałem przychodzącego SMS-a, ale Martyna nie dała rady odebrać.

– Puść, debilu! – syknęła.

– Dobrze się bawiłaś, dziwko?!

Pierścionek zaręczynowy, którego nie zdążyła zdjąć, chcąc się nim nacieszyć, pod zaciskającymi się palcami Daniela uwierał boleśnie. Żałowała, że dała mu się przyłapać i nie zdjęła pierścionka w autobusie.

– Lepiej niż z tobą! – rzuciła wściekle. Miała w nosie, że go jeszcze bardziej wkurzy.

– Już ci pierścionki kupuje?! – prychnął. Nie dał się sprowokować, bo nadal się nie domyślał albo nie chciał domyślić się prawdy.

– Sama sobie kupiłam! – skłamała, przeczuwając kłopoty.

– Zdejmuj to badziewie! – zażądał.

– Ani mi się śni!

– Zdejmuj! – warknął groźnie.

Martyna się wyrywała, więc znów zaczął ją szarpać. Wreszcie udało mu się unieruchomić jej rękę, wsunąwszy ją sobie pod pachę, i teraz przyglądał się pierścionkowi z udawanym znawstwem.

– Niezła podróba. Ile dał?

– Czterdzieści dziewięć. – Martyna wiedziała, że nie ma co udawać głupiej.

– Pięć dych?! Za taki badziew? Dobra, spoko, co się rzucasz! Zdejmuj, pójdę po piwo. Ze trzy dychy może dadzą w lombardzie. Gościu wie, że zawsze przychodzisz po swoje fanty.

– Niedoczekanie! Chcesz chlać, to sam sobie stawiaj.

– Nie bądź sztywna, przecież razem się napijemy. Za zdrowie tego Misia. Swoją drogą sknera z niego, mógł ci coś porządnego kupić! – marudził, przyglądając się pierścionkowi.

– Przecież mówię, że sama sobie kupiłam! Oddawaj to! – krzyknęła Martyna, przerażona, bo Daniel jakimś cudem ściągnął jej pierścionek z palca.

– Tak za free się przejechałaś do Gutowa i z powrotem? I to dwa razy? Ty go chyba rzeczywiście lubisz? – zakpił.

– Obiad mi postawił. W pałacu. I lody.

– A ty co mu postawiłaś? – zarechotał.

Rozwścieczona, złapała go za rękę, chcąc wyrwać swoją własność, ale on bez zastanowienia zamachnął się i wyrzucił pierścionek przez otwarte okno. Usłyszeli jeszcze metaliczne uderzenie o dach i pierścionek bezszelestnie spadł gdzieś w ogrodzie.

– Ups! – Robiąc minę niewiniątka, rozłożył ręce i spojrzał na nią.

– Ty cholerny popaprańcu! Wynoś się! Raz na zawsze stąd spieprzaj, rozumiesz?! – darła się zrozpaczona, jednocześnie próbując znaleźć latarkę.

Chwycił ją, pociągnął za rękę i objął.

– Zostaw ten złom – wyszeptał, wsuwając dłoń pod jej bluzkę. – Na drugi raz powiedz mu, że nie masz na czynsz… – doradził i nie pytając o zgodę, pocałował ją w usta.

Osunęli się na podłogę. Niedługo to trwało. Zawsze trwało niedługo. Daniel błyskawicznie dochodził. Zresztą w każdej chwili mogła wrócić matka, a dzieci też miały lekki sen. Więc Martyna uklękła i pozwoliła mu zrobić to, na co miał ochotę. Raz-dwa i po bólu. Jeszcze tylko zapali papierosa, stały rytuał, i pójdzie w diabły. Krzyżyk na drogę.

Siedział teraz na krześle i wyjmował papierosa, a ona podawała mu ogień. Zaciągnął się głęboko, mocno odchylając głowę.

– Dlaczego ciągle mi się podobasz? – westchnął, ale ona wiedziała, że w gruncie rzeczy ma ją gdzieś. Była dla niego nikim, bo się nie opierała, i dziś Daniel przeleci przynajmniej jeszcze jedną, swoją obecną dziewczynę, Andżelę.

Martyna przywykła już do tych napadów czułości. Myślał może, że w ten sposób utrzyma ją przy sobie, że ma ją w garści. Dla świętego spokoju w końcu zawsze ulegała, bo kiedy raz ośmieliła się postawić, długo pod okularami słonecznymi musiała ukrywać wielki siniak. Taki już był, kiedy coś mu się nie podobało. Zupełnie jak z tym pierścionkiem. Potem nawet czasem przepraszał i chyba naprawdę było mu przykro. Albo robił to dla świętego spokoju. Zresztą nigdy się nie przeliczył, nie poszła zrobić obdukcji i nie złożyła zeznań na policji. Co by to zresztą dało? Jeszcze musiałaby go odwiedzać w więzieniu, a o kasie na małego mogłaby zupełnie zapomnieć. Sądził, że tak będzie zawsze? Dlaczego wciąż mu na to pozwalała? Dlaczego dzisiaj go nie wygoniła, jeszcze zanim złapał ją wpół i wsadził dłoń w majtki? Może ze względu na syna, który zawsze tak bardzo się cieszył, kiedy widział tatę, chociaż ten notorycznie zapominał o alimentach. I mimo że czuła się przy nim jak dziwka, coś ją w tym cholernym draniu nadal kręciło.

– Daj mi dwie dychy – powiedział niewinnie Daniel, gasząc papierosa w szklance z wystygłą herbatą.

– Zapomnij. Jesteś mi już winien dwie stówy, nie licząc alimentów.

– Nie bądź sknerą, noc jeszcze młoda. Mam siedzieć w pubie o suchym pysku?

– Popróbuj tych swoich numerów, może ktoś ci postawi? Na przykład Andżela...

– Nie bądź zazdrosna!

– Ja?! O nią?! Widziałeś ją za dnia?!

– Zresztą to już nieaktualne.

– Co za ulga! No, chyba się poryczę ze szczęścia! – ironizowała.

– Ma na imię Klaudia.

– Kolejna głupia! – Martyna pokręciła głową. – Przynajmniej skończyła gimnazjum?

– A co, ty jej matka jesteś? Albo moja?!

– W sumie to nie, tylko nie przyłaź potem po kasę na skrobankę, okej? Spadaj już, muszę się przygotować do roboty – warknęła, zdejmując bluzkę.

– Misio wie, że ciągle dupcią kręcisz przed obcymi facetami? – nie pozostał jej dłużny.

Wyprostowała się i spojrzała na niego z pogardą.

– Tobie to jakoś nigdy nie przeszkadzało.

Usłyszeli ciężkie stąpanie po schodach, a chwilę później przez niewielki przedpokój do kuchni weszła matka Martyny. Skrzywiła się na widok Daniela.

– No, jestem, możesz lecieć.

Martyna nalała wody do miski stojącej na szafce, pochyliła się, umyła pod pachami i odświeżyła dezodorantem. Potem szybko poprawiła makijaż i założyła obcisłe, podziurawione dżinsy, krótki T-shirt i szpilki. Daniel zauważył nowy tatuaż nisko na plecach.

– Dzieci śpią. Będę jak zwykle – Martyna rzuciła w kierunku matki.

Wychodząc, zabrała małą torebkę, przewiesiła ją sobie przez ramię i zbiegła ze schodów. Daniel zszedł pierwszy. Czekał na dole.

– To jak będzie z tą kasą? – podlizywał się niczym dzieciak.

– Odwal się, dobra?

Myślała, że poklnie trochę i da spokój, ale złapał ją za nadgarstek i z całej siły ścisnął.

– Proszę! – powiedział nieprzyjemnie i wolną ręką ściągnął jej z ramienia torebkę.

Muszę się wreszcie od niego uwolnić! – pomyślała, dała mu banknot i rzuciła okiem na ogród skąpo oświetlony przez latarnię uliczną. Westchnęła głęboko, żałując utraconego pierścionka.

Warszawa, lipiec 1967

Monika pakowała się przed wyjazdem na egzaminy i modliła w duchu o jedno: aby już nigdy nie musiała wracać do Gutowa. Choćby i przyszło przymierać głodem, a może nawet zostać w Warszawie w razie porażki, liczyła jednak na łut szczęścia podobny do tego, jaki jej się zdarzył na maturze. Nie zabłysła jakoś szczególnie, ale większość przedmiotów zdała na mocne czwórki, tylko matematykę na trzy, tu nigdy nie miała szczególnych aspiracji. Trzeba przyznać, że Grzesiek, co zupełnie nie było do niego podobne, dał jej wsparcie: obiecał, że po swojej sesji zaczeka na nią w Warszawie i pomoże odnaleźć się w uniwersyteckim rozgardiaszu.

Warszawa ją oszołomiła! Monika widziała już kiedyś miasto podczas wycieczki szkolnej, ale pamiętała z niego niewiele, przede wszystkim bąble na stopach spowodowane przez nowe sandały, wodę sodową z saturatora, jedyny zakup, na jaki ją było stać, Pałac Kultury i zoo. Ta Warszawa to było zupełnie inne miasto. Nowoczesne, ruchliwe, pełne śpieszących dokądś ludzi, trąbiących aut, tramwajów zgrzytających na szynach, eleganckich kobiet i obficie zaopatrzonych sklepów.

Ale zanim to wszystko dostrzegła, miała przed sobą koszmar egzaminów i przytłaczające uczucie, że oto rozstrzyga się jej los. Choć miasto przytłaczało ją swym ogromem, była gotowa zawalczyć, aby stać się jego częścią. I tak szarpiąc się pomiędzy nadzieją a zwątpieniem, jechała do akademika na Kickiego, gdzie miała nocować przez czas egzaminów.

– Nic się nie martw! Uda się! – przynajmniej Grzesiek nie tracił rezonu. – Jesteś obryta na blachę, dostaniesz się!

– A jeśli nie?

– Wojsko ci nie grozi. Przesiedzisz rok w domu, pokujesz trochę i spróbujesz jeszcze raz.

– Ty nic nie rozumiesz! – fuknęła zezłoszczona. – Ja nie mogę tam wrócić! Nienawidzę mojej matki, nie cierpię tego zapyziałego miasta, tej dusznej atmosfery, tych dziesięciu uliczek na krzyż, tych kocich łbów, kurzu i błota, tego, że wszyscy wszystko o wszystkich wiedzą, że plotkary siedzą w oknach i tylko filują, z kim idziesz i dokąd. Tam się nic nie dzieje, nikt ciekawy tam nie przyjeżdża, martwota taka. Zostanę tu, choćbym miała zdechnąć z głodu! Zdam te cholerne egzaminy i zostanę sędzią!

– Sędzią możesz być też w Gutowie, w takich małych miastach o wiele łatwiej zrobić karierę. Kazimierz ma wpływy. Moglibyśmy razem wrócić…

Spojrzała na niego rozczarowana.

– Ty już chcesz wracać? A niby po co? Zostaniesz szefem cukierni?

– No coś ty?! – fuknął obrażony.

– Ja chcę żyć, rozumiesz?! – niemal wykrzyknęła Monika. – Chcę się uwolnić od tego wszystkiego! Chcę słuchać bigbitu, tańczyć i szaleć. Warszawa ma w sobie niesamowitą energię! Czuję to od chwili, kiedy wysiadłam z autobusu. Tu się może zdarzyć wszystko! Rozumiesz?! Wszystko! A w Gutowie nie może się zdarzyć nic. Żyłabym tam jak pies na łańcuchu. O nie, mój drogi. Ja zostaję i nigdzie się już stąd nie ruszam! – wyrzuciła z siebie, dla efektu zaplatając ręce.

– Egzaminy trwają trzy dni, co potem? Przecież są wakacje, nie możesz tu zostać.

– Prawda… – zasępiła się.

Grzesiek objął ją ramieniem i powiedział cicho, wprost do ucha:

– A co byś powiedziała na wakacje nad morzem?

– Ale jak to? – Popatrzyła zdziwiona. – Nie, matka mnie nie puści…

– Na stopa pewnie nie, ale na obóz studencki?

– Forsy mi nie dadzą…

– Nie zapominaj, że obóz studencki jest obowiązkowy. Jeśli go nie zaliczysz, nie zostaniesz studentką.

– Serio? – Zmarszczyła brwi, ale za chwilę zrozumiała, o co mu chodzi.

– A potem, we wrześniu, jeszcze będą praktyki robotnicze. Ale to już pewnie w jakimś zakładzie w Warszawie. Tym razem naprawdę i płatne. W FSO, w Róży Luksemburg, może w Waryńskim, nie wiem, gdzie was rzucą.

– A co ja mogłabym robić w FSO?

– Cokolwiek. Przybijać pieczątki, grabić trawnik, pracować przy taśmie. Nie zapominaj, że Polskę Ludową budujemy na każdym stanowisku pracy.

Monika wynajęła miejsce w pokoju, zostawiła walizkę i przewiesiwszy sobie przez ramię lekką płócienną torbę, ruszyła z Grześkiem na uniwersytet, żeby poznać drogę i następnego dnia nie błądzić.

Egzaminy składały się z części pisemnej i ustnej. Pisemna, podobna do matury, wydawała się Monice łatwiejsza. Polski i historia w jednym, wypracowanie, to nie był problem. Skupiła się na tym, co miała do napisania, nie rozglądała na boki, nie szukała pomocy, bo wiedziała, że nikt jej nie udzieli. Gorzej było podczas ustnego. Wyobraziła sobie, że każdy z trójki egzaminujących ją profesorów zapamięta najmniejsze jej potknięcie. Była tak stremowana, że z trudem formułowała odpowiedzi. Wiedziała, że nie wypadła najlepiej, jednak miała nadzieję, że dołączy do grona przyjętych.

Nie było sensu czekać na wyniki, które miały być ogłoszone dopiero za kilka dni. Zresztą Grzesiek też chciał wracać do domu, na dodatek obojgu kończyły się pieniądze.

– Jesteś już prawie studentką. Teraz wypadałoby porozmawiać o wakacjach – zagadnął, gdy usadowili się w autobusie.

Poza podróżą do szpitala Monika jeszcze nigdy nigdzie sama na dłużej nie wyjeżdżała. Po niefortunnych wakacjach, kiedy Stefania ich opuściła, nikt nie proponował żadnych letnich wypadów. Ograniczali się do biwakowania nad jeziorem Nyć, pracy w ogródku działkowym, który Kazimierz dostał z przydziału, lodów i spacerów oraz grzybobrania w otaczających miasto lasach.

– Ale jak to sobie wyobrażasz? – Monikę oszołomiła perspektywa samodzielnego wyjazdu, a jeszcze bardziej to, że Grzesiek mówił tak, jakby to miał być ich wspólny wypad.

– Normalnie. Ty, ja i morze.

Zapatrzona w okno, milczała.

– Szczerze mówiąc, spodziewałem się bardziej entuzjastycznej reakcji… – westchnął na pokaz, a ona po prostu tchu nie mogła złapać ze szczęścia. W jednej chwili zapomniała mu ten rok milczenia, gotowa wybaczyć wszystko i jeszcze więcej. Wreszcie odwróciła się twarzą do niego i nadal nie dowierzając, zapytała:

– My dwoje? Nad morze?

Grzesiek wreszcie zrozumiał, że to nie było wahanie, chęć odmowy, tylko ukrywana radość, więc swoim zwyczajem zapytał tonem przedwojennego amanta filmowego:

– A chciałabyś jeszcze kogoś?

– Wiesz, że nie. Tylko czy matka mnie puści…

– Ale dziecko z ciebie! Na obóz studencki?! Żniwa w PGR-ze gdzieś w Koszalińskiem, ojczyzna wzywa, nie można odmówić. Nie wspominaj o mnie ani słowem, zresztą ja jadę na Dolny Śląsk…

– Jak to? – zdumiała się.

– Oj, dziecko, dziecko. Oficjalnie jadę. Żeby nie było podejrzeń. Tak mów, tego się trzymaj.

Monika nie chciała oszukiwać Stefanii, ale podskórnie czuła, że na wyjazd z chłopakiem nie dostałaby zgody. Ależby było gadania! Może matka by nawet napuściła Kazimierza, żeby jej nie dał pieniędzy. Jednak kłamstwo to poważna rzecz. Różnie między nimi bywało, częściej gorzej niż lepiej, ale zaczynać dorosłe życie od okłamywania matki, nie, to nie mieściło się Monice w głowie.

– A kiedy byśmy mieli wyjechać?

– Jak najszybciej!

Wsunęła rękę pod pachę Grześka i głęboko westchnąwszy, oparła głowę na jego ramieniu. Za kilka dni przyjdzie zawiadomienie, że dostała się na studia. Od tej pory będzie już naprawdę dorosła. Zamknęła oczy i głęboko westchnęła.

– Porozmawiam z Kazimierzem – powiedziała wreszcie na wpół senna.

– Nie porozmawiasz, tylko mu powiesz, że musisz jechać na obóz. Że to warunek dostania się na studia. Ja wykupię książeczki autostopu i pojedziemy, gdzie nas oczy poniosą. Weź plecak i niezbyt dużo ciuchów, to będziemy swobodni. Żadnych walizek!

– A gdzie będziemy spali?

– U chłopa na sianie. Albo pod gołym niebem.

– Mówisz, jakbyś już tak podróżował.

– No, w tamtym roku z chłopakami – odparł krótko, ucinając dyskusję, a ona o nic nie zapytała. – Spodoba ci się, zobaczysz.

Stefania przyjęła ją chłodno, nie przysiadła, kiedy Monika jadła zupę, nie zarzuciła jej tysiącem pytań dotyczących egzaminów, uczelni czy chociażby Warszawy, w której dawno nie była. Krzątała się po mieszkaniu, zajęta swoimi sprawami, i trudno się było domyślić, czy chce się dowiedzieć, jak było. Ale kiedy Monika wyszła ze śmieciami, zaczepiła ją sąsiadka, pytając o wynik egzaminu.

– Bo twoja matka to wszystkim sąsiadkom już powiedziała, że będzie mieć sędziego w domu.

– Naprawdę? – Monikę zaskoczyła ta nowina, Stefania przecież była tak niechętna jej studiowaniu. Widać jednak w rozmowie z sąsiadkami przybierała inny ton, pragnęła uchodzić za nowoczesną, udawała, że wspiera córkę. Wobec obcych doskonale jej się udawało symulować dumę, rosła w ich i swoich własnych oczach i nie wstydziła się, że kłamie.

Monika już dawno zrezygnowała z prób zrozumienia matki. Żyły pod jednym dachem, ale nie kochały się, zaledwie tolerowały. Na szczęście niedługo rozstaną się na zawsze. Monika nie planowała przyjeżdżać do Gutowa na niedziele. Może raz w miesiącu albo nawet rzadziej. Jak najszybciej poszuka sobie pracy i postara się nie brać od Kazimierza ani grosza. W gorszych chwilach wyobrażała sobie, jaką będzie matką. Jeśli kiedykolwiek będzie miała córkę, nigdy jej nie zawiedzie. Będzie dla niej przyjaciółką, zbyt dobrze wiedziała, jak strasznie boli chłód ze strony matki, jej obojętność, a nawet wrogość.

Trochę lepiej jej się układało z Kazimierzem, który był prawie jak ojciec, choć i ta zażyłość dawno już się rozluźniła. Kazimierz coraz częściej zaglądał do kieliszka, wracał do domu nietrzeźwy późnym wieczorem, rano wychodził do pracy, wciąż czymś zajęty, wyjeżdżał w teren, do Płocka, do Warszawy…

Nic mnie tu nie trzyma – pomyślała Monika. – I bardzo dobrze! Świat jest zbyt ciekawy, aby siedzieć w domu, to tylko strata czasu.

List polecony z informacją, że Monika dostała się na studia, odebrała Stefania. Nie zaczekała na córkę, tylko natychmiast otworzyła. Długo wpatrywała się w krótki oficjalny komunikat, wreszcie odłożyła kopertę na stół w pokoju Moniki. Nie spróbowała jej nawet zakleić. Monika, wróciwszy z miasta, znalazła list i aż usiadła z wrażenia. Przeczytała wiadomość kilkakrotnie, jakby szukała ukrytych znaczeń lub nie dowierzała swemu szczęściu. Więc jednak się udało! Otworzyła okno, chcąc dać upust radości, wykrzyczeć na cały głos swoje szczęście! Z tej strony bloku nie było ulicy, tylko wąski pas trawy i dalej pokrzywione ze starości drewniane płoty kończące prywatne posesje. Zawisła z ręką na klamce okna. Zrozumiała, że jest tylko jedna osoba, która doceni jej wysiłek, a może nawet pozazdrości sukcesu.

Ale kiedy pomyślała o Teresie, zawstydziła się, bo nawet jeśli ją czasem wspominała, nigdy nie znajdowała dość determinacji, aby pojechać do Zajezierzyc i dowiedzieć się, co u niej. Dawna przyjaciółka służyła za lustro sukcesów Moniki, zawsze pozostając trochę z tyłu, bo nawet jeśli kontynuowała naukę, to w gorszych szkołach lub wieczorowo, a dystans między nimi powoli rósł. I teraz znów go powiększyła. Czy Teresa kiedykolwiek zda na studia? Wątpliwe. Raczej pogodzi się ze swoją podrzędną rolą i już na zawsze utkwi w Gutowie. Czy więc pojawienie się w Zajezierzycach nie byłoby przez nią uznane za chełpienie się, niepotrzebne wywyższanie, z góry skazane na pogardę? Bo nawet jeśli zastanie Teresę lub odnajdzie ją gdzieś na polu, jeśli zdoła wytrzymać jej pełne wyrzutu spojrzenie, jeśli uda im się choć na chwilę odnaleźć dawne porozumienie, z każdym rokiem będą się od siebie nieuchronnie oddalać. Już się oddaliły, skoro tak trudno zdobyć się na decyzję, żeby spojrzeć jej w oczy. Monika zamknęła okno, powiodła wzrokiem po pokoju, w którym Teresa nigdy nie była, i chwyciła sweter i torebkę.

– Idę na miasto! – rzuciła, wychodząc.

Zajęta gotowaniem obiadu Stefania nie zdążyła zaprotestować.

Idąc ulicą, Monika niemal frunęła. Śmiała się do ludzi, kłaniała nawet nieznajomym. Najpierw poszła do Grześka. Był w domu sam. Ucieszył się na jej widok, ale natychmiast posmutniał, widząc, że dziewczyna długo nie zabawi. Potem pobiegła do Domu Partii. Kazimierza trochę zaniepokoiła jej wizyta, kiedy jednak wytłumaczyła, o co chodzi, pogratulował jej szczerze. Monika nigdy nie umiała prosić o pieniądze, ale jakoś wydukała w końcu prośbę i otrzymała obietnicę opłacenia „obozu studenckiego". Kiedy wyszła na ulicę, zatrzymała się i nękana wyrzutami sumienia, wróciła do gabinetu ojczyma.

– To nieprawda, skłamałam. Nie ma żadnego obozu studenckiego.

– A na co potrzebujesz pieniędzy? – zaniepokoił się.

– Chcę wyjechać z chłopakiem nad morze.

Twarz Kazimierza od razu się rozpogodziła.

– No, nareszcie! Znam go?

– Tak, to Grzesiek Hryć. Tylko nie mówcie matce. Pewnie by mnie zabiła.

Kazimierz pokiwał głową.

– Dziękuję za zaufanie.

Uszczęśliwiona pocałowała go w szorstki policzek.

– Pojadę jeszcze do Zajezierzyc. Wróćcie dziś wcześniej, kupię jakieś ciastka u Hryciów...

Kazimierz uśmiechnął się. Nie wyjawił Monice swojego udziału w jej sukcesie.

Teresa o niczym się nie dowiedziała. W domu babki drzwi były zamknięte i nikt z napotkanych sąsiadów nie potrafił powiedzieć, gdzie jej szukać. Monika pomyślała, że przyśle przyjaciółce kartkę znad morza, i najbliższym autobusem wróciła do Gutowa.

Gutowo, poniedziałek 29 sierpnia 2016, 00:30

Co ja robię?! Jest środek nocy, a ja idę w deszczu z nieznajomym. Mam mokre włosy i na pewno wyglądam okropnie – gorączkowo rozmyślała Mia, ale nie oddałaby tego spaceru za nic w świecie. Niechby się nawet przeziębiła. Od momentu, kiedy spojrzeli sobie w oczy, przepadła.

– Wyglądasz prześlicznie! – jakby usłyszawszy jej myśli, powiedział uśmiechnięty Maciek. – Nie jest ci zimno? Mogę cię wziąć na ramę, może dotrzemy szybciej.

– Nie, w porządku. Ale kiedy dojdziemy do pałacu, będę już całkiem mokra.

– Mam nadzieję, że się nie rozchorujesz – usłyszała troskę w jego głosie i to jej zaimponowało. Nie proponował, żeby poszła do jego pokoju, aby się wysuszyć, nie grał tymi wszystkimi wyświechtanymi chwytami. Byli sami, pośrodku niczego, padał deszcz, więc mógł ich minąć co najwyżej jakiś samochód, a on nie rzucał się do całowania, nie robił aluzyjek, wyglądało to wszystko tak miło, zwyczajnie. Po prostu szli powoli, szczęśliwi, że na siebie trafili, że mogą być razem. Bez trosk i bez myślenia o jutrze, pojutrze.

– A kim był twój dziadek? – zapytała.

– Pochodził z Kresów, a po wojnie budował Warszawę. Kiedy teraz o tym myślę, zaczynam rozumieć, jak mało o nim wiem. Ale jego przeszłość nigdy mnie nie interesowała. Dopiero ten testament i prośba, żebym nie sprzedawał ziemi, dopóki się tu nie rozejrzę, spowodowały, że trochę zacząłem się zastanawiać. Gdyby nie brakowało mi kasy, nigdy bym tu nie przyjechał.

– Czego mógł chcieć, co spodziewał się osiągnąć? Mówiłeś chyba, że już nie żyje? Co innego, gdyby żył, jak moja babcia... Ciekawe, czy się kiedyś spotkali? Zapytam ją, chcesz?

– Właściwie nie ma znaczenia, czego chciał. Może nigdy tego nie odkryję. Czytam tę książkę, chociaż niewiele się dowiedziałem, ale od kiedy trochę poznałem związaną z nim historię, ten kawałek ziemi ma dla mnie zupełnie inną wartość – powiedział nad wyraz poważnie. – No i dzięki dziadkowi poznałem ciebie.

– Zabawne, bo ja też nie chciałam tu przyjeżdżać i to babcia mnie zmusiła! – Ostatnie słowo Mia wypowiedziała, szczękając zębami.

– Mam pomysł! Wsiądź na rower i jedź do hotelu. Zostaw go przed drzwiami, kiedy dojdę, to go zabiorę. Wskocz pod prysznic i się rozgrzej, napij się gorącej herbaty, bo inaczej złapiesz przeziębienie.

– Jakoś wytrzymam – odparła, mając nadzieję, że to jeszcze nie koniec wspólnego wieczoru.

Elena wyjrzała przez okno, jakby spodziewała się zobaczyć córkę. Dopóki siedziała w pokoju matki, starała się ukrywać zły humor, bo Mia napisała, że nie wie, kiedy wróci. Gdyby były w Wiedniu, pewnie nie zrobiłoby to na niej takiego wrażenia. Ale tutaj? Przecież ona poza tym chłopakiem nikogo nie zna. Tylko on mógł wchodzić w grę. Elenie nie podobało się, że Mia zadaje się z barmanem. Nieważne, że był przystojny, ale to takie nierozsądne, wręcz głupie. Przecież jeśli się zakocha, będzie cierpiała. Jest taka delikatna i ufna. A dzisiejsi mężczyźni, cóż...

Wzdychając ciężko, Elena poszła wziąć prysznic. Drzwi wejściowe zostawiła otwarte, jakby tym gestem zachęcała córkę do szybszego powrotu. Zawróciła jednak z łazienki i przekręciła zamek. Nie czułaby się komfortowo, wiedząc, że ktoś niepowołany może bez problemu wejść do pokoju. Potem, stojąc pod strumieniem gorącej wody, denerwowała się, że Mia niespodziewanie wróci i będzie czekała pod drzwiami. Skróciła więc toaletę do niezbędnego minimum.

– Może przynajmniej dobrze się bawi...

Już wyciągała rękę po telefon, ale zawahała się i nie zadzwoniła do córki. Szukała pretekstu i nie znajdowała żadnego. Wreszcie położyła się z książką do łóżka i około wpół do drugiej, nie gasząc lampki, zasnęła.

Mia zauważyła światło w oknie pokoju, ale kiedy chciała się pożegnać, Maciek chwycił ją za rękę. Patrzył wzrokiem, który budził w niej miłe skojarzenia. Było w nim ciepło i opiekuńczość, a także prośba, aby jeszcze nie odchodziła. Właściwie tego oczekiwała. Myślała, że byłoby straszne tak rozstać się pod drzwiami, bo może to ostatni wieczór, ostatni i jedyny, kiedy jeszcze można coś powiedzieć, coś ustalić, zaplanować.

– Czy... Czy wypiłabyś ze mną herbatę? – zapytał nieco asekuracyjnie, a ona przypomniała sobie o matce.

– Czemu nie? – Uśmiechnęła się i mimo późnej pory napisała SMS: JESTEM JUŻ W HOTELU.

Sygnał obudził Elenę, odczytała wiadomość i pomyślała, że Mia zaraz wróci. Ale minuty mijały, a ona nie pukała. Po co wysłała ten SMS? Chyba wyłącznie po to, aby zakomunikować, że nie wróci na noc. Była blisko, ale to nie znaczyło jeszcze, że jest bezpieczna. Ten chłopak! Że też musiał się napatoczyć! Przecież nie poszła do niego, żeby się napić herbaty! Elena wstała i wyjrzała przez okno. Mżył drobny deszcz. Gdzie mogła być w tej chwili jej córka?! Chyba nie pakowała się w jakieś kłopoty?! Wybudzona ze snu, Elena krążyła po pokoju. Wiedziała, że do rana nie zmruży oka.

– Czarna czy zielona? – zapytał Maciek, kiedy weszli do jego pokoju. Było tu więcej niż skromnie. Dwa łóżka, krzesło, stolik przy ścianie, jak w hostelu. – Przepraszam za spartańskie warunki, ta część hotelu jest przeznaczona dla mniej zasobnych gości. Właściwie dla wycieczek.

– Nic nie szkodzi, zielona – powiedziała Mia. – Mogę skorzystać z łazienki? Masz jakiś suchy sweter?

– Jasne! Przepraszam! Zaraz coś znajdziemy... – Zaczął grzebać w szafie, ale niczego, co wydawałoby mu się dość czyste, nie znalazł.

– Trudno, owinę się ręcznikiem – odparła Mia.

Z ulgą zdjęła przemoczone rzeczy. Odkręciła kran i stojąc pod prysznicem w strumieniu ciepłej, a potem gorącej wody, rozgrzewała się powoli i zastanawiała, co dalej. Rano nie myślała o takim rozwoju wydarzeń, nie zabrała ze sobą szczoteczki do zębów, nie mówiąc o bieliźnie na zmianę. Kiedy wyjdzie z łazienki, sytuacja będzie oczywista: ona naga, owinięta w ręcznik, w środku nocy, w jego pokoju. Powinna się pożegnać i pójść do matki, ale nie wyobrażała sobie, że znów założy mokre ciuchy albo że ubierze się w jego rzeczy. W jakie zresztą? Nie chciała też, aby uznał, że wskakuje każdemu facetowi do łóżka. Wyszła z łazienki nieco skonsternowana. Maciek to zauważył.

– Spokojnie. Tu są dwa łóżka, nic ci z mojej strony nie grozi. Twoja herbata. – Podał jej gorący kubek.

Po kilku kieliszkach wina, długim marszu z Gutowa w deszczu i ciepłym prysznicu Mia czuła przemożne zmęczenie. Jednocześnie żal jej było nocy na spanie. Myślała o tym, żeby przytulić się do Maćka, może coś więcej niż przytulić, ale wstydziła się go zapytać, czy ma prezerwatywy, a gdyby nawet miał, to przecież wcale nie byłaby zadowolona. Wzięła herbatę i zaczęła pić małymi łykami.

– Zaczekasz na mnie? – powiedział, a ona bez słowa kiwnęła głową.

Kiedy odkręcił kran, pomyślała, jak trudno zawsze było jej nawiązać relację, przełamać barierę obcości, wejść w intymność. I kiedy już decydowała się otworzyć, kogoś do siebie dopuścić, na ogół ten ktoś natychmiast próbował przejąć nad nią władzę, lepiej wiedział, co ona lubi, jaki ma charakter, co będzie dla niej najwłaściwsze. Za każdym razem, poraniona boleśnie, uciekała, długo dochodząc do siebie. Im bardziej ufała, tym trudniej było znów uwierzyć. Czy teraz też ją to czeka?

Maciek wyszedł z łazienki w T-shircie i dresie, jakby chciał jej pokazać, że nie zrobi niczego, co mogłoby ją przestraszyć. Wziął swoją herbatę ze stolika i usiadł na krześle. Zachowywał dystans, obserwował ją wzrokiem zakochanego, ciepłym i czułym.

– Nie masz pojęcia, jak mi z tobą dobrze! Dziękuję, że przyszłaś.

– To ja dziękuję – odparła i wstała. Objęła go i przytuliła policzek do jego piersi.

– Zostaniesz? – wyszeptał najciszej, jak potrafił.

– Tak... – odparła równie cicho.

Leżąc na boku twarzą do okna, zesztywniała w bezruchu, Helena Hryć udawała, że śpi. Była druga, może trzecia rano, a ona już od dłuższego czasu wsłuchiwała się w nierówny oddech męża. Waldemar również nie spał. Jego posapywanie, pomruki i raz po raz wyrzucane nosem powietrze świadczyły o tym, że coś go nurtuje. Próbował zapewne poradzić sobie z wiadomościami, które nieoczekiwanie spadły na nich poprzedniego dnia.

Kiedy tylko zobaczyła tę dziewczynę, Helena poczuła, że Zbyszek obdarzył uczuciem niewłaściwą osobę. Było w jej spojrzeniu coś zadziornego, twardego, cwaniackiego. Nie tak wygląda zakochana kobieta. Naiwny dzieciak – pomyślała o synu. – Cóż, jest dokładnie taki sam jak jego ojciec. Ale sytuacja, w której poznała Waldka, była przecież niemal identyczna! Wtedy to ona uchodziła za niewłaściwą osobę. Zresztą ostatecznie opuściła plac boju, spakowała manatki i wyjechała z miasta. Teraz jednak nie zamierzała ustąpić.

Dlaczego ten durny Zbyszek nie został przy Kasi?! Mieliby jeszcze kilka lat na poznanie się, dotarcie, wzajemne zrozumienie, dojrzeliby trochę. A tu taki kłopot! Czy to możliwe, że ta Martyna urodziła już dwoje dzieci? I co ona takiego w sobie ma, że stracił dla niej głowę? Kupił jej pierścionek, nie przedstawiwszy przyszłej narzeczonej rodzicom! Nie chodzi o pierścionek, jego pieniądze, niech sobie wydaje, na co chce, ale obietnica małżeństwa to coś poważnego. To krok w stały związek i Helena nie miała wątpliwości, że Zbyszek wkrótce zacznie mówić o ślubie. Cóż warte małżeństwo zawarte z powodu zwykłego zauroczenia, z którego się w porę nie udało wyplątać? Czy nie tak właśnie jest w tym przypadku?

Waldemar chrząknął i wyszeptał półgłosem:

– Śpisz?

Nie odpowiedziała. Głęboko westchnąwszy, przekręciła się na drugi bok, udając, że nie zdołał jej obudzić. Odczekał więc dłuższą chwilę, wreszcie zniechęcony brakiem odzewu usiadł i oparł się o zagłówek. Mruczał coś pod nosem, jakby się sam ze sobą sprzeczał, i machinalnie uderzał dłonią w kołdrę. Coś go niepokoiło. Zapewne to samo co ją. Ale Helena nie miała teraz ochoty na dyskusje. Zresztą dopóki nie usłyszą, co zamierza Zbyszek, żadna rozmowa nie ma sensu. Będą się tylko zamartwiać, dzielić włos na czworo i tworzyć czarne scenariusze.

Być może jednak Waldemar tego nie rozumiał, bo odrzucił kołdrę, usiadł na łóżku i poszukał kapci. Nie zapalając światła, wyszedł z sypialni. Zajrzał do łazienki, potem podreptał do kuchni. Słyszała, jak nalewa sobie wody i szura krzesłem. Potem usnęła nieświadoma, że wciąż kręcił głową, jakby ze sobą rozmawiał, i tarł dłonią czoło. To jednak nie przynosiło ulgi. Podsycane niepokojem zdenerwowanie narastało. Wreszcie, nie zważając na dziwną porę, założył dres i cicho stąpając po schodach, wyszedł z domu.

Z zasępioną miną ruszył przez opustoszały zaśmiecony rynek wprost ku Szewskiej. Nie rozglądał się, tylko raz po raz kręcił głową i ciężko wzdychał. Z pewnej odległości zauważył właścicielkę winiarni, która zamykała drzwi firmy. Żeby z nią nie rozmawiać, naciągnął kaptur bluzy i przebiegł obok truchtem. Dotarł tak aż do promenady i sam nie wiedząc kiedy, znalazł się na jej końcu. Dopiero tu poczuł, że opuściły go siły. Usiadł na ławce, tej samej, na której kilka godzin wcześniej rozmawiał z detektywem z Płocka, i tępo zapatrzył się w granatowoczarną toń jeziora.

Zrobiło się chłodno, mżył drobny deszcz. Rozsądek podpowiadał mu, że trzeba wracać, bo się nie wyśpi. Helena obudzi się i zdenerwuje, widząc, że go nie ma. Wstał więc i z ciężkim westchnieniem ruszył w drogę powrotną, choć najchętniej uciekłby gdzie pieprz rośnie od swoich czarnych myśli i od kłopotów, które te niechybnie zwiastowały.

– Nie! Nie! Nie powinienem się na to zgodzić! – szepnął, kręcąc głową.

Zajezierzyce, sierpień 1967

Teresa nie myślała o studiach, ale maturę zamierzała zdać. Na człowieka z maturą zupełnie inaczej patrzą. Nie była prymuską, ale jakoś przechodziła z roku na rok. Nauczyciele ją lubili, patrzyli na nią życzliwie i znając jej sytuację, nie wymagali zbyt wiele, ale od czasu do czasu któryś westchnął, że mogłoby być lepiej.

Gdyby mogło, toby było – myślała, bo ciągnęła dwie szkoły: zawodówkę i liceum wieczorowe, i jeszcze pomagała w domu oraz służyła u towarzyszki Wypych. Na odrabianie pracy domowej często brakowało czasu, a to, co umiała, zawdzięczała wyłącznie pilności. Dlatego podczas lekcji zawsze była skupiona, zadawała pytania, maksymalnie wykorzystywała swój czas. Nigdzie nie ruszała się bez książki lub zeszytu, czytała nawet w autobusie. Każdą przerwę poświęcała nauce, bo kiedy tylko docierała do domu, babka już czekała, aby ją wysłać w pole, zagonić do gotowania lub innej pracy. Nie chciała źle, sama brała na siebie więcej, niż powinna, wiadomo, ile roboty jest na wsi.

Teresa lubiła jesienne wieczory, kiedy wszyscy siedzieli w kręgu światła słabej żarówki. Dzieciaki odrabiały lekcje, ona coś wkuwała, czasem przysypiając, babka modliła się na różańcu, a matka szyła lub robiła na drutach, zawsze przy tym nucąc. Od kiedy ojciec umarł, w domu zrobiło się tak spokojnie. Nikt ich nie okradał, nie trzeba było nieoczekiwanie płacić w sklepie za wódkę lub piwo wzięte na zeszyt. Skończyły się awantury. Ale myśląc o ojcu, Teresa pociągała nosem. Gdyby żył, gdyby nie pił... Miał wiele umiejętności i choć od powrotu ze Śląska zdrowie mu szwankowało, gdyby pracował, czułaby się pewniej. A tak, patrząc na niedołężniejącą z roku na rok babkę, której reumatyzm zniekształcił palce, martwiła się, podejrzewając, jaki los ją czeka. Teresa czuła bliski związek z babką. Były do siebie podobne, twarde, nieustępliwe, za wszelką cenę dążące do celu. Z matką nigdy nie łączyła jej bliska więź, pewnie dlatego, że to na babkę spadło wychowanie wnuczki. Matka była dla niej raczej jak siostra czy kuzynka. Słaba, delikatna, cicha, Teresa czuła się za nią odpowiedzialna.

Dlatego tak bardzo się cieszyła, że po maturze zacznie zarabiać przyzwoite pieniądze. I chociaż towarzyszka Wypych planowała zatrudnienie Teresy na jakimś podrzędnym partyjnym stanowisku w Fablaku, dla nich to i tak było dużo. Niestety, jakoś po Nowym Roku Wiesława Kuszel zaniemogła. Bez żadnej przyczyny chlusnęła jej ustami krew. Niby wcześniej skarżyła się na bóle brzucha, ale nie chcąc nikogo martwić, leczyła się sama: unikała jedzenia, popijała siemię lniane i jakieś zioła. Kurując się domowymi sposobami, być może pogorszyła sprawę, bo po krwotoku trafiła do szpitala. Trzeba było jeździć do Płocka, żeby ją trochę podtrzymać na duchu i podrzucić czasami coś pożywnego, ale przede wszystkim siłą nakarmić, bo wciąż nie miała łaknienia.

W szpitalu zrobiła się marudna i ciągle wracała do jednego, uprzykrzonego tematu: co będzie, jeśli ona umrze. Teresę to denerwowało, bo była przesądna i bała się, że matka zapeszy, ale Wiesława Kuszel, widząc zbliżający się kres nauki córki, ubzdurała sobie, że powinna ona jak najszybciej wyjść za mąż. Namawiała Teresę, aby odpowiedziała na niezgrabne, niechciane, a wręcz budzące jej wstręt zaloty Mundka Bystrego, sąsiada z czworaków.

– Z wojska wrócił, traktorzystą został, widać, żeś mu do gustu przypadła. Pewnie by się ożenił, gdybyś go tak nie zbywała! Zastanów się, gdzie znajdziesz lepszego?

– Ze swatami nie przychodził, a nawet gdyby, to go z progu przegonię! – żywiołowo odgrażała się Teresa. – Jeszcze dzieciakiem będąc, wino pod sklepem żłopał i papierosy ojcu podkradał! Co też mi za kandydata raicie!

– Podpory nam trzeba, męskiej ręki, żeby ci ulżyła – perswadowała łagodnie matka. Nie chciała skazywać córki na męża pijaka, ale mężczyzna w domu, choćby i trunkowy, zawsze większe ma poważanie niż same baby. – A i naprawić co, jeśli trzeba, ciężar jaki podnieść, no i grosza by przyniósł trochę.

– Już my miałyśmy chłopa, co własnej córce rower ukradł! – srożyła się Teresa. – Za żadnego pijaka w życiu nie wyjdę! Zapomnijcie o Mundku raz na zawsze!

– Jak ci się uda nietrunkowego na wsi znaleźć, to twoja wygrana, ale po mojemu to próżny trud – wzdychała smutno matka.

Miała sporo racji. Pijaństwo na wsi było plagą, z którą niemal każda żona przegrywała. Jednak pojawił się ostatnio w szkole nowy nauczyciel, Stanisław Lisicki. Rzadko widywało się w Zajezierzycach, a i w samym Gutowie, choć Teresa nie znała tam zbyt wielu ludzi, mężczyznę tak uduchowionego, delikatnego, miłego w obejściu i czystego. Aż ciekawość brała, jak taki do zajezierzyckiej szkoły trafił. Młody był, pewnie dwudziestoparoletni, wysoki, szczupły, w okularach, które raz po raz poprawiał, kiedy zsuwały mu się z nosa. Nawet w tygodniu nosił spodnie w kant i gładkie koszule, a na nich sweter lub marynarkę. Nikt go nigdy nie widział w gumiakach albo walonkach, choć wiosną przez błoto trudno było do szkoły dotrzeć. Nie zakładał kożucha czy waciaka, jak większość, tylko płaszczyk jakiś wiatrem podszyty. Szybko stał się we wsi obiektem zainteresowania, a potem plotek, choć przyczyny do nich nie dawał żadnej.

Teresa widziała go raz i drugi w kościele, a potem specjalnie wybrała się na wywiadówkę, gdzie przyszły same matki i siostry, ale po skończonym zebraniu nie śmiała już zostać, żeby zapytać o oceny Danusi, bo szkoda jej było tracić czas w kolejce paplających kobiet. Dzieciaki go uwielbiały i często opowiadały o ciekawych lekcjach i zabawach, o książkach, które im czytał, i o szerokim świecie, który im przybliżał. Słuchała tych opowieści z uśmiechem, zastanawiając się, która z wiejskich dziewcząt zarzuci wreszcie sidła na nauczyciela. Sobie samej nie dawała żadnych szans. Nie była ani ładna, ani bogata, nie potrafiła się stroić, nie tleniła włosów, nie malowała ust. Szkoda by jej było na takie błahostki ciężko zarobionych pieniędzy. Dlatego nie powiedziała matce, że jest taki jeden nietrunkowy we wsi, któremu pewnie dałaby szansę. Ale wkrótce przestała o nim myśleć, bo matka wróciła do domu i jakoś już nie zmuszała jej do szukania męża. Zresztą zbliżała się matura i nie w głowie były Teresie romanse. Kiedy zaś się okazało, że nie zdała ustnej matematyki, tym bardziej nie chciała się nauczycielowi pokazywać na oczy, bo zwyczajnie było jej wstyd.

Przypadek zrządził, że się wreszcie spotkali. Zbliżał się koniec roku szkolnego. Było piękne czerwcowe popołudnie, Teresa wracała od towarzyszki Wypych i coś ją skusiło na lody. Rzadko sobie pozwalała na jakąkolwiek przyjemność, ale niezdana matura tak ją przygnębiła, że zmaltretowana psychicznie dziewczyna miejsca sobie znaleźć nie mogła. Tego dnia, przechodząc przez rynek, wbrew swoim zwyczajom postanowiła pocieszyć się w cukierni Pod Amorem.

Trudno, najwyżej na czym innym zaoszczędzę – postanowiła. I kiedy wchodziła do środka, stanęła twarzą w twarz z nauczycielem Danusi.

– O, panna Kuszel! Dzień dobry! Jak się pani miewa?

– Dziękuję, dobrze! – odparła drżącym głosem, zdziwiona, że ją w ogóle pamięta. Puścił ją przodem, jak jakąś hrabinę, a dopiero potem sam wyszedł. Składając zamówienie na trzy gałki lodów dla siebie, a dla dzieci, matki i babki po ciastku na wynos, kątem oka łypała za okno, a on wciąż tam stał, jakby na nią czekał.

Trochę zdenerwowana, wyszła wreszcie, udając, że go nie widzi. Nie bardzo wiedziała, jak się elegancko liże lody. Nie chciała, by uznał ją za prostaczkę. A on podszedł i tak jakoś zwyczajnie powiedział:

– Czekałem na panią.

Teresie serce stanęło.

– Na mnie?

– Nie znam jeszcze zbyt wielu ludzi we wsi i pomyślałem, że porozmawiamy przez drogę, bo mam taki pomysł: może coś byśmy we wsi zorganizowali?

Pod Teresą nogi się ugięły.

– A co takiego?

– Jakieś koło dramatyczne albo chór? Może jakiś klub prasy? Młodzież nie ma gdzie spędzać wolnych wieczorów. A z nadmiaru czasu tylko głupie myśli się w głowie lęgną.

– Prawda.

Szli wolno drogą na Zajezierzyce, na poboczach kwitły lipy i napełniały powietrze jakąś anielską słodyczą. Teresa czuła się upojona zapachem, obecnością tego mężczyzny tuż obok, tym, że traktuje ją jak dorosłą, radzi się, oczekuje pomocy, jakby cokolwiek umiała, jakby cokolwiek od niej zależało.

– Na początek możemy odbywać próby w szkole, potem coś się wymyśli. Czym się pani zajmuje? – zapytał tak zupełnie zwyczajnie, że Teresa odważyła się przyznać do swojej porażki.

– Zawaliłam matematykę na maturze, będę się uczyć do poprawki. No i pewnie pójdę do pracy w Fablaku. A po godzinach, to już pan pewnie zauważył, większość coś tam hoduje na polach i w obejściach. Pożytek z tego niewielki, ale jest co do garnka włożyć. Bieda tu u nas, zawsze tak było i pewnie długo jeszcze nic się nie zmieni – mówiła, zdziwiona swoją otwartością.

– Małe poletka, to i zysk mizerny – westchnął.

Teresa spojrzała na niego z ukosa. Nagle wydał jej się kimś zupełnie innym, niespodziewanie zrozumiała coś, co długo nie chciało się przebić do jej świadomości, ale teraz, nie wiadomo dlaczego, to jedno zdanie znienacka uchyliło rąbka tajemnicy.

– Pan to jest pewnie dziedzic z jakiegoś dworku?

– Ze spalonego dworku. – Roześmiał się gorzko.

– Proszę się nie bać, ja nie wydam.

– Kto miał się domyślić, już się domyślił. Tacy jak ja też przecież mają prawo do życia. Na studia mnie nie przyjęli, ale uczyć pozwolili. Nie w mieście, ale na wsi, w małych skupiskach... – mówił smutno. – A w matematyce chętnie pomogę! – zaoferował się żywiołowo. – Co nieco jeszcze pamiętam.

– Ale pan przecież nietutejszy, to wyjedzie pewnie na wakacje gdzie do domu?

– Rzeczywiście. No, ale przecież wrócę. W połowie sierpnia wrócę. Teraz też możemy jeszcze trochę popracować. Ja z matematyki zawsze byłem bardzo dobry! I powiem pani...

– Jaka tam pani, Teresa jestem!

– Stasiek. – Schylił głowę. – Przejdźmy na „ty".

Teresa nie odpowiedziała. Mówienie na „ty" do nauczyciela wydawało się nieprawdopodobieństwem. Skinęła jednak głową, choć wątpiła, że jej się to kiedykolwiek uda.

Gutowo,
poniedziałek 29 sierpnia 2016, 03:56

Helena obudziła się tuż przed czwartą i zobaczyła, że męża nie ma w łóżku. Chwilę nasłuchiwała, ale ani z łazienki, ani z kuchni nie dochodził żaden dźwięk. Trochę ją to zaniepokoiło, wstała więc, aby sprawdzić, gdzie się podział Waldemar. Znalazła go w kuchni. Siedział z głową wspartą na dłoniach, wyglądał, jakby drzemał.

– Co ty tu robisz? – spytała tonem wyrzutu, ale kiedy uniósł wzrok, przestraszyła się. – Co się stało?

– Nie mogłem spać.

Zrobiło jej się przykro, że wcześniej nie miała ochoty z nim porozmawiać.

– Czemu?

– To wszystko jest jakąś wielką pomyłką, straszną pomyłką.

– Ale co?

– Ten konkurs. Nie powinniśmy go byli wygrać. To ciastko... To nie jest, no wiesz... To nie jest powód do dumy.

– Ależ kochanie – próbowała go uspokoić. – Oczywiście, że jest! Setki ludzi dzięki nam miało wczoraj świetną zabawę!

– Właśnie! Zabawę! Byle gospodyni domowa potrafi zrobić takie ciastko! Może i ludzie na nas głosowali, ale zwycięstwo to jakieś nieporozumienie.

– Idź do łóżka! Rano musisz być wypoczęty. Ciekawe, czy Zbyszek już wrócił? – spróbowała zmienić temat.

– Nie dam rady zasnąć – wymamrotał Waldemar. – Wszystko mi się trzęsie w środku.

– Dać ci coś na uspokojenie? – zapytała i nim jeszcze zdołał odpowiedzieć, nalała mu do szklanki z wodą dwadzieścia kropli walerianowych. – Wypij to, jutro się będziesz martwił, a dziś prześpij się jeszcze! – nakazała i poszła na górę, po drodze cicho uchylając drzwi do pokoju syna, aby przekonać się, że Zbyszek śpi niezmąconym snem człowieka szczęśliwego.

Czuła lekkie wyrzuty sumienia, ale przyczyna smutku męża wydała jej się błaha i wydumana. Zmartwienie z powodu wygranej to jak bezsenność w przeddzień ślubu, pomyślała i wkrótce zasnęła.

Kiedy jak zwykle o wpół do siódmej wstała, w kuchni Waldka już oczywiście nie było. Wiedziała, że w pracowni ukoi swe troski, wkładając jeszcze więcej serca w każdy produkt, a około południa przyjdzie do sklepu uśmiechnięty. Nie będzie mu teraz przeszkadzać. Ubrała się i wyszła do piekarni po świeże pieczywo. Na rynku spotkała sąsiadkę, Magdę Malczyk.

– Jak wam wczoraj poszło, miałaś ruch? – zagadnęła ją życzliwie.

– Dziękuję, całkiem przyzwoity – odparła chłodno Magda. Helena to rozumiała i nie zamierzała się boczyć, ale nie była też skłonna do kolejnych przeprosin z powodu Kasi. – A jak konkurs?

– Nic nie wiesz?! Wygraliśmy! – oczekując gratulacji, obwieściła radośnie Helena.

– To Kasia się… – westchnęła Magda.

– Dobra z niej dziewczyna! Tak mi przykro… Wiesz…

– Nie ma sprawy. Ten pomysł z ciastkiem miała jeszcze, zanim się ze Zbyszkiem rozstali.

Helena zdrętwiała.

– Jak to?!

– Mówiła mi o tym wczesną wiosną, ułożyła mu też te wróżby. Planowali to od dawna.

– Podziękuj jej w moim imieniu – powiedziała Helena, siląc się na uśmiech. – Albo nie, zrobię to sama. Zbyszek powinien, ale nie wiem, czy w tej sytuacji…

– Nie, lepiej nie. – Magda potrząsnęła głową, a Helena w geście przeprosin dotknęła lekko ramienia sąsiadki i pomyślała, że jej syn jeszcze gorzko pożałuje swojej decyzji.

Wróciła do domu, usiadła przy stole w kuchni i przez dłuższą chwilę zastanawiała się, od czego zacząć. Powiedzieć Waldkowi czy najpierw zażądać wyjaśnień od Zbyszka? Jak mógł to przed nimi przez cały czas ukrywać?! Czy w tej sytuacji mają w ogóle prawo dalej sprzedawać te ciastka? A może powinni część zysków oddawać Malczykom? Że też nie przyszło jej do głowy zapytać Zbyszka, skąd wziął pomysł i recepturę! Była przekonana, że to jego dzieło. A co, jeśli wszystko się wyda? Magda była jakaś sztywna, oficjalna. Może się komuś poskarżyć ot tak, nawet bez chęci zaszkodzenia im, i kłopot gotowy.

Helena chodziła po kuchni zmartwiona, z cisnącymi się do głowy pytaniami, na które nie potrafiła znaleźć odpowiedzi. Nie wezwała jednak ani syna, ani męża. Nie chciała im psuć poranku. Wyjaśnią sobie wszystko później, a wieczorem postanowią, co dalej, czy nadal produkować ciastko, proponując Kasi jakieś zadośćuczynienie, czy wycofać produkt, tracąc zysk, ale zachowując twarz.

Kiedy przed dziesiątą otwierała cukiernię, siąpił drobny deszczyk, co przywitała z ulgą. Nie będzie zbyt wielu klientów, zresztą i tak w dni poświąteczne nigdy nie ma tłumu, ale przynajmniej nikt jej nie będzie wypytywał o przyczyny złego humoru. Około jedenastej wysłała Nicolę do pracowni, aby przypomniała Waldkowi i Zbyszkowi o uroczystości wręczenia dyplomów i statuetek w ratuszu. Dziewczyna przybiegła po kilku minutach z niepokojącą wieścią.

– Szefa nie ma na zmianie.

– Nie mówił, że się dokądś wybiera – zdziwiła się Helena, ale przypomniała sobie o nocnej niedyspozycji męża. – Zastąp mnie przez chwilę przy kasie – powiedziała i pobiegła na górę.

Z twarzą odwróconą do ściany Waldemar Hryć leżał skulony na kanapie w salonie.

– Co się stało?

– Żołądek mnie boli – wymamrotał.

– A co jadłeś?

– Nic.

– I masz przyczynę! Wstawaj! Musisz coś zjeść i przebrać się do wyjścia!

– Niech Zbyszek sam idzie. To jego ciastko.

– Chyba żartujesz?! No, rusz się! Zaraz ci dam krople żołądkowe! – powiedziała Helena i poszła do kuchni.

Starała się tego nie okazywać, ale czuła niepokój. Waldek nigdy nie kładł się przed południem, nawet kiedy chorował. O co właściwie chodzi? Na razie jednak nie było czasu na dywagacje. Powinien się szybko ubrać i pójść do ratusza. Zostało niewiele czasu. Przygotowała kubek mocnej herbaty i czekała na męża, który rzeczywiście chwilę później stanął w drzwiach kuchni. Był nienaturalnie blady.

– Siadaj i pij małymi łykami! – powiedziała rozkazująco. Przyniosła z łazienki krople żołądkowe i podała mu na łyżeczce z cukrem. – Musisz coś zjeść, bo mi tam zemdlejesz!

Waldemar bezwolnie spełniał wszystkie polecenia. Wolno żując, zjadł nawet kromkę chleba z masłem. Wyglądał źle, Helena przelotnie pomyślała, że może powinna pójść do ratusza zamiast niego, jednak nie zaproponowała tego mężowi, tylko ponagliła go do wyjścia.

Trzy kwadranse później przyszli się pokazać. Jej mężczyźni! Obaj w marynarkach, białych koszulach, pod krawatami, wyglądali elegancko. Szkoda, że trochę zmokną po drodze, bo przecież żaden nie weźmie parasola! Spojrzała na nich z uznaniem.

– Na pewno nie chcesz iść z nami? – smutno zapytał Waldek.

– To ty wymyśliłaś opakowanie ciastka! – przekonywał Zbyszek.

Helena pokręciła głową i uśmiechnęła się.

– Idźcie już, bo się spóźnicie!

Wkrótce wyszli, zabierając ze sobą przygotowany wcześniej duży kosz ciastek z wróżbą dla pracowników ratusza i gości. Skuleni, aby jak najmniej zmoknąć, przebiegli przez rynek. Wreszcie zniknęli jej z pola widzenia. Dopiero wtedy Helena odetchnęła głębiej.

Hryć nie był nowicjuszem. Już wielokrotnie odbierał nagrody za swoje wyroby. Nigdy jednak nie czuł, że zwycięstwo mu się nie należy, nigdy z tego powodu nie miał wyrzutów sumienia. Wszedł do ratusza z ciężkim sercem. Krople żołądkowe chyba jeszcze nie zaczęły działać, bo nadal ściskało go w środku. Sam już nie wiedział, czy coś mu dolega, czy też organizm buntuje się przed uroczystością, podczas której miał przyjąć nienależne mu splendory.

– Zanieś ciastka do sekretariatu, ja sobie na chwilę usiądę – powiedział do syna i ciężko opadł na ławkę.

Zbyszek nie spostrzegł nienaturalnego zachowania ojca, myślami był zupełnie gdzie indziej. Kiedy wrócił, weszli na piętro do sali konferencyjnej, gdzie zebrał się już spory tłumek zwycięzców w rozmaitych konkursach, urzędników oraz dziennikarzy z lokalnych i płockich mediów. Hryć przysiadł na pierwszym z brzegu krześle w ostatnim rzędzie, tuż przy drzwiach. Dopiero wtedy Zbyszek zauważył, że ojciec bardzo źle wygląda. Dlatego nie zaprotestował, kiedy Waldemar z trudem wysapał:

– To twoje ciastko, ty powinieneś odebrać nagrodę.

Kiwnął tylko głową, nie odpowiadając. W tej chwili do sali konferencyjnej wszedł burmistrz i towarzyszące mu osoby. Zgromadzeni ucichli, Walczak wszedł na mównicę, położył przed sobą jakieś kartki, westchnął ciężko i powiódł wzrokiem po zebranych.

Ledwie Helena zdążyła włączyć komputer, usłyszała wołanie ekspedientki. Wyszła na salę sprzedaży i spostrzegła tę kobietę. Czego ona mogła znowu chcieć?

– Pani do mnie? – rzuciła oschle.

– Czy zastałam pana Hrycia? – Monika Grochowska-Adams próbowała się uśmiechnąć.

– Męża nie ma, ale słucham panią, może usiądziemy? Czego się pani napije: kawa, herbata?

– Poproszę o espresso.

Helena skinęła głową ekspedientce:

– Dla mnie to samo.

Usiadły przy jednym ze stolików. Monika nie mogła się oprzeć wrażeniu, że przyszła nie w porę. Pani Hryć prawie wcale na nią nie patrzyła, nie zaproponowała ciastka, uciekała ze wzrokiem gdzieś za okno, gdzie nadal mżył drobny, niemal już jesienny deszcz.

– Załamanie pogody… Dobrze, że nie wczoraj… – Monika próbowała nawiązać konwersację.

– Tak…

– Jestem pod wielkim wrażeniem, jak bardzo państwo rozwinęli tę firmę.

– Jaki to ma związek z pani wizytą? – nieoczekiwanie ostro zapytała Helena Hryć.

– Ależ żadnego! Wyrażam jedynie szczery podziw!

– Proszę przejść do rzeczy.

– Mówiłam już pani mężowi, że mieszkająca w Paryżu spadkobierczyni ostatnich właścicieli chciałaby się dowiedzieć, czy nie znaleźli państwo, na przykład podczas remontu, jakichś pamiątek należących do rodziny Cukiermanów.

– Niczego takiego nie mamy oprócz zdjęć, które wiszą za panią, a których autora nie znam. Może należały do rodziny Cukiermanów, a może nie, to są zresztą tylko kopie.

– Czy robili państwo jakiś większy remont? Kuli ściany? Zrywali podłogi?

– Tak, oczywiście, budynek jest bardzo stary, musieliśmy zrobić duży remont, łącząc oba dolne lokale.

Monika popatrzyła wnikliwie. Helena najwyraźniej była zdenerwowana. Czyżby coś ukrywała?

– Pani Hryć, chodzi mi tylko o rodzinne pamiątki, rzeczy, które dla państwa nie przedstawiają żadnej wartości: dokumenty, listy. Cukiermanowie zostawili w tym domu cały dobytek, mieli na wyprowadzkę bardzo mało czasu, jednak moja klientka sądzi, że wystarczająco dużo, aby coś ukryć, coś, co chcieliby przekazać następnym pokoleniom lub odzyskać, gdyby wrócili.

– Powtarzam: niczego nie znaleźliśmy. Proszę pamiętać, że dom stał się naszą własnością, to znaczy własnością rodziny mojego męża, niemal ćwierć wieku po wojnie, wcześniej należał do Niemców, po wyzwoleniu znajdowała się tu spółdzielnia pszczelarska. Obwiniać nas, że przywłaszczyliśmy sobie cudzą własność, to jakiś absurd!

– Ależ nikt nikogo nie obwinia! Chciałabym tylko prosić, żeby dała mi pani znać, gdyby coś się jednak odnalazło.

– Czy pani się już od nas nigdy nie odczepi?! – zdesperowana Helena krzyknęła, wstając od stolika.

– Słucham?

– Najpierw ta książka, teraz to…

– Ależ… – Monika poczuła się jak skarcony uczeń. Nie oczekiwała, że będą sobie piły z dzióbków, nie spodziewała się jednak napaści. – Zatem nie mogę liczyć na państwa współpracę?

Nie patrząc jej w oczy, Helena Hryć zagryzała nerwowo wargi.

– Nie będę pani zabierała czasu – stwierdziła Monika, żałując trochę, że podczas przyszłych pobytów w Gutowie nie będzie tu już mogła wpadać na pączki. Przez chwilę zastanawiała się, czy nie powinna zapłacić za kawę, ale byłoby to chyba naruszenie zasad gościnności. – Espresso jak zwykle pyszne! – dodała i zabierając ze stojaka hotelową parasolkę, opuściła cukiernię.

Helena nie zdążyła ochłonąć po przykrej rozmowie, gdy usłyszała z zaplecza dzwonek komórki. Dzwonił Zbyszek.

– Co tam, synku? Jeszcze się nie zaczęło?

– Mamo, możesz tu przyjść? Ojciec zasłabł! Po prostu spadł z krzesła. Wezwali pogotowie, nie wiem, co mu jest. Przyjdź jak najszybciej! – wołał przerażony.

Helena złapała torebkę i wybiegła ze sklepu. W przelocie rzuciła tylko ekspedientkom, że nie wie, co się stało. Z jakąś mgłą przesłaniającą oczy, nie zważając na deszcz, pędziła przez rynek w kierunku ratusza. Trwało to może minutę, ale miała poczucie, że biegnie w nieskończoność. Gdzieś w jej głowie rozegrały się sceny ze wspólnego z Waldkiem życia. Wiele dobrych, wspólnych lat, których nigdy nie żałowała, chociaż wyglądały inaczej niż jej marzenia. Coś ją chwyciło za gardło. Zrozumiała, jak bardzo kocha męża i jak bardzo przez te lata stali się sobie bliscy. Z oddali dobiegł sygnał karetki pogotowia.

Nie dbając o makijaż, starła z twarzy deszcz, a może łzy, i weszła do ratusza. Chwilę później była już w sali konferencyjnej. Waldemar leżał na podłodze, a dookoła niego stali skonsternowani ludzie. Najwyraźniej jeszcze nikt nie próbował sprawdzić, co mu dolega. Zbyszek klęczał przy ojcu, rozpaczliwym gestem chwyciwszy jego dłoń.

– Rozstąpcie się! – krzyknęła. – Otwórzcie okno!

Zebrani odstąpili nieco, niektórzy zaczęli wychodzić z sali. W tej chwili pod ratusz zajechało pogotowie. Słychać było jakieś krzyki na schodach, a niedługo potem pojawili się ratownicy medyczni. Jeden z mężczyzn pochylił się nad Hryciem, badając puls, drugi rozłożył nosze.

– Co się stało? – wydusił Waldemar, próbując się podnieść.

– Zemdlałeś.

– Sto osiemdziesiąt na sto dziesięć – jeden z ratowników odczytał pomiar ciśnienia.

– Zabieramy pana do szpitala – rzucił drugi, po czym pomogli Waldemarowi położyć się na noszach.

– Nie ma mowy! – obruszył się Hryć. – Mieszkam tu niedaleko. Zabierz mnie stąd… – wyszeptał do Heleny.

– Dobrze, zawieziemy pana do domu, proszę nie wstawać z noszy. Ale szczerze radzę szybką konsultację z lekarzem.

Ratownicy chwycili nosze i skierowali się do wyjścia. W ratuszu nie zainstalowano windy, mimo ciężaru pacjenta schodzili jednak dość sprawnie. Helena, opuszczając salę, powiodła wzrokiem po zebranych i nieoczekiwanie zatrzymała się na twarzy Krzysztofa Zagańczyka, właściciela cukierni Jaga, największej konkurencji Amora. Było w niej coś, co ją zdziwiło i zaniepokoiło zarazem. Patrzył z krzywym uśmieszkiem. Nawet nie próbował ukryć triumfu. Jaki miał do niego powód? Przecież przegrał.

– Co się właściwie stało? – zapytała Zbyszka, kiedy zrównała się z nim na rynku.

– Gdy przyszła nasza kolej, to znaczy konkurs cukierniczy, powiedzieli, że wpłynął protest wobec werdyktu i muszą go rozpatrzyć.

– Jaki protest?

– Podobno nasze ciastko nie spełnia warunków zapisanych w regulaminie.

– Ale przecież ludzie głosowali! Gdzie jest ten regulamin?! – Helena rzuciła hardo, jakby miała zamiar zrobić komuś awanturę. Była naprawdę zła, czuła się oszukana. – To on, ten Zagańczyk! Widziałeś go?

– I co mu zrobisz?... – Zbyszek skrzywił się z niesmakiem. – Daj mi klucze, polecę otworzyć bramę.

Karetka zajechała od tyłu. Ratownicy z trudem wnosili Hrycia, który paplał trzy po trzy. Było mu chyba głupio, że nie przeszedł przez rynek sam, próbował żartować, czuł się źle, a jednocześnie o wiele lepiej.

– Daj panom ciastek na drogę – poprosił Helenę.

– Oczywiście – odparła, jakby była jego pracownikiem, i poszła do sklepu wydać polecenia.

Kiedy wróciła, leżał na kanapie i patrzył w sufit. Przysiadła obok i wzięła go za rękę.

– Wiedziałem, że to się stanie.

– Skąd?

– Nie mam pojęcia. Długo nie mogłem zasnąć, coś w środku mówiło mi, że nie zasłużyliśmy na zwycięstwo, że zagraliśmy nie fair. Ta receptura nie jest warta takiego święta. To coś poniżej naszej godności, zaledwie opakowanie dla kawałka papieru z durnym mottem. Oni mają rację, to kpina z cukiernictwa. Trzeba było wycofać ciastko z konkursu.

– Nie mogliśmy tego zrobić Zbyszkowi! – najłagodniej, jak mogła, wtrąciła Helena. – Zresztą wszystko poszło według planu. Widziałeś na sali Zagańczyka? Moim zdaniem on w tym maczał palce.

– Też pomysł! Niby z jakiego powodu?

– Zazdrość, konkurencja. Nie wiemy, ile miał głosów, może liczył, że przejmie nagrodę.

– Ktoś by się dopuścił takiej perfidii?

– Jak ty jednak nie znasz ludzi… – Helena pogłaskała męża po policzku. Nie mogła teraz wyjawić mu rewelacji, jakich dowiedziała się od sąsiadki.

– Źle się stało, że nie pojechałeś do szpitala – zmieniła temat.

– Czy ty nie rozumiesz?! Odebrali nam zwycięstwo! Taki wstyd! Przecież nie mogę teraz uciec do szpitala jak jakiś dzieciak.

– Na razie niczego nam nie odebrali. Muszą rozpatrzyć protest. A jeśli będą próbowali pozbawić nas zwycięstwa, trzeba się będzie odwołać, nie przyjmiemy pokornie niekorzystnego werdyktu. Co nam zarzucają?

– Sam nie wiem. Na razie będą rozpatrywać odwołanie tamtej strony. Tak... – Hryć zawiesił głos. – Za wcześnie się cieszyliśmy. Musisz dokładnie przeczytać ten regulamin, ja i tak nie dobrnąłbym do końca.

Helena patrzyła na męża z nieukrywaną troską. Nie wyglądał ani odrobinę lepiej.

– Najpierw wezwę lekarza. Wszystko inne może poczekać.

– Daj mi się trochę zdrzemnąć. Przez całą noc oka nie zmrużyłem.

Chałupy, sierpień 1967

Wychyliła głowę przez otwarte okno samochodu i poczuła wiatr na twarzy. Powietrze pachniało tu inaczej niż w Gutowie, było świeże, rześkie, balsamiczne. I co najważniejsze, czuło się już zapach morza. Monika cofnęła głowę i uśmiechnęła się. Mieli z Grześkiem dużo szczęścia. Raz za razem łapali okazję i przed zachodem słońca z pewnością dotrą do Helu. A jeśli nawet nie, to i tak są już prawie na miejscu. Nie mogła uwierzyć, jak łatwo poszło! Wystarczyło zakomunikować w domu, że została skierowana na obóz studencki, i nikt się nie czepiał. Kazimierz, wiadomo, był uprzedzony, zapytał więc tylko „Ile?" i wyjął z portfela pieniądze. Stefania się za to nagadała! Łaziła po domu, szurając kapciami, i sarkała, że jej się też coś od życia należy. Nigdy nie miała dość marudzenia.

Grzesiek od razu kupił dwie książeczki autostopu, dla siebie i dla Moniki. Mimo wcześniejszych obietnic ze strony matki wciąż jeszcze nie miał własnego auta. Zresztą po roku w Warszawie nie chciał już trabanta, marzyło mu się coś lepszego, może wartburg, a może nawet toyota?

Sprzedawali takie za dolary, a jego matce się coraz lepiej powodziło. Monice zresztą wcale nie zależało na tym, aby jechać nad morze samochodem. Autostop wydawał jej się świetną zabawą, z elementami ryzyka, bo nigdy nie wiadomo, dokąd się w końcu dojedzie. Czuła wielkie podniecenie wyprawą, tym, że wreszcie jest dorosła, że nigdy już nie będzie musiała nosić tarczy na rękawie płaszcza i znienawidzonego czarnego fartucha z białym kołnierzykiem. Do końca życia dość miała białych bluzek i granatowych spódnic! Teraz będzie nosiła bluzki w kwiatki i w paski! Narzekając na rozwydrzenie współczesnej młodzieży, matka dała jej pieniądze na ciuchy. Wystarczyło na czerwone rybaczki, niebieskie pepegi, żółty opalacz i pomarańczowe japonki. Tylu nowych ubrań naraz Monika jeszcze nigdy nie kupiła.

Ten strój to było jej wyznanie wiary. Pośpiesznie upchała w pożyczonym plecaku ciuchy, ręcznik, kosmetyczkę z mydłem, kremem Nivea, szczoteczką i pastą do zębów oraz olejkiem do opalania, na wierzch rzuciła zrolowany koc, kupiła w księgarni składaną mapę Polski. Kiedy już wszystko było gotowe, trzydziestego lipca rano, po krótkim pożegnaniu i obietnicy przysłania kartki lub zadzwonienia, że szczęśliwie dotarła na miejsce, z lekkim sercem poszła pod cukiernię.

Grzesiek już czekał z siatką wypchaną ciastkami.

– Matka powiedziała, żeby częstować kierowców, to nas dalej zawiozą.

– Ona wie? – zdziwiła się Monika.

– Powiedziałem, że to obóz całego uniwersytetu, dla wszystkich chętnych.

Miał lniane spodnie, niebieską koszulę z krótkim rękawem i czapkę w kratkę, a na bosych stopach sandały. To było takie nowoczesne! Wyglądał jak jakiś amant z filmu.

– Warszawa cię zmieniła – westchnęła Monika, ciesząc się, że mimo tej zmiany nadal chce z nią być.

– Warszawa każdego zmienia. – Wzruszył ramionami. – Nawet nie wiesz, jak bardzo.

Monika chciała zmiany, marzyła o niej przez cały miniony rok, to pragnienie dawało jej siłę do nauki, marzyła o przyszłym życiu, które już lada chwila stanie się jej udziałem. Wiedziała, że będzie musiała na nie ciężko zapracować, ale była gotowa. Tymczasem miała przed sobą ponad dwa miesiące najcudowniejszych wakacji.

Stanęli na Warszawskiej, kiwając kciukami w stronę Płocka. Natychmiast złapali podwózkę. Co prawda była to ciężarówka, ale jadąc za darmo, nie zamierzali wybrzydzać. Potem zresztą łapali już tylko osobowe. Widząc z daleka ciężarówkę, nawet nie stawali na poboczu, siedzieli w rowie, czekając na coś lepszego.

Podekscytowana podróżą, oszołomiona wolnością, z zachwytem patrzyła na mijane krajobrazy, gadała, mruczała pod nosem modne przeboje, była szczęśliwa. Czuła, że zaczyna się najlepszy czas w jej życiu, a świat się przed nią otwiera, przychylny i hojny. Grzesiek też był ożywiony, ale on przeważnie rozmawiał z kierowcami. Zresztą na ogół zmyślał jakieś nieprawdopodobne historie. Monika nie prostowała kłamstw, siedziała z tyłu, jakby jej nie było. Wolałaby, aby Grzesiek był przy niej, trzymał ją za rękę i bardziej manifestował, że są parą. Bo byli parą. Tak przynajmniej uważała.

Co prawda niezbyt często mówił o miłości, ale kiedy się spotykali, całowali się z językiem i wkładał jej ręce pod bluzkę, próbując rozpiąć stanik. Z czasem się to nawet Monice zaczęło podobać. Czuła podniecenie i właściwie czekała na moment, żeby się dowiedzieć, jak to jest być z chłopakiem naprawdę. Potrzebowała jednak pewności, że nikt ich nie nakryje, nie przeszkodzi, nie zrobi awantury. Miała już jakieś mgliste pojęcie o seksie. Jeszcze przed maturą, chyba w trzeciej klasie, z wypiekami na twarzy przesiedziała w bibliotece miejskiej kilka ładnych dni, czytając *Małżeństwo doskonałe* van de Veldego, w tym roku kupiła sobie poradnik *O dziewczętach dla dziewcząt* i czuła się już trochę spokojniejsza. W szkole oczywiście była na biologii mowa o rozmnażaniu człowieka, ale bez konkretów. Przyjaciółki, takiej od serca, Monika nie miała, zresztą nie znalazłaby odwagi, żeby komukolwiek wyjawić taki sekret, no, może Teresie, ale Teresa na pewno nadal nic o seksie nie wie.

Na Stefanię Monika nie mogła liczyć. Matka nie poinformowała jej nawet, że kiedyś dostanie okresu. Liczyła chyba na szkołę pod chmurką i podwórkowe koleżanki. Tak to się przecież zazwyczaj odbywało. Dziewczęta dowiadywały się o intymnych szczegółach z męskich przekleństw i grubiańskich odzywek, z koleżeńskich szeptanek i domysłów. Na szczęście było podwórko i Kaśka ze swą świtą. Chłopaki czasem jej dogadywali, a wtedy ona rzucała hardo: „Odwal się, mam okres!". Monika długo nie wiedziała, o co chodzi, bo okres był w szkole raz na trzy miesiące. Wtedy nauczyciele wystawiali stopnie, a rodzice przychodzili na wywiadówki. Pewnie więc Kaśka się uczyła, żeby jej starzy nie zlali, i dlatego nie mogła się umawiać z chłopakami.

Stefania zapytana o okres chybaby dostała furii. Albo odpowiedziałaby: „Dowiesz się w swoim czasie". Zamiast rozmów z córką zawsze wolała się gapić w telewizor. Monika więc, jak całe pokolenia dziewcząt przed nią i wiele pokoleń po niej, musiała sobie radzić sama. Niby były lekcje higieny w liceum, ale prowadząca je nauczycielka, Wanda Kozioł, swym zachowaniem przypominała Stefanię. Wysoka, chuda, jakby zasuszona, uczesana w ciasny kok zamotany na czubku głowy, ubierała się w sukienki zapięte pod samą szyję. Dziwne, że jako biologa temat ją irytował, przecież opowiadając o rozmnażaniu innych gatunków, nie czuła dyskomfortu. A może po prostu, będąc starą panną, krępowała się opowiadać młodzieży o tym, czego nigdy nie doświadczyła lub z czego potem musiałaby się spowiadać? Może bała się pytań i chłopięcych żarcików. Zdenerwowana, odpowiadała piskliwym głosem, a na jej szyi pojawiały się czerwone plamy. Krążyły zakłady, czy jest jeszcze dziewicą, i w końcu wypłynął temat rzekomego narzeczonego, partyzanta, który zginął, wyzwalając Gutowo. Nie wiadomo, czy to była prawda, ale na parę lat docinki ucichły, tylko że nadal młodzież musiała sobie w kwestii seksu radzić na własną rękę.

Monika wiedziała, że kiedyś wyjdzie za mąż, ale przecież nie trzeba od razu sadzić sadu, aby zjeść jabłko. Długo nurtowały ją pytania, dlaczego właściwie w drugiej połowie dwudziestego wieku seks nadal jest tabu? Dlaczego kolejne pokolenia udają, że to coś tak oczywistego, że nie ma o czym rozprawiać? W głowie się nie mieści ta pruderia, zwłaszcza że każdy ośrodek zdrowia wywieszał plakaty: CHOROBY „W" ATAKUJĄ. Czyli w przychodni można było o tym mówić, a w domu nie? Stefania miała wielu mężczyzn. Monika jak przez mgłę przypominała sobie seks matki z przygodnymi partnerami. Dlaczego więc teraz pozuje na świętą?

Może nawet sama się leczyła? A może myśli, że ja niczego nie pamiętam? Kiedyś jej to wszystko wygarnę! I tego ratownika z wakacji też! – postanowiła.

Zresztą jako że z matką nigdy się nie przyjaźniły, Monice wcale nie zależało na tym, żeby akurat Stefania wprowadzała ją w ten intymny świat. Książki znacznie lepiej tłumaczyły, co i jak, bez zbędnych komentarzy i wtrąceń, bez morałów, że „jeszcze za wcześnie". Właściwie taki sposób najbardziej Monice odpowiadał.

Oczywiście seks to tylko dodatek do miłości, oddania, wspólnych dalekosiężnych planów, tego wszystkiego, co stanowi o istocie partnerstwa. Bo Monika była gotowa dać Grześkowi drugą szansę nie tylko na te wakacje, ale na znacznie dłużej. A skoro tak, to przecież oczywiste, że mogą, a nawet powinni, się jakoś dopasować. Wyjazd da im czas, który pozwoli lepiej się poznać, przegadać wszystkie ważne kwestie, zaznać czułości i bliskości.

Dlatego rozpierało ją szczęście. Miała nadzieję, że wreszcie jej życie zacznie się układać tak, jak sobie wymarzyła. Szła prosto do wyznaczonego celu, a było nim zgodne małżeństwo i kariera zawodowa. Grzesiek jest nowoczesny, na pewno oboje będą pracowali. Dzieci, koniecznie dwójkę, odda się do żłobka, a potem do przedszkola. Kazimierz dzięki chodom w partii pomoże załatwić jakieś mieszkanie w bloku i meble, co dla działaczy partyjnych nigdy nie było problemem. Teraz zaś należy korzystać z życia, szaleć, włóczyć się po Polsce, śpiewać przy gitarze, palić ogniska i papierosy, pić wino. Wreszcie można, a nawet trzeba, bo tego wymaga dorosłość. Ale marzenia o wakacyjnym szaleństwie nie przesłaniały Monice zdrowego rozsądku. Wiedziała, że cały plan spali na panewce, jeśli zajdzie w ciążę, dlatego powinna się mieć na baczności. Nauczyła się, kiedy może mieć dni płodne i jak je rozpoznawać, miała nadzieję, że jest bezpieczna.

– Ja tylko do Chałup – powiedział kierowca i mrugnął znacząco do lusterka wstecznego.

– Do Chałup? – nie zrozumiała Monika.

– A wy macie w Helu jakąś metę?

– Nie, tak sobie jedziemy, licząc na łut szczęścia.

– To zostańcie tutaj! Morze i zalew takie same, a tłoku mniej. Jeśli będziecie mieli szczęście, to spotkacie aktorów z telewizji. Tu plaże są czyste i wiecie... Natura! – To mówiąc, mrugnął porozumiewawczo.

Grzesiek skinął głową, ale nie skomentował. Monika zrozumiała tylko, że skoro w Helu jest większy tłok, to i ceny będą wyższe.

– Możemy zostać na noc czy dwie... Grzesiu?

– Oczywiście. Do Helu zawsze zdążymy.

Wysiedli, podziękowawszy uprzejmemu kierowcy, zarzucili plecaki i ruszyli przed siebie.

– A może najpierw pójdziemy obejrzeć zachód słońca? – zaproponował nagle Grzesiek.

Monice się to nie spodobało. Jak z plecakami nad morze? Nie lepiej je zostawić na kwaterze i dopiero pójść z kocem, usiąść, odpocząć. Po całodziennej podróży była zmęczona, a plecak ciężki. Ale nie chciała się od pierwszego dnia kłócić. Kupili więc tylko w sklepiku po butelce oranżady i leśnym duktem ruszyli na plażę. Mieli jeszcze kanapki i resztkę ciastek. Rozłożyli koc, siedzieli i jedli, patrząc ku słońcu, które powoli opadało za horyzont.

Na plaży było pustawo. Kilka par spacerowało wzdłuż brzegu, gdzieś w oddali ktoś rozpalił ognisko. Upał zelżał, zrobiło się nawet chłodno. Monika założyła sweter i przytuliła się do Grześka.

– A może byśmy tu zostali? – zapytał znienacka.

– Jak to: tu? Na plaży? Na noc?

– Spałaś kiedyś na plaży? – odpowiedział pytaniem.

– Nigdy. A tak wolno?

– No, plaży raczej na noc nie zamykają. Jeśli się chce zostać, nikt ci nie zabroni.

To zdumiewające odkrycie zszokowało ją. Mogła zostać z chłopakiem na plaży? Spać pod rozgwieżdżonym niebem? Słuchać szumu morza, wtulona w jego ramię? Mogła mu szeptać do ucha miłe rzeczy. Mogła nie przespać nocy, bo przecież jutro nie musiała nigdzie wstawać, nikt jej nie pogoni do żadnej roboty, do szkoły ani do sklepu.

– Ach! – westchnęła, kładąc się na kocu i prężąc leniwie. – Jakie to piękne!

– Prawda? – Grzesiek pochylił się nad nią i wpił ustami w jej usta.

Podczas pocałunku próbował włożyć dłoń w jej spodnie, ale były dość obcisłe i sobie nie radził. Bawiło ją to. Nie zamierzała mu pomagać. Spodnie miały suwak z boku, ale ten się zaciął, chyba wciągnął kawałek materiału.

Monika wolała się tylko całować, w każdej chwili ktoś mógł nadejść, a Grzesiek tak się zapamiętał, że nawet by nie zauważył, jeśli ktoś zabrałby im plecaki. Ona jednak pozostała czujna.

– Pomóż mi... – wydyszał wreszcie błagalnie.

Co za diabelski wybór! Całowanie się było przyjemne, ale przecież nie chciała stracić nowych ciuchów i całej reszty. Na plaży nie widziała ludzi, ale nie wiadomo czemu była przekonana, że kiedy tylko odda się rozkoszy, natychmiast zjawi się ktoś, kto ich okradnie. Nie potrafiła przepędzić tej natrętnej myśli i cały czas ukradkiem się rozglądała.

– Co się dzieje? – zapytał Grzesiek.

– Ja tak nie mogę... – jęknęła przepraszająco. – Nie potrafię...

Zawisł nad jej twarzą, podpierając się na łokciu.

– W domu nie potrafisz, bo może ktoś przyjdzie, w parku nie potrafisz, bo może ktoś zobaczy! Czego się boisz tu, na pustej plaży?

– Że ktoś niepostrzeżenie podejdzie i ukradnie nam plecaki – wyszeptała tonem dziecka, które wie, że przeskrobało.

Grzesiek westchnął ciężko i usiadł na kocu, w geście rozpaczy pocierając twarz dłońmi, a potem wstał i rozejrzał się w prawo i w lewo.

– Widzisz tu kogoś?! – zapytał oskarżycielsko.

– Nie... Ale to nie znaczy, że nikt nie może nadejść... – usprawiedliwiała się płaczliwie.

– Więc co chcesz teraz robić?! – fuknął.

– Może poszukajmy kwatery?

– Proszę bardzo! Jest już prawie ciemno, będziemy ludzi wyciągać z łóżek? Jak sobie życzysz! Na pewno nam za to podziękują! A po ciemku to nawet dobrze kwatery nie obejrzysz!

Wstała i nie patrząc na niego, zaczęła zbierać swoje rzeczy. Zepsuła taki piękny wieczór! Czuła się głupio i było jej przykro. Ale nie potrafiła przestać myśleć o tym, że ktoś ich widzi, że podejdzie, że okradnie. Nie potrafiła się zapomnieć tak jak on. Chciała, ale nie mogła. Aż do drogi nie odezwali się do siebie ani słowem. Kiedy zaczęły się zabudowania, Grzesiek, nadal na nią nie patrząc, zapytał ostro:

– W prawo? W lewo?

Monika rozejrzała się i zdecydowanym tonem powiedziała:

– W lewo.

Szli przed siebie. On nadal grał obrażonego, ona popatrywała na bramy i domy, czy gdzieś nie wisi ogłoszenie o wolnych pokojach. Widząc, że nie jest zainteresowany znalezieniem czegokolwiek, zapytała wreszcie:

– Może tu?

Tylko wzruszył ramionami, ale weszli do obejścia i zapukali. Po chwili zapaliło się światło i wyszła zażywna jejmość w szlafroku i papilotach.

– Macie wolny pokój? – zapytała Monika.

– A co mam nie mieć, chodźcie, to zobaczycie.

Było to obszerne pomieszczenie wybite drewnianą boazerią. Świeże drewno przyjemnie pachniało. Pod ścianami stały dwa żelazne łóżka. Pod oknem okrągły stolik. Stara szafa i taboret na miskę uzupełniały wyposażenie.

– Podoba się? – prowokacyjnie zapytała gospodyni.

– Bardzo! – odpowiedział Grzesiek. – Bierzemy!

Tego wieczora ani razu się do niej nie odezwał. Przyniósł tylko wodę ze studni, umył twarz, ręce i zęby, i w slipkach położył się na łóżku. Wyniosły, obrażony, wręcz zły, nie zaproponował, że zsunie obydwa łóżka, aby przynajmniej mogli się przed snem potrzymać za ręce. Zagadywała go, aby poprawić atmosferę, ale on pielęgnował ten nastrój, więc umyła się pobieżnie i zmęczona rzuciła na łóżko. Leżąc twarzą do ściany, zasnęła w mgnieniu oka.

Zajezierzyce,
poniedziałek 29 sierpnia 2016, 10:15

Kiedy Mia wróciła, było już po śniadaniu. Elena nie potrafiła zapanować nad irytacją. Zła, niewyspana, zamierzała jej powiedzieć coś bardzo przykrego. W nocy budziła się raz po raz, nasłuchując. Wstawała, wyglądała przez okno, nie mogła uwierzyć, że Mia zostanie u tego chłopaka na noc! Jej postawa, spojrzenie, a nawet rytm oddechu były jednym wielkim oskarżeniem.

– Dobrze się bawiłaś? – kwaśno skomentowała pojawienie się córki.

– Mamo...

– Nie sądziłam, że będziesz taka nieostrożna! Że dasz sobą manipulować! Co o nim wiesz? Jutro pewnie wyjedziemy, po co ci ta znajomość? Przecież się tu nie przeprowadzisz. Masz taki zamiar? No, chyba nie! Przed nami ciężki czas, z babcią będzie coraz gorzej, a ty sobie romansujesz, jakby cię to w ogóle nie obchodziło! I to z kim?!

Jej oczy ciskały pioruny. Mia stała ze spuszczoną głową. Najwyraźniej nie chciała konfrontacji. Matka nie zrozumie, nie spróbuje nawet. Dla niej fakt, że Maciek jest barmanem, całkowicie go dyskwalifikuje.

– Pójdę pod prysznic – powiedziała cicho.

Wydawała się skruszona, więc Elena, uspokoiwszy się nieco, wyszła do matki. Tessa siedziała przy oknie, patrząc na drzewa i krople deszczu spływające po szybach.

– Popatrz, jak spokojnie…

– Wszyscy się rozjechali, pewnie będziemy jedynymi gośćmi na obiedzie.

– Mia wróciła?

– Przed chwilą.

– O?! To widać poważniejsze, niż sądziłyśmy.

Elena pokręciła głową, niezadowolona.

– Tylko jej w tym nie wspieraj! Nawet nie wiemy, kim on jest!

– Barmanem, zdaje się? – Tessa najwyraźniej czerpała przyjemność z drażnienia córki.

– Łatwo ci żartować!

– Moja droga, zacznij się powoli przyzwyczajać, że Mia ma prawo do pomyłki. Wiem, że to niełatwe, że szukasz dla niej księcia z bajki: mądrego, dobrego, majętnego, przystojnego, ale zważ proszę, że nawet jeśli uda ci się go znaleźć, nie musi jej przypaść do gustu. Pamiętam, jak podejrzliwie przyglądałam się twoim chłopakom. Nie muszę ci chyba przypominać, że twoje małżeństwo nie przetrwało? A przecież postawiłaś na swoim. I ona też w końcu postawi. Jeśli ma być z nim szczęśliwa, to będzie. Jeśli mają się rozstać, to się rozstaną, nic nam do tego.

– Zapominasz chyba, że jest między nami duża różnica.

– Wieku?

Elena fuknęła, zniesmaczona. Nie rozśmieszały jej żarty matki.

– Internet to plotkarz. Wystarczy wrzucić do wyszukiwarki frazę „Mia Valente", a wyskoczy ci tysiąc wyników, że to jedna z najbogatszych panien w Wiedniu. Mam ją oddać byle chłystkowi? A może on tylko udaje miłego? Może chce ją po prostu wykorzystać, przyssać się do jej majątku? Mam mu podać wszystko na tacy?! Zrezygnować z miłych, dobrze wychowanych i bogatych synów najlepszych wiedeńskich rodzin?

– O! Widzę, że masz już wszystko zaplanowane! Znakomicie. Jak w takim razie poznasz uczciwego konkurenta?

– Jeśli będzie bogaty, temat sam się wykluczy.

– Wspaniale, czyli kiedy pojawi się nowy chłopak czy mężczyzna, najpierw zażądasz wyciągu z jego konta? I nie będzie cię obchodziło, jakim jest człowiekiem?

– Oczywiście, że będzie!

– Zrobisz mu test osobowości? Jakie zadanie będzie musiał wykonać, żeby mógł się ubiegać o jej rękę?! Wskoczyć w ogień? Przepłynąć wpław Dunaj? Zdobyć zimą Grossglockner w klapkach?

Elena westchnęła ciężko.

– Nie umiem sobie z tym poradzić.

– Widzę i szczerze ci współczuję. Nam, dorosłym, wydaje się zawsze, że wiemy lepiej. Może nawet wiemy, ale czasy kojarzenia małżeństw minęły bezpowrotnie. Oba sposoby zresztą bywają zawodne. Miłość, podobnie jak swatka, też czasem się myli. Nie uchronisz dziecka przed złym wyborem, smutkiem, rozczarowaniem. Takie jest życie. Ona powinna tego doświadczyć. Sama musi umieć odsiać ziarno od plew. Ostatecznie pozostaje intercyza, która też ma wiele wad…

Nim Tessa skończyła zdanie, do pokoju weszła Mia. Świeża, uśmiechnięta, promienna.

– Ktoś jest głodny? Bo ja bardzo!

– No i masz, a myślałam, że się tu trochę odchudzę! Za wcześnie na obiad, ale niech ci będzie, zejdę do towarzystwa. Napiję się soku. Wiesz, że mają świeży twarożek z rzodkiewkami? I chrupiące pieczywo? Grahamki, moje ulubione. Może zresztą coś jeszcze zjem? – Tessa podniosła się z trudem.

– A omlet, babciu? Taki wielki, puszysty, z dżemem truskawkowym? I mnóstwo kawy z mlekiem? – kusiła Mia.

– Też dobra propozycja. No, pani doktor, idziemy! – Tessa wsunęła rękę pod pachę córki i nie zważając na jej poważną minę, zaczęła chichotać, jakby właśnie usłyszała coś śmiesznego.

– Kiedy wracamy? – odcięła się Elena.

– Jutro – szybko powiedziała Tessa.

– Jak to?! Jutro?! Już jutro?! – nie mogły uwierzyć.

– Myślę, że znajdziemy jakiś lot. Sprawdzicie to później, dobrze?

Mimo że chciała już wracać, Elena nie kryła zdumienia.

– Przecież chyba nic… – nie wiedziała, jak powiedzieć, że matka niczego nie załatwiła. Przynajmniej ona nie zdołała nic takiego zauważyć.

– Jeszcze nie – tajemniczo odparła Tessa. – Ale jestem na dobrej drodze.

– Jutro wracamy! – krzyknęła Mia od drzwi i ze szlochem rzuciła się w objęcia Maćka, który właśnie wyszedł spod prysznica.

– O kurczę, szok... Nic się nie da zrobić?

– Nawet nie będę próbowała. Matka jest na mnie zła z twojego powodu, a babcia nienaturalnie wesoła. Wie, że jej dni są policzone, i nie chce nas martwić, więc przez cały czas żartuje, mam już tego powyżej uszu! Nie wiem, po co tu przyjechałyśmy, ale uznała widać, że nic więcej nie osiągnie. Jest precyzyjna jak skalpel, nigdy nie marnuje czasu, nawet podczas wakacji.

– I co teraz zrobimy? – Maciek wydawał się szczerze zmartwiony. Przynajmniej tyle.

– Przyjedziesz chyba, kiedy tylko będziesz mógł?

– Jasne, ale nie chciałbym przeszkadzać...

– Nie ma mowy! Musisz przyjechać, kiedy tylko dasz radę, chociaż na weekend. To nie jest przecież bardzo daleko. Będę strasznie tęsknić.

Objął ją i pocałował. Jeszcze żadna dziewczyna nie budziła w nim takiej mieszanki pożądania i czułości zarazem. Podobała mu się, a jednocześnie pragnął się nią opiekować. Pomyślał, że to dobre połączenie. Była czasami jak mała dziewczynka, którą trzeba chronić przed złem tego świata, a po chwili stawała się dorosłą kobietą świadomą swoich atutów. Nie wiedział, jak to robi.

– Zaczarowałaś mnie – wyszeptał. – Będę tu umierał bez ciebie.

– A ja tam. Chciałabym zostać, uwierz...

– Mamy przed sobą całą wieczność. Zastanów się przez ten czas, jak chciałabyś ją przeżyć.

– Z tobą. Reszta jest nieważna.

– Przyjadę jak najszybciej. Może jeszcze we wrześniu. Dasz mi znać, co z twoją babcią i czy nie będę przeszkadzał?

– Jasne... Pójdę już... Powiedz, czy... Czy mogę tu przyjść dziś wieczorem? – zapytała w końcu nieco zakłopotana. Znów była nieśmiałą dziewczynką z szeroko otwartymi oczyma. Jej pełne usta prosiły o pocałunek.

Maciek pochylił się, pocałował ją, a potem zaniósł na łóżko.

– Nie mam dużo czasu – wyszeptała Mia.

– To tak jak ja...

Chałupy, sierpień 1967

Z przyzwyczajenia obudziła się o siódmej rano. Grzesiek jeszcze spał. Umyła się i po cichu ubrała, wzięła pieniądze i wyruszyła na poszukiwanie czegoś do jedzenia. Gospodyni wytłumaczyła jej, gdzie znajdzie sklep. Monika szła wolno wiejską drogą i rozkoszowała się pięknym wakacyjnym dniem. Nie zasmucał jej zbytnio zły humor Grześka, na pewno wkrótce mu przejdzie. Zjedzą dobre śniadanie, pójdą poleżeć na plaży albo przejdą się brzegiem morza. Zapowiadało się wspaniale.

W sklepie był świeży wiejski chleb, masło, dżem truskawkowy i mleko. Wszystko, czego potrzeba, aby rano zaspokoić głód. Zadowolona z zakupów, wróciła na kwaterę. Grzesiek wciąż spał. Pożyczyła więc od gospodyni nóż, talerz i dwa kubki i w mig zrobiła stertę kanapek. Czekała na niego z jedzeniem, ale spał i spał, a jej było żal dnia i pogody. Wreszcie dotknęła jego ramienia:

– Może już wstaniesz?

– Co? A która godzina?

– Wpół do dziewiątej.

– Nie żartuj! – wymruczał tylko i odwrócił się twarzą do okna.

Co było robić, założyła kostium kąpielowy, bluzkę i spodnie, zwinęła koc i ruszyła na plażę, przecież nie będzie siedziała na kwaterze i patrzyła, jak jej chłopak śpi! W drzwiach powiedziała jeszcze raz: „Idę!”, ale odpowiedziało jej tylko chrząknięcie.

Grzesiek przyszedł dopiero koło pierwszej, kiedy mocno już zaróżowiona Monika zamierzała zejść z plaży. Składała właśnie koc, wytrzepując z niego piasek.

– Co? Wracamy? – powiedział wreszcie.

– Jestem głodna. I wystarczy na dziś! – odburknęła.

– To co będziemy teraz robić?

Tylko wzruszyła ramionami. Nie miała żadnego planu. Poza tym, że zawsze mniej więcej o tej porze jadła obiad. Kiszki już jej grały marsza.

– Poszukajmy jakiejś gospody albo przynajmniej sklepu.

Grzesiek był miły, zgodny, jakby chciał nadrobić miniony wieczór i przedpołudnie.

– Dziękuję za kanapki! – powiedział i Monika zrozumiała, że nie jest głodny. Tyle komplikacji od samego początku! A wydawało się, że wystarczy wyjść z domu, aby wszystko się udawało, że największym problemem młodości jest konieczność słuchania starszych, dorosłość zaś ma same plusy.

– Gospodyni powiedziała, że zostawi dla nas zupę – przypomniał sobie Grzesiek.

Wrócili więc na kwaterę. Szczawiowa była bardzo smaczna, zwłaszcza pogryzana świeżym chlebem. Teraz z kolei Monice zachciało się spać. Zamierzała zdjąć opalacz, ale Grzesiek siedział i patrzył.

– Nie krępuj się.

– Ja tak nie mogę, wyjdź na chwilę! – błagała.

Spojrzał na nią z politowaniem, ale wstał, wzdychając ciężko, i wyszedł z pokoju. Kiedy mu otworzyła, nie miał ochoty jej objąć ani przytulić, tylko położył się w ubraniu na swoim łóżku i zapatrzył w sufit. Monika czuła, że coś jest nie tak, że jest rozczarowany, ale nie była jeszcze nigdy z żadnym chłopakiem na żadnym wyjeździe, nie wiedziała, jak powinna się zachowywać. Nie potrafiła się przy nim rozebrać, czy to aż taka zbrodnia? Usiadła więc na brzegu jego łóżka i zaczęła go głaskać po dłoni. Początkowo nie reagował, ale po chwili przekręcił się ku niej i wsunął jej dłoń pod bluzkę. Chyba miał wprawę, bo dość łatwo udało mu się rozpiąć stanik.

Poczuła jego dłonie na piersiach i było to bardzo przyjemne. Przesunął się bliżej ściany, robiąc jej miejsce obok siebie. Położyła się, a on podwinął bluzkę i zaczął ją całować po brzuchu. Mrówki wędrowały jej po karku podczas tych pocałunków.

– Zdejmij to! – wyszeptał i Monika posłusznie się rozebrała.

Wstał i zasunął zasłony. Wrócił do niej i przez chwilę patrzył z lekkim uśmiechem.

– Masz bardzo ładne piersi – powiedział.

Monika nie widziała zbyt wielu kobiecych piersi w naturze, myślała dotąd, że wszystkie kobiety mają mniej więcej takie same, najwyżej różniące się wielkością piersi, dlatego ucieszył ją ten komplement. Czasami się zastanawiała, czy jest raczej ładna, czy raczej brzydka. Nie potrafiła się zdecydować. Wiedziała, że ma brzydkie, zbyt grube nogi, ale miłą twarz i ładne włosy. Była trochę zbyt pulchna, ale próby ograniczania jedzenia nigdy się nie powiodły. Lubiła świeży chleb z masłem i dżemem, cóż na to poradzić?

Nim się zorientowała, Grzesiek ukląkł na łóżku, całował ją i gładził po piersiach, a potem wziął do ust sutek i nadgryzł go lekko. Już się tak nie wstydziła swojej nagości, czuła podniecenie. Przeszło jej nawet przez myśl, czy nie powinna się całkiem rozebrać, ale nie chciała przestać czuć tych rozkosznych dreszczy, które przeszywały ją za każdym razem, kiedy on zaciskał zęby na sutku. Leżała więc z zamkniętymi oczyma, oddana mu całkowicie, dysząc ciężko i smakując tę chwilę.

A potem on zaczął zsuwać się niżej, ku pępkowi, nie bez wysiłku rozpiął spodnie i pociągnął je w dół. Tym razem nie oponowała, a nawet uniosła się nieco, aby mu pomóc. Chciała również mieć swój udział w tej grze, zaczęła więc rozpinać guziki jego koszuli. Po chwili była już naga. Grzesiek zdjął koszulę przez głowę, ściągnął spodnie i slipki. Wtedy Monika zobaczyła po raz pierwszy nagiego mężczyznę. Niby nic nowego, widziała już wiele rysunków i zdjęć w różnych książkach i w encyklopedii, ale to nie było to samo. Grzesiek położył się obok niej. Czuła, jak jego członek się pręży, ale on sam wydawał się zbyt zajęty całowaniem jej, aby zwracać na to uwagę. Jednocześnie sięgał dłonią ku jej kroczu, aż znalazł miejsce, którego dotykanie sprawiło Monice przyjemność. Owszem, znała ten dotyk, zdarzało jej się samą siebie tam dotykać. Prawie zawsze przeszywał ją wtedy ten rozkoszny dreszcz, jakby się unosiła ku górze, i przez chwilę czuła jeszcze pulsowanie krwi. Domyślała się, że to może mieć coś wspólnego z seksem, chociaż niektórzy dorośli odnosili się do tego pogardliwie. Dlaczego? Nie wiedziała. Ksiądz ją kiedyś podczas spowiedzi zapytał, czy się „tam" dotyka. Nie zamierzała o tym dyskutować, zadała tylko niewinne pytanie: „Gdzie?", i czekała na podpowiedź, ale ksiądz wycofał się, jakby przeczuł, że i tak się nie dowie.

Grześkowi nie szło tak łatwo, kluczył, szukał, kiedy już prawie znalazł to miejsce, jego palce zsuwały się gdzieś na dół i uczucie uniesienia znikało. Wreszcie spróbował w nią wejść. Po cudownym, rozleniwiającym początku teraz Monika poczuła drapiący, rozpierający ból. Jęknęła, zagryzając wargi i zastanawiając się, czy on rozumie, że to nie jest przyjemne, ale już parł do przodu, a ból gęstniał, przeszywając ją aż po czubek głowy. Wreszcie, po kilkunastu ruchach, było po wszystkim. Grzesiek jęknął i z głębokim westchnieniem padł na nią, przygniatając swym ciężarem. Zdezorientowana Monika patrzyła w sufit, próbując jednocześnie go z siebie zsunąć.

Trochę była rozczarowana, oczekiwała czegoś więcej. Więcej, niż sama potrafiła sobie zafundować. Bo w przeciwnym razie do czego byłby potrzebny mężczyzna? Grzesiek leżał teraz na wznak obok niej, miał zamknięte oczy, czyżby zasnął? Ona sama nie spała, myśląc o tym, że właśnie straciła dziewictwo. Ale to akurat najmniej ją obchodziło. Nie rozumiała, z jakiego powodu ludzie robią wokół tego pierwszego razu tyle wrzawy. Dlaczego mężczyznom tak zależy, żeby dziewczyna była dziewicą? Chyba w tym względzie panuje równouprawnienie? Trochę martwiło ją, że pieszczoty sprawiły jej większą przyjemność niż sam akt. Ten ból nie był przyjemny. Ale może zawsze tak jest za pierwszym razem?

Nagle poderwała się, uświadomiwszy sobie, że może krwawi i pobrudzi gospodyni pościel.

Powinnam wziąć z domu dodatkowy ręcznik! – uprzytomniła sobie. Ale zabrała tylko jeden, nie mogła go zabrudzić! Wstała i spojrzała na łóżko. Na poszewce w kwiatki widniała sporej wielkości różowa plama. Monika nalała wody do miski i podmyła się, wycierając delikatnie. Gdyby nie obecność Grześka, syczałaby z bólu. Przy nim nie wypadało. Wyciągnęła z plecaka czyste figi i założyła je, trochę żałując, że nie ma waty ani podpasek, ale nie pomyślała o tym wcześniej. Z bolesnym kroczem, stąpając ostrożnie, aby się nie urazić, przeszła przez pokój i położyła na swoim łóżku. Spojrzała na Grześka, który teraz spał, oddychając spokojnie, zwrócony ku niej twarzą. Był urzekająco piękny. Co taki chłopak, w dodatku student, zobaczył w takiej dziewczynie jak ona? A jednak są tu razem. Przytulają się, całują, spędzają swoje pierwsze wspólne, najcudowniejsze wakacje. Filuterny blond lok spadł mu na czoło. Zanim zamknęła oczy, Monika pomyślała, że tak wygląda jej mężczyzna.

Gutowo,
poniedziałek 29 sierpnia 2016, 13:50

Helena zeszła na dół. W kuchni zrobiła sobie słabej herbaty i wyjrzała przez okno, zastanawiając się, co począć w sprawie zwycięstwa w konkursie, które mogło im się wymknąć i narobić sporo zamieszania w mieście. Na podwórku przy drzwiach do pracowni stał Zbyszek i rozmawiał z kimś przez telefon. Uśmiechał się przy tym tak, że nie było wątpliwości, kto jest po drugiej stronie. Ta dziewczyna! To kolejny problem do rozwiązania. Ale teraz chyba nie najważniejszy. Helena odstawiła kubek z niedopitą herbatą i zeszła na dół. Widząc nadchodzącą matkę, Zbyszek szybko wyłączył telefon.

– Jak ojciec?

– Może powinien jednak pojechać do szpitala? Przecież nawet nie wiemy, co mu się stało!

– Mogę go zawieźć po zmianie.

Patrząc na syna, Helenie po raz pierwszy nasunęła się myśl, że może kiedyś zostać ze Zbyszkiem sama. Oby jak najpóźniej, bo na razie to nie jest partner do poważnych decyzji. Choć był już formalnie dorosły, miała wrażenie, że w każdej sprawie będzie go jeszcze długo musiała prowadzić za rękę. Tak pewnie kiedyś było z Waldkiem i Celiną. Ale nauczył się wszystkiego, zresztą długo mu towarzyszyła. Teraz to moja rola – pomyślała.

– Powinniśmy coś zdecydować w sprawie ciastka – powiedziała.

– Ale co?

– Przede wszystkim musimy się zastanowić, czy nadal ma być produkowane.

Przez twarz Zbyszka przebiegł grymas niedowierzania. Zmarszczył brwi, jakby nie mógł zrozumieć.

– Przecież tak świetnie się sprzedaje! Sama mówiłaś…

– Ojciec niczego nie podejrzewa, ale ja wiem, czyj to był pomysł.

– I co z tego?! Przepis na takie ciastko można znaleźć w Internecie. Ona go nie wymyśliła.

– Więc wiesz, o co mi chodzi? Tym lepiej. Tak, Kasia go nie wymyśliła, ale to był jej, nie twój pomysł. Nie uważasz, że po tym, jak ją potraktowałeś, produkowanie tego ciastka jest trochę nieetyczne?

– Nie uważam. Te dwie sprawy nie mają ze sobą nic wspólnego! Jedyny nasz problem to ten konkurs. No i zdrowie taty oczywiście.

Trochę jej zaimponował. W obliczu zagrożenia, a może dzięki miłości do tej dziewczyny, nagle wydoroślał.

– Ściągnę z sieci ten regulamin, jest na stronie Urzędu Miasta, wydrukuję go i przyjdę do ciebie po zmianie, to go razem przeczytamy i zastanowimy się, co mogą nam zarzucać, dobrze?

– Doskonale, wracaj do pracy!

Grzegorz Hryć nigdzie się oczywiście nie wybierał, nie miał spotkań w Warszawie, zresztą wciąż trwały wakacje i kiedy w porze obiadowej zadzwoniła do niego podekscytowana żona, szybko wsiadł w samochód i pojechał na rynek do jej sklepu.

– Jak to: „odebrali im zwycięstwo"? To kto wygrał?! – dopytywał się.

– A co mnie to obchodzi, najważniejsze, że ktoś im wreszcie zadał bobu! – relacjonowała podekscytowana Anita. – Wyskoczymy teraz do banku? Musisz mi dać pełnomocnictwo na ten kredyt, bez niego nie ruszę.

Hryć przypomniał sobie o planowanej inwestycji żony i ciężko westchnął.

– Obyśmy tylko nie popełnili jakiegoś błędu! Żeby ci się to udało, bo jak nie... Nawet nie chcę o tym myśleć, to całe nasze zabezpieczenie na starość.

Anita tylko wzruszyła ramionami.

– Głupstwa gadasz. Zarobimy więcej niż na tej twojej kopalni piasku. Myślisz, że ludziom tak się podoba w pałacu?! Że chcą wydawać krocie na te luksusy? W życiu! Będziemy obsługiwać setki imprez: studniówki, bale karnawałowe, wesela, komunie, chrzciny. Byle była równa podłoga i białe obrusy na stole. Cena! Cena jest najważniejsza! Tu jest Polska, ceny muszą być dostosowane do zarobków. Zresztą nawet jeśli masz kasę, siadasz w pałacu przy stole i od razu łamigłówka: który nóż jest do czego, który kieliszek do wody, a który do wina białego, który do czerwonego? Po cholerę tyle tego stawiać, to tylko miejsce zabiera! Po co widelczyki do ciasta, a już łyżeczką to nie łaska zjeść? Całe życie jadłam łyżeczką i nic mi się nie stało. Albo osobny nóż do masła! Kpina jakaś! I zmywaj to wszystko potem! A na talerzu ledwie co widać potrawę i taka ona jakaś... Ozdób więcej niż mięsa, jakby żałowali. Myślisz, że to się ludziom podoba?

– Oj tam, gadasz! – obruszył się Grzegorz Hryć. – Tak jest na całym świecie! Potrawy muszą być małe, bo jak inaczej w żołądku zmieścić to wszystko: przystawkę, zupę, danie główne i jeszcze deser?

– Małe danie, znaczy skąpy restaurator! Tyle ci powiem i nie przekonasz mnie, choćby nie wiem co! – fuknęła. – A jeśli jeszcze dałoby się z czasem nadbudować nad tą mleczarnią piętro... – rozmarzyła się. – Bo po weselu ludzie lubią się czasem zdrzemnąć albo dzieci położyć... No, to Iga będzie sobie mogła wtedy za chlebem do Anglii emigrować. Ej, słuchasz mnie?

– Słucham, słucham, tylko się zastanawiam, jak to możliwe, że Waldkowi ten konkurs nie wyszedł. Co prawda, ja ci powiem, to ciastko jakieś trefne było. Ciasta tam co kot napłakał, ta wróżba ni przypiął, ni przylepił. A do cukierni się idzie, żeby czegoś smacznego spróbować.

– Jak chcesz wróżby, idź do wróżki! – twardo podsumowała Anita. – Będzie tego, pora do banku!

Helena punkt po punkcie czytała regulamin konkursu na ciastko i na razie nie znalazła niczego, co mogłoby stanowić przeszkodę w ich wygranej. Chyba że o dyskwalifikacji miałoby przesądzić zdanie „stanowiące wytwór sztuki cukierniczej". Ale nigdzie nie było sformułowania, co tą sztuką cukierniczą może, a co nie może zostać nazwane. Oczywiście ona też miała wątpliwości, czy tak prosty wyrób wolno wystawiać do konkursu, ale klienci je rozwiali. Tylko czy kupowali ciastko dla ciastka czy dla wróżby? Odpowiedź na to pytanie wydawała się oczywista. W tej sytuacji należało udowodnić, że nawet tak pozornie prosty wyrób jak ciastko z wróżbą, które praktycznie można zrobić w każdym domu, jest wytworem sztuki cukierniczej. Musiała zatem poszukać sprzymierzeńca zupełnie gdzie indziej.

Nie wahała się długo. W sprawach firmowych była zawsze niezwykle elastyczna i pragmatyczna. Spojrzała na leżącą na skraju biurka wizytówkę Moniki Grochowskiej-Adams, westchnęła głęboko, sięgnęła po komórkę i wybrała numer.

– Chciałam panią przeprosić za moje zachowanie. Wydarzenia poranne wytrąciły mnie z równowagi. Jestem gotowa raz jeszcze pani wysłuchać.

Telefon od Heleny Hryć Monika odebrała na cmentarzu. Stała właśnie nad grobem matki i Kazimierza. Sprzątnęła wypalone lampki i zeschnięte kwiaty. Zadowolona, że Leszek lub jego żona pamiętają o grobie, zapaliła znicze i zadumała się przez krótką chwilę. Chciała wracać do pałacu, bo wciąż siąpił ten niemiły, jesienny deszczyk, teraz jednak, zaintrygowana telefonem pani Hryć, pojechała wprost do cukierni.

Inaczej niż zawsze Helena poprosiła ją na zaplecze. Monika usiadła na krześle, gotowa powtórzyć swoją prośbę, ale zanim zdążyła otworzyć usta, odezwała się gospodyni.

– Mam wielką prośbę. Jest pani prawnikiem. Zdarzyło nam się dziś coś bardzo przykrego, a nawet w pewnym sensie hańbiącego. Zdeklasowano nasz wyrób, mąż przypłacił to zasłabnięciem. Ktoś usiłuje podważyć naszą uczciwość. Dlatego rano byłam taka roztrzęsiona. Nie wiem, jak powinniśmy się bronić, proszę o pomoc!

Monika wysłuchała Heleny spokojnie i z uśmiechem stwierdziła:

– Takiej sprawy jeszcze nie miałam. Będzie to, można powiedzieć, wisienka na torcie moich dokonań.

Kiedy Monika Grochowska się pożegnała, Helenie przeszło przez myśl, że być może zbyt wcześnie ją poinformowała. A jeśli nic się nie wydarzy? Na razie wpłynął protest, chyba burmistrz nie będzie chciał zadrażniać sprawy? Po co mu zła sława? Jeszcze nigdy nic takiego się przy okazji Dni Gutowa nie wydarzyło. Teraz cukiernicy będą się bali wziąć udział w konkursie, bo każde ciastko przy odrobinie złej woli można zaskarżyć. Jakoś ostatnio o tym nie myślała, ale to jednak jest małe miasto, pełne zawistnych ludzi. Co im to da? I tak wszyscy chwalili ciastko z wróżbą. Zbyszek miał rację, trzeba iść z postępem. A jeśli im odbiorą tytuł zwycięzcy? Cóż, nawet jeśli, to nie odbiorą im przecież tytułu najlepszej cukierni w mieście! Już Waldek coś wymyśli! Teraz trzeba będzie klientów zaskoczyć przed świętami. A może otworzyć filię w Płocku? Tak! Świetny pomysł! Nie ma co się tutaj kisić, Płock to większa konkurencja, ale też o ile więcej klientów i możliwości!

Podniecona tą myślą weszła na górę do mieszkania. Kiedy spojrzała na Hrycia leżącego na łóżku, od razu zrozumiała, że mu się pogorszyło. Nie był w stanie nic powiedzieć, ciężko oddychał. Przerażona sięgnęła po telefon i raz jeszcze wezwała pogotowie. Nie pamiętała numeru syna, a nie chciała teraz zostawić męża. Przycupnęła obok niego, z przerażeniem patrząc, jak bezgłośnie porusza wargami.

– Spokojnie. Zaraz przyjadą, zabiorą cię do szpitala. Zaraz przyjadą… – powtarzała zdenerwowana.

– Pilnuj… firmy… – wyszeptał z trudem i zamknął oczy.

Helena sprawdzała, czy oddycha, i jednocześnie nasłuchiwała sygnału karetki. Na szczęście do mieszkania wszedł Zbyszek.

– Mamo, jesteś? – krzyknął głośno, a kiedy stanął w drzwiach sypialni, znieruchomiał.

– Co się dzieje?

– Jest gorzej. Musimy zawieźć tatę do Płocka. Nie wiem, czy zdążymy. Dlaczego zgodziłam się, żeby został w domu! Dwie godziny zmarnowaliśmy! Oby nie było za późno!

Chałupy, sierpień 1967

Monice nie udało się zasnąć. Leżała twarzą do ściany z kolanami pod brodą, bała się poruszyć, bo nadal czuła ból w podbrzuszu. Grzesiek spał. Ocknął się jakąś godzinę później.

– Idziemy gdzieś? – zapytał ożywiony.

– Ja nie – wyjęczała.

– No co ty! Nie marnujmy dnia! – skrzywił się.

– Boli mnie!

– Co?

Nie odpowiedziała. Czekała na jakiś gest solidarności, jakąś czułość wykraczającą poza seks, jakiś odruch przyjaźni. Miała nadzieję, że on rzuci się na pomoc, pójdzie do gospodyni albo do apteki, że zrobi cokolwiek, aby jej ulżyć. Usłyszała, że się ubiera, szczęknął suwak spodni. Patrząc w lusterko wiszące na ścianie, poprawił dłonią włosy, włożył koszulę i wyszedł bez słowa. Niedługo później wrócił, trochę kręcił się po pokoju, jakby nie wiedział, co ze sobą zrobić. Usiadł na łóżku, potem wstał.

– Nie chce ci się pić? – zapytał wreszcie.

– Nie.

– Skoczę do sklepu! – oznajmił i wyszedł.

Nie zapytał nawet, co jej kupić. Kiedy nie wrócił po godzinie, Monika zaczęła się niepokoić. Minęła druga, trzecia godzina i wtedy była już przerażona. Podejrzewając, że musiało się wydarzyć jakieś nieszczęście, pokonując ból, ubrała się i wyszła na drogę. Ale dokąd miała iść, gdzie go szukać, skoro w każdej chwili mógł wrócić? Stała zdezorientowana, zastanawiając się, co począć. Wróciła na kwaterę, zjadła kawałek chleba, napisała mu na kartce wiadomość, zawiązała sobie na biodrach sweter i poszła na plażę.

Z klapkami w dłoni szła brzegiem morza i rozglądała się bacznie z nadzieją, że go może gdzieś wypatrzy. Jak to pod wieczór, nie było zbyt wielu ludzi. Raczej spacerowali, niż leżeli. Od morza czuło się lekki, ale dość chłodny powiew. Gdzieś daleko ktoś palił ognisko. Pomyślała, że dojdzie do tego miejsca i zawróci. Powoli robiło się szaro, a ona była coraz bardziej zdenerwowana. Zastanawiała się, czy dobrze zrobiła, wychodząc, bo może Grzesiek już wrócił i teraz on się martwi?

Wokół ogniska siedziało sporo młodzieży, chyba jakaś grupa studentów. Pokrzykiwali, ktoś nucił coś przy wtórze gitary. Jedni podawali drugim butelkę z winem.

Zupełnie jak u nas na Górze Zamkowej… Ledwie to pomyślała, usłyszała głos Grześka.

– Monika? – był wyraźnie zdziwiony, ale podbiegł do niej z uśmiechem. – Jak mnie tu znalazłaś?

– No właśnie sama nie wiem… – powiedziała bez cienia uśmiechu, patrząc na zasiadające wokół ogniska towarzystwo. – Co to za ludzie? – zapytała.

– Studenci.

– Twoi kumple?

– Nie… To znaczy teraz już tak… – plątał się Grzesiek i czym prędzej zaczął się usprawiedliwiać. – Ty spałaś, więc wyszedłem się przejść…

– Poszedłeś do sklepu.

– Ale potem zszedłem na plażę, była cudowna pogoda i w ogóle.

Patrzyła na niego, zmarszczywszy brwi.

– Ja leżałam, zwijając się z bólu, a ty poszedłeś na plażę! – w jej głosie nie było wyrzutu, tylko zwyczajne stwierdzenie faktu. – Zostawiłeś mnie.

– Żebyś odpoczęła.

– Mam nadzieję, że się dobrze bawisz.

– Ojej, daj spokój, jesteśmy tu całkiem sami, trzeba czasem kogoś poznać. To są studenci Politechniki Warszawskiej, fajni ludzie. Chcesz się przysiąść?

Nie, nie chciała się przysiąść, nie chciała siedzieć teraz przy ogniu i popijać wina. Ten dzień był dla niej szczególny i sądziła, że dla niego też będzie, a on po prostu zwiał, poszukał sobie innego, weselszego towarzystwa. Było jej strasznie przykro. Jeszcze miała nadzieję, że zachowa się jak na mężczyznę przystało, że wróci razem z nią, że chociaż zapyta, jak ona się teraz czuje, ale jego mina nie wskazywała na wielką duchową rozterkę. Najwyraźniej dobrze się bawił i wcale nie miał ochoty porzucać nowych znajomych. Więc mogła tu zostać z całkiem obcymi ludźmi i udawać zadowoloną albo wrócić na kwaterę sama.

– Tak… – powiedziała wbrew sobie.

Wrócili po północy. Monice, mimo że włożyła sweter, było zimno, Grzesiek miał trochę w czubie, ale jakoś chyba nie czuł chłodu. Zamierzał położyć się z nią do jednego łóżka, ale nie miała już na to ani sił, ani ochoty. W nocy długo nie mogła usnąć. Próbowała go wytłumaczyć, próbowała usunąć gdzieś w kąt swoje rozczarowanie, wreszcie uczepiła się myśli, że zostawił ją, żeby w spokoju odpoczęła, bo co miał robić na kwaterze, tylko by przeszkadzał, a ona przecież musiała dojść do siebie. Zresztą kiedy napiła się wina, trochę jej się humor poprawił.

Jutro pójdziemy na plażę i znów spotkamy tych studentów, może będzie miło? – pomyślała, usypiając.

Ale rano Grzesiek miał zupełnie inny zwariowany pomysł.

– Wiesz, że tu gdzieś jest plaża nudystów? – powiedział jej podniecony.

– I co z tego?

– Może byśmy się wybrali?

– My?! Przecież nie jesteśmy nudystami. Zresztą… Nie…

– Ale dlaczego? Wstydzisz się?

– Ty się nie wstydzisz? Rozebrałbyś się przed obcymi? – nie mogła uwierzyć.

– No jasne! Wszyscy jesteśmy tak samo zbudowani.

– Chyba nie wszyscy. Są ludzie ładni i ludzie brzydcy. Są chudzi i grubi, młodzi i starzy. Może i mamy takie same części ciała, ale nie… Ja bym nie mogła. To trzeba być odważnym, a ja nie jestem – broniła się.

– Właśnie teraz, kiedy mamy młode ciała, trzeba je pokazywać! – Grzesiek nie ustępował. – Kiedy się postarzejemy, nie będzie już tak łatwo.

– Mnie i tak nie jest łatwo. – Monika wzruszyła ramionami.

– Oj tam, śliczna jesteś! Wiem, że wszyscy by się na ciebie gapili, i tylko to mnie powstrzymuje, bo jestem wściekle zazdrosny! – wypalił ni z tego, ni z owego.

– Naprawdę? – ucieszyła się. To były tylko słowa, ale miło jej się zrobiło na myśl, że chce ją mieć tylko dla siebie.

– Pewnie! Ale z drugiej strony chodziłbym dumny jak paw, gdyby się za tobą oglądali! – przekonywał. – Nie mów nie! Przemyśl to! Może więcej okazji nie będzie? Nikt nas tu nie zna, moglibyśmy przeżyć coś ekscytującego, coś naprawdę wspaniałego! Nie możesz być zawsze szarą myszką z Gutowa! W Warszawie takich nie cenią. Pokaż, że masz osobowość, że nie obchodzą cię mieszczańskie konwenanse!

– Ale ja się wstydzę…

– Nie rozumiesz, że nie masz czego?

Monice nie chciało się już kłócić. Dopiero wczoraj została kobietą, dziś Grzesiek chce z niej uczynić nudystkę, czy on nie ma litości?! Czy nie rozumie, ile ją kosztowało to, co się wczoraj wydarzyło? Nie tylko bólu, ale przede wszystkim emocji! A potem te nerwy, kiedy myślała, że mu się coś stało! I zanim jeszcze zdążyła wrócić do równowagi, on znowu proponuje to! Przecież chyba wie, że ona nigdy nie była jakoś szczególnie skora do szaleństw, nie była odważna ani specjalnie wyzwolona. Nie mogliby po prostu spędzić ze sobą tych dwóch tygodni w spokoju, opalając się, chodząc na spacery i rozmawiając, a w nocy przytulając się do siebie? Ale widać nie. Grzesiek ma wielką potrzebę doświadczania nowych rzeczy.

Jeśli mu nie dorównam, to nigdy się nie dogadamy – pomyślała zmartwiona. Ale nadal nie wyobrażała sobie sytuacji, że idzie plażą goła jak ją Pan Bóg stworzył. To było nie do pojęcia. Chybaby się spaliła ze wstydu! A jeśli wstyd trzeba pokonać? Założyć okulary słoneczne i nie myśleć o tym, że ludzie patrzą? Grzesiek powiedział, że jest ładna. Nigdy tak o sobie nie myślała, ale jeśli jest rzeczywiście, może nie ma się czego wstydzić? Tylko czy to na pewno będzie ekscytujące? Wszystko dzieje się zbyt szybko.

Kroiła chleb, po który znów poszła sama, zanim Grzesiek wstał. Kupiła też konserwę tyrolską, którą bardzo lubiła, pół kostki masła, kilka ogórków i dwie butelki oranżady. Teraz powoli żuła kanapkę i rozmyślała. A im bardziej zbliżał się moment wyjścia na plażę, w tym większe przygnębienie popadała, bo nie umiała się przyznać, że pewnie stchórzy.

– To co? Idziemy? – Grzesiek strzepnął okruchy ze spodni i przeciągnął się.

Nie patrząc mu w oczy, wstała i zaczęła pakować swoje rzeczy. Starała się jak najdłużej odwlec moment przykrej rozmowy.

– A może byś został ze mną? – powiedziała wreszcie, nie patrząc mu w oczy.

– Gdzie?

– Na plaży.

– Przecież nigdzie nie idę – odparł zdziwiony.

– Naprawdę?

Serce Moniki nagle zatrzepotało z radości. Poczuła ulgę i wdzięczność.

– Razem pójdziemy.

– Ja nie dam rady – wyszeptała, czekając na naganę.

– Nie to nie... – Grzesiek wzruszył ramionami.

Poczuła ulgę, że się nie upierał. Zebrali rzeczy i poszli na plażę. Ale nie był to radosny spacer. On uparcie milczał, jakby chciał ją utwierdzić w poczuciu winy, ona też się nie odzywała, czuła, że go zawodzi, próbowała sobie wytłumaczyć, że to przecież nic takiego, że będzie jeszcze wiele okazji, żeby udowodnić mu miłość i oddanie, ale raz po raz wracała ta uparta, najgłośniejsza ze wszystkich myśl, że poprzez swój upór buduje jakiś mur, który nie pozwoli im być naprawdę szczęśliwymi.

Dotarli do plaży, a Grzesiek wciąż się nie odzywał. Monika źle znosiła jego milczenie. Rozłożyli swoje rzeczy, ona położyła się z książką, a on poszedł popływać. Wydawało się, że niebezpieczeństwo minęło.

Zajezierzyce,
poniedziałek 29 sierpnia 2016, 14:15

Monika pochyliła się nad laptopem i raz jeszcze słowo po słowie przeczytała regulamin konkursu opublikowany na stronie „Obserwatora Gutowskiego". Ze strony urzędu regulamin zniknął, co samo w sobie było okolicznością obciążającą organizatora. Na szczęście lokalny portal nie był chyba z burmistrzem w zbyt dobrych relacjach lub zapomniano, że tam również ów regulamin zamieszczono. Zapisała stronę na swoim komputerze, aby w razie przystąpienia Hryciów do sporu z urzędem mieć namacalny dowód. Jednak treść regulaminu, stworzona zapewne dawno temu przez urzędników, nie prawników, mogła być szeroko interpretowana, nie wskazując z góry zwycięzcy sporu. Bo czy ciastko z wróżbą nie było „artystyczne", nie miało „autorskiej receptury", czy nie mogło stać się w przyszłości „lokalną atrakcją"? Gdyby się uprzeć, można by podważyć każde z tych określeń. Czy więc warto tracić czas i układy w urzędzie? Stać się obiektem plotek? Może rozsądniej byłoby nie wszczynać awantury, dając sprawie umrzeć śmiercią naturalną?

Siedziała w samochodzie, pochylając się nad ekranem, podekscytowana, i nawet niezdziwiona, jak głęboko dała się wciągnąć w życie tego do niedawna obojętnego jej miasta.

Historia zatoczyła koło... Gdybym nie wyjechała, gdybym wtedy wyszła za Grześka, dziś mogłabym być szwagierką tej Heleny, może jej przyjaciółką? Wygląda na niegłupią i chyba mogłabym ją polubić – pomyślała, nie przeczuwając nawet, jak wiele mają ze sobą wspólnego.

I już sięgała dłonią po komórkę, aby podzielić się z Heleną swoimi przemyśleniami, kiedy przyszło jej do głowy, że Gutowo to nie Nowy Jork. Tu ludzie tak szybko nie zapominają. Wezmą ich na języki, a ustąpienie może się w przyszłości zemścić, zachęcając innych do podważania zasadności werdyktu konkursowego. Z tej sytuacji nie było dobrego wyjścia. Jeszcze przez chwilę popatrzyła na deszcz spływający po szybach samochodu, włączyła silnik i ruszyła do hotelu.

Nie chciała się narzucać, ale ponieważ wkrótce rozstaną się z Teresą, może na zawsze, zamierzała spędzić z nią jeszcze trochę czasu. Czuła, że nie wszystko sobie powiedziały. Chciała pochwalić się swoimi dokonaniami, a Teresa znała ją najdłużej i jak nikt inny mogła docenić długą i mozolną drogę, jaką przyszło Monice pokonać. Zamierzała też ją zapytać, co sądzi o jej książce. I chyba to było najważniejsze.

– Jadłyście już obiad? – zapytała, wybrawszy numer komórki Teresy.

– Właśnie siadamy do stołu. Zaczekać na ciebie?

– Siadajcie! Będę za kwadrans!

Kiedy wreszcie dotarła do restauracji, przy stole panowała jakaś smętna atmosfera.

– Widzę, że dostroiłyście się do pogody! – spróbowała żartu, ale nie poskutkowało. – Polska jesień… – westchnęła.

Elena i Mia studiowały menu, jakby chciały znaleźć coś, czego tam nie było. Teresa robiła miny wskazujące na znudzenie całą sytuacją.

– A wiecie, że w mieście wybuchła afera? – powiedziała cicho, pochylając się ku środkowi stołu. – Chcą Hryciom odebrać tytuł Ciastka Roku.

– Jakie miasto, taka afera… – stwierdziła Elena. Zupełnie jej to nie interesowało.

– To nie krach na giełdzie ani kryzys gabinetowy, ale, powiedziałabym, dla tych ludzi być może jest to ważniejsze od wielkiej polityki – odparła Monika. – Byłam dziś w cukierni, rozmawiałam z panią Hryć, źle to zniosła, jest bardzo przejęta, jednak to policzek dla firmy. Jej mąż podobno zasłabł.

– Honorowy człowiek! – Teresa pokiwała głową. – Oni tym naprawdę żyją!

– Regulamin napisali na kolanie – stwierdziła Monika.

– A na czym mieli napisać? Na kamiennych tablicach? Przecież to Gutowo! – Elena wzruszyła ramionami, a Teresa, zdziwiona zachowaniem córki, skarciła ją wzrokiem.

– I teraz nie wiadomo, jak sprawę ugryźć, mówiąc kolokwialnie – ciągnęła niezrażona Monika. – À propos, co zamówimy?…

Ani Mia, ani Elena nie zostały na kawie. Mia zamierzała wziąć samochód i ku rozpaczy matki pojechać do miasta. Obiecała, że zadzwoni, nie powiedziała jednak, o której. Elena podejrzewała, że córka spędzi popołudnie i wieczór, a nawet większą część nocy z tym barmanem, i humor popsuł jej się jeszcze bardziej. Prawie słyszała Mię mówiącą, że wbrew wszystkiemu zostaje tu na kilka dni, że przecież ona sobie z Tessą doskonale sama poradzi. Wyczuwała narastającą hardość i nie wiedziała, jak reagować, aby bardziej nie zaognić i tak nieciekawej sytuacji. Zostawiła matkę i jej przyjaciółkę przy stole, a sama poszła do pokoju. Zniechęcona otworzyła laptop i zaczęła sprawdzać loty do Wiednia. Najlepszy byłby popołudniowy, żeby się nie musiały za bardzo śpieszyć. Były dwa takie loty – około trzeciej i piątej po południu. Ostatecznie koło ósmej wieczorem. Podróż trwa bardzo krótko, najdalej po dziewiątej będą w Wiedniu. Nie wiedziała, czy już kupić bilety, czy jeszcze poczekać. Zwłoka mogła oznaczać brak biletów na wybrany lot. Jakoś nic jej się nie chciało. Chyba z powodu niskiego ciśnienia bolała ją głowa.

Za dużo zjadłam – pomyślała. Zdjęła spodnie, bluzkę, zasłoniła okno i z uczuciem, jakby szła na wagary, wsunęła się w chłodną pościel.

– Co one dziś takie odęte? – Monika odprowadziła Elenę wzrokiem.

– Mia nie wróciła na noc.

– Zatem mają powód. Matka się troszczy o córkę, to naturalne.

– Doszła w tym do wielkiej wprawy, a nawet otarła się już kilka razy o histerię. Chociaż powiem szczerze, Mia zachowuje się zupełnie jak nie ona. Poznała tu chłopaka z baru czy z pubu. Zawrócił jej w głowie, chociaż to nie jest taka dziewczyna, co to, wiesz... Nie jest łatwa.

– Chłopak z baru też nie musi być ostatnim łotrem.

– Tłumaczę Elenie, żeby nie panikowała, bo to odniesie odwrotny skutek, ale ona się zawsze bardzo o Mię bała. Trochę nie daje jej dojrzeć.

– Odpowiedzialność... Czy to prawda, że już jutro wracacie?

– Sama nie wiem. Właściwie taki był plan. Ale Mia błagała mnie przed obiadem o jeszcze chociaż dwa dni. Miłość...

– Tego możemy jej tylko pozazdrościć.

– Otóż to! Te dwa dni mnie nie zbawią, a nie chciałabym jej teraz dodatkowo unieszczęśliwiać.

– Dodatkowo? – nie zrozumiała Monika.

– A! – Teresa machnęła ręką, jakby chodziło o jakiś drobiazg. – Mam raka. To już pewnie długo nie potrwa.

– O mój Boże... – Choć wiedziała o chorobie Teresy od Eleny, Monika przez chwilę nie mogła złapać tchu. – Dlatego przyjechałaś?

– Takie tam pożegnanie. Właściwie od samego początku chciałam cię spotkać. Chyba tylko ciebie. Bo kogo jeszcze? Przecież nie Hrycia! Chociaż i tak się napatoczył, jak w kiepskim filmie. On mnie chyba nawet nie pamięta. Zresztą nic nie znaczyłam w jego życiu. Podobno był tu burmistrzem?

– A teraz jest posłem! Dasz wiarę?!

– Z jakiej partii?

– No wiesz... Wiadomo, z jakiej!

– To on jest dewotem?!

– Nie, karierowiczem.

– Ciągle jeszcze? Przecież to stary ramol!

– A my to co?! – roześmiała się Monika.

– My to co innego! – zawtórowała jej Teresa.

– Dziwne czasy…

– Dziwne…

– Straszne czasy. Nie sądziłam, że kiedykolwiek takich dożyję. Nie sądzisz, że kiedyś będą o nich mówili jako o czasach ciemnoty? Wypełzły skądś złe moce i odebrały ludziom rozum. Nagle okazało się, że wiedza nie jest do niczego potrzebna, to jak inaczej nazwać takie czasy?

– Czasami zwykłych ludzi.

– W każdym kraju populiści zaczynają się umizgiwać do niezadowolonych, którzy uznali, że wystarczy to, co zobaczą w telewizji, wyczytają z pasków w Wiadomościach.

– Populiści wszędzie próbują i coraz im łatwiej wygrywać w wyborach. Są głosem ludu. U nas, w Austrii, jest podobnie. Mamy z tym wielki problem. Oprócz rozczarowania starymi partiami jest jeszcze u wyborców jakaś potrzeba podporządkowania się wodzowi. Oczekują, że ktoś zdejmie im z pleców ciężar dywagowania, co jest dobre, a co złe, i na jedno chwytliwe hasło już pędzą do urny, przekonani, że dobrze wybrali.

– Modlę się o to, aby Trump nie wygrał wyborów. Jeśli do tego dojdzie, cały mój świat runie.

– Mylisz się, będziesz żyła tak jak do tej pory. Polityka, póki nie osiągnie swej najgorszej formy, dyktatury, nie tak bardzo wpływa na nasze życie. Zresztą co chcesz, żyć trzeba dalej.

– Wydawało mi się, że dożyję starości w lepszym świecie.

– W najlepszym ze światów – poprawiła Tessa. Była wdzięczna Monice, że nie podtrzymuje tematu choroby, nie lituje się, nie załamuje rąk i nie dopytuje się o szczegóły medyczne.

– Ale wydarzył się jedenasty września... – powiedziała Monika i zamilkła na chwilę. – Jeszcze przez jakiś czas łudziłam się, myślałam, że to tylko incydent. Ale chmury nadciągnęły niepostrzeżenie i coraz trudniej mi wierzyć w jasną przyszłość.

– Zabawne, ale wiesz, coraz częściej, kiedy coś mnie trapi, coś złego, co może się wydarzyć w przyszłości, pocieszam się myślą, że pewnie tego nie dożyję – roześmiała się Teresa.

– I co? Przynosi ulgę?

– Nie. Może trochę.

– Koniec świata, koniec cywilizacji, wielki kataklizm albo coraz większa automatyzacja, która w konsekwencji rozwoju sztucznej inteligencji wyznaczy koniec rasy ludzkiej... Jest się czym przejmować. – Monika pokiwała głową. – Ty masz wnuczkę, to dla ciebie może być powód do zmartwienia, ja nie zostawiam nikogo, kim bym się przejmowała. Kiedy umrę, nic po sobie nie zostawię. Może tę powieść, której i tak nikt nie przeczytał.

– Ja już niedługo skończę! – powiedziała Teresa. – A twój brat? Miałaś, zdaje się, brata? – zapytała bez związku.

– Tak, przyrodniego.

– Jak miał na imię?

– Leszek. Nieznanego ojca, podobnie jak ja... To powinno nas zbliżyć, ale różnica wieku była chyba zbyt duża.

A może zazdrościłam mu tego, że w odróżnieniu ode mnie jego matka kochała... Nawet go jeszcze nie odwiedziłam. Jakoś nigdy nie byliśmy sobie bliscy. Wielokrotnie próbowałam mu pomóc, dawałam wskazówki, pieniądze, namawiałam do nauki, do biznesu. Ale żeby osiągnąć sukces, trzeba chcieć. Jeśli się nie chce, nawet bogata ciocia z Ameryki nie pomoże.

– Może były jakieś powody? – zaryzykowała Tessa.

– Cała fura trudności obiektywnych. Przekroczył pięćdziesiątkę, a zawsze żył na cudzy koszt. Nie splamił rąk ciężką pracą. Uznał, że jedna idiotka w rodzinie wystarczy.

– Był sierotą.

– Był mazgajem. I wiesz co? To moja matka go tak uformowała! Kochała go, chciała mu wszystko zapewnić, nie miała żadnych wymagań ani w stosunku do zachowania, ani do nauki, był jej królewiczem. A potem umarła i królewicz został żebrakiem, bo mu starsza siostra już nie usługiwała, nie głaskała po główce, nie wybaczała głupot. A on, zamiast cokolwiek zrozumieć, obraził się na cały świat, wpadł w złe towarzystwo i już się z niego nie wydobył.

– Co za szczególny paradoks! – Tessa zmarszczyła brwi. – Miłość rodzicielska też powinna mieć swoje granice.

– On ciągle żyje w poczuciu krzywdy. Umacnia się w nim z każdą moją wizytą, dlatego się z nim nie widuję, niczego od niego nie chcę, ale też nie pomagam jego dzieciom, co pewnie uznają za okrucieństwo z mojej strony. Ale nigdy się do mnie sami o nic nie zwracali, choć to dorośli ludzie.

– Oczywiście nie odmówiłabyś?

– Raczej nie, nie jestem z żelaza, a to w końcu jedyna moja rodzina.

– Żałujesz, że nie masz własnych dzieci? – zapytała Teresa.

– Może czasami – odpowiedziała Monika i spojrzała ku drzwiom restauracji, w których właśnie stanęła Mia, najwyraźniej uwalniając ją od dalszych tłumaczeń.

– Babciu, jadę do Gutowa, nie potrzebujesz czegoś? – zapytała.

– Nie, kochanie, baw się dobrze.

– Aha, babciu... Znałaś może Michała Podedworskiego? To dziadek Maćka. Pamiętasz go?

– Jak przez mgłę... – odparła Tessa, a Mia pochyliła się i pocałowała policzek babki.

– To na razie! Będę w winiarni, bo szefowa Maćka musiała gdzieś pilnie wyjechać i zabrała mu wolny dzień! *Bye!* – rzuciła wesoło i wyszła.

– Czy pomyślałaś o tym samym co ja?... – patrząc na Teresę, z błyskiem w oku zapytała Monika.

Zajezierzyce, wrzesień 1967

Ani jednej burzy. Pogodne dni płynęły w jakimś dziwnym spokoju. Tak pięknego lata Teresa nie mogła sobie przypomnieć. Choć jak zawsze dokądś gnała, pędzona przez sprawy niecierpiące zwłoki, nagle wszystko jej wychodziło, praca sprawiała przyjemność, a trud nie wydawał się ponad siły. Zawsze złapała jakąś okazję, kiedy się śpieszyła, a gdy postanowiła się przejść dla zebrania myśli, nikt jej nie przeszkadzał ani nie nagabywał. Najwspanialsze było to, że nie spodziewając się tego ani na to nie czekając, dostała od nauczyciela Danusi pocztówkę z wakacji. Kilka słów i widok Tatr napełniły ją jakąś niespotykaną słodyczą. Nosiła ze sobą tę kartkę wszędzie, aby kiedy tylko przyjdzie jej ochota, móc ją przeczytać i poczuć w środku to radosne trzepotanie. Pamiętał o niej!

Przyszła też lakoniczna kartka od Moniki, która chwaliła się, że wraz z warszawskimi studentami politechniki świetnie się bawi na Helu. Teresa trochę zazdrościła Monice, bo sama nigdzie nie wyjechała, zresztą za co? W dodatku musiała się uczyć do matury. A nauczyciel napisał, że wróci przed końcem wakacji, żeby jej pomóc i aby mogli coś pouzgadniać w sprawie koła teatralnego, to się teraz liczyło najbardziej.

Praca w Fablaku, którą załatwiła Teresie towarzyszka Wypych, niemal niczym nie różniła się od jej dotychczasowych obowiązków. Też chodziła na sprzątanie i trochę ogarniała biuro w fabryce. Czasem podziurkowała jakieś dokumenty, powkładała je do segregatorów, nie bardzo się nawet zastanawiając, co to za pisma, jak są sformułowane i czemu służą. Zresztą głowę miała zbyt zajętą nauczycielem i planami wspólnych przedsięwzięć. Wymyśliła, że najpierw o pomoc i radę poprosi towarzyszkę Wypych, a potem zebrała się na odwagę i poszła do samego pierwszego sekretarza Janiuka. Oboje obiecali wsparcie i było już wiadomo, że kiedy nauczyciel wróci, klub młodzieżowy będzie miał zapewnione nie tylko poparcie władz, ale też jakieś skromne finanse. I to wszystko załatwiła ona! Teresa trochę się dziwiła, jak łatwo jej poszło.

Wieczory były długie i widne, więc z książką i zeszytem do matematyki siadywała na ławce przed domem, z rzadka tylko podnosząc głowę, aby popatrzeć na słońce chowające się za pałacowym parkiem. Kiedy nie potrafiła rozwiązać zadania, brała zeszyt do pracy i szukała podczas przerwy jakiegoś inżyniera. Żaden jej nie odmówił, a jeden to się nawet zaoferował, że będzie zostawał po fajrancie, żeby z nią przerobić funkcje. Ona jednak wolała się uczyć w godzinach pracy, a póki towarzyszka Wypych jej za to nie karciła, biegała po wydziałach i prosiła o wyjaśnienia.

W połowie sierpnia była gotowa i kiedy Stanisław Lisicki wrócił z wakacji, nie musieli już tracić czasu na matematykę. Przychodził do nich do domu i siadywali na krzywej ławce przed domem, aby żadna sąsiadka nie mogła Teresy posądzić o jakieś bezeceństwo, i rozmawiali długo o tym, czego dokonają dla zajezierzyckiej młodzieży.

Teresa nie potrafiła zrozumieć, że nikt, a chociażby i ona sama, nie wpadł wcześniej na pomysł zorganizowania jakiegoś klubu. Było we wsi koło gospodyń wiejskich i na tym się kończyło. To starsze kobiety organizowały we wsi życie kulturalne, ale ograniczało się ono w zasadzie do kursów gotowania, higieny oraz kroju i szycia. Czasem przyjechał z Gutowa ktoś z wykładem o racjonalnej gospodarce rolnej, ale żeby chór założyć czy teatr, o tym nikt nie pomyślał. Może powodem była względna bliskość Gutowa, gdzie bez obawy o obgadanie można było iść do kina czy na zabawę. Gdzie wszystko wydawało się lepsze i większe niż w Zajezierzycach i dokąd większość młodzieży ze wsi planowała się kiedyś przenieść.

W połowie września plan klubu kultury był gotowy. Teresa zawiozła go do towarzyszki Wypych, a ta obiecała poparcie góry. Warunek był jeden: młodzież ma się zapisać do ZMW. Teresa chodziła więc wieczorami po domach i zachwalała projekt klubu, którego nikt nie widział. Nie było to łatwe. Część dziewcząt zapisała się ze względu na nauczyciela, część zmusiła do tego swoich chłopaków, ale szło opornie, nikt nie chciał śpiewać ani organizować przedstawień teatralnych. Dopiero kiedy Teresa trochę na wyrost obiecała im kawiarnię z telewizorem, zbiórka podpisów ruszyła.

Jednocześnie Mundek Bystry, raz na trzeźwo, raz po pijaku, przychodził i to błagając, to awanturując się, prosił Teresę, aby za niego wyszła. Przeganiała łobuza gdzie pieprz rośnie, opędzając się jak od uprzykrzonej muchy, robiła wyrzuty matce, podejrzewając, że to jej sprawka. Ale Mundek nie dawał za wygraną, jakby podejrzewał, że Teresę i nauczyciela może łączyć coś więcej niż tylko chęć działania dla dobra wsi. Kto mógł mu naopowiadać takich bzdur?

Zaczęło się od wybicia okna w pokoju, który Stanisław wynajmował od starej Chorążakowej. Na podłogę wpadł kamień wielki jak dwie męskie dłonie. I choć początkowo nauczyciel zastanawiał się, który z uczniów mógł chcieć się zemścić za niesprawiedliwą ocenę, Teresa nie miała wątpliwości, kto jest sprawcą. Poszła od razu do Mundka i nawrzucała mu przy matce i siostrach. Nawet nie spróbował zaprzeczać! Niechby chociaż skłamał! A on, niepomny obecności kobiet, darł się, że nikomu jej nie odda, a już zwłaszcza jakiemuś gogusiowi z miasta! I nie uwierzył, kiedy mu zimno w twarz wycedziła, że nigdy za niego nie wyjdzie i niechby tylko spróbował tknąć palcem nauczyciela, to będzie miał z nią do czynienia! Ale Mundka nic nie odstraszało. Zresztą miał we wsi kompanów, których dziewczyny patrzyły łakomym okiem na Stanisława Lisickiego. Kilku poczuło się zagrożonych. Wiedzieli, że żaden nie może się z nim równać.

Teresa myślała, że z czasem Mundkowi się znudzi, zrozumie jej niechęć i zrezygnuje z zalotów. Zresztą miała poprawkę matury i to ją zaprzątało przede wszystkim. Udało jej się tym razem zdać, ale już nie cieszyła się tak bardzo, jak sądziła. Pod koniec września zaczęły się próby *Ciotuni* i codziennie wieczorem biegała wraz z grupą dziewcząt i chłopaków na próby. Cóż to była za znakomita zabawa!

Teatr pochłonął ją bez reszty! Już planowała występ w Gutowie, gdzie w kinie Bajka znajdowała się drewniana scena wraz z zapleczem.

Ale do premiery nie doszło. Pewnego dnia nauczyciel po prostu nie pojawił się w szkole. Nie przyszedł też na próbę. Nie zostawił wiadomości u starej Chorążakowej, nie usprawiedliwił się w żaden sposób. Nikt nie widział, żeby wsiadał do autobusu, więc we wsi nawet przebąkiwali, że pewnie stało mu się coś strasznego. Ale przynajmniej zabrał ze sobą walizkę, może więc po prostu wyjechał?

– A tam – wyjechał! Dał nogę i tyle – rechotał Mundek, doprowadzając Teresę do białej gorączki.

Dlaczego wyjechał? Dlaczego porzucił wieś i ludzi, którzy tak go lubili? Teresa nie mogła zrozumieć. Chodziła smętna, myśląc tylko o jednym. Wreszcie poszła do Mundka i zażądała wyjaśnień.

– Zawiadomię milicję, że to twoja sprawka, i będą cię ciągać po komisariatach! – krzyczała w rozpaczy.

– A zawiadamiaj sobie, głupia! Już ci tam kto uwierzy! Zabrał walizkę, znaczy wyjechał – chłopak bagatelizował sprawę.

– Nigdzie się nie wybierał, robiliśmy próby, nie zostawiłby dzieciaków, nie zostawiłby szkoły! On kochał tę pracę!

– Pracę czy ciebie? – wycharczał wściekły Mundek.

– Nie twoja sprawa! Coś mu zrobił, kanalio?! – bliska łez Teresa szarpała go, patrząc z nienawiścią. Teraz, kiedy ktoś powiedział to na głos, zrozumiała, jak bardzo zależało jej na Stanisławie.

– Ty nic nie rozumiesz! – burknął tylko i splunął w bok. – Twoje szczęście, że wyjechał. Jeszcze mi za to podziękujesz.

– Nigdy, rozumiesz?! Nigdy! A jeśli się okaże, że coś mu się stało, wylądujesz w pudle! Już ja o to zadbam!

– Ot, głupia! – westchnął Mundek i poszedł do swojej roboty, zostawiając Teresę bezradną, zapłakaną i nieszczęśliwą.

Następnego dnia pojechała do pracy opuchnięta i towarzyszka Wypych, chcąc nie chcąc, zapytała o przyczynę. Kiedy Teresa wyznała jej powód, wystarczył jeden telefon i kwadrans rozmowy, aby na stole przed zdumionymi oczyma dziewczyny znalazła się kartka z adresem.

– Co to? – zapytała zdziwiona.

– Adres twojego amanta! – Towarzyszka Wypych wzruszyła ramionami.

Teresa siedziała nad kartką, wpatrując się w okrągłe, nieco dziecinne pismo szefowej. Ani on nie był jej, ani nie był amantem. Nawet w najskrytszych marzeniach nie śmiałaby go tak nazywać. Stanisław budził w niej jakąś czułość, rzewność, zawstydzał ją, bo choć miał tylko maturę, wiedział i umiał o wiele więcej. Mówił pięknie i był taki mądry! Teresa skoczyłaby za nim w ogień, ale czy zdoła napisać doń list?

– Klonowa piętnaście, Grodzisk Mazowiecki… – wyszeptała w końcu ustami zaschniętymi z przejęcia.

– Na co czekasz? Pisz! – ponaglała szefowa.

Kiedy zdobyła adres, wydawało się to dziecinnie proste. Ale co napisać? Jak zacząć? Jak się do niego zwrócić: „Drogi Stanisławie”? Czy w formie oficjalnej: „Panie Stanisławie”, bo za „towarzysza” by się pewnie obraził. A co, jeśli ktoś obcy otworzy list? Wpatrzona w kartkę z adresem, nie potrafiła się zdecydować. Nie wiedziała nawet, co pragnęłaby wyznać. Właściwie chciała tylko sprawdzić, czy Mundek z kompanami nie zrobił mu jakiejś krzywdy. I czy to nie był powód nagłego wyjazdu. Ten powód pragnęła poznać. Ale też bała się prawdy, bo może nagle wszystko mu obrzydło? Wieczne błoto i smród z chlewików, pijackie burdy i proste chłopskie życie, jakie tu wiedli, z dnia na dzień, bez żadnej nadziei na odmianę. To on miał ich zmienić, wyrwać stąd, a teraz zostawił. Teresa nawet nie czuła żalu, może jedynie rozgoryczenie. Był kimś z innego świata, aż dziw, że tu trafił. Nie pasował do nich. Pewnie to zrozumiał przez ten rok…

Siedziała z posępną miną, zgaszona, nieszczęśliwa. Październikowy deszcz siekł w szyby biura. Zamyślona patrzyła w zamglone okna tak długo, aż wreszcie zrozumiała, że i sto listów nie zasypie przepaści między nią a Stanisławem Lisickim. Ale jeszcze nie straciła nadziei. Może kiedyś skorzysta z jego adresu, może napisze. Niewielką też miała nadzieję, że on odpowie.

Płock,
poniedziałek 29 sierpnia 2016, 16:30

Lekarz wyglądał na zmęczonego, ciężkie powieki, opuszczone kąciki ust, poszarzała twarz. Dlaczego myślę, jak on wygląda? – zastanawiała się Helena.

– Ciężki zawał – usłyszała. – Zbyt długo zwlekaliście z przywiezieniem pacjenta.

Patrzyła na niego, zagryzając wargi i walcząc ze łzami. Poza stanowczym sprzeciwem męża nie miała nic na swoje usprawiedliwienie. Ale większość chorych nie chce jechać do szpitala.

– Jak on się teraz czuje? – zapytała cicho, z obawą, jakby oczekując kolejnej nagany.

– Jak ma się czuć?! – odburknął lekarz. – Jest nieprzytomny.

– Mogę do niego wejść?

– Jeśli pani musi…

Wyszła na korytarz. Widząc pytające spojrzenie Zbyszka, jedynie pokręciła głową.

– Niewiele się dowiedziałam. Za długo czekaliśmy. Czas pokaże.

Zdenerwowany Zbyszek potarł usta dłonią.

– Zabiję go! – wysyczał.

– Kogo?

– Zagańczyka!

Mimo absurdalności tego oświadczenia Helenie zrobiło się jakoś raźniej.

– Daj spokój, synku, na zawał pracuje się latami. Tata przeżył stres, w nocy coś go trapiło, nie mógł spać, żałuję, że się wtedy nie zainteresowałam jego samopoczuciem. Myślałam, że chce mu się pić, bo poszedł do kuchni. Ale przecież jest dorosły, jeśli poczuł się źle, powinien mi o tym powiedzieć. Nie możemy nikogo oskarżać, to niepoważne. Zajrzę do niego na chwilę. Zostań tu.

Zbyszek pośpiesznie, jakby z ulgą, kiwnął głową i natychmiast wyjął telefon, Helena zaś pchnęła drzwi na salę.

Waldemar leżał z zamkniętymi oczyma, w piżamie rozchełstanej na piersi. Podpięty do jakichś urządzeń, które monitorowały akcję serca, wyglądał na straszliwie bezbronnego. Dotknęła jego przeraźliwie zimnej ręki. Patrzyła na obrzmiałą twarz męża, robiąc sobie wyrzuty. Dlaczego nie przyjechali do szpitala od razu? Dlaczego mu uległa? Dlaczego nie wysłała go wcześniej na jakieś badania? Przecież on nigdy o siebie nie dbał. Oby teraz nie było za późno! Nagle wszystkie wczorajsze zmartwienia stały się błahostkami. Teraz liczył się tylko Waldek.

– Wszystko załatwię, nie martw się. Wracaj do nas szybko! – powiedziała, nie wiedząc, czy mąż ją słyszy, i szybko wyszła na korytarz, żeby się przy nim nie rozpłakać.

Zbyszek siedział pochylony na krześle i pisał coś w telefonie.

Nawet w takiej chwili nie potrafi się powstrzymać! – pomyślała ze smutkiem. Syn podniósł wzrok i spojrzał na nią pytająco. Pokręciła tylko głową.

– Wracajmy – powiedziała bliska płaczu.

Jeszcze wczoraj byłam taka szczęśliwa, jeszcze dziś rano... Przypominała sobie moment, kiedy patrzyła na Waldka i Zbyszka śpieszących w stronę ratusza po zasłużoną nagrodę, nie wiedząc, jak wiele troski kosztowała ona jej męża, nie podejrzewając, co się stanie... Gdyby można było cofnąć czas, oddałaby to zwycięstwo, nawet za cenę rozczarowania, jakie mogłoby przypaść w udziale Zbyszkowi. Ale nic się już nie da zrobić, ich życie znalazło się w rękach lekarza, który sam wygląda na przemęczonego. Mogą tylko czekać. Żeby się całkiem nie rozkleić, spróbowała myśleć o czym innym. Do czasu powrotu Waldka firma była na jej głowie. Nie tylko codzienna produkcja, którą musiała w dużej mierze zostawić Zbyszkowi, ale również sprawa konkursu. Helena nie potrafiła zdecydować, czy walczyć w ratuszu, czy też pozostawić sprawę własnemu biegowi. Nagroda wobec stanu męża prawie całkiem jej zobojętniała. Czy dobrze zrobiła, prosząc o pomoc tę prawniczkę? Może trzeba było ustąpić nawet za cenę przegranej, nie dodawać sobie zbędnych nerwów? Czy jednak brak obrony nie oznacza przyznania się do winy? Nie umiała rozstrzygnąć.

– Uważasz, że powinniśmy odpuścić? – zapytała Zbyszka, najwyraźniej odrywając go od myślenia o czym innym.

– Co takiego?

– Czy mamy walczyć o tytuł, czy zostawić sprawę w ich rękach?

– Sam nie wiem…

– A kto ma wiedzieć? Jesteś autorem ciastka, które wygrało! Uważasz, że spełniliśmy kryteria?

– Jakie?

– Konkursowe! Ocknijże się! Czy ty mnie w ogóle słuchasz? Chcesz pozostać zwycięzcą konkursu czy z góry godzisz się na to, że ktoś nam zabierze tytuł?

Zbyszek milczał i Helena zrozumiała, że jej w tym nie pomoże. Ona sama też nie czuła się na siłach, aby podjąć ostateczną decyzję. Tak jak on myślami była gdzie indziej, wciąż stała przy łóżku szpitalnym. Ale musiała być również tu, bo teraz ona dzierżyła stery.

– Zadzwoń do Igi – powiedział Zbyszek.

Dopiero teraz Helena sobie uświadomiła, że Iga jeszcze nic nie wie. Wzięła głęboki oddech, po czym wybrała jej numer.

– Iguniu, tata miał zawał – powiedziała najspokojniej, jak potrafiła. Po drugiej stronie zaległa długa, ciężka cisza. – Jego stan jest stabilny, leży na erce w Płocku, ale chyba zbyt długo czekaliśmy z zawiezieniem go do szpitala, znasz tatę, bardzo się wzbraniał, uważał, że nic mu nie jest – dodała.

– Można go zobaczyć?

– Tak. I chciałabym z tobą porozmawiać, potrzebuję rady.

Warszawa, listopad 1967

Miała wielkie marzenia, dlatego nie zamierzała się oszczędzać. Od pierwszych dni na zajęciach zrozumiała, jak wciąż niewiele umie mimo pracy włożonej w przygotowania do matury. Szczęśliwie jej grupa była bardzo liczna i większość osób znajdowała się w podobnej sytuacji. Studenci pierwszego roku prawa dzielili się na tych z Warszawy, którzy czuli się pewnie i siadali blisko profesorów, i takich jak ona prowincjuszy, którzy wybierali jak najdalsze miejsca, aby w razie jakiegoś pytania ukryć się za plecami innych. Skurczeni nad zeszytami, zapamiętale notowali i uważnie słuchali. Potem zaś na przerwie, w tramwaju i akademiku kuli, kuli, kuli! Tak właśnie upływały Monice pierwsze tygodnie. Nie miała czasu na spacery po mieście, które planowała jeszcze we wrześniu, odkładała je na jakieś inne, lepsze czasy, kiedy okrzepnie, a jej pozycja stanie się pewniejsza.

Profesorowie straszyli, że po pierwszym roku odpada połowa studentów. Nie zamierzała się wśród nich znaleźć. Zresztą nie mogła i nie chciała wrócić do Gutowa. Nie przerażały jej opasłe tomiszcza, lubiła bibliotekę i miała wprawę w kuciu. Dużo czasu przeznaczała na naukę, czasem, choć niezbyt często, spotykała się też z Grześkiem. Nie mieli dla siebie żadnego kąta, a kiedy przyszły szarugi, sprawa jeszcze bardziej się skomplikowała. Pozostawały kino i kawiarnia. Grzesiek czasem wpadał do akademika, ale pokój był trzyosobowy, a Monika nie zdążyła się jeszcze zaprzyjaźnić z żadną z dziewcząt. Podobnie jak ona musiały nadrabiać braki, więc albo uczyły się w bibliotece, albo kuły ze skryptów w pokoju.

Grzesiek zresztą był teraz mniej ważny od studiów. Codzienne przekraczanie bramy uniwersytetu Monika traktowała jak nienależny przywilej. Coś, na co dopiero musi zasłużyć. Materiału do opanowania miała bardzo dużo, przedmioty nie przypominały tych szkolnych, ale poza historią państwa i prawa jakoś jej wchodziły do głowy. Myśląc przede wszystkim o nauce, czasem zapominała nawet o jedzeniu, często pożywiając się w przerwie bułką i kefirem. Czuła się trochę samotna, na szczęście była to samotność w tłumie ludzi podobnych do niej: zabieganych, zaaferowanych, żądnych sukcesu. Z nosem w skrypcie przechodzili z jednej sali wykładowej do drugiej, a podczas przerw znów uczyli się na ławce lub w bibliotece. Pierwszoroczniacy, w większości spięci i zawstydzeni, nie potrafili jeszcze korzystać z uroków życia studenckiego.

Dni płynęły w jakiejś niesamowitej gorączce. Monika była tak zabiegana i tak dużo miała na głowie, że jakoś przegapiła czas, kiedy powinna jej się zacząć miesiączka. Miała taki mały kalendarzyk, gdzie wpisywała te dni z czterotygodniowym wyprzedzeniem, ale ostatnio nawet do niego nie zaglądała. Gdyby okres się zaczął, pewnie by sobie przypomniała. Teraz, przejęta i skupiona na nauce, po prostu nie pamiętała. Kiedy sobie to uświadomiła, nawet się specjalnie nie przejęła. Spokojnie czekając na pojawienie się krwawienia, pomyślała, że opóźnienie spowodowane jest przez nerwy związane z przenosinami, lęk o to, jak się zaprezentuje, ciągłe niedojadanie i pośpiech. Zresztą już jej się to wcześniej zdarzało, więc nie było powodu do paniki. W listopadzie jednak znów nie było krwawienia. Ale przecież to nie mogła być ciąża! Tę myśl Monika stanowczo i z rozbawieniem odrzucała. W końcu nie przyjechała na studia, żeby je zakończyć na pierwszym semestrze. Postanowiła spokojnie zaczekać, trochę lepiej jeść, mniej się denerwować. Coraz częściej jednak wsłuchiwała się w siebie. Zauważyła lekkie poranne mdłości, ale przecież nigdy nie lubiła zapachu przypalonego mleka, który te mdłości powodował. Od czasu do czasu przyłapywała się na myśli, że brak miesiączki może jednak oznaczać ciążę. Wtedy rozpamiętywała spotkania z Grześkiem i dochodziła do wniosku, że to niemożliwe. Więc rozpogadzała się, przekonując samą siebie, że to tylko opóźnienie miesiączki. Jednak dni mijały nieubłaganie, a wyczekiwane krwawienie wciąż się nie pojawiało.

Zagryzając wargi, Monika zaklinała rzeczywistość. Przecież Bóg nie mógł być tak okrutny, że pozwolił jej się wyrwać z Gutowa tylko po to, aby znów tam musiała wrócić! W dodatku w niesławie! Matka jej tego nigdy nie daruje albo, co gorsza, będzie szydzić z ambicji, którym kres położyło coś tak banalnego. Nigdy nie ostrzegała córki przed niepożądaną ciążą, nie wiadomo, czy wie, co to antykoncepcja, ale okazji, żeby powiedzieć coś przykrego, na pewno nie zmarnuje.

– To nie może być ciąża, wszystko, tylko nie to... – Monika szeptała do siebie w chwilach rozpaczy.

Zaczęła mieć kłopoty ze skupieniem się nad podręcznikami, zawaliła nawet ważne kolokwium. Budziła się ze ściśniętym żołądkiem i przez cały dzień nie dawała rady niczego przełknąć. Każde wejście do toalety, każde zdjęcie majtek mogło być upragnionym wyzwoleniem.

W końcu pojechała do przychodni studenckiej przy Mochnackiego. Siedziała w poczekalni ze spuszczoną głową i wstydziła się, jakby jej ktoś na czole wypisał tę niepożądaną ciążę. Choć wyrok jeszcze nie zapadł, przeczuwała, że go nie uniknie.

Gabinet był sterylny i zimny, a lekarka bez cienia sympatii oświadczyła krótko:

– Ciąża. Płód rozwija się prawidłowo.

Popatrzyła na Monikę z dozą przykrego sceptycyzmu. Zdjęła rękawiczki i usiadła za biurkiem. Wprowadziła do karty wynik badania.

– Kiedy była ostatnia miesiączka?

Monika, ubrawszy się, siadła naprzeciwko niej.

– W połowie lipca.

– Czternasty tydzień... – powiedziała beznamiętnie, po czym napisała coś na kawałku kartki i przesunęła w jej stronę. – Skierowanie na badania. Będziesz rodzić?

– Ja... Nie wiem... – odparła zawstydzona Monika.

Lekarka wypisała coś na kolejnej karteczce.

– Tu masz adres mojego kolegi... Jest trochę za późno, ale to dobry specjalista.

Monika kiwnęła głową, wzięła świstek i schowała do portmonetki. Nie miała odwagi spojrzeć lekarce w oczy, ale ta niezbyt interesowała się jej stanem psychicznym. Na korytarzu czekało jeszcze kilka dziewcząt.

– Dziękuję – bąknęła pod nosem, szybko opuszczając gabinet. W poczekalni, nie rozglądając się, włożyła płaszcz i nie zapiąwszy go, wyszła na wietrzną listopadową ulicę.

Klamka zapadła – pomyślała załamana. – A więc to prawda... I co teraz?

Szła przed siebie, nie do końca świadoma kierunku, w jakim podąża, prawie nie czuła zimna i nie zauważała niczego dookoła. Twarz jej płonęła, serce biło, jakby chciało wyskoczyć, w głowie huczało od pytań.

I co teraz? Co teraz? Co to będzie? Masz, co chciałaś. Gdzie drwa rąbią, tam wióry lecą. Sama jesteś sobie winna, trzeba się było z nim nie zadawać! – beształa się głosem matki.

– Ej, panienko, załóż czapkę, przeziębisz się! – rzucił jakiś przechodzień.

Nie odpowiedziała. Czuła, jakby ktoś ją zakneblował. Owładnięta niemocą, była jak sparaliżowana tym, co się stało, przerażona konsekwencjami, jakie przyjdzie jej ponieść. Teraz dopiero zrozumiała powód ociężałości, której od jakiegoś czasu doświadczała. Trudniej jej było wykonywać zwykłe, codzienne czynności, czuła się zmęczona, ciągle chciało jej się spać. Aż nagle okazało się, że te wszystkie symptomy, kładzione na karb nieuregulowanego studenckiego życia, oznaczały ciążę!

Szła ulicą absolutnie zdruzgotana. Nagle wszystko, co zamierzała, miałoby się skończyć? Miałaby podporządkować swoje plany komuś, kto pojawił się nieproszony? Kto sobie tam siedzi w środku, zupełnie nieświadom tego, co ona czuje i jak bardzo rujnuje jej życie? I za co ta kara? Za to, że chciała mieć kogoś, kto ją pokocha? Kto będzie czuły? Na kim wreszcie będzie się mogła oprzeć? Komu uwierzy? Kto będzie ją wspierał?

Teraz dopiero powoli docierało do Moniki prawdziwe znaczenie słowa „oddać się". Tak, oddała się Grześkowi. Początkowo myślała, że bycie dorosłym to świetna zabawa. Bo nagle wszystkiego mogła doświadczyć: samodzielnego podróżowania, podejmowania decyzji, nawiązywania nowych znajomości, smaku papierosów, rauszu po alkoholu, rozkoszy seksu, łamania tabu. Nikt już nad nią nie stał, nie pilnował, nie trzymał za rękę. Zależała tylko od siebie i od niego. A właściwie nawet bardziej od niego, bo powoli, z dnia na dzień, nauczyła się zaspokajać kaprysy Grześka. Czytać z jego twarzy, co sprawiłoby mu przyjemność, po to, aby był dla niej miły, tak uroczy, jak tylko on potrafił, kiedy wszystko szło po jego myśli. Gotowa zrezygnować ze swoich oczekiwań, stała się w czasie wakacji maszynką do zaspokajania cudzych pragnień. I na co się to zdało? Zostało jej trochę wspomnień i niepożądana ciąża. Jak zachowa się Grzesiek, kiedy mu o tym powie? Czy się ucieszy? Zachęci ją do urodzenia dziecka? Wesprze? Zapewni, że sobie poradzą? Walcząc z zimnym wiatrem i nerwowym dygotem, który wywołała dramatyczna wiadomość, Monika wsiadła do tramwaju.

Nie rozglądając się, zajęła wolne miejsce i wbiła wzrok w okno. Zmierzchało już, zacinał deszcz i niewiele było widać, ale chodziło o to, aby nie patrzeć na ludzi, bo każdy z nich był dziś szczęśliwszy od niej, nikt nie czuł się tak samotny, nikt nie niósł takiego ciężaru. Miotana sprzecznymi uczuciami, między żalem do świata i wyrzucaniem sobie własnej głupoty, wysiadła przy Nowym Świecie. Tu powinna wsiąść do autobusu, aby zdążyć na wieczorne zajęcia. Ale nie skręciła w Nowy Świat, tylko poszła prosto przed siebie. Minęła Dom Partii i Muzeum Narodowe i szła dalej wiaduktem, aż nie bardzo wiedząc kiedy, znalazła się na moście Poniatowskiego. Zimny wiatr smagał jej twarz, było ciemno i przerażająco. Niemal na środku mostu stanęła wreszcie i z dłońmi wbitymi w kieszenie przyglądała się granatowemu nurtowi Wisły.

Tak byłoby dla wszystkich najlepiej: dla mnie, dla ciebie, dla Grześka, mojej matki, jego matki... Nikt nie wie o twoim istnieniu. Nikt na ciebie nie czeka, nikt cię nie chce.

Wyjęła ręce z kieszeni i położyła je na balustradzie, z ulgą konstatując, że jest za wysoka.

Na Saskiej Kępie wsiadła w tramwaj i dojechała w końcu na Grochów, gdzie w jednej z kamienic przy Waszyngtona Grzesiek wynajmował pokój przy rodzinie. Właściwie poczuła ulgę, że go nie zastała. Nie była jeszcze gotowa na tę rozmowę. Sama nie wiedziała, co powinna zrobić, każda decyzja wydawała jej się równie zła: mogła uratować dziecko albo siebie. Mogła poświęcić dziecko lub swoją przyszłość. Jeden dzień, jedna krótka wizyta u lekarza i cała przyszłość legła w gruzach. Jedno krótkie zdanie i to, co zdołała zbudować, runęło. Dlaczego nikt jej nie ostrzegł? Dlaczego nie była ostrożniejsza? Dlaczego mu się oddała?

Nie wiedząc, jak sobie poradzić, wróciła do akademika. Nie powiedziała nic współlokatorkom, udała chorą i nie zdejmując ubrania, mimo wczesnej pory położyła się spać.

Grzesiek pojawił się nagle po dziewiątej. Monika chyba rzeczywiście była przeziębiona. Strasznie bolała ją głowa, żeby się trochę ogrzać, założyła na ubranie szlafrok i leżała pod kocem, wstrząsana przez dreszcze. Grześka nie zainteresował jej stan, nie zaproponował, żeby zmierzyła temperaturę, nie skoczył do apteki po jakieś tabletki. Słaniając się na nogach, wyszła z nim na korytarz, aby porozmawiać bez świadków.

– Jestem w ciąży – oznajmiła, rezygnując ze wstępu. Przez te godziny wielokrotnie myślała, jak zacząć, ale żaden wstęp nie był odpowiedni.

– To niemożliwe! – odparł bez przekonania.

– Byłam dziś u lekarza.

Wstrząśnięty, patrzył na nią, jakby zobaczył ducha.

– Chyba nie chcesz powiedzieć… Nie, to jakiś absurd! Nabierasz mnie? – miotał się niczym zwierzę złapane w sidła. – Przecież chyba…

– Grzesiu… – zaczęła błagalnie. Wystarczyło, aby ją przytulił, pocałował, tylko tego teraz potrzebowała.

– Co Grzesiu, co Grzesiu?! Zadowolona jesteś?! No, mam nadzieję, że tak! Dopięłaś swego?! Nikt cię nie chciał, z litości cię wziąłem na te wakacje, a ty mi się tak odwdzięczasz?! Wrabiając mnie w ojcostwo?! O, nie! Nie dam się tak łatwo podpuścić! Ja nie mam z tym nic wspólnego! Chyba sobie zdajesz sprawę, że my już dawno nie…

– To czternasty tydzień – przerwała mu zniechęcona. – Z nikim innym się nie spotykałam.

– Czyżby? Aż trudno w to uwierzyć! – czując się przyparty do muru, Grzesiek próbował ataku.

– Co zrobimy? – zapytała smutno.

– Ja tu mam coś do zrobienia? – prychnął. Starał się, aby zabrzmiało to lekko, nieco pogardliwie, ale widziała, że się przestraszył. – T-to jest przecież twoja sprawa – dodał niepewnie. Jak złodziej przyłapany na gorącym uczynku, przez cały czas uciekał wzrokiem.

– Tak uważasz? Moja i tylko moja? A ty umywasz ręce, bo to wyłącznie moje zmartwienie, co?! – Patrzyła na niego z pogardą.

– Mogłaś ze mną, mogłaś z innymi! – powiedział z trudnym do pojęcia okrucieństwem.

– Jesteś podły! Ty… Ty cholerny egoisto!

– Cicho! Bo ktoś usłyszy! – rozglądając się na boki, mitygował ją, przerażony.

Zagryzła wargi.

– Idź już i nigdy, rozumiesz, nigdy się do mnie nie zbliżaj! – powiedziała wreszcie chłodno i odwróciła się, żeby nie zobaczył łez.

Nie trzeba mu było dwa razy powtarzać.

Gutowo, poniedziałek 29 sierpnia 2016, 16:45

Jeszcze we czwartek Mia nie pomyślałaby, że w zapomnianym przez Boga i ludzi mazowieckim miasteczku znajdzie miłość życia. Tymczasem tak się stało. Przypadek? Zrządzenie losu? Owszem, w Wiedniu ktoś na nią czekał. Tego kogoś będzie musiała rozczarować, a pewnie i zranić. Nie obejdzie się bez kłótni, może nawet poważnej, ale tamten związek, wobec tego, co przeżywała teraz, był blady i chłodny. Zaczęła sobie już nawet wyobrażać, jak Marco Althann, z którym nawet pojawiła się w operze na balu debiutantek, będzie się wściekać.

Właściwie to spełniał tylko wolę swojej matki, która chciała synka ustawić tak, aby mógł żyć zgodnie ze swoimi ambicjami, to znaczy grając w polo i startując w rajdach samochodowych. Był fajnym, wesołym kompanem, przystojnym, świetnie ubranym, wykształconym, bogatym, ale zionął pustką. Nic poza sobą samym go nie interesowało. Czy zresztą chciał się z nią ożenić? Czy jej pragnął? Pewnie i tak zaraz po ślubie zacząłby ją zdradzać, uwielbiał kobiety. I one uwielbiały jego.

Mia jechała do Gutowa, zdziwiona swoimi rozważaniami. Ale były przecież całkiem na miejscu. Marco wysłał jej przez te cztery dni aż trzy SMS-y, to niezwykły jak na niego dowód zainteresowania. Poczuła się zresztą trochę niczym na elektronicznej smyczy, jakby chciał jej powiedzieć: Jesteś moja! Nie zapominaj o tym! W porządku, nie zapomniała, ale podjęła już decyzję o zerwaniu.

Od kiedy Elena poinformowała ją o chorobie babki, a Mia niepotrzebnie wyznała to Marcowi, poczuła, że on zaczął coraz bardziej o nią zabiegać. Znała go od dawna i to było do niego całkiem niepodobne. Mogła się założyć, że za wszystkimi jego poczynaniami, także za tymi trzema SMS-ami, stoi matka. Byli taką piękną parą! I taką bogatą. Mogliby do końca życia pławić się w luksusie, a i tak co nieco by jeszcze zostało dla przyszłych pokoleń. No, chyba żeby zamarzyło mu się jakieś jeszcze droższe hobby: pilotowanie odrzutowca na przykład. Albo własna wyspa na Pacyfiku. Któraś z większych.

Oczywiście Tessa spisała już na pewno testament, a Elena zażądałaby intercyzy przed ślubem, żeby Marco nie mógł roztrwonić dorobku Steinmeyerów. Intercyzy stały się ostatnio szalenie modne. Ale Mia była romantyczką i niepoprawną optymistką. Uważała, że jeśli kiedykolwiek zdecyduje się na ślub, to nie z wyrachowania, ale z miłości. Małżeństwo to nie kontrakt spisany przez prawników, tylko składane raz na zawsze przyrzeczenie. Takie były jej przekonania i choć powoli traciła nadzieję, że w snobistycznym Wiedniu znajdzie kogoś, komu uda się spełnić jej wyśrubowane kryteria, tu, w tej odległej mazowieckiej mieścinie, właśnie kogoś takiego znalazła.

Naturalnie będą jeszcze musieli omówić wiele spraw. Mia najchętniej zrzekłaby się spadku po babce, ale wiedziała, że byłoby to sprzeniewierzenie się jej pamięci. Dziedzictwo nakładało na nią pewne obowiązki. Teraz na czele zarządu stanie Elena, jest więc trochę czasu na urodzenie dzieci i rodzinę, ale potem trzeba będzie zakasać rękawy.

Jeśli uda jej się znaleźć sensownego męża, to on mógłby ją w tym wyręczyć. Albo mogliby sprawować nadzór nad firmą wspólnie. Wszystko zależy od okoliczności. Poznanie Maćka nagle postawiło przed nią setki pytań. I to najważniejsze: czy znów się spotkają, kiedy będzie musiała wrócić do Wiednia.

– Będzie wściekła! – ostrzegała Monika.

– Trudno, niech będzie. Sama jest sobie winna. – Teresa wzruszyła ramionami.

– Raczej nie. To był mój pomysł! Ale wiesz, taka nowina?! Jego wnuk?! Jakim sposobem? Skąd się tu wziął?! I że jest barmanem? Przecież to się kupy nie trzyma! – wyrzucała z siebie rozemocjonowana Monika.

– Ano nie.

– Też jesteś go ciekawa?

– Bardzo! – przyznała Teresa.

– Ale co mu powiemy?

– Nic.

– To pomyśli, że śledzimy twoją wnuczkę.

– Niech pomyśli. Tym lepiej.

– Dawno się tak nie czułam! Jestem strasznie podekscytowana! A ty nie? Zupełnie jak w szkole, kiedy się chodziło na przerwie pod starsze klasy, żeby zobaczyć, który chłopak zaproponował jakiejś koleżance chodzenie.

– Nigdy tego nie robiłam.

– Bo tu w szkole wszyscy się znali!

– W Gutowie też tego nie robiłam.

– Pomyśl tylko! Przecież on może wejść do twojej rodziny!

– Elena będzie mnie szukała! – przypomniało się Teresie.

– To jej napisz, że pojechałyśmy na pączki.

– Chłopak gotów pomyśleć, że mu robimy egzamin.

– A tak nie jest?

– Oczywiście. Nawet dwa naraz – odparła Teresa, wstukując w telefon SMS do córki. – Pamiętasz, jak wyglądał Michał?

– Nie bardzo. Moja matka była w nim zakochana.

– Skąd wiesz?

– Błagała go, żeby ją zabrał ze sobą.

– Mówiła ci?

– Skąd! Podsłuchałam. Myślę, że to ona tymi swoimi zalotami raz na zawsze przegoniła go z Długołąki – stwierdziła Monika.

– A wiesz, co ludzie na wsi o nich gadali?

– Nie.

– Moja babka mówiła, że Ewa Radziewicz, narzeczona Michała, utopiła się po rozmowie ze Stefcią. Podobno dzieciaki widziały.

Monika na chwilę zaniemówiła, a w końcu skrzywiła się sceptycznie.

– Dzieciaki lubią zmyślać! No i utopić się na własne życzenie?

– Mówię tylko, co gadali, to było przecież przed moim urodzeniem.

– Swoją drogą to bardzo podobne do mojej matki! Zrobić coś takiego, a potem proponować mu wspólne życie. Tylko ona mogła to wymyślić! – Monika pokręciła głową.

– Minęło kilka lat, pięć, sześć?... Myślała, że zapomniał.

– Jak można zapomnieć, że ci się narzeczona utopiła?! Na dodatek Stefcia była już wtedy z Kazimierzem. Pamiętam te święta. Tu jest wolne miejsce, zaparkuję! Przejdziemy się kawałek, dobrze? Bo na deptak nie ma wjazdu.

– Oczywiście! – Teresa kiwnęła głową.

Wysiadły z samochodu i przecinając rynek, skierowały się ku Szewskiej. Deszcz ustał, wieczór był jednak dość chłodny. Nagle Monika przystanęła i spojrzała na Teresę.

– Czy ludzie coś jeszcze na ten temat mówili? Czy on... No wiesz...? Ze Stefcią?

– Myślisz, że mógł być twoim ojcem?

Monika przez dłuższą chwilę milczała, zastanawiając się nad czymś intensywnie.

– Matko Boska! Tak! Może to właśnie on! – powiedziała wreszcie, oszołomiona tym przypuszczeniem. – Błagała go, żeby ją zabrał ze sobą. Żebrała prawie.

– Ją czy was?

– Teraz już nie pamiętam, ale chyba o mnie nie było mowy. Bo nawet się trochę przestraszyłam, że mnie zostawi. Chociaż lubiłam Pawlaka, trudno go było nie lubić.

– To był święty człowiek – potwierdziła Teresa.

– Nie, muszę się napić! Cała się trzęsę! Dlaczego wcześniej na to nie wpadłam?!

– Może właśnie dziś jest odpowiedni czas?

– Obserwuj go! Powiesz mi, czy widzisz podobieństwo! – szeptała Monika.

– Zlituj się, to dzieciak! W dodatku mężczyzna, jak mam odnaleźć między wami podobieństwo?! Namów go na test, to się przekonasz.

– Zawsze byłaś taka złośliwa?

Stały przed winiarnią, kłócąc się. Wreszcie z lokalu wyszła Mia.

– Babcia? Pani Monika? Co tu robicie?! – powiedziała ze zdziwieniem i leciutką naganą.

– Tak sobie szłyśmy ulicą bez celu... – Monika ratowała sytuację.

– Prawda jest taka, że w Zajezierzycach zabrakło wina – śmiertelnie poważnie odparła Teresa.

– Skoro tak... Zapraszam! – Mia otworzyła drzwi i wpuściła obie panie przodem.

Weszły, rozglądając się po winiarni. Jeśli nie liczyć Mii, tylko jeden stolik był zajęty.

– Szewski poniedziałek! – oceniła Monika.

– Zapraszam do baru! – zaproponowała Mia.

– Właściwie czemu nie? – zgodziła się Tessa, gramoląc się na wysoki stołek.

– Babciu – Mia pełniła honory domu. – To jest właśnie Maciek Podedworski. Moja babcia – powiedziała w stronę chłopaka.

Tessa skinęła mu głową.

– To pan nam ją ciągle porywa? Miło mi! – Ponad ladą podała mu rękę, którą on uścisnął.

– A panią to ja poznaję! Spotkaliśmy się na tej łączce, pamięta pani? – chłopak zwrócił się do Moniki.

Zaprzątnięta poszukiwaniem podobieństwa, nie od razu odpowiedziała.

– Ach tak! Niedzielny rowerzysta z Długołąki!

– Czytam pani książkę!

– O! A skończy pan? – roześmiała się.

– Oczywiście! – Maciek niemal się obraził. – Szukam jakichś wiadomości o dziadku. Podobno gdzieś pani o nim pisze.

– Szkoda, że nie ma indeksu, toby pan nie musiał czytać całej – zażartowała Teresa, a Monika spojrzała na nią, nie wiedząc, czy się roześmiać, czy obrazić. Wreszcie uśmiechnęła się.

– Co mogę paniom zaproponować? Czerwone chyba, prawda? Światowe kobiety nie pijają białego! – powiedział z przekonaniem.

– Jest taka reguła? – spytała Teresa ze śmiechem. – Nie słyszałam. Ale zgoda. Zdajemy się na pański wybór.

– Proszę nam opowiedzieć o dziadku! – powiedziała Monika. – To pan sprzedaje Długołąkę?! Na pewno pan!

Maciek uśmiechnął się skromnie.

– Barman z hektarami! To się powinno spodobać twojej mamie, kochanie! – podchwyciła Tessa.

– Jakie tam hektary! – zaoponował. – Trochę lasu i wspomnienie po dworku…

– Jego właściciel, Zdzisław Pawlak, wiele dla nas zrobił. – Tessa zmieniła ton na poważny.

– Bardzo wiele! – potwierdziła Monika.

– Dziadek mi o nim opowiadał. Bardzo go szanował – powiedział Maciek, nalewając wino do kieliszków.

– To dlaczego pozwolił na ruinę dworku?! – oskarżycielsko rzuciła Monika.

– Nie uważasz, że nie wypada tym pana obciążać? – Tessa spróbowała bronić chłopaka.

– Ależ nie, ja rozumiem pytanie! I też się z tym zgadzam. Nie tylko mój dziadek, ale rodzice też nigdy tu nie przyjeżdżali, a przecież tu jest tak ładnie. Mogliśmy przyjeżdżać na wakacje, jeśli dom by stał. Ale oni nigdy nawet nie wspomnieli o Długołące. Właściwie to przez przypadek dowiedziałem się, że dostałem w spadku ten kawałek ziemi.

– Jednego nie rozumiem. – Monika zmarszczyła czoło. – Co pan robi w tym barze?

– To jest jakaś próba na prośbę dziadka – wyjaśniła Mia.

– Próba czego? – nie rozumiała Monika.

– Właśnie nie wiem. Mam się tu pokręcić po okolicy przez trzy miesiące.

– Powiem wprost: kupiłabym od pana tę ziemię. Nie jest mi potrzebna, bo mieszkam na stałe za granicą, ale znałam Zdzisława Pawlaka i może odbudowałabym ten dworek.

– Jesteś pewna?! – z naciskiem zapytała Tessa, a Monika domyśliła się, że nie chodzi o dworek.

– Tak! – odpowiedziała, choć wcale nie była pewna. Ale podobał jej się ten chłopak. Chciałaby mieć takiego syna. W zasadzie mógłby być również bratanek.

– Byłoby dla mnie zaszczytem sprzedać grunt właśnie pani, ale mam już dwie oferty i będę musiał spokojnie wszystko przemyśleć – odparł Maciek, a Teresa za plecami Moniki zrobiła do wnuczki minę, w której kpina z przyjaciółki mieszała się z szacunkiem dla jej chłopaka.

– Na pewno jest pan barmanem? – zapytała, z uśmiechem podnosząc kieliszek do ust.

Gutowo, listopad 1967

Monika nie miała siły, aby wstać z łóżka. Naprzemienne dreszcze i mdłości, gorączka i wymioty spowodowały, że nie poszła na zajęcia. Nagle wszystko stało się nieważne. Nie wiedziała, co robić, nie miała przy sobie nikogo, komu mogłaby się zwierzyć lub poprosić o radę. Jeszcze chyba nigdy nie czuła się tak samotna i bezradna. Na szczęście koleżanki z pokoju podawały jej rano i wieczorem herbatę i kanapki. Kupiły też w aptece polopirynę, witaminę C i akron. Ale potem wychodziły na uczelnię, zostawiając ją samą.

Właściwie wszystkie te dni przespała. Wstawała tylko do toalety. Człapała ciężko, owinięta kocem, zobojętniała i bezwolna wobec choroby. Wracała, piła kilka łyków ostygłej dawno herbaty i znów się kładła. Nie miała już siły złorzeczyć losowi, nie chciało jej się narzekać. Czuła się bardzo źle, chwilami myślała nawet, że umrze, nie robiło to na niej zresztą wielkiego wrażenia. I tak już wszystko przegrała. Przez głupotę zaprzepaściła swoją przyszłość. Gdyby się wcześniej zorientowała i poszła do ginekologa, może to wszystko by się nie stało? Ale stało się. I teraz musi ponieść konsekwencje. Na Grześka nie ma co liczyć, uciekł jak oparzony. Myśląc o tym wszystkim, przypominając sobie ich znajomość od początku, Monika zaczęła powoli rozumieć, jak bardzo przedmiotowo ją potraktował. Nie spróbował nawet z nią przegadać tego, co powinni w tej sytuacji zrobić. Nie miała wielkiego wyboru: mogła się zabić, iść na skrobankę albo urodzić to dziecko. I chociaż nie podobała jej się żadna z tych opcji, wiedziała, że w końcu którąś będzie musiała wybrać.

Nagle pomyślała o matce. Czy Stefcia też tak cierpiała, kiedy dotarło do niej, że jest w ciąży? Co czuła? Czy chciała się pozbyć dziecka? Pewnie jej było łatwiej: żyła z dnia na dzień, bez planów, bez wielkich marzeń. Ciąża w niczym jej nie przeszkodziła. W czym zresztą miała przeszkodzić? Chociaż od jej sprawcy doświadczyła tego samego – porzucenia. Monika poczuła chwilowy przypływ litości wobec matki. Jak przez mgłę przypomniała sobie jej łóżko, a właściwie barłóg: stary materac, brudną kołdrę, jeszcze brudniejsze poszewki. Tyle razy uciekała od tego przykrego wspomnienia, tyle razy powtarzała sobie, że dziecko nie stanie jej na drodze do kariery. Zresztą dziecka w ogóle nie miała w planach. Może właśnie matka swoim postępowaniem zabiła w niej marzenie o macierzyństwie, a może było na to po prostu za wcześnie? A teraz okazuje się, że czasem w życiu przez jeden mały błąd wszystko może przepaść. Nie chcesz, ale nagle orientujesz się, że jesteś już matką.

Po trzech dniach trzeba było wreszcie zakończyć koczowanie w łóżku. Żując bladą murarkę skąpo posmarowaną masłem, Monika postanowiła się nieco ogarnąć. W ten piątkowy poranek nadal było zimno, ale przynajmniej nie padało. Niewiele myśląc, wzięła torebkę i wyszła z domu. Nie miała celu, poza tym, aby jeszcze bardziej zachorować, złapać zapalenie płuc albo coś jeszcze gorszego, ale zmarzła i na Grochowskiej wsiadła do tramwaju. Kiedy się ocknęła, tramwaj zatrzymywał się właśnie na rogu Alej Jerozolimskich i Marszałkowskiej, wysiadła, sama nie wiedząc, dlaczego akurat tu. Szła ulicą, patrząc w chodnik i szurając nogami. Kiedy mijała Dworzec Śródmieście, skręciła, chcąc się ogrzać. Bez biletu wsiadła do pociągu, ale już wtedy zakiełkowało w niej postanowienie, żeby pojechać do Gutowa!

Na Dworcu Zachodnim nie musiała nawet długo czekać. Autobus do Płocka odjeżdżał za niespełna godzinę. W Gutowie znalazła się przed trzecią po południu. Wysiadła na dziwnie opustoszałym rynku i od razu poczuła zapach ciastek. Przez chwilę walczyła z chęcią, aby wejść do cukierni i porozmawiać z matką Grześka, psując jej humor i relacje z synem. Może nawet by to zrobiła, gdyby nagle nie zatrzymała wzroku na kobiecie właśnie wychodzącej z cukierni. Nawet jej w pierwszej chwili nie poznała. Teresa wyglądała nadspodziewanie dobrze. W chustce zawiązanej pod brodą, bordowym płaszczu i kozakach, uśmiechnięta i zadbana, niosła małą paczuszkę ciastek obwiązaną papierowym sznurkiem. Na widok Moniki stanęła jak wryta, ale szybko się uśmiechnęła, jakby nic między nimi nie zaszło, a to spotkanie było od dawna wyczekiwane.

– Monika? Jak się masz?!

– Dziękuję, strasznie się rozchorowałam! – uprzedzając niewygodne pytania i jeszcze bardziej niechciane domysły,

Monika westchnęła przesadnie, po czym zaniosła się donośnym kaszlem.

– Byłaś już u lekarza?

– Jeszcze nie...

– To chodź ze mną, w Fablaku przyjmuje dziś doktor Stocka, przynajmniej cię osłucha – powiedziała Teresa i spojrzała na zegarek. – Jeszcze mamy pół godziny, jakoś cię wkręcę na wizytę.

– Zmieniłaś się! – Monika popatrzyła na przyjaciółkę pełna szczerego uznania. Właściwie tego właśnie oczekiwała. Pragnęła, aby ktoś wziął ją za rękę i powiedział, co ma robić.

– Może trochę. Człowiek dojrzewa z czasem. Jak ci idzie na studiach?

– Ostatnio zawaliłam kolokwium.

– Na następnym się poprawisz.

Szły w stronę zakładów, jakby się nigdy nie rozstawały. Monika poczuła się trochę spokojniejsza. Teresa zaś od razu spostrzegła, że choroba nie jest jedynym zmartwieniem przyjaciółki. Jej twarz była nie tylko wymizerowana, ale wręcz szara. Monika słaniała się na nogach, mówiła cicho i z trudem. Do Fablaku było około dwóch kilometrów, Teresa więc zatrzymała się przy postoju taksówek.

– Pojedźmy, to kawał drogi i moglibyśmy nie zdążyć.

Nie komentując jej decyzji, bezwolna niczym dziecko, Monika wsiadła do auta. Teresa nie pamiętała jej tak cichej, przygaszonej, smutnej, ale już dawno minęły czasy, kiedy mówiły sobie wszystko. Nie chciała wyjść na wścibską.

– Podoba ci się Warszawa? – zagadnęła.

– Może być.

– Fajnie chyba jest na studiach? – nie ustawała.

– Potwornie dużo pracy. Ani chwili wytchnienia. A ty, co właściwie robisz?

– Takie tam prace biurowe w Fablaku. Nic ważnego, ale się nie przepracowuję. No i pensję mam regularnie. Wiesz, jakie to dla mnie ważne.

– W domu wszystko w porządku?

– Tak, chociaż matka choruje na żołądek. Prawie nic nie je, nie ma na nic siły. Z domu się nie rusza.

– Przykro mi... – odruchowo powiedziała Monika.

– Ale dzieciaki dobrze. Chodzą do szkoły. No i babcia też się trzyma.

Wysiadły z taksówki na dużym podjeździe przed budynkiem biurowca i Teresa od razu skierowała się do przychodni. Czekało tu wszystkiego ze trzy osoby, jednak kartka na drzwiach oznajmiała, że doktor Stocka za kwadrans kończy przyjęcia. Monice było wszystko jedno, usiadła potulnie na krześle i pokasłując, czekała.

– Zaraz wracam! – Teresa pokazała trzymany wciąż w dłoni pakunek z ciastkami.

Rzeczywiście niedługo potem pojawiła się znowu i z westchnieniem zadowolenia usiadła obok Moniki.

– Zostaniesz przyjęta!

Od tego momentu Monika zastanawiała się, czy zaufać lekarce, czy też tylko wziąć od niej zwolnienie i czym prędzej wrócić do domu. Kiedy jednak nieśmiało weszła do gabinetu, zobaczyła drobną postać z ogromnym ciemnym kokiem, w którym połyskiwały nitki siwizny.

– Co tam, dziecko? – doktor Stocka spojrzała na nią znad okularów z życzliwością i troską.

– Przeziębiłam się… Ale jestem też w ciąży – wyznała nieoczekiwanie dla siebie samej.

Lekarka przyjrzała jej się uważnie.

– I to jest twój główny problem?

Monika nie odpowiedziała, nie potrafiła nawet spojrzeć jej w oczy.

– Który to tydzień?

– Czternasty.

– Późno. Ale najpierw cię osłucham.

Monika zdjęła sweter i bluzkę, a lekarka przykładała jej stetoskop do klatki piersiowej i pleców.

– Nic poważnego. Dam ci tydzień zwolnienia. Wyśpisz się, wygrzejesz i będzie po bólu.

– Pani doktor… – głos jej się załamał, a z oczu popłynęły łzy.

– Nie musisz mówić, widzę, że nie wyglądasz na szczęśliwą. Cóż, to twoje życie i nikt za ciebie nie podejmie decyzji, pamiętaj jednak, żeby nie działać pochopnie. Niepożądana ciąża, jak to się mówi… Teraz to dla ciebie problem, może nawet koniec świata. Jesteś sama z tą decyzją, bo twój chłopak pewnie dał drapaka? – Spojrzała na Monikę. – Naturalnie. Większość tak reaguje, a my musimy ponosić konsekwencje. Tylko, widzisz, dojrzewając, zmieniamy się. To, co dziś jest straszne, tragiczne, niewyobrażalne, jutro, pojutrze, już takie nie będzie. I chodzi o to, aby dziś podjąć taką decyzję, której kiedyś w przyszłości nie będziesz żałować.

– Czyli samobójstwo raczej odpada? – niespodziewanie dla siebie samej zażartowała Monika.

– Wszystko, czego nie można cofnąć. Wiem, że to brzmi przerażająco, ale widziałam wiele dziewcząt podobnych do ciebie. Zostawione same sobie, wyrzucone z domu, porzucone przez chłopaka... I możesz mi wierzyć albo nie, ale wiele z nich żałowało po latach radykalnej decyzji. Owszem, poczuły chwilową ulgę, nikt się nie czepiał, mogły bez przeszkód kontynuować naukę i pracę. Próbowały, ale nigdy nie przestały o tym myśleć. Życie to bagaż, który wszędzie ze sobą niesiesz, nie da się wypakować walizki ze wspomnieniami.

– Pani by na moim miejscu urodziła?

– Nie wiem. Mówię tylko, co będziesz czuła w moim wieku. Życie należy szanować. Jeśli nie chcesz teraz być matką, zostaw dziecko w szpitalu, adoptuje je rodzina, dla której rodzicielstwo to największe marzenie. Może kiedyś będziesz inaczej myślała o macierzyństwie. Rozważ to.

– Chciałabym, aby moja matka też tak myślała.

– Spróbuj ją przekonać.

– Pani jej nie zna.

– Daj jej trochę czasu. Albo postaw przed faktem dokonanym. W końcu jesteś dorosła. To ty podejmujesz decyzje. Nikt nie może ci niczego narzucić, prawda? – mówiąc to, uśmiechnęła się.

Monika nadal się trzęsła, nie wiadomo – ze zdenerwowania czy przeziębienia. Nie potrafiła zapanować nad szczękaniem zębów, ale po raz pierwszy od kilku dni spojrzała na swoją sytuację nieco inaczej, bez tragizowania, bez poczucia, że jest ofiarą. Nadal nią była, wciąż nie wiedziała, jak ma postąpić, ale przynajmniej nie myślała już, że samobójstwo to jedyne wyjście.

– Prawda? – powtórzyła lekarka i uważnie spojrzała jej w oczy.

– Tak.

– A teraz zmykaj do łóżka! Tu masz receptę i zwolnienie. Weź sobie książkę z biblioteki, najlepiej grubą, i nie myśl, że czeka cię koniec świata. Zawsze jest jakieś jutro.

Monika zabrała oba świstki z biurka, uśmiechnęła się blado i wyszła z gabinetu. Na krześle w korytarzu wciąż siedziała Teresa, która spojrzała na nią, jakby już się wszystkiego domyśliła.

– Chodź na górę, czeka na ciebie pączek i gorąca herbata.

Monika szła bezwolnie. Miała ochotę na tego pączka. Od śniadania nic nie miała w ustach i chociaż wiedziała, że w domu znajdzie coś do jedzenia, bo matka mimo wszystko zawsze dbała o wyżywienie, to nie chciało jej się od razu wracać.

– To ty jesteś ta Monika? – zapytała towarzyszka Wypych. – Teresa dużo mi o tobie opowiadała.

Monika się stropiła. Cóż takiego mogła jej powiedzieć Teresa, chyba nic pochlebnego? Ale towarzyszka Wypych uśmiechała się zachęcająco i wskazała jej miejsce tuż obok swojego biurka.

– Ładna z ciebie dziewczyna.

– Chyba nie teraz, strasznie jestem przeziębiona.

– Co studiujesz?

– Prawo. Na pierwszym roku.

– Świetnie! Będziesz miała przyszłościowy zawód. Namawiam Teresę, żeby poszła na zaoczne!

Teresa opuściła oczy. Wyglądała na wyraźnie niezadowoloną z tego wyznania szefowej.

– Gdzie tam ja się nadaję... – odparła skromnie, ale Monika wyczuła w jej głosie determinację. Znała Teresę i wiedziała, że jak nikt inny potrafi realizować swoje cele.

Płock,
poniedziałek 29 sierpnia 2016, 18:45

Martyna zawał Hrycia potraktowała jak niespodziewany dar losu. Jeśli stary odwali kitę, bardzo jej tym pomoże. Nie sądziła bowiem, żeby ojciec chciał Zbyszka ponaglać do szybkiego zawarcia małżeństwa. Zwłaszcza z kimś takim jak ona. Teraz oni dwoje będą mieli przewagę nad jego matką. Prawda, jest jeszcze ta siostra z pałacu… To może być przeszkoda. Boże, oby się tylko udało z tą ciążą! Wtedy wszystko byłoby prostsze! Tylko jak tu się z nim teraz spotkać? Wyjęła telefon i szybko wystukała wiadomość. Między serduszkami i całusami zaplątało się krótkie zdanie, które powinno go odpowiednio nastroić.

Zbyszek przez dłuższą chwilę nie odpowiadał, ale wreszcie obiecał, że przyjedzie do Płocka. Będzie musiał tylko uważać, żeby go matka i siostra nie przyuważyły, bo wiedział, że dałyby mu do wiwatu. Ale on przecież musiał się z nią zobaczyć! Raz po raz łapał się na strasznej myśli, że częściej wyobraża sobie to, co z nią dziś zrobi, niż to, jak się czuje ojciec. I nawet heroicznie, na kwadrans, zrezygnował ze spotkania. Jednak niedługo potem usprawiedliwiał się w duchu, bo w końcu jego miłość w niczym ojcu nie szkodzi. Produkcji dopilnuje, spokojna głowa. Czuł się kompetentny, może będzie wreszcie szansa pokazać się w firmie od tej strony? Nigdy jeszcze nie przejmował sterów na dłużej niż jeden dzień.

Aż nagle przyszło mu do głowy, że może ojciec dostał zawału przez niego. Przecież na początku trochę się krzywił z powodu tego ciastka, uważał, że można wymyślić coś ciekawszego, a przede wszystkim smaczniejszego. Ale potem dał za wygraną, uwierzył w nowoczesne podejście do klienta, może matka go przekonała? Tak mu przynajmniej ten pomysł został przedstawiony. Prawda zaś była taka, że Kasia przysłała mu kiedyś link z sieci z pytaniem, czy nie upiekłby jej takich ciastek na urodziny, a potem on, zaprzątnięty Martyną, nie miał pomysłu na żadną nowość. Przytłoczona miłością kreatywność całkiem go opuściła, rzucił więc ten pomysł na odczepnego. Czy to jego wina, że starzy dali się wkręcić? Przecież żadne z nich nie zaoponowało. Nie wyśmiali go, tylko pozwolili popłynąć. Oboje pomagali, więc gdzie tu jego wina? Rozważywszy wszystko raz jeszcze, poczuł się całkowicie rozgrzeszony. Na wszelki wypadek zajrzy jeszcze wieczorem do szpitala, wtedy już matka nie będzie się miała o co czepiać.

Kiedy Iga pochyliła się nad łóżkiem ojca, Waldemar Hryć był przytomny. Poznał ją i uśmiechnął się słabo.

– Opiekuj się nimi – powiedział z wyraźnym trudem.

Wstrząsnęły nią te słowa, ale nie potrafiła się sprzeciwić, wytłumaczyć ojcu, że wszystko będzie dobrze. Patrzyła na jego zmęczoną twarz i modliła się w duchu, aby udało mu się wytrwać. Lekarz dyżurny nie miał dobrych wiadomości.

– Stan pacjenta jest bardzo poważny. Rokowania muszą być w tej sytuacji powściągliwe.

Iga zrozumiała, że ojciec jest w ciężkim stanie, i bała się o coś więcej pytać. Pomyślała, że oto nadeszła dla niego jedna z tych chwil, kiedy człowiek zostaje całkiem sam. Bo nawet gdyby się uparła i spędziła noc przy jego łóżku, to i tak nie będzie mogła mu pomóc w tej walce. Odganiała od siebie myśli o śmierci, ale nieproszone raz po raz wracały, przejmując ją straszliwym lękiem.

– Wszystko będzie dobrze! – powiedziała do Heleny, która ze zwieszoną głową siedziała na szpitalnym korytarzu.

Helena przytaknęła bez słowa i wstawszy z trudem, dała się poprowadzić do samochodu.

– Musisz być dzielna!

– Taka wczoraj byłam szczęśliwa! Aż mi się nie chce wierzyć, że to było wczoraj. Może mogłabym czemuś zapobiec, gdybym przewidziała…

– Nikt nie mógł przewidzieć. Jestem z tobą! – Iga uścisnęła dłoń macochy. – Cokolwiek by się stało, możesz na mnie liczyć.

– Nie uważasz, że powinnam tu zostać? – Helena zatrzymała się i spojrzała na szpital.

– Nie, siedząc na korytarzu, w niczym mu nie pomożesz. Weź w domu tabletkę nasenną albo coś na uspokojenie.

Helena kiwnęła głową na znak zgody.

– Dasz sobie radę ze wszystkim? – dopytywała się Iga.

– Pewnie. Jakoś to ogarnę. Nie wiem tylko, czy już zawiadomić Hryciów.

– Co to, to nie! Nie chcę, żeby cię nachodzili i węszyli po kątach.

Helena znów skinęła głową i patrzyła w przednią szybę niewidzącym wzrokiem.

– Dobrze, że jesteś! – powiedziała po dłuższej przerwie. – Coraz trudniej mi się dogadać ze Zbyszkiem. Ma w głowie tylko tę dziewczynę.

– Przejdzie mu.

– Jest taki młody... Ona mu chyba imponuje. Pewnie też chodzi o seks, bo zrobił się jakiś inny, hardy. Kupił jej pierścionek, a ona podobno ma za sobą nieciekawą przeszłość. I dzieci...

– Porozmawiam z nim.

– Bardzo trudno mi o tym mówić, bo sama nie jestem bez winy, a ludzie tak łatwo osądzają.

– Daj spokój, jaką ty możesz mieć winę? Jesteś wzorem lojalności i miłości małżeńskiej.

– Każdy kiedyś zbłądził. Nie mówię tego, żeby szukać w twoich oczach usprawiedliwienia, tylko po to, abyś mogła się upewnić, że twój tata ożenił się ze mną, wiedząc o moim posagu.

– O jakim posagu? – Iga nie rozumiała.

– Kiedy się pobieraliśmy, byłam w ciąży.

– Pamiętam. Spotykaliście się wcześniej. Wtedy miałam ci to za złe, ale tata mówił wiele razy, że gdybyś go wtedy nie uwiodła, to pewnie umarłby jako wdowiec. A tak ma ciebie i Zbyszka.

– Kiedy się spotkaliśmy po raz pierwszy, byłam już w ciąży.

– Jak to? To niemożliwe... Przecież Zbyszek jest taki podobny do taty... – nie pojmowała Iga.

– Jest podobny do twojego taty i to nasze wielkie szczęście. Pozwoliło nam ukrywać ten przykry fakt aż do tej pory. Może ukrywałabym go nadal, gdyby Waldek nie trafił do szpitala.

– Jaki to ma związek?

– Chcę, żebyś go o to zapytała. Nie zniosłabym myśli, że podejrzewasz mnie o ukrywanie przed nim prawdy przez te wszystkie lata.

– Zbyszek wie?

– Nie.

– A kto jest ojcem?

– Grzegorz.

Iga wstrzymała oddech. Czuła się tak, jakby spadała w przepaść. Jakaś jej cząstka poczuła straszny ból, żal, a nawet wściekłość. Coś się zawaliło.

– Dlaczego mi to mówisz?

– Bo teraz i tak się wyda.

– Z jakiego powodu?

– Obie go znamy. Jeśli tylko Waldkowi się pogorszy, Grzegorz natychmiast stanie na czele rodzinnego buntu i zapewne spróbuje odebrać Zbyszkowi dom.

– Dom jest spłacony.

– Część po Celinie. Teraz będzie nas czekał kolejny proces. Jest tylko jeden sposób, aby twojemu stryjowi na zawsze zamknąć usta: szantaż. Najbardziej w świecie boi się utraty dobrego imienia. Chociaż czasy mamy takie, że i honor bardzo staniał. A pieniądze się każdemu przydadzą. Jeden dom został spłacony po śmierci Celiny. Jeśli teraz przyjdzie nam spłacać drugi dom, to byłoby tak, jak byśmy musieli po raz drugi zapłacić za to, co już raz kupiliśmy. Nie czuję się na siłach znowu zaciskać pasa i oszczędzać na wszystkim. Trzymaliśmy go tyle lat dla Zbyszka, a teraz wszystko wymyka mi się z rąk.

– Ty już tatę pochowałaś?

– Przepraszam, sama nie wiem, co bredzę.

Warszawa, grudzień 1967

Monika nie wytrzymała całego tygodnia w domu. Kiedy wreszcie postawiła sobie na stołku herbatę i leki, i położyła się, otulając szczelnie kocem, matka pod byle pretekstem wchodziła do pokoju, jakby jej przeszkadzała obecność chorej córki.

– Kto to widział, aż tydzień zwolnienia na głupie przeziębienie! – komentowała niezadowolona.

– Wolałabyś, abym miała zapalenie płuc? – wycharczała Monika.

– Pewnie coś ci na studiach nie poszło – spekulowała Stefania.

– Co miało nie pójść? Jeszcze nie było sesji.

– I tak możesz sobie przez cały tydzień leżeć? Nawet żadnej książki nie czytasz!

– Bo mnie boli głowa! Nie widzisz, że jestem chora?!

Paradoksalnie złośliwostki matki pomogły jej się zebrać w sobie. Przeleżała trzy dni, więcej nie mogła wytrzymać. Zresztą poczuła się lepiej. Rozsądek podpowiadał jej zostanie w domu, zwłaszcza że miała tu gorące posiłki i wszystko pod ręką, ale natręctwo Stefanii, od którego zdążyła już trochę odwyknąć, stawało się nie do zniesienia. Matka nie tylko zaglądała do jej pokoju, ale szurała sprzętami, trzaskała drzwiami, głośno przesuwała garnki na kuchni, razem z Kunicką nadawaną przez radio niemiłosiernie fałszując, wyśpiewywała *Czumbalalajkę*, trzy razy dziennie odkurzała pokoje i prała, prała, prała... Najwyraźniej jej też przeszkadzała obecność Moniki. Uciszała się dopiero po południu, kiedy z pracy przychodził Kazimierz, ale wtedy znowu ryczał telewizor. Przewracając się z boku na bok i przykładając do ucha poduszkę, Monika przysięgła sobie, że choćby miała umrzeć, więcej tu nie wróci.

Raz odwiedziła ją po pracy Teresa. Wtedy matka potrafiła być miła, zrobiła nawet herbatę dla gościa. Teresa zresztą długo nie zabawiła. Powiedziała tylko, że wybiera się do Warszawy, a nawet za Warszawę, i na wszelki wypadek poprosiła Monikę o adres. Nie chciała zdradzić celu swojej podróży, obiecując, że kiedyś jej wszystko wyjaśni. Była bardzo tajemnicza i skrępowana, dlatego nietrudno się było domyślić, że chodzi o jakiegoś chłopaka. A więc i Teresa, ta święta Teresa, miała przygody?! Nie do uwierzenia! Przynajmniej wyszła z nich obronną ręką. Chociaż kto wie, skoro teraz jedzie poszukiwać niewiernego aż za Warszawę!

– A co to za tajemniczy oblubieniec? – zapytała półżartem i od razu spostrzegła, że trafiła, bo Teresa natychmiast spiekła raka.

– Taki tam znajomy... Nic poważnego.

– To nie wystarczy napisać? – zaproponowała Monika. – Ach, pewnie nie odpisał? Ale żeby tak się uganiać za facetem, no wiesz... I to kto, ty?!

– Ja tylko… Tylko muszę się dowiedzieć, dlaczego…

– Dlaczego cię zostawił? Ależ my wszystkie jesteśmy głupie! Ciesz się, że cię nie zostawił w ciąży, tyle ci powiem.

– Ale ty chyba nie… – Teresa znakomicie udała, że nie domyśla się prawdziwej niedyspozycji przyjaciółki, choć towarzyszka Wypych natychmiast po wyjściu Moniki ją oświeciła: „Po mojemu panna jest w ciąży, i tyle!".

– Pogadamy, kiedy przyjedziesz do Warszawy, teraz wiesz… Ściany mają uszy – Monika dodała szeptem.

Następnego dnia spakowała trochę rzeczy i rannym autobusem pojechała do Płocka. Zrozumiała, że jej domem jest teraz akademik.

Koleżanki przyjęły ją z radością. Do tej pory, zajęta sobą, starała się im schodzić z drogi, ale pomyślała, że w sytuacji, na którą się skazała, ktoś życzliwy będzie jej potrzebny. Nie miała nikogo poza nimi, kupiła więc w sklepie czekoladowe pierniki i butelkę wermutu, i kiedy Anka i Danka wróciły z zajęć, uroczyście je przywitała. Upiły się na wesoło i dopiero wtedy odważyła się wyznać im prawdę.

– Ale jak to: ciąża? Od razu na pierwszym roku? Jesteś pewna? I co: przerwiesz studia? To ten Grzesiek jest ojcem? – zasypały ją gradem pytań.

– On, ale nie chcę go znać.

– To co zrobisz?

– Jeszcze nie wiem. Rozważałam wszystkie możliwości, włącznie ze skoczeniem do Wisły – powiedziała i zaczęła się śmiać.

Dziewczyny spojrzały na nią przerażone.

– Ale to było tydzień temu. Dziś myślę, że może zrobię zabieg. Nie chcę być samotną matką. Nie miałabym po co wracać do domu, zresztą i tak już tam nie wrócę. Moja matka... To miasto... Wszystko razem... Jest jeszcze ciociosan? – wybełkotała spod wpółprzymkniętych powiek i beknęła.

– Już się skończył – orzekła Danka. – Zresztą na dziś wystarczy. Teraz musisz się położyć. A jutro coś wymyślimy.

Kiedy następnego dnia Monika pojechała na zajęcia, poczuła, że w ciągu tych kilku dni zaszło coś dziwnego. Studenci rozmawiali gorączkowo po kątach, słyszało się właściwie tylko: „*Dziady... Dziady...*", nawet jeden z profesorów zapytał ich, czy już widzieli *Dziady* w Teatrze Narodowym. Kilka osób widziało, ale większość nie, co profesor skwitował stanowczym:

– Koniecznie idźcie, bo to historyczne przedstawienie i na pewno lada dzień cenzura je zdejmie!

Monika nie przepadała za teatrem. Była raz z klasą w teatrze w Toruniu, ale niezbyt jej się podobało. Jednak teraz sytuacja wyglądała inaczej i chociaż w liceum ledwo zmęczyła tę lekturę, gotowa była pójść do teatru, aby zobaczyć, jak wygląda historyczne przedstawienie. Zresztą, mimo że Kazimierz pracował w tak zwanym „aparacie", ona sama uważała, że socjalizm to kamień u nogi polskiego społeczeństwa. Przesiąknięci partyjną mową trawą, ludzie w nic już nie wierzyli. Puszczali mimo uszu dęte frazesy Dziennika Telewizyjnego i wytłuszczone nagłówki gazet. Życie toczyło się gdzieś obok. Ludzie troszczyli się o to, co włożyć do garnka, przyjmując burą codzienność z dobrodziejstwem inwentarza.

Okazało się, że jeden z kolegów miał chody w kasie i obiecał, że postara się o dziesięć wejściówek. Monika poszła razem z grupą. Siedzieli oczywiście na schodach, niektórzy podpierali ściany. W teatrze panował nieopisany tłok i jakaś niemal kościelna, nabożna atmosfera.

Nagle każde słowo Monika rozumiała. Teraz dopiero dała się ponieść magii teatru i wspólnocie widzów, którzy porywają się do bicia braw, nie umawiając się przecież wcześniej. Zatem identycznie rozumieją każde słowo, każdy gest, każdą aluzję. Po raz pierwszy w życiu poczuła się częścią wspólnoty, częścią społeczeństwa. Dopiero teraz dotarło do niej, że jest otoczona przez politykę, która wywiera wpływ na jej życie.

Wyszła z teatru z zamętem w głowie. Koledzy z jej grupy czuli się podobnie. Mówili jeden przez drugiego, gestykulowali, wzburzeni i szczęśliwi zarazem, jakby doznali nieoczekiwanego oświecenia.

– To jest wielkie! To jest prawdziwa sztuka! Dopiero ona otwiera ludziom oczy na to, co jest dookoła. To genialne, jak *Dziady* pokazują naszą polską współczesność! Jak uczą nas, aby nie kłaniać się władzy, tylko wytykać jej nędzę i okrucieństwo – gorączkowali się Stasiek Lisicki, który był nieformalnym prowodyrem ich grupy, i Andrzej Butrym, jego najlepszy przyjaciel. – Musimy jeszcze raz przyjść, to nasz patriotyczny obowiązek! – zawyrokował Heniek Krawczyk.

Obiecali sobie, że postarają się wejść na każde kolejne przedstawienie, bo tu czuli się jednością, byli silni swoim sprzeciwem wobec aparatu partyjnego kontrolującego wszelkie dziedziny życia.

Monika nie chwaliła się kolegom swoim pochodzeniem, a tym bardziej nie miała ochoty zdradzać, kto łoży na jej studia. Kazimierz był dla niej dobry. Wiedziała, że to przyzwoity człowiek, ale jednocześnie trybik maszyny ucisku. Nie było jej z tym łatwo. Czuła, że nie jest do końca lojalna ani wobec niego, ani wobec swojej grupy, bała się, że ktoś kiedyś odkryje, kim jest, chociaż miała nadzieję, że nikt w Warszawie nie będzie znał jakiegoś sekretarza z małego Gutowa. Oprócz studiów i rodzącej się w jej głowie świadomości politycznej miała przecież nadal nierozwiązaną sprawę ciąży. Ale kiedy postanowiła pójść do tego lekarza z karteczki, okazało się, że świstek gdzieś zaginął. Było to prawie niemożliwe, trzymała go w portmonetce, widziała przy każdych zakupach, a w chwili, kiedy postanowiła zadzwonić i umówić się na wizytę, karteczka przepadła.

Najpierw poczuła panikę, a zaraz potem ulgę. Nie miała siły, żeby ponownie odwiedzić lecznicę przy Mochnackiego i raz jeszcze prosić o adres.

Będzie, co ma być! – pomyślała.

Częściej teraz spotykała się z kumplami z grupy, a kiedy wyznała im, że jest w ciąży, otoczyli ją prawdziwą opieką i troską. Zawsze mogła liczyć na czyjeś notatki i pomoc w wypożyczeniu skryptu. Codziennie pytali ją, czy idzie na obiad, przynosili kanapki i słodycze. Rozpieszczali ją. A przodowali w tym, nie wiadomo dlaczego, Stasiek i Heniek. Czasem Monika żartowała, że poprosi ich obu na rodziców chrzestnych.

Jakoś niedługo przed świętami dostała list od Teresy, która wybierała się właśnie na poszukiwanie tego owianego tajemnicą narzeczonego. Monika nie miała zbyt dużo czasu, zaproponowała spotkanie w Barze Uniwersyteckim, a potem zamierzała choćby pobieżnie pokazać jej uniwersytet. Teresa przyjechała głodna i chętnie zjadła krupnik i kaszę gryczaną z kotletem mielonym i buraczkami. Nie bardzo chciała mówić, ale w końcu język jej się rozwiązał.

– Znasz może Stanisława Lisickiego? – spytała nieoczekiwanie.

– No pewnie! A skąd ty go znasz? – zdumiała się Monika.

W tej chwili, jak na zawołanie, w drzwiach baru stanął Stanisław. Zauważył Monikę, pomachał do niej ręką i przecisnął się w jej kierunku. Swoim zwyczajem pocałował ją w policzek.

– Jak się masz, ciężarówko? – zapytał i zaniemówił na widok Teresy.

Teresa była również straszliwie zmieszana.

– Wy... Wy się znacie? – wybełkotał.

Monika patrzyła na ich zakłopotane miny ze zdziwieniem.

– Pewnie! Gutowo to małe miasto. A co wam się stało? O co właściwie chodzi?

– Przepraszam cię, Moniko. Muszę porozmawiać z Teresą. Wyjdziemy? – zwrócił się do niej i wskazał drzwi.

Monika została w barze, niczego nie rozumiejąc. Kiedy po kwadransie żadne z nich nie wróciło, wyszła. Rozglądała się trochę po Krakowskim Przedmieściu, a potem wróciła na popołudniowe zajęcia. Stasiek się na zajęciach nie pojawił. Powiedział jej następnego dnia, że odprowadził

Teresę na autobus do Płocka. Monika oczekiwała dalszych wyjaśnień, ale nie padły. Pytania zaś zbywał machnięciem ręki.

– Wszystko już sobie z Teresą wyjaśniliśmy.

Tak to wyglądało z jego strony, jednak głęboko się mylił, sądząc, że Teresa uwierzy w ową szansę, którą dał mu niespodziewanie Uniwersytet Warszawski, przyjmując go z odwołania na pierwszy rok studiów prawniczych. Ona wiedziała tylko, że ten, w którym pokładała tak wielkie nadzieje, wyjechał nagle bez słowa pożegnania i kiedy ona tygodniami umierała z trwogi o jego życie, on nic sobie z tego nie robił, studiując i bawiąc się w Warszawie. I to z kim?! Z jej najlepszą przyjaciółką! Jedyną, jaką miała! Siedziała w autobusie zapłakana i gryzła palce, aby nie krzyczeć z bólu, wreszcie wyszeptała z determinacją:

– Nie daruję wam tego. Nigdy.

Gutowo,
poniedziałek 29 sierpnia 2016, 20:23

Pojadę jeszcze do ojca! – powiedział Zbyszek.

– Nie wiem, czy cię wpuszczą. – Helena westchnęła ciężko. Znała jego prawdziwą motywację, ale może się myliła.

– To najwyżej się przejadę. Nosi mnie, nie mogę sobie znaleźć miejsca.

– Rób, co uważasz. Chciałabym tylko, żebyś wrócił na noc.

– No co ty, mamo! – Spojrzał na nią z wyrzutem. – Jasne, że wrócę! Będę przed jedenastą!

– Ja się chyba położę.

– Zamknę na dole – z wyraźną ulgą rzucił Zbyszek i już zbiegał po schodach.

Helena usłyszała jeszcze uderzenie drzwiczek samochodu i dźwięk startującego silnika. Położyła się na kanapie, a środek uspokajający chyba zaczął już działać, bo pomyślała tylko: Może powinnam z nim pojechać..., i zasnęła.

Zbyszek nie włączył nawet muzyki. Gnał na oślep do Płocka, żeby ze wszystkim zdążyć. Najpierw zajrzał do szpitala, nie wchodził jednak na salę, zapytał tylko o stan ojca pielęgniarkę, która akurat wyszła na korytarz.

– Bez zmian.

Kiwnął głową bezradnie. Podziękował i wyszedł.

Najważniejsze, że żyje! – pocieszał się, wsiadając do auta.

Martyna czekała na ulicy pod swoim domem. Wsiadła szybko, pocałowała go w policzek i spojrzała ze smutkiem.

– Jak się czujesz?

– A jak mam się czuć?

– Jasne. Głupie pytanie.

– Nie nosisz pierścionka? – zauważył.

– Noszę, tylko zdjęłam do mycia naczyń. Nigdy nie miałam nic równie ładnego – przyznała zgodnie z prawdą, a Zbyszek spojrzał na nią i uśmiechnął się.

– Chcesz gdzieś pojechać? Mam godzinę.

– To może do lasu? – zaproponowała bez żenady.

Właściwie na to czekał, przekręcił więc kluczyk w stacyjce i ruszył w kierunku mostu.

– Mogę ci jakoś pomóc? – zapytała.

– Powiedziałaś matce? – wrócił do gnębiącego go tematu.

– No pewnie! Przecież od razu zauważyła pierścionek! „Chyba czegoś nie wiem? Co tam ukrywasz przede mną, mów natychmiast!". Cała moja matka. No to mówię, tak a tak, że jest taki chłopak z Gutowa, że bardzo go kocham i wiesz, no, że się oświadczyłeś i ja powiedziałam „tak".

– Powiedziałaś jej, co robię?

– Sama zapytała. Od razu. A co to za chłopak? Co to za rodzina? To mówię, że bardzo porządni i sympatyczni ludzie, że macie cukiernię, a ona na to, że kiedyś jadła u was pączki.

– Smakowały jej? – zapytał nieco rozpogodzony Zbyszek.

– Jasne!

– To może będę mógł któregoś dnia wpaść do was, wiesz, żeby mnie poznała? Kwiaty bym kupił, odstroił się w garniak. – Zachichotał, całkiem już uspokojony.

– Nie, na razie nie, bo właśnie zaczynamy remont. Malowanie, kafelki, te sprawy. Matka mówi: zrobi się remont, to będziecie mogli ze mną mieszkać.

– Ale co ty?! – obruszył się Zbyszek. – Przecież chyba przeprowadzisz się do mnie?

Martyna wzruszyła ramionami.

– Jak chcesz. Ale remont i tak zrobimy. W razie czego.

– W razie czego?

– Bo jakby twoi rodzice chcieli przyjechać na zapoznanie?

– No tak... Nie pomyślałem o tym. W porządku, róbcie. Masz kogoś, kto ci pomoże? Bo ja teraz, wiesz... Dopóki tata w szpitalu, to będę miał mnóstwo roboty w firmie.

– Poradzimy sobie! Przecież nie będziemy malować same! Ja bym nawet nie umiała. – Wzruszyła ramionami, zadowolona, że kłamstwo wyglądało tak naturalnie. – Ale wiesz, niewiele da się zrobić, bo to tylko poddasze w drewniaku, a nie chciałabym przed twoimi starymi wypaść na jakąś prostaczkę.

– Mam przy sobie pięć stów, wiem, że to niezbyt dużo, ale dam ci przynajmniej na farby.

– Jak chcesz – odparła, siląc się na obojętność.

Na razie nie myślała, co będzie, kiedy prawda wyjdzie na jaw. Byli już blisko lasu. Zbyszek wjechał w pierwszą możliwą boczną drogę, a ona nie zmarnowała ani chwili. Nie tracili czasu na pocałunki czy zbędne gadanie. Oboje wiedzieli, po co tu przyjechali, a zwłaszcza ona, skoro zainkasowała wcześniej pięć stów. Przynajmniej najpilniejsze długi się pospłaca. Lubiła go, był taki dziecinny. Nie sądziła, że w ogóle jeszcze są na świecie tacy faceci. Ale miała szczęście, bo trafił jej się właśnie taki. Łykał każde kłamstwo, którym go poczęstowała. To się nie mieściło w głowie, że ktokolwiek może być tak naiwny. W jej świecie nie przetrwałby nawet tygodnia albo musiałby się szybko nauczyć, że ludzie z reguły kłamią i nikomu nie można wierzyć.

Odchylony na siedzeniu auta, Zbyszek jęczał. Wiedziała, że jest mu dobrze, ale zasłużył. Za jeden numer w samochodzie od nikogo nie dostałaby pięciu stów. Może pięć dych, a i tak musiałaby się podzielić z ochroną. Zresztą od kiedy zaczęła pracować w pizzerii, już tego nie robiła. Miała jeszcze weekendy w klubie i jakoś z matką dawały radę. Ale to będzie życie, mieć własny dom w Gutowie! Murowany, urządzony, z bieżącą wodą!

– Ty, a w tym twoim domu to są meble? – zapytała znienacka.

Oszołomiony doznaną ledwo co przyjemnością, Zbyszek nie zrozumiał.

– Jak bez mebli?! – wyjąkał.

– Mówiłeś, że jest wynajmowany.

– A… ten! Jest kuchnia i meble biurowe, wiesz, biurka, szafy, bo tam są biura teraz.

– Czyli też będziemy musieli zrobić remont... – Westchnęła niby to rozczarowana.

– No, raczej, ale tym się nie przejmuj. Starzy nam pomogą. Powiesz tylko, co i jak – paplał nie do końca przytomny. Kręciło mu się w głowie i był tak bezsilny, że bał się nawet odpalić auto. Otworzył więc drzwiczki i wyszedł na drogę. Przeciągnął się kilka razy i spojrzał na Martynę, która również wysiadła z samochodu.

– Stało się coś? – zapytała z obawą.

– Absolutnie nic – odparł, podniósłszy z ziemi kamień. Rzucił go daleko między drzewa.

– Bo zrobiłeś się taki...

– Jaki?

– Sama nie wiem, przestraszyłam się, że coś jest nie tak...

Zbyszkowi po prostu zabrakło słów. Nie umiał jej powiedzieć, jak nieprawdopodobnie, wręcz szaleńczo czuje się szczęśliwy. Tak szczęśliwy, że na chwilę zapomniał o wszystkim, nawet o tym, że ma ojca w szpitalu. Miał wrażenie, jakby nabrał wielki haust powietrza i zaczął unosić się nad ziemią. I to wszystko dzięki niej! Wyciągnął ręce i przytulił ją mocno. Zwyczajnie przytulił, jak nie tulił jej nikt od bardzo dawna, może od dzieciństwa, chociaż wtedy też chyba nikt nie miał na to czasu ani ochoty. Martyna poczuła, że lecą jej łzy.

– Boże, jak ja cię kocham! – wyszeptała.

I przez chwilę chyba nawet w to wierzyła. On wierzył na pewno.

Gutowo, grudzień 1967

Z zaciętą miną Teresa szorowała przypalony garnek. Włosy jej zwisały i prawie nie było widać twarzy, ale starsza pani Wypych domyślała się, że nie chodzi o to, aby go doczyścić. Nawet ona, wychowana w bardzo dobrej przedwojennej rodzinie, nie miała takich wymagań co do garnków. Coś w tej Warszawie poszło nie po myśli dziewczyny. Wróciła zacięta, milcząca. I po co tam jeździła, też nie wiadomo. Zmartwiona, chciałaby ją pocieszyć, ale czuła, że jeszcze nie pora.

– Kiedy już doszorujesz, przydałoby się odkurzyć kryształy w serwantce – zerkając z boku, rzuciła mimochodem.

Teresa nie odpowiedziała.

– Tylko czegoś nie stłucz, jak będziesz ścierką machała! Przy kryształach trzeba myśleć o robocie, nie o… sama wiesz…

Teresa na chwilę przestała szorować i odgarnąwszy włosy, spojrzała na starszą panią. Jej wzrok mówił, żeby dała spokój, bo i tak niczego się nie dowie. Był w nim nieoczekiwany bunt, ale i prośba o litość.

– No co?! – burknęła pani Wypych. – Nie chcę, żebyś mi coś stłukła.

– Już mnie chociaż wy nie dręczcie… – Teresa poprosiła niespodziewanie pojednawczym tonem.

– Kto cię dręczy, dziecko?

– Nikt ważny.

Pani Wypych czuła nosem jakąś aferę miłosną, bo wiedziała, że w pracy nic się nie wydarzyło, córka by jej wszak powiedziała. Zauważyła, że słowa ledwo przechodzą dziewczynie przez gardło. To nie była Teresa, która przedwczoraj poinformowała ją, że wczesnym rankiem ma autobus do Warszawy, i wyszła, podśpiewując.

– Ten, kto cię wczoraj skrzywdził, jutro będzie potrzebował twojej pomocy – powiedziała, nie zdając sobie sprawy, jak bliska jest prawdy. – Musisz tylko zaczekać. A ten przypalony gar zostaw, świata nie naprawisz, ludzi nie zmienisz… – Westchnęła z rezygnacją.

Teresa pociągnęła nosem, ale garnka nie odstawiła. Teraz tym bardziej chciała pokazać, że na święta wszystko tu będzie lśniło. Chciałaby kiedyś zamieszkać w takim mieszkaniu jak to. Duże, widne, z wygodami, w pięknym domu przy parku, a nie obok obór i dołów z gnojówką.

Nic dziwnego, że każdy z tej wsi ucieka, co dopiero taki panicz jak ten nauczyciel! Tylko mnie się nie uda. Zostanę tam na zawsze. Z Mundkiem pijakiem i gromadą dzieci. I po co jeździłam do tej Warszawy? Głupia jestem i tyle. Nigdy nie będę panią, zawsze tylko służącą.

Kiedy weszła do pokoju, pani Wypych swoim zwyczajem siedziała zajęta lekturą gazet. Teresa wyjęła kryształy na stolik podręczny i starając się zachować ciszę, wycierała z kurzu jeden po drugim, zajęta swoimi myślami.

– Ponoć dyrektora Fablaku zmienili? – nie podnosząc głowy znad „Trybuny Mazowieckiej", nieoczekiwanie zapytała starsza pani.

– Coś słyszałam... – bąknęła Teresa. Nie bardzo ją to obchodziło. – Córka pani nie mówiła?

– A mówiła, stąd wiem, ale i w gazecie piszą. Co prawda małą czcionką i na samym końcu, ale jednak. To już kolejny przedwojenny fachowiec, którego zdejmują ze stanowiska. Postawił zakład, rozwinął produkcję, znalazł odpowiednich ludzi, to teraz mogą go wywalić na zbity pysk, bo maszynka sama się kręci. A kogo dadzą? Pewno jakiegoś ćwierćinteligenta, prostego chłopa z awansu i bez matury, ale za to po szkole partyjnej, który na niczym się nie zna. Taki nie ma szansy wybić się dzięki swoim umiejętnościom, właśnie dlatego będzie posłuszny i gotów zwolnić każdego niezależnie myślącego. A że rządzą nami miernoty, to ich podwładni muszą być jeszcze większymi miernotami... Cóż to za panoptikum!

– Pan... co? – nie zrozumiała Teresa.

– To figury jak z cyrku, drogie dziecko. Nie chcę cię obrażać, bo uczciwie pracujesz na swój kawałek chleba, ale żebyś mi się do tej partii pod żadnym pozorem nie zapisywała!

– Może kiedyś trzeba będzie...

– Pod żadnym pozorem, mówię! – fuknęła starsza pani Wypych. – Patrzysz na nich i ust nie muszą otwierać, bo widzisz, że durne to i do każdego świństwa gotowe. Chłopska pazerność i zero kultury. Ledwośmy trochę oddechu po Październiku złapali, a oni znów chcą śrubę dokręcać! I to komu? Inteligencji, której buty mogliby czyścić!

– Ja się tam nie znam… – pojednawczo stwierdziła Teresa, zbyt zajęta ustawianiem kryształów za szkłem, aby mogła choć i próbować intelektualnie dotrzymać kroku swej pracodawczyni. Nie chciała też przypominać, że córka pani Wypych w tymże Fablaku sprawuje funkcję pierwszego sekretarza POP, a ostatnio nawet marzyła o awansie. Zresztą Teresa lubiła towarzyszkę Wypych i nie zamierzała też martwić jej matki.

– I bardzo dobrze! Co ty tam możesz wiedzieć… Ale ucz się, że ta cała partia to bagno! Bag-no! Zapamiętaj moje słowa. Ci, co nami rządzą, zajadle walczą między sobą o władzę. Tylko o władzę i o nic innego im nie chodzi. Taki choćby Fablak… Myślisz, że im zależy, żeby tam produkowali dobre farby? Żeby na eksport szły? I żebyśmy mogli za to kupić pomarańcze? Mają to gdzieś! Bo władza to, widzisz, jest potęga, można się nią upić, jak nie przymierzając wódką i bardziej jeszcze. Dla władzy w historii ludzie nawet najbliższych zabijali, to tym bardziej nie będą się przejmować, jeśli przyjdzie poświęcić kogoś nieznajomego.

– Ale kogo chcą zabić? – przeraziła się Teresa.

– Kto im tam podpadnie. Taka afera mięsna, myślisz, że nie wiedzieli, co tam się dzieje z tym mięsem? Dokładnie wiedzieli. Ale kozioł ofiarny zawsze musi się znaleźć!

– Pani to ta polityka nie służy – zawyrokowała Teresa.

– Nie służy to mi samotność. I nuda – nieoczekiwanie wyznała starsza pani Wypych. – Ale powiem szczerze, że to, co się teraz dzieje, nie napawa mnie optymizmem.

– Matko Boska, czemu?

– Bo widzisz, moje dziecko, ja tam za bardzo za Żydami nie jestem, ale oni swoje już przeszli. Doświadczyli jak mało który naród w historii, a tu im się jakąś nową jatkę szykuje.

– To wszystko piszą w gazetach? – Teresa nie nadążała.

– Nie wprost oczywiście, nie wprost. Ale mój świętej pamięci mąż nauczył mnie kojarzyć fakty. W czerwcu była wojna…

– Gdzie?!

– Na Bliskim Wschodzie.

– O matko, a już się przestraszyłam!

– Wojna sześciodniowa, bo Izrael w sześć dni dał łupnia Egiptowi. Ruskie stały za Arabami, pojmujesz to?

– Ruskie za Arabami – grzecznie powtórzyła Teresa.

– Czyli?

– Czyli?

– No, jaki stąd wniosek?!

– Bo ja wiem?

– A za kim my jesteśmy?! – zdenerwowała się pani Wypych.

– Za Ruskimi? To znaczy za Arabami?… – nieśmiało spróbowała Teresa.

– Brawo! Czyli nie lubimy?

– Żydów? – Teresa nie była zadowolona z wyniku, do jakiego doprowadziła ją ta dedukcja. – Ale dlaczego?

– Bo kraczemy, jak nam Ruskie każą!

– I co będzie?

– Jeszcze nie wiem, ale obawiam się, że nic dobrego. Zaczyna się od propagandy i wy to robicie z moją córką w Fablaku, i będziecie to robiły coraz intensywniej, bo zawsze w takich chwilach robi się to cudzymi rękoma.

– Ale co?! – zdenerwowała się Teresa.

– Wiesz, jak się teraz mówi o Żydach?

– Nie.

– Syjoniści.

– A, widziałam gdzieś na płocie! – przytaknęła zadowolona Teresa. Miała nadzieję, że wreszcie coś zrozumie.

– Ludzie, którzy cudem przeżyli wojnę i okupację, którzy czasem stracili wszystkich bliskich, pracowali dla tego kraju przez dwadzieścia lat, nagle stali się źli, obcy, nazywa się ich syjonistami, piątą kolumną, podejrzewa o zdradę!

– Dlaczego piątą?

– I tak nie zrozumiesz... Ważniejsze, kto jest teraz dobry, kto stoi po drugiej, po właściwej stronie.

– Polacy?

– Prawdziwi Polacy! Ci, którym syjoniści razem z inteligencją i dawnymi posiadaczami wszystko zabrali.

– Ale to chyba nie tak było?... – myślała na głos Teresa. Jej mina wskazywała na wielkie skupienie. – Bo na przykład u nas to folwarczni zabrali resztkę, bo najpierw Niemcy, a potem Ruskie rozkradli. To Zajezierscy mieliby okradać swoich chłopów?

– No oczywiście, że tak, zanim jeszcze sami zostali wypędzeni. Partia ma dziś monopol na prawdę. Ma telewizję, gazety, a kto ośmieli się powiedzieć, że partia kłamie w żywe oczy, znaczy podlizuje się prostakom i wszczyna w kraju awanturę, z której nie wiadomo, co wyjdzie? Znasz takiego?

– Ja? Nie…

– Zresztą gdzie miałby to powiedzieć? Na imieninach u szwagra? – pani Wypych westchnęła, zmęczona swą tyradą. – W głowie się nie mieści: prawdziwi Polacy mówią nieprawdziwym Polakom, żeby się wynosili.

– Ale dokąd?

– Do Izraela oczywiście!

– Co „do Izraela"?! – zapytała towarzyszka Wypych, która właśnie weszła do domu. – Mamo, skończże już z tą polityką! Chociaż w domu chcę mieć trochę spokoju!

– Ty tej dziewczynie nic nie tłumaczysz! – zarzuciła córce starsza pani. – Ona jest ciemna jak tabaka w rogu! Niby pracuje u ciebie, ale nie wie, co się dzieje za opłotkami Gutowa.

– Ile trzeba, tyle wie. I na co jej ta wiedza? Czy od tego człowiek staje się szczęśliwszy? – Towarzyszka Wypych z dziwnym smutkiem wzruszyła ramionami. – Teresa, podgrzej mi obiad!

– Coś się stało?! Masz taką minę, jakby… – podejrzliwie zapytała starsza pani Wypych.

– Nie będę w domu rozmawiać o pracy, chcę w spokoju przeżyć święta!

Wbrew postanowieniu Monika przyjechała do Gutowa na Boże Narodzenie. Bała się samotności w akademiku, a dziewczyny wyjeżdżały każda do siebie. Nie wiedziała, kiedy będzie ten ostatni raz, ale czuła, że już niedługo. Matka nie mogła zauważyć ciąży, inaczej nie dałaby jej żyć. Ale Monika chciała też opowiedzieć o ciąży Teresie, prosić ją o pomoc w razie czego. Tylko że napadało tyle śniegu i taka była dziwnie zmęczona, że nie wybrała się do Zajezierzyc. Przeleżała, czytając co popadło i objadając się do niemożliwości. Starannie pilnowała, aby nie pokazać się bez grubego swetra lub szlafroka, a i tak matka popatrywała na nią podejrzliwie.

– Coś taka ospała? – kluczyła.

– Uczę się do późnej nocy, to jestem ospała. Niedługo mam pierwsze egzaminy, kujemy po nocach wszyscy, jemy sam chleb, bo czasem nawet nam się nie chce skoczyć do baru. Może i trochę utyłam… – stwierdziła, popatrując w lustro. – Na wiosnę się odchudzę! – obiecała, a Stefania, nie podejrzewając ani przez chwilę, co to znaczy, westchnęła z aprobatą:

– Dobrze by było, bo męża nie znajdziesz!

– Na mężu to mi akurat nie zależy.

– Taka teraz moda? – ironicznie zapytała Stefania. – Boś się uganiała za tym chłopakiem z cukierni jak suka w rui.

– Ciebie i tak nigdy nie prześcignę – spokojnie odparła Monika i wróciła do czytania książki.

Stefania wyszła, obrażona, o co zresztą Monice chodziło. Od lat nie znajdowała z matką wspólnego języka. Chyba już się do tego przyzwyczaiła. Jednak niedługo po Stefanii wszedł do pokoju Kazimierz. Przysiadł na krześle, chrząknął, rozejrzał się skrępowany, wreszcie zapytał:

– Jak tam na studiach?

– W porządku.

Kazimierz pokiwał głową, jakby takiej odpowiedzi właśnie oczekiwał. Nie zadał już żadnego pytania ani nie powiedział tego, co początkowo chciał powiedzieć, pomyślał jednak, że jeszcze zdąży.

Płock,
wtorek 30 sierpnia 2016, 06:00

Waldemar Hryć nie przeżył tej nocy. O szóstej rano, kiedy Helena kończyła pić herbatę, aby za chwilę pojechać do męża, rozległ się dźwięk telefonu. Nie musiała odbierać, wiedziała, co zaraz usłyszy. Wiedziała to od wczoraj. Choć uparcie odganiała tę myśl, coś jej mówiło, że Waldek już do domu nie wróci.

– Halo – wykrztusiła przez zaschnięte gardło.

I wtedy padły te słowa, których już nigdy nie da się cofnąć.

– Pani Hryć? Pani mąż zmarł o czwartej trzydzieści.

Usiadła na krześle, nie wiedząc, co teraz. Nawet nie miała siły zapłakać. Gdzieś w środku poczuła straszliwy ból, jakby ją ktoś mocno kopnął w brzuch. Zasłoniła twarz dłońmi. Umarł mąż, przyjaciel, ktoś, kto był jej najbliższy przez ostatnie dwadzieścia lat. Ktoś, kto ją wspierał i kochał miłością bezgraniczną, choć nigdy nieubraną w piękne słowa. Ktoś, kto dał jej szacunek i podzielił się wszystkim, co miał. Dobry człowiek, który wychowywał jej syna, jakby był jego rodzonym ojcem. Dlaczego musiał odejść? Dlaczego tak szybko? Bez pożegnania. W samotności. Wśród obcych ludzi, otoczony bezdusznym sprzętem, a nie ciepłem rodzinnego domu. Gdyby teraz miała podjąć decyzję, to zostawiłaby Waldka w domu. Ale przecież pragnęła go ratować! Wierzyła w medycynę i w lekarzy. Wierzyła w swoje i jego szczęście. Miała nadzieję, że się razem zestarzeją, będą niańczyć wnuki, w spokoju dożywając starości. Jak niewiele trzeba, aby upaść na dno rozpaczy!

Ranek był chłodny, włożyła więc sweter i zeszła do zakładu. Otworzyła drzwi, powiodła wzrokiem po firmie, dokąd jej mąż już nigdy nie zejdzie, i zaszlochała.

– Złe wiadomości… – wydusiła z trudem.

Pracownicy zatrzymali się, patrząc na nią. Nie wiedzieli, co powiedzieć, stali, opuściwszy głowy, ale czuła ich smutek i współczucie. Zbyszek wyszedł nieoczekiwanie z magazynku i po minie matki poznał, co się stało. Schował do kieszeni trzymany w dłoni telefon, podszedł i przytulił ją.

– Nie płacz. Damy radę – wyszeptał.

– To takie niesprawiedliwe… – mówiła wśród łez. – Takie okrutne. Mógł jeszcze żyć, przecież nie był stary ani chory.

– Chodź, zaprowadzę cię do domu – powiedział stanowczo.

– Trzeba tam pojechać…

– Nie teraz. Niczego nie załatwisz przed dziewiątą. Dzwoniłaś do Igi?

Jego zdecydowana postawa zdziwiła Helenę, ale przyjęła ją z wdzięcznością.

– Nie.

Zbyszek wyjął telefon i wybrał numer siostry.

– To już? – zapytała tylko.

– Tak. Chcesz z nami jechać? O wpół do dziewiątej. Chcesz mamę? Iga zaraz przyjedzie – zwrócił się do Heleny.

Helena nie miała siły, aby zaprotestować. Zresztą czy powinna zabraniać Idze czegokolwiek? To jej ojciec i jeśli chce, niech przyjedzie.

– Napijesz się herbaty? – zatroszczył się Zbyszek.

– Poproszę.

Patrzyła, jak kręci się po kuchni, nalewa wody do czajnika, wyjmuje kubki, potem sypie listki herbaty do czajniczka i było to tak nieoczekiwane w tej chwili, że znów zaczęła płakać. Nie chciała iść do pokoju, patrzeć na małżeńskie łóżko, gdzie na krześle wciąż wisiała piżama Waldka. Ten dom, każdy jego najmniejszy kąt, nosił jego ślady. W łazience szczoteczka do zębów i ręcznik po jego stronie umywalki, w szafce jego golarka i woda toaletowa. Wszystko, na co spojrzała, kojarzyło jej się z mężem.

Zbyszek zalał herbatę wrzątkiem i stanął nieco stropiony.

– Muszę iść do pracowni. Dasz sobie radę?

Helena spojrzała na zegar kuchenny. Było wpół do siódmej. Zbyt wcześnie, żeby dzwonić do rodziny.

– Oczywiście.

– Iga powinna zaraz przyjechać.

– Tak. Zaczekam na nią. – Wstała, aby nalać sobie herbaty do kubka.

– Może byś coś zjadła?

Helena kiwnęła głową, przeniosła kubek na stół, wyjęła z chlebaka wczorajszą bułkę i nie smarując jej masłem, usiadła znowu przy stole. Zbyszek stał niepewny, czy może ją zostawić.

– Idź, dopilnuj produkcji. Nic mi się nie stanie – zapewniła go.

Nie zdążyła wypić herbaty, kiedy na podjeździe zaparkowała Iga. Przez uchylony lufcik Helena usłyszała, że krzyknęła coś do Zbyszka, ale chwilę później już wbiegła po schodach na górę. Padły sobie ze szlochem w ramiona i przytulone trwały tak dłuższy czas, czerpiąc pociechę ze swej obecności.

– Nie wierzę – wyszeptała w końcu Iga. – Po prostu nie wierzę! To nie może być prawda! Jak to się mogło stać, przecież był w szpitalu! Na erce! Pod opieką lekarzy. Monitorowany.

– Nie wiem. Żałuję, że nie zostałam z nim w nocy, przeczuwałam, że coś się może stać.

– Nie zadręczaj się, nie wszystko zależy od nas. Musisz się teraz skupić na firmie i Zbyszku, bo ma tylko ciebie, a wielu będzie mu życzyło jak najgorzej.

– Ten konkurs go zabił – powiedziała głucho Helena. – To ciastko przyniosło mu same zgryzoty. Nie wierzył w nie. A ja go zadręczałam, żeby dał się Zbyszkowi wykazać. No i dał, na swoje nieszczęście...

– Zrozum, konkurs jest co roku, nie za każdym razem wygrywaliśmy, ale ojciec zawsze się umiał z tym pogodzić.

– Ale teraz było inaczej. Najpierw wygrana, w którą nie wierzył, i lepiej byłoby, gdyby nam nie przyznali tego tytułu, a potem ten protest i wstyd, bo jeszcze nigdy nikt nie kwestionował tego, że umiemy piec ciastka!

– Zwycięstwo w konkursie dają klienci, nie burmistrz, prawda? To oni na was głosowali!

– Tylko że burmistrz pilnuje zgodności z regulaminem i widać czegoś się dopatrzyli.

– Ewidentnie jest na nas jakieś polowanie! – Iga ze smutkiem pokręciła głową. – Miałam wieści, że stryjek, a właściwie Anita, na swoją firmę kupili tę ruinę starej mleczarni na Zarzeczu.

– Na co im to? – zainteresowała się Helena.

– Podobno chcą urządzić salę weselną.

– Tam?! A kto tam będzie chciał robić wesela?

– Odpicują trochę wnętrze, dadzą niską cenę i zobaczysz, że znajdą klientów. Karolina już do mnie dzwoniła, że ma inną lokalizację na zjazd absolwentów. I dobrze, szczerze mówiąc, bo musiałabym dokładać do interesu. Ale jeśli zabiorą mi wszystkie wesela, może być krucho.

– Jak się nie wiedzie, to na całej linii – westchnęła Helena. – Będziesz chciała jechać ze mną do Płocka?

– Oczywiście.

– A dzieci?

– Xavier ma jeszcze urlop, zajmie się nimi.

– Czuję się rozbita. Nie zdążyłam się przygotować. Waldek nie ma czarnego garnituru.

– A musi być czarny? Ma szary, dobrze w nim wyglądał.

– Nie chcę, żeby nas ludzie wzięli na języki.

– I tak wezmą. Nie możesz się wszystkim przejmować. A zwłaszcza z niczego się nie tłumacz. Przerabialiśmy to już po śmierci babci. Sępy się zleciały i próbowały nas ubezwłasnowolnić. Że niby samotny wdowiec opuszczony przez matkę, która go prowadziła za rączkę, i jego nieletnia córka, a nie byłam już wtedy nieletnia, nie potrafią załatwić najprostszych spraw. Nic im się nie podobało. Ani trumna, ani wieńce, ani menu konsolacji. Wiadomo, że każdy by to zrobił lepiej. Zwłaszcza za nasze pieniądze. I od razu zażądali otwarcia testamentu.

– Waldek nie sporządził testamentu. Przynajmniej ja o tym nie wiem.

– To nic nie zmienia. Powinnaś się przygotować, że będą chcieli zachowku, myślą, że śpicie na forsie. Ale nie musisz się śpieszyć z odpowiedzią.

– Cały nasz majątek to te dwa domy, nasze receptury i renoma firmy. To jest dziedzictwo Hryciów. Coś tam odłożyliśmy na stare lata i wesele Zbyszka. Mam im to wszystko oddać?!

– Taka to rodzinka. Tata jeszcze ciepły, a my już się martwimy, że nas oskubią. Która godzina? – Iga spojrzała na zegar ścienny. – Siódma. Niech sobie jeszcze pośpią, sępy.

Warszawa, marzec 1968

W końcu spełniło się to, o czym bardziej świadomi wiedzieli od początku: po jedenastu spektaklach władze kazały dyrektorowi Teatru Narodowego Kazimierzowi Dejmkowi, który był jednocześnie reżyserem *Dziadów*, zdjąć przedstawienie z afisza. Ostatni raz zagrano je w Narodowym trzydziestego stycznia. Monika i jej paczka, powiadomieni przez kogoś z PWST, stawili się w komplecie. Milicja zagrodziła publiczności wejście, ale tłum napierał i w końcu wlał się do środka. Ludzie byli wzburzeni i poruszeni. Oczy im się świeciły, uśmiechali się, jakby dzięki sile ich marzeń miał dokonać się cud. Cudem było już to, że tu, w tym miejscu, poczuli jedność. Monika również dała się porwać euforii. Podczas Wielkiej Improwizacji w wykonaniu Gustawa Holoubka wszyscy wstrzymali oddechy. Niektórzy płakali. Monika powtarzała w myśli: „Ojczyznę wolną racz nam zwrócić, Panie!". A potem razem z innymi krzyczała: „Dejmek! Dejmek" i „Niepodległość bez cenzury!". Potem zaś stało się coś, co przerosło chyba wyobraźnię nawet największych optymistów. Po zakończonym spektaklu zwarty tłum kilkuset widzów ruszył w stronę Krakowskiego Przedmieścia, ku stojącemu nieopodal teatru pomnikowi Adama Mickiewicza. Ludzie silni siłą tłumu wznosili okrzyki: „Chcemy *Dziadów*!", „Wolna sztuka. Wolny teatr!".

Tam jednak czekała na nich milicja, która zaczęła wyłapywać zgromadzonych. W ostatniej chwili Stasiek pociągnął Monikę za rękę i dali nura w Kozią, a potem szybkim marszem ruszyli w kierunku Trasy W-Z.

– Wszystko w porządku? – zapytał, kiedy znaleźli się już na przystanku tramwajowym.

– Tak! – wysapała. Brakowało jej oddechu, a policzki się zaczerwieniły, ale oprócz tego nic się więcej nie działo.

Za nimi do tramwaju wsiadło jeszcze kilkoro młodych ludzi. Byli zdyszani, nie odzywali się, zapatrzeni w okna przeżywali jeszcze to, co się przed chwilą wydarzyło.

– Obiecaj mi, że się będziesz oszczędzać. Jesteś w ciąży! – wyszeptał Stasiek.

– Komu to mówisz, ledwo dopięłam płaszcz! – Monika położyła dłoń na brzuchu. Nagle zamarła, skupiona, wsłuchana w siebie. – O matko, kopnął! Poruszył się! Boże…

– Pewnie mu się nie podobało, jak go wytrzęsłaś.

– Niech się zaprawia w bojach! – odparła Monika. – Nie będę się chowała po kątach.

– Będziesz. I zamierzam tego dopilnować!

Niczego jej nie obiecywał, o niczym nie zapewniał. Był tylko przyjacielem, ale Monika miała wreszcie kogoś, kto się o nią troszczył. Patrzyła z przyjemnością na jego miłą, inteligentną twarz, podziwiała staranność, z jaką dobierał stroje i słowa. Ona się tego nigdy nie nauczyła. Mogłaby spędzić z nim życie, ale on tego nigdy nie zaproponował, a jej samej też nie przyszło to do głowy. Kumple, zawsze to lepiej niż nic...

– Pojedziesz do domu na przerwę? – zapytał.

– Nie – odparła. – Mam trochę zaległości po chorobie. I nie chcę taryfy ulgowej ze względu na ciążę.

Dziwiło ją jedno: dlaczego nikt nie pyta o ojca dziecka? Jakby się zmówili: nikt nie zapytał, kim jest ani kiedy go im przedstawi. Jedyne wytłumaczenie mogło być takie, że zajęły się tym dziewczyny z akademika. Na wszelki wypadek miała przygotowaną wersję o studencie Politechniki Szczecińskiej, jednak na razie nie musiała jej nikomu wciskać.

Pierwszego lutego zaczęła się przerwa semestralna i Monika niemal całe dnie spędzała w łóżku. Uczyła się pilnie do nadchodzącej sesji. Dziewczyny się nią opiekowały, a ciąża przebiegała bez powikłań, jednak od czasu do czasu dopadały Monikę czarne myśli. Niby wszystko było wiadomo, któregoś dnia, jeszcze w grudniu, zdecydowała, co zrobi, ale wiedziała, że konsekwencje tego postanowienia obciążą na zawsze jej sumienie. Z rzadka pozwalała sobie na snucie marzeń, w których zatrzymywała dziecko. Wciąż czekała, aż Stasiek się odważy i mimo ciąży zaproponuje jej wspólne życie. Tak, tak właśnie musiałoby się to odbyć. Ale może oboje muszą do tego dojrzeć? W akademiku było spokojnie, wszyscy albo powyjeżdżali do domów, albo się uczyli, lubiła tę atmosferę spokoju, ale lubiła też pojechać do BUW-u i tam zatopić się w książce na kilka godzin.

Czasami spotykali się ze Staśkiem, najczęściej kiedy przyjechał do akademika. Był jakiś rozgorączkowany, ciągle w biegu, nigdy długo nie zabawił. A to zbierał podpisy pod petycją do sejmu w sprawie *Dziadów*, a to zbierał pieniądze na pokrycie kar, które mieli zapłacić studenci zatrzymani trzydziestego stycznia pod pomnikiem Mickiewicza. Wykrzykiwał, że nikt, żaden minister ani nawet pierwszy sekretarz nie ma prawa wtrącać się w autonomię uniwersytetu.

Po przerwie zaczęła się sesja i mniej więcej wtedy pisarze również potępili zdjęcie *Dziadów* z afisza. Marzec zaczął się na uczelni niezwykle gorączkowo, jakby studenci i młodsza kadra naukowa nagle postanowili nadrobić minione dwadzieścia lat. Raz po raz organizowano jakieś spotkania, wiece, dyskusje. Coś wisiało w powietrzu. Niektórzy mówili, że partia nie da sobie grać na nosie i prędzej czy później posadzi cały uniwersytet do pierdla.

Monika nie mogła we wszystkim uczestniczyć. Była coraz grubsza, płaszcz dawał się zapinać tylko na dwa górne guziki. Nogi jej spuchły i musiała pożyczyć od dziewczyn krótkie buty z filcu, w których wyglądała okropnie. Jedna sukienka z grubej flaneli w absurdalny kwiatowy wzór i gruby robiony na drutach góralski sweter też nie dodawały jej uroku. Ale przynajmniej miała już plan. Trzeba tylko dotrwać do rozwiązania.

Na korytarzach, w salach i na dziedzińcu wciąż ktoś mówił o zbliżającym się wiecu protestacyjnym, tu i ówdzie trafiało się na odręcznie napisane ulotki, zwołujące wszystkich w piątek, ósmego marca, w południe na dziedziniec uniwersytetu. Anka i Danka dostały od Staśka ulotki do rozklejenia na Kicu* i gdzie się da. Wieczorem

* Kic – akademik przy Kickiego.

dumne z siebie opowiadały, jak to właziły do każdego, nawet męskiego kibla i wklejały je od środka na drzwiach.

Za pięć dwunasta na dziedzińcu uniwersytetu jeszcze nic się nie działo, ale w samo południe jakby wylała się z budynków uniwersyteckich rzeka studentów i w kilka minut wypełniła dziedziniec. Monika nie zeszła. Kiedy zobaczyła gęstniejący tłum, wolała zostać w budynku, tak jej zresztą radził Stasiek, który gdzieś przepadł. Razem z nią było kilkanaście osób. Mieli stąd znacznie lepszy widok i dobrze słyszeli słowa rezolucji odczytanej przez studentkę piątego roku socjologii, Irenę Lasotę:

My, studenci uczelni warszawskich, zebrani na wiecu w dniu 8 marca 1968 r. oświadczamy: Nie pozwolimy nikomu deptać Konstytucji Polskiej Rzeczypospolitej Ludowej. Represjonowanie studentów, którzy protestowali przeciwko haniebnej decyzji zakazującej wystawiania „Dziadów" w Teatrze Narodowym, stanowi jawne pogwałcenie art. 71 Konstytucji. Nie pozwolimy odebrać sobie prawa do obrony demokratycznych, niepodległościowych tradycji Narodu Polskiego. Nie umilkniemy wobec represji. Żądamy unieważnienia decyzji o usunięciu kolegów Adama Michnika i Henryka Szlajfera. Żądamy umorzenia postępowania dyscyplinarnego przeciw […] obwinionym o udział w demonstracji studenckiej po ostatnim przedstawieniu „Dziadów". Żądamy przywrócenia Józefowi Dajczgewandowi należnego mu stypendium. Domagamy się, aby w terminie 2-tygodniowym od dnia dzisiejszego minister oświaty i szkolnictwa wyższego Henryk Jabłoński oraz rektor Uniwersytetu

Warszawskiego udzielili bezpośrednio zbiorowości studenckiej odpowiedzi na powyższe żądania[*].

Rezolucja została przyjęta oklaskami, potem odśpiewano hymn narodowy. Dziedziniec głowa przy głowie wypełnili studenci. Po kwadransie od strony bramy nagle zaczął się dziwny tumult. Z parkujących tam autokarów na teren uniwersytetu wdzierali się cywile, niektórzy mieli biało-czerwone opaski na rękawach. Monika nie widziała dokładnie, ale studenci starali się rozpierzchnąć. Niektórym to się udawało, jednak znajdujący się bliżej bramy kulili się pod razami rozjuszonych napastników, uzbrojonych w krótkie czarne pałki, którzy nie zwracali uwagi, kogo biją, robili to jednak z wściekłą pasją. Ktoś za nią szepnął:

– Masakra...

Najgorszy był widok przyjmujących uderzenia dziewcząt. Monika zamarła w przerażeniu. Jakiś instynktowny odruch kazał jej odejść od okna. Z sercem uderzającym jak wściekłe pobiegła do toalety i tam się zamknęła. Długo bała się wyjść. Płacząc z przerażenia, wsłuchiwała się w dobiegające zza okna przeraźliwe krzyki, w szczęk tłuczonych szyb i dudniące kroki na korytarzu. Na teren uniwersytetu wkroczyła milicja, prorektor wzywał młodzież do rozejścia się, twierdząc, że protest jest nielegalny, zatrzymywano studentów, zamykając ich w autokarach. Jedyną bronią młodzieży były śnieżne piguły i drobne pieniądze, którymi rzucali w atakujących, a dziedziniec

* Jerzy Eisler, *Marzec 1968. Geneza – przebieg – konsekwencje*, Warszawa 1991, s. 195–196.

wkrótce zaścieliły setki rękawiczek i czapek, które spadły z głów podczas szarpaniny.

Trwało to ponad godzinę. Kiedy dygocąc ze strachu, Monika uchyliła drzwi toalety i ostrożnie wyjrzała na korytarz, nadal pełno tu było przerażonych, podobnych do niej zszokowanych studentów, którzy nie wiedzieli, co robić. Jedni siedzieli otępiali na podłodze, inni gorączkowo pytali się nawzajem: „Dlaczego?!". Nie wiedzieli, czy mogą już wyjść i czy ktoś nie czeka na zewnątrz z pałką gotową do ciosu. Nie znała tu nikogo, ale przyłączyła się do grupy, licząc na to, że może uda jej się jakoś opuścić teren uczelni i bezpiecznie wrócić do akademika. Ktoś zauważył, że napastnicy się wycofują, i dał sygnał do ewakuacji. Wybiegli skuleni, przerażeni, boczną bramą. Stamtąd, niemal bez tchu, trzymając się za brzuch i wciąż oglądając się za siebie, Monika ruszyła Kopernika do Foksal i dalej na przystanek tramwajowy w Alejach.

Dopiero w tramwaju odetchnęła głębiej. Wciąż drżała i chciało jej się płakać. Nie potrafiła pojąć, że dookoła niej stoją spokojni, zapatrzeni w okna ludzie, nieświadomi, że tam, całkiem niedaleko, wydarzyło się coś tak potwornego. Czuła się samotna i przygnębiona. Nie wiedziała, co się stało z chłopakami i resztą jej grupy, która poszła na wiec. Gdy dotarła do akademika, w pokoju nie było nikogo. Dopiero koło dziesiątej wieczorem wróciła Anka. Wyglądała strasznie, jakby się nagle postarzała o dziesięć lat. Stanęła w drzwiach, oparła się o ścianę i powiedziała głucho:

– Danka jest w szpitalu… Poważne obrażenia.

Zdjęła płaszcz i ciężko usiadła na krześle. Monika szybko nastawiła wodę na herbatę.

– Wszystko mnie boli – powiedziała Anka. – Boże, jak oni bili… Nie mogę się ruszyć…

Monika pomogła jej zdjąć sweter, a potem bluzkę. Ręce i plecy Anki były całe w czerwonosinych plamach.

– Oni byli pijani, wiesz?! Dali im wódkę dla kurażu! Co za podłość! Pieprzony aktyw robotniczy! Gestapo, a nie aktyw! I za co nas tak spałowali? Przecież myśmy nic złego nie zrobili! Opowiedzieliśmy się tylko za tym, żeby szanować prawo i Konstytucję! Dlaczego chcieli nas ukarać? Jakie to niesprawiedliwe! Przecież nie mówiliśmy niczego przeciwko ustrojowi! A ty? Jesteś cała?

– Tak… Schowałam się w kiblu – wyznała ze wstydem Monika, ale Anka wzięła jej dłoń i przyłożyła sobie do policzka.

– Chwała Bogu!

Następnego dnia była sobota i zgodnie z przewidywaniami na Kickiego przyjechali Stasiek z Heńkiem. Obaj byli cali, chociaż Heniek nieźle oberwał.

– To było straszne! Straszne! Jakim cudem władza, która stoi na straży Konstytucji, która rządzi w naszym imieniu, mogła dokonać czegoś takiego?! Przecież to była spokojna manifestacja! – rzucał się, wściekły. – A już bicie dziewczyn to skandal!

– Podobno dostawały przede wszystkim brunetki… – wtrącił się Stasiek.

– Danka jest brunetką! – zauważyła Anka. – Darli się do niej: Ty Żydówo! A przecież ona nie jest… Kto to w ogóle był? Tajniacy po cywilu? Bo milicja weszła dopiero po nich.

– Byli chyba pijani. Zresztą sami nie wiedzieli, co robią. Podobno na terenie AWF-u naparzali się sami ze sobą! ZOMO kontra ORMO. Polska koordynacja! – Stasiek pokręcił głową. – A ty, mamuśko, jesteś cała? Martwiliśmy się o ciebie.

– Ja? Tak. Jakoś mi się udało.

– Wiecie, że oni mieli chyba listę osób do odstrzału? Ktoś mi mówił, że niektórym zabierali indeksy i legitymacje.

– Wpuścili nas w maliny… – westchnął Heniek. – Wiadomo było, że po tym, co się stało pod pomnikiem Mickiewicza, nie pozwolą nam za bardzo podskakiwać. Teraz się zaczną aresztowania, muszą nas przecież nastraszyć, żebyśmy znowu byli grzecznymi dziećmi.

– Ale my już przecież nigdy nie będziemy grzecznymi dziećmi! Nie za tej władzy! – odcięła się Anka.

– I pomyśleć, że wy się narażacie, a ja się obnoszę z brzuchem! – westchnęła nieco zawstydzona Monika.

– Ty się nie możesz pchać pod milicyjne pałki! To by było nieodpowiedzialne! – zawyrokował Stasiek. – Ale ktoś musi. I wiecie, teraz dopiero poczułem się naprawdę wolny! Ta władza nie rządzi w moim imieniu! Zrozumiałem to właśnie podczas *Dziadów*! Musimy wziąć na siebie ryzyko. Zresztą jest nas wielu.

– Wreszcie mamy poczucie, że coś od nas zależy!

W poniedziałek, jedenastego marca, Monika nie czuła się na siłach, aby pojechać na zajęcia. Zwyczajnie się bała, dlatego w ogóle nie wyszła z akademika. Natomiast Anka najpierw planowała zajrzeć do Szpitala Praskiego, żeby zobaczyć, co z Danką, a potem zamierzała ruszyć na uczelnię. Obiecywała, że kiedy wróci, zda Monice dokładną relację. Na uniwersytecie trafiła na zebranie w Auditorium Maximum, a potem wraz z innymi wzięła udział w marszu Krakowskim Przedmieściem. Szli od uniwersytetu aż do skrzyżowania Alej Jerozolimskich i Nowego Światu, bo większości, mimo niezbitych dowodów, nadal się wydawało, że władze chcą dobrze, tylko „bezpieczniacy" się wyrwali z tym tłumieniem rzekomej rebelii. Jeszcze wierzyli w towarzysza Gomułkę, chociaż nie wszyscy. Ponad głowami płynęły pełne oburzenia okrzyki: „Prasa kłamie!", „Warszawa z nami!", „Robotnicy z nami!".

– Dziwne. Dlaczego nikt nas nie próbuje rozpędzać? – zastanawiał się na głos Heniek. – W każdej bramie stoi milicjant i kilku tajniaków. Też macie wrażenie, że gdybyśmy chcieli odejść w bok, toby nam nie pozwolili?

– Przewrażliwiony jesteś! – Stasiek wzruszył ramionami.

– A jak ci się wydaje, co nas czeka pod KC? Myślisz, że po tym, co się stało, towarzysz Wiesław stanął na skrzyżowaniu z otwartymi ramionami?

– Pewnie, że nie. Ale może stoi w oknie?

– I tu, bracie, trafiłeś w sedno! Stoi w oknie i zacierając ręce, czeka, aż nas zaraz znowu spałują. Dziewczyny, wy raczej uciekajcie, kiedy się tylko da, bo czarno to widzę.

Nie uwierzyli mu, a to Heniek miał rację. Na szczęście Anka szła skrajem pochodu i jeszcze zanim dotarli do skrzyżowania, czmychnęła w Smolną. Wtedy straciła ich z oczu. Miała szczęście, ponieważ czekały tam na manifestujących armatki wodne i gaz łzawiący. Tego jednak nie uniknęła, bo mimo że biegła Smolną, a potem mostem Poniatowskiego w kierunku Wisły, oddychała unoszącym się w powietrzu drapiącym w gardło i gryzącym w oczy dymem.

Mimo przykrych doświadczeń Anka nie zamierzała zrezygnować z udziału w czterdziestoośmiogodzinnym strajku okupacyjnym na uniwersytecie, który miał się zacząć następnego dnia.

– Ty się w ogóle nie szykuj! – strofowała Monikę, zbierając w pośpiechu swoje rzeczy.

– Przez tę ciążę przegapię historyczne wydarzenia! – marudziła Monika.

– Nic cię nie ominie, wszystko ci opowiem po powrocie! O ile wrócę... – zażartowała ponuro Anka.

Te dwa dni były nieznośnie nerwowe. Monika nie potrafiła się na niczym skupić, chodziła po pokoju zdenerwowana, wyrzucając sobie, że nie ma jej tam, gdzie powinna być. W środę po dziewiątej wieczorem Anka wróciła zmęczona, ale triumfująca.

– Ale to było święto, mówię ci! Święto wolności i wzajemnego zrozumienia. Mnóstwo ludzi przyszło na uczelnię, mnóstwo. Na mieście patrole milicyjne, uniwerek obstawiony przez ORMO i milicję, pałki, gaz łzawiący, armatki wodne. Oni w goglach, a my, rozumiesz, bez niczego! Ale za to na uczelni śpiewy, gra na gitarze, popijanie wina, wiece, rozmowy, atmosfera pikniku. Ludzie nam przynosili spontanicznie różne rzeczy: kanapki, papierosy, chleb, kiełbasę, pomarańcze! Jakieś starsze panie, uczestniczki powstania, to nawet bandaże przyniosły, ale chyba nikomu nic się nie stało.

– A gdzie spaliście?

– Na podłodze. – Anka wzruszyła ramionami.

– I co robiliście przez cały czas?

– A śpiewaliśmy Okudżawę, graliśmy w karty, jedliśmy kanapki, czytaliśmy *Dzieciątko Lenin*.

– Co to takiego?

– Takie opowiadania o Leninie, kiedy był dzieckiem. Przepisywaliśmy z tej książki fragmenty o strajku studenckim, bo jak ulał pasowały do naszej sytuacji. Taki chiński powielacz. Wiesz, jedna osoba dyktuje, a reszta pisze. Potem to rozrzuciliśmy z okien na ulicę. „Pozostaje kwestią sporną, czy to było ORMO" – zanuciła pod nosem.

– Ale wam zazdroszczę.

– Nie ma czego. Nie było aż tak różowo. Tak naprawdę baliśmy się jak cholera. Kiedy ktoś rzucił, że Krakowskim jadą czołgi, żeby nas spacyfikować, myślałam, że się porzygam ze strachu.

– A chłopaki?

– W porządku. Pojechali do domów!

We czwartek Heniek przyniósł wiadomość o aresztowaniu Staśka, a w piątek sam został aresztowany, o czym dowiedzieli się w następnym tygodniu. Monika szalała ze strachu, nie wiedziała, gdzie ich szukać, jak można im pomóc, bała się, czuła jednak, że teraz to ona musi coś zrobić. Ktoś powiedział, że są tylko dwie możliwości: pałac Mostowskich albo Mokotów, ale jeśli ich zgarnęli, jak kilkuset innych, to raczej siedzą na Rakowieckiej. Z bijącym sercem pojechała do pałacu Mostowskich, licząc na to, że ciąża będzie jej tarczą i przemówi dobitniej niż jakiekolwiek słowa. Podtrzymywała ją nadzieja, że nic złego nie zrobiła, ale czuła też niepokój, że i ją mogą zamknąć. W portierni dowiedziała się tylko, że widzeń nie ma i nie wiadomo, co się dzieje z tym obywatelem. Wracała do akademika zapłakana. Bała się, że już go nigdy nie zobaczy.

Tymczasem demonstracje studenckie objęły większość uczelni warszawskich. Protestowano też w innych ośrodkach w kraju, ale nic nie przedostawało się do telewizji czy gazet. Jedynym źródłem informacji pozostawał kontakt osobisty, ulotki, transparenty wywieszane na uczelniach oraz radiostacja Wolna Europa, jeśli ktoś miał do niej dostęp. Społeczeństwo, zajęte swoją trudną codziennością, nie interesowało się wydarzeniami, które tak wielu studentom pokazały prawdziwe oblicze polskich władz.

Gutowo,
wtorek 30 sierpnia 2016, 09:45

W gabinecie burmistrza trwała gorączkowa narada.

– Musimy wygasić tę aferę z konkursem na ciastko! – twardo stwierdził Tomasz Walczak. – Po tym, co się stało, ludzie nas wezmą na języki.

– I co z tego? – Szef Rady Miasta, Jacek Marciniak, wzruszył ramionami. – Co jego zasłabnięcie ma wspólnego z konkursem? Ciastko rzeczywiście nie spełniało norm. To nie jest żadna sztuka zrobić coś takiego. W Internecie wisi tysiąc przepisów na podobne ciastka i podobne wróżby. Zagańczyk ma rację, nie powinniśmy przyznawać mu wygranej. To była tania sztuczka, która obniża rangę konkursu.

– O ile się nie mylę, to zwycięstwo ogłaszamy my, ale po plebiscycie i głosowaniu mieszkańców, prawda? – zaglądając do rozłożonych przed sobą papierów, zapytał wiceburmistrz Marek Gwara.

– Owszem, tylko że każdy może sobie wrzucić do urny tyle głosów, ile mu się spodoba. To tylko nic nieznaczące świstki papieru – upierał się przy swoim Marciniak.

– Z numerami! – przypomniał burmistrz. – Sam w zeszłym roku domagałeś się, żeby to ratusz drukował te kupony! A teraz twierdzisz, że to są świstki?!

– Do tej pory je respektowaliśmy, nikt nie podważał ich wiarygodności ani rzetelności liczenia głosów – odezwał się wiceburmistrz.

– Bo ciastka nie budziły zastrzeżeń! – ripostował Marciniak. – Teraz jest inaczej. Smakowało ci to ciastko? Kupiłbyś je, żeby przyjąć gości?!

– Nie, ale ludziom się podobało. Zawsze możemy przejrzeć te głosy pod względem wiarygodności. Jeśli coś będzie nie tak, znajdziemy podstawę do odebrania Hryciom zwycięstwa – ugodowo zaproponował Gwara.

– Słucham was i własnym uszom nie wierzę! Czyście poszaleli?! – oburzył się burmistrz. – Facet mi zemdlał w urzędzie! Pogotowie go zabrało! W tej sytuacji powinniśmy nie tylko odrzucić protest Zagańczyka, ale też pomyśleć nad honorowym obywatelstwem dla Hrycia albo jeszcze lepiej dla jego matki! Tyle razy wygrywali, są naszą wizytówką! Ludzie tu dla nich i do nich przyjeżdżają! Dni Gutowa oni współtworzą z nami na równych prawach! Mogliby już sobie dawno dać spokój, i tak tylko oni się liczą dla przyjezdnych. I ta książka… Przecież to ściąga nam tłumy! Czytaliście ją?

– Ja nie – przyznał się Gwara.

– Moja żona czytała – usprawiedliwił się Marciniak.

– Nie da się ukryć… Zawsze bardzo się starają! – zastępca burmistrza wrócił do tematu.

– A Zagańczyka mało kto kojarzy. Może klienci na Piaskach i Zarzeczu. Owszem, przydałby mu się sukces, zawsze to reklama. I wiem, że jesteście kumplami... – burmistrz zwrócił się do Marciniaka.

– Co to ma do rzeczy?! – oburzył się przewodniczący.

– Nie zapominaj, że poseł tylko czeka na nasze najmniejsze potknięcie. Jego zwolenników w mieście nie brakuje. Podobno już kupił prezesa mleczarni, jak mu tam... No, wiecie, jego synkowi dał asystenturę. Jeśli teraz zaczniemy zrażać do siebie ludzi, podczas wyborów tamci odbiją miasto i zostaniemy na lodzie. Potrzebujemy pięknego, pojednawczego gestu, żeby zatkać plotkarzom gęby.

– Z kim niby mamy się jednać? – nie rozumiał Marciniak.

– Z opinią publiczną.

– Że niby co? Ktoś się osunie z krzesła, a ty już tańczysz, jak ci zagra?

– A ty tańczysz, jak ci Zagańczyk zagra! To równy gość, nie przeczę, ale w kwestii zasług dla miasta daleko mu do Hryciów! – stwierdził burmistrz i sięgnął po komórkę. Wybrał jakiś numer i po chwili już miał połączenie. – Witam, redaktorze. Takie pytanie, bo pan zawsze dobrze poinformowany. Ta matka Hrycia, tak, ta z cukierni, ma pan może jakieś jej bio? Bobyśmy potrzebowali w ratuszu. Na wczoraj, jak zawsze! U nas wszystko na wczoraj! – Roześmiał się z własnego żartu. – Tak, może być na mejl. Będę dozgonnie wdzięczny! – dodał i się rozłączył.

– Coś ty wykombinował? Na co ci matka Hrycia? – spytał Gwara.

– Która nie żyje od dwudziestu lat – wtórował mu zdziwiony Marciniak.

– Nie tylko zostawimy Hrycia w spokoju, odrzucając protest Zagańczyka. Niech się dobrze przygotuje na przyszły rok, wtedy chętnie mu przyznam ten tytuł – tłumaczył burmistrz. – Ale też poszukamy okazji, żeby uhonorować matkę Hrycia. Odkąd sięgam pamięcią, stała za ladą i sprzedawała pączki. Niby nic takiego: cukiernia, ale zawsze po lekcjach szło się do Amora.

– Pod warunkiem, że kasa była – uściślił Marciniak.

– Musimy doceniać lokalnych przedsiębiorców! A zwłaszcza tych, którzy dają zatrudnienie i trwają w krajobrazie miasta całymi latami, a nawet pokoleniami.

– Może im jeszcze zrobisz na korytarzu galerię? – rzucił kwaśno Gwara.

– A wiesz, że to całkiem niezły pomysł! Opatrzyły już mi się te widoczki. Owszem, krajobraz mamy w powiecie piękny, ale ludzie są najważniejsi! Tak, to jest superidea! Zrobimy galerię przedsiębiorców! Poseł Hryć się wścieknie, że na to nie wpadł, kiedy był burmistrzem! – ucieszył się Walczak. – Albo nie! To będzie galeria sławnych gutowian! Poprosimy „Obserwator", żeby zrobili konkurs, kto tu powinien zawisnąć!

– Jeszcze jeden konkurs! – westchnął Gwara. – Znowu ludzie będą protestować! Ten się obrazi, że jego dziadek nie przeszedł, inny, że zabrakło miejsca dla stryjka! Kręcisz bat na własną głowę! I przy okazji na moją!

– Spokojnie! Dobrze się przygotujemy. Zasady muszą być jasne i czytelne. Poprosimy dział prawny, żeby nam stworzyli dobry regulamin! Przy okazji niech przeczytają ten na Ciastko Roku, żeby już nie było wątpliwości.

– I może jeszcze zarządzisz obowiązkowe lekcje wychowania obywatelskiego na korytarzu w ratuszu? – podchwycił nieprzekonany Gwara.

– No, wreszcie uruchomiłeś swoją kreatywność! Trzeba dzieciaki uczyć postawy obywatelskiej tu, na miejscu. Zadzwonisz do Zagańczyka i powiesz mu, że protest większością głosów został odrzucony. Chyba zrozumie?

– Jaki podać powód?

– Żadnego. Rozpatrzyliśmy jego wątpliwości, ale ich nie podzielamy. I na drugi raz niech się nie wygłupia. Za dużo mamy spraw na głowie. Jeśli chce się wygrywać, trzeba się lepiej przygotować. Trochę marketingu by się przydało. Sam produkt nie wystarczy. Hryciowie mają to opanowane do perfekcji.

– Ten atak serca też się Hryciowi udał. Ciekawe tylko, czy to był marketing czy reklama? – burknął wiceburmistrz.

– Cokolwiek to było, zmusił nas do zmiany werdyktu, a raczej utrzymania tego, który wydaliśmy w niedzielę. A to znaczy, że nawet na tym polu jest skuteczny.

– Stary wyjadacz! – mruknął Marciniak.

– I jeszcze do niego pójdziesz i przeprosisz za zaistniałą sytuację – burmistrz zwrócił się do swego zastępcy.

– Żartujesz?! Dlaczego ja?!

– Przecież zawsze trzymasz z wygranymi, dobrze ci to wyjdzie!

Gutowo, kwiecień 1968

Teresa trzymała kartkę z kilkoma hasłami nagryzmolonymi ręcznie przez towarzyszkę Wypych i patrzyła na nią tępym wzrokiem.

– Co się gapisz! Do roboty! Na jutro wszystko ma być gotowe! – warknęła szefowa i wykręciła na tarczy telefonu jakiś numer, jednocześnie poganiając Teresę, aby wyszła z pomieszczenia.

Haseł było kilka: „Praca – Nauka – Spokój", „Literaci do piór, studenci do nauki!", „Zawsze z Partią!", „Oczyścić Partię z syjonistów!", „Więcej dzieci robotników i chłopów na wyższe uczelnie!", „Uczącym się chwała – chuliganom pała!". Teresa miała je wszystkie wymalować na stojących w magazynku tablicach, używanych dotychczas przy obchodach 1 Maja. Nie było czasu na robienie nowych tablic, a jutro w głównej hali Fablaku miała się odbyć manifestacja poparcia dla PZPR i tablice muszą być widoczne. Trzymane przez robotników uwieczni zakładowy fotograf, a potem zdjęcia się wywiesi w gablotach obok bramy i wyśle do KC na znak dobrze wykonanego zadania.

Zasadniczo hasła nie wzbudzały wątpliwości, ale z jakiegoś niewiadomego powodu Teresa czuła, że coś jest nie tak. Rozmowy ze starszą panią Wypych uczyniły ją podejrzliwą i mimo że właściwie nadal nie interesowała się polityką, wciąż zalatana, szukająca, gdzie się dało, choćby grosza zarobku, zaczęła uważniej przyglądać się temu, co musiała robić na polecenie szefowej.

Ta masówka wydawała jej się dziwna. Bo tu, w Gutowie, przecież nie było żadnych syjonistów. Nie widziała też sensu w nawoływaniu studentów do nauki, a pisarzy do pisania. Jedyne, co wzbudzało jej aprobatę, to żądanie, aby dzieci wiejskie miały łatwiejszy wstęp na wyższe uczelnie. Wtedy być może i ona mogłaby spróbować swoich sił, choćby zaocznie. Co prawda towarzyszka Wypych ostatnio coraz częściej przebąkiwała o zmianie miejsca pracy, również Teresie obiecując awans. Nie mówiła, na czym miałby on polegać, poprzez system niedomówień, mrugnięć i znaczących chrząknięć dawała jednak do zrozumienia, że sprawa jest bliska finału, a wtedy być może obie dostaną kopa w górę, a co za tym idzie również zastrzyk finansowy.

– Mam już dość siedzenia w Fablaku. Jak tu rozwinąć skrzydła? – wzdychała Aldona Wypych, popatrując w zawieszone dokładnie naprzeciwko niej lustro w metalowej ramie i przyglądając się sobie z wyraźną przyjemnością. – Zaraz mi stuknie czterdziestka, nie chcę tu siedzieć do emerytury!

Teresie fucha w fabryce całkiem się podobała. Roboty nie było za dużo, towarzyszka Wypych traktowała ją po ludzku, pensja co miesiąc szła, czego można było żądać więcej? Ale widziała, że szefowa przeprowadza jakieś narady, a z posłyszanych strzępków rozmów wynikało, że szykują się duże zmiany.

W stołówce kończył się właśnie czas wydawania obiadów. Teresa wniosła swoje rzeczy, położyła je na ostatnim stoliku w głębi sali, aby nikomu nie przeszkadzać, i rozpoczęła pracę nad pierwszą tablicą, kiedy nieoczekiwanie podeszła do niej doktor Stocka.

– Jak tam twoja koleżanka?

Początkowo Teresa nie skojarzyła, o kogo chodzi. Doktor Stocka chyba to zauważyła, pośpieszyła więc z pomocą:

– Ta ciężarna, jak jej tam…

– Monika?

– Rzeczywiście, Monika. Co u niej?

– Wszystko w porządku – Teresa skłamała bez zająknięcia.

– Będzie rodzić? Bo to już chyba jakoś niedługo?

– Tak! Właśnie się do niej wybieram!

– Mądra dziewczyna! Wiedziałam! Umiem takie rzeczy wyczuć. Pozdrów ją ode mnie i życz szczęścia!

– Dobrze… – obiecała skwapliwie, jakby rzeczywiście zamierzała to zrobić, ale najpierw odłożyła pędzel i usiadła, zszokowana wieściami. Zajęta codziennym kieratem, zdążyła już zapomnieć o podejrzeniach towarzyszki Wypych. A więc Monika jest w ciąży? Ze Stanisławem? Czy już są po ślubie? Jakiś ból straszny złapał ją za gardło, a potem ni z tego, ni z owego rozpłakała się gorzko. Monika, ta Monika, która mogła mieć wszystko i każdego, odebrała jej ostatnią resztkę nadziei. Bo choć od spotkania w Warszawie minęło tyle czasu, choć nic w tym kierunku nie odważyła się zrobić, w jakiś niepojęty, uparty sposób Teresa trzymała się myśli o Stanisławie. Już prawie zapomniała, jak bardzo była wówczas żądna zemsty, jak przeklinała swój los, który znów rękoma Moniki odebrał jej nadzieję na szczęście, bo nie wierzyła mu, kiedy mówił, że są z Moniką jedynie przyjaciółmi.

Stała nad robotą, nie mogąc opanować drżenia rąk i bicia serca, i zazdrościła Monice ciąży ze Stanisławem, tego, że pewnie wkrótce się pobiorą i zamieszkają gdzieś w jakimś pięknym mieszkaniu w Warszawie... A ona nadal będzie biegała za towarzyszką Wypych i organizowała po wsiach zebrania młodzieży. Nagle to wszystko, co osiągnęła, wydało się nic niewarte. Zrozumiała, że Monika wciąż ją wyprzedza i że ona nigdy nie zdoła jej dogonić.

Wzięła z kuchni kompot, wypiła duszkiem i najszybciej, jak zdołała, pomalowała tablice na jutrzejszą manifestację.

Gdyby nie anonim, Kazimierz Janiuk nie dowiedziałby się pewnie o przygotowywanej na następny dzień masówce w Fablaku. Dlaczego towarzyszka Aldona go nie zawiadomiła? Zawsze miał do niej zaufanie. W zasadzie swoją pozycję zawdzięczała właśnie jemu, bo za nią poręczył, kiedy tego potrzebowała, a tu takie kwiatki... Janiuk nie uważał, że w Gutowie powinni robić wiec poparcia. Cała ta sprawa z syjonistami była grubymi nićmi szyta, a Moczar i jego „partyzanci" zbyt natrętnie wmawiali społeczeństwu, że Żydzi komukolwiek zagrażają. Ale jeśli wierzyć Goebbelsowi, a był to jednak fachowiec od propagandy, kłamstwo powtórzone wielokrotnie w końcu staje się prawdą, przynajmniej za taką uchodzi. Z drugiej strony ćwierć wieku partyjnej agitacji trochę znieczuliło ludzi na to, w co im partia kazała wierzyć. Oglądając Dziennik Telewizyjny, Janiuk aż oczy przecierał ze zdumienia, że Polska jest tak zasobna i dobrze zarządzana. Ludzie mieli na co dzień za dużo zmartwień, żeby dać się nabrać tym lukrowanym obrazkom. Rzeczywistość z telewizora i ta codzienna nie miały ze sobą nic wspólnego. I tu paradoksalnie mogło się Moczarowi udać, ktoś musiał być winien.

Czy syjoniści komukolwiek zagrażali? Dla Janiuka było oczywiste, że takiej zorganizowanej grupy nie ma. Komu zaś przeszkadzali? Może wyłącznie chcącym się wybić młodym towarzyszom, którym nie w smak było czekać, aż zwolni się jakieś miejsce po emerycie. Moczar jako szef bezpieczeństwa miał nieograniczony wgląd w teczki osobowe, próbował więc wzniecić wojnę, bo na wojnie, jak to na wojnie, zawsze można coś ugrać. Czyżby liczył, że chaos wyniesie go na pierwszego sekretarza?

Szczerze mówiąc, Janiuk nie wierzył w powodzenie tej manipulacji z syjonistami. Dobrze znał swój teren i ludzi, to byli rozsądni towarzysze, zaprawieni w partyzantce, może nie jakieś orły, on sam się za takiego nie uważał, ale tu, w tym mieście, robili dobrą partyjną robotę. Na ile to było możliwe, dbali o społeczeństwo, chociaż, jak by się dobrze zastanowić, za dużo do powiedzenia nie mieli. KC na wszystkim trzymało łapę, a oni mogli co najwyżej wdrażać wytyczne. I jeśli takowe przyszły do Gutowa w kwestii organizacji masówki w Fablaku, to dlaczego z pominięciem Komitetu Miejskiego? A może to była oddolna inicjatywa towarzyszki Wypych? Prawdopodobnie.

Młoda jest, energiczna, zawsze lubiła wyskoczyć przed szereg. Jednak początkowo Janiuk nie wierzył w powodzenie wiecu, który, nie informując go, zorganizowała mu pod samym nosem.

Na wszelki wypadek kazał się zawieźć w południe do fabryki. I chociaż początkowo myślał, że to jakiś żart, przekonał się, że ma jeszcze w terenie życzliwych ludzi, bo informacja o przygotowywanej w tajemnicy masówce okazała się prawdziwa. Szedł oto niemal pustym korytarzem, ale szum głosów niósł się aż tutaj i w ostatniej chwili trafił do hali. Zdążył jeszcze wejść na trybunę, mocno pesząc organizatorów. Tak zdziwionej towarzyszki Wypych nie widział chyba nigdy. Zbladła, otworzyła usta, żeby coś powiedzieć, przełknęła ślinę i dopiero wtedy jej wargi wygięły się w nieszczerym uśmiechu. Rzuciła się oczywiście, aby go powitać, ale nie zaproponowała mu zabrania głosu. Przygotowała się, miała na kartce krótkie przemówienie: kilka zajadłych zdań, które odczytała z emfazą, jakby chciała całą załogę rozgrzać, a potem wysłać na wojnę. Przeciw komu?

Janiuk, na którego w takich przypadkach zazwyczaj spadało przewodniczenie, stał z boku i popatrywał po zebranych. Do dużej hali fabryki zgoniono chyba całą pierwszą zmianę. Widział zaciętych, wygrażających pięściami robotników, zwłaszcza tych blisko podwyższenia, na którym stał razem z organizatorką, nowym dyrektorem naczelnym i dyrektorem ekonomicznym. Ale im dalej od mównicy, tym bardziej entuzjazm słabł. Ludzie popatrywali na boki, gadali, wzruszali ramionami. Nic ich to wszystko nie obchodziło. Miny mieli obojętne, większość pewnie nie zdawała sobie sprawy, kim są syjoniści i dlaczego należy się ich bać. Trzymali w dłoniach pokracznie wymalowane tablice z hasłami odnoszącymi się do wydarzeń, o których w większości nie mieli pojęcia, bo do Warszawy daleko, a ani prasa, ani radio, ani telewizja nie relacjonowały przebiegu marcowych rozruchów studenckich. Przyszli tu, bo tak im kazali brygadziści. Zresztą wiec zawsze lepszy od roboty. Stali w swoich brudnych fartuchach i beretach, obojętni, jak zawsze podczas wszystkich takich zgromadzeń.

Janiuk nie przemówił do zebranych, nie rozgrzał w nich dodatkowo zapału do zwalczania syjonistów i buntów studenckich. Stał i patrzył, trochę zawstydzony, myśląc, że ktoś tu w imię swoich własnych interesów próbuje budzić w narodzie nienawiść do drugiego człowieka. Natomiast towarzyszka Wypych doskonale odegrała swą rolę. Wyglądało nawet, że w nią wierzy. Krzyczała, jakby jej krzyk mógł uratować kraj i naród z jakiejś straszliwej opresji. Jakby mu zagrażali wskazani teraz, do niedawna jeszcze nierozpoznani wrogowie. A byli nimi Żydzi. Janiukowi nie przeszłoby to chyba nawet przez gardło. Dlatego tę masówkę po prostu zlekceważył. I to był błąd.

Dwa dni po manifestacji w Fablaku do Komitetu Miejskiego zaczęły napływać anonimy. Można się z nich było dowiedzieć, kto jest w terenie Żydem, kto syjonistą, kto knuje przeciwko Polsce Ludowej i jej sojuszom, kogo powinno się usunąć z zajmowanego stanowiska. Nagle okazało się, ile obywatele wiedzą o sobie nawzajem! Cytowali nazwiska ojców, matek, a nawet dziadków podejrzanych, wskazywali ich kosmopolityczne zainteresowania, ujawniali fakt korespondowania z Zachodem, paczki, które inkryminowani otrzymywali z RFN czy USA od lepiej sytuowanych krewnych, i żądali zrobienia porządku ze śmieciami, niegodnymi miana Polaka i obywatela.

Po lekturze pierwszej partii listów Janiuk wkładał do szafy kolejne teczki bez otwierania. Było mu wstyd, nie potrzebował tej wiedzy i nie zamierzał jej wykorzystać. Gdyby miał się zająć wszystkimi, których życzliwi Polsce Ludowej wymienili w swej korespondencji, musiałby usunąć kilkudziesięciu obywateli znanych z kompetencji i uczciwej pracy. Wystarczyło mu, że nie dał rady zapobiec wyrzuceniu poprzedniego dyrektora Fablaku. Nie o to przecież chodzi w socjalistycznej gospodarce, aby zwalniać najlepszych, sadzając na ich miejscach miernoty tylko dlatego, że się dobrze ustawiły lub napisały na kogoś donos. Szanował wszystkich ludzi dobrej roboty, nie czyniąc wyjątków i mimo swojego partyjnego stanowiska nie przekreślając bezpartyjnych. Przeciwnie, członków partii obowiązywała według niego szczególna, proletariacka etyka, ale coraz częściej przychodziło mu się przekonywać, że nie wszyscy podzielają tę opinię. Członkiem partii zostawał teraz każdy, kto podpisał deklarację, można powiedzieć każdy, kto chciał awansować, bez względu na poglądy czy postawę.

To Janiuka jako starego komunistę bardzo przygnębiało. Nadeszły czasy triumfu karierowiczów, sługusów, dla których napisanie oszczerczego anonimu to niewarte zastanowienia głupstwo. Tak sobie próbują pomóc. Tak chcą robić kariery. Na skróty, po trupach, byle do celu. Nie o taką

Polskę walczył przed wojną, a potem jako partyzant. Jakoś to się wszystko rozlazło, spsiało. Najważniejszy czynnik, ludzki, wciąż zawodził. Ludzie szybko zapominali o idei, interesowały ich tylko własne kariery, układy, władza i pieniądze. Na każdym kroku piętrzyły się też trudności obiektywne, których nie sposób było przezwyciężyć, a on sam miał już coraz mniej sił. Czuł się stary, zmęczony, zniechęcony.

Bilans jego życia na kilka lat przed emeryturą wyglądał przygnębiająco i Janiuk niestety wiedział, że nie czeka go już nic dobrego. Nie spodziewał się jednak, że sprawy przyjmą tak szybki obrót. W tydzień po masówce w Fablaku przyjechał do Gutowa młody towarzysz z województwa i przedstawił mu pismo, które przenosiło Janiuka na „ważny odcinek frontu ideologicznego", czyli wakujące stanowisko prezesa zarządu okręgowego koła ZBoWiD-u. Był to niespodziewany kopniak, świadczący o tym, że era Kazimierza Janiuka w Gutowie bezpowrotnie się zakończyła. Ciekawe, kogo mają na jego miejsce? Patrzył w milczeniu na rozmazujące się niewielkie litery i zamaszysty podpis sekretarza wojewódzkiego, domyślając się, że taka jest cena niezależności. Nie najwyższa w jego życiu.

Gutowo, wtorek 30 sierpnia 2016, 10:30

Nie wiadomo, kto postawił pierwszy znicz. Dość, że kiedy Iga i Helena o wpół do jedenastej wróciły z Płocka, przed witryną Amora stało ich kilkanaście. Helena była wzruszona takim dowodem sympatii ze strony mieszkańców miasta. Jednocześnie dziwiła się, jak szybko rozeszła się zła nowina. Nie zdążyła jeszcze powiesić klepsydry w oknie, a tu już tylu ludzi przyszło z kondolencjami! Musieli je składać ekspedientkom, bo ani Zbyszka, ani jej samej nie było w sklepie. Kiedy zeszła do cukierni i usiadła na chwilę, aby zwyczajem Waldka wypić w firmie poranną kawę, zauważyła w drzwiach właścicielkę księgarni, która niosła pod pachą jakąś książkę.

– Helu, tak mi przykro! – powiedziała Magdalena Malczyk. Jej słowa brzmiały autentycznie. Helena wstała, pozwoliła się przytulić i bez słowa pokazała sąsiadce miejsce obok siebie. Usiadły. Magda położyła na stole to, co przyniosła. Był to album z czystymi kartkami. – Pomyślałam, że może by tu się ludzie mogli wpisywać? Przychodzą złożyć kondolencje, widziałam też, jak zapalają znicze.

A przecież nie możesz tylko siedzieć i na nich czekać. Masz teraz pewnie mnóstwo zajęć.

– Nie tak znów wiele. Iga mi bardzo pomaga. Zbyszek dopilnował produkcji. Dziewczyny, jak widzisz, działają w sklepie. Pogrzeb zleciliśmy profesjonalnej firmie. Nie mam do tego wszystkiego głowy. Na razie czuję się ogłuszona, jeszcze to do mnie nie dociera. – Helena westchnęła ciężko. – Zaraz się rozpłaczę. Chyba pójdę do domu... – Wstała, nie biorąc albumu. – Dziękuję za ten pomysł. Niech tu zostanie, może ktoś będzie chciał coś wpisać? Klepsydry już pewnie niedługo będą.

– Znasz termin pogrzebu?

– Będzie we czwartek o dwunastej. Nie miałyśmy wielkiego wyboru. Przepraszam, ale słabo się czuję – powiedziała Helena i ruszyła na zaplecze, a stamtąd do mieszkania.

Właściwie nie wie, czemu to zrobiła. Może chciała pobyć w samotności? Bo tu też nie miała nic do roboty. Ukrainka kręciła się po domu, zabierając się do sprzątania. Obiadu dziś i tak nikt pewnie nie tknie. Co jakiś czas Helena musiała odbierać telefony, potwierdzając śmierć męża. Nie wdawała się w dyskusje, mówiła tylko: „Zawał". To ucinało dalsze pytania. Po kilku zdaniach kondolencji dodawała jeszcze krótkie podziękowanie i kończyła rozmowę. Wreszcie poczuła się tak zmęczona, że wzięła tabletkę nasenną i w ubraniu położyła się na kanapie.

Obudziło ją dotknięcie w ramię. Pochylał się nad nią Zbyszek.

– Mamo, przepraszam, ale musisz mi pomóc.

– O co chodzi?

– Na dole jest ten redaktor z „Obserwatora", wiesz…

– Tak?… – Helena z trudem kojarzyła.

– Pyta, czy to prawda, że tata zmarł z powodu konkursu.

– Kto mu naopowiadał takich bzdur?! Chyba nie ty?! – poderwała się, usiadła na kanapie, potrząsnęła głową i już gotowa była zejść na dół.

– No skąd! On mnie tylko pytał, czy to prawda.

– I co mu powiedziałeś?

– Że nic o tym nie wiem.

– Bardzo dobrze! W ogóle tego nie komentuj. Kto rozpuścił taką plotkę?!

– Dużo ludzi było wtedy w ratuszu.

– Ale my niczego nie komentujemy, pamiętaj!

– Jasne.

Helena nie dawała wprost wiary, jak ludzie szybko połączyli fakty. W zasadzie nie miała nic przeciwko temu. Czuła się pokrzywdzona przez tego czy tych, którzy wpadli na pomysł podważenia prawomocności ich zwycięstwa w konkursie. Ale nie mogła sobie pozwolić na popsucie stosunków z burmistrzem i urzędnikami ratusza. Miejskie media i tak nie zostawią na nich suchej nitki. Ten Dawid Czerpak z „Obserwatora", szkolny kolega Igi, jest wnikliwy, na pewno dotrze do prawdy. Przynajmniej tyle, aby pomścić Waldka. Niemal w tej samej chwili zadzwonił telefon domowy.

– Helena?! – do słuchawki niemal krzyczał Grzegorz Hryć. – Czy to prawda, że Waldek nie żyje?!

– Tak.

– To dlaczego ja dopiero teraz się o tym dowiaduję?!

– Wystarczy, że przyjdziesz we czwartek – odparła spokojnie, nie dając się sprowokować. – Nic tu nie masz wcześniej do roboty.

– Miał zawał? To prawda? Po tym, jak zasłabł w ratuszu? – dopytywał się natrętnie, najwyraźniej dobrze poinformowany. Helena domyślała się, przez kogo.

– Niestety.

– I co? Będziesz pozywać urząd?

– Nie myślałam o tym.

– Uważam, że powinnaś. Nie może im to ujść na sucho! – krzyknął rozkazująco, zapominając przy tym o kondolencjach.

Helena usiadła, głęboko wzdychając. Sprawa śmierci jej męża zaczynała ją przerastać.

Objeżdżając rynek, Elena zwolniła. Nieoczekiwanie ulica Płocka była zakorkowana.

– Plac przed cukiernią wygląda jak we Wszystkich Świętych! – stwierdziła Teresa. – Co też tam się mogło stać? Chyba to jeszcze nie dziady? – zażartowała. – Eleno, zatrzymaj się, kupmy trochę ciastek na drogę.

– Oj, mamo, cukier ci nie służy – jak zwykle wyrwało się Elenie, ale już parkowała nieco za rynkiem, a Mia, ściskając w dłoni torebkę, wysiadała.

– Jakieś specjalne życzenia?

– Co tam będzie. Może babeczki śmietankowe? Albo szarlotka. Mam ochotę na wszystko.

W cukierni panował tłok jak przed świętami, a wybór był już niewielki. Na szczęście kilka babeczek śmietankowych udało jej się kupić. Mia wzięła też dwie kawy i wodę na wynos.

– Była kolejka? – zapytała Tessa.

– Tak, babciu. Kupiłam dla ciebie pięć ostatnich babeczek. Wolisz kawę czy wodę? – rzuciła lekko, sadowiąc się na tylnym siedzeniu obok Tessy. – Bo mam i to, i to. Wyobraźcie sobie, że zmarł właściciel cukierni! – dodała. – Dziś w nocy. Zawał.

– Nie pamiętam nawet, jak wyglądał, ale chyba go lubili, skoro tylu ludzi przyniosło te znicze. Szkoda tego Hrycia, chyba nie był jeszcze taki stary…

– To piękny hołd! – Elena pokiwała głową. – W tych małych miastach człowiek nie jest anonimowy.

– Co ma swoje plusy, ale jeszcze więcej minusów – wyrwało się Mii.

– Czyżby? – Tessa uniosła brwi. – Tak się zawsze mówi w młodości. A kiedy przekroczysz smugę cienia, rozpoznawalność nagle zaczyna być kusząca.

– To w drogę. Bardzo jestem ciekawa tego płockiego Muzeum Secesji – powiedziała Tessa i wbiła zęby w babeczkę. Ale prawdę powiedziawszy, jeszcze bardziej ciekawa była spotkania Moniki z Maćkiem Podedworskim. I żeby im nie przeszkadzać, celowo zarządziła wycieczkę do Płocka.

Kiedy po południu zawisły na mieście klepsydry, w cukierni zrobił się prawdziwy tłok. Helena zrozumiała, że nie może się ukrywać w domu, bo i tak ją tam dopadną telefony z kondolencjami. Poprawiła więc makijaż, ubrała się na czarno i ponownie zeszła do sklepu. Towaru zostało bardzo niewiele i musiała zrobić zamówienie na następny dzień. Co chwilę przyszło jej też przyjmować wyrazy współczucia od znajomych i ludzi, których w ogóle nie kojarzyła. Przed budynkiem ustawiono już tyle zniczy, że aby wejść do cukierni, trzeba było obejść dookoła fontannę. Niezbyt jej się podobała taka ostentacja, wolałaby jej uniknąć, ale nie mogła nic poradzić na ten odruch ludzkiego współczucia.

W końcu przed trzecią do sklepu przyszedł sam burmistrz Walczak z zastępcą. Chyba oczekiwali specjalnych względów, ale Helena, otoczona przez kilkoro znajomych, zauważyła ich dopiero wtedy, gdy stanęli twarzą w twarz. Burmistrz najwyraźniej nie wiedział, co powiedzieć.

– Pani Hryć… Moje kondolencje – wydukał jedynie i uścisnął jej rękę. W ślad za nim poszedł zastępca.

– Panie burmistrzu, te znicze na rynku… Kiedy się wypalą, wszystkie sprzątniemy – Helena celowo poruszyła ten temat. Nie zamierzała grać roli ofiary.

– Proszę się nie fatygować. Przyślemy tu kogoś – odparł zastępca burmistrza.

Skinęła głową i wskazała album leżący na jednym ze stolików.

– Może zechcą panowie coś wpisać? Kilka słów wystarczy.

Mężczyźni popatrzyli po sobie. Nie byli przygotowani, nie bardzo wiedzieli, co napisać. Burmistrz manewrował przez dłuższą chwilę długopisem, aż chwycił myśl i uwiecznił ją w księdze. Helena pomyślała: „Szkoda, że Waldek tego nie widzi!”. Bo dopiero teraz okazało się, że ten niepozorny gutowianin wzbudził w ludzkich sercach tak wiele serdeczności.

Warszawa, maj 1968

Wracając z miasta, Monika nie zauważyła w portierni listu w niebieskiej kopercie, adresowanego na jej nazwisko. Dopiero Anka go jej przyniosła. Nadawca się nie podpisał, list wysłano z Warszawy kilka dni temu. Zdziwiona, rozerwała kopertę. W środku znajdował się list od Staśka spisany na kilku kartkach w kratkę. Poznała jego pismo i tylko nie rozumiała, jakim cudem do niej trafił.

Żagań, 15 kwietnia 1968

Leżę pod łóżkiem, tak, tak, pod łóżkiem, bo tylko tu możemy się w ciągu dnia na chwilę położyć, udając, że czyścimy podłogę szczoteczkami do zębów. Wszystkie głupoty o wojsku, które kiedykolwiek słyszałaś, są prawdą! W głowie się nie mieści, jakie to niedorzeczne miejsce! Dlatego muszę to wszystko napisać, choćbym miał za to potem znów kible myć albo i dostać parę dni odsiadki. Nie wiem, czy uda mi się wysłać ten list, ale to nie ma znaczenia.

Wiem, że się martwisz, dobra z ciebie dziewczyna. W pewnym sensie udało Ci się z tą ciążą, przynajmniej nie musiałaś brać udziału w tym koszmarze. Z góry było wiadomo, że nic z tego nie wyjdzie. Zgarnęli mnie bardzo szybko. Mieli dobre rozeznanie, chyba działały na uniwerku wtyki, bo trafili bez pudła. Wsadzili mnie na Rakowiecką, było nas tam całkiem sporo. Ale ponieważ nie byłem nikim specjalnie ważnym, ot, znałem „komandosów", trochę się wokół nich kręciłem, to mnie odpytywali z tego tematu i bardzo chcieli, żebym im coś o tym napisał. Ale na szczęście jednego mnie ojciec nauczył: „Ty mówisz, oni piszą. Sam niczego nie pisz, nie podpisuj!". Nie było to łatwe, bo straszyli mnie potwornie, przesłuchania trwały godzinami, mówili, że posiedzę... Aż pewnego razu naciskali jakoś szczególnie mocniej i wtedy właśnie wyszedłem!

W sumie niedługo siedziałem, niecałe dwa tygodnie. Dziwnie było wychodzić, kiedy inni zostawali, czułem jakiś wstyd. A potem się okazało, że niepotrzebnie, bo szybko się uwinęli i zabrali mnie w kamasze. Nie wiem, co lepsze, może to głupio zabrzmi, ale chyba wojsko gorsze. W pociągu do Hrubieszowa dowiedziałem się, że zamierzali nas internować, ale nie byliśmy wyrzuceni z uczelni, więc mogli nas tylko czasowo powołać do wojska. Taki nadzwyczajny pobór, żeby wyizolować prowodyrów. Powinienem to chyba uznać za komplement. Jaruzelski uznał, że wojskowy dryl będzie najlepszy, żebyśmy spokornieli. Teraz to piszę z perspektywy, kiedy widać już koniec tego koszmaru. Jest u mnie ojciec, to oddam mu ten list, ale nie było łatwo. Najpierw nerwy – co właściwie chcą nam zrobić, jakie represje przewidzieli? Nikt nam tego przecież nie powiedział. W Hrubieszowie nas zakwaterowali daleko od innego wojska, jakbyśmy jakąś chorobę roznosili. Może się bali inteligenckiej agitacji?

Życie w jednostce to były na przemian wykłady polityczne i ćwiczenia typu kopanie dołów, bieganie z obciążeniem i temu podobne głupoty. Podczas komisji pozmieniali nam kategorie i nie przejmowali się, że ktoś miał D i nie może wykonywać żadnych forsownych ćwiczeń. Ewidentnie chcieli nas złamać. Tu znowu nas przesłuchiwali. Wypytywali mnie o „komandosów", pewnie licząc, że któregoś z nich pogrążę. Na szczęście niewiele wiedziałem, mówiłem więc jakieś ogólniki, ale potem i tak się zastanawiałem, czy czegoś nie zdradziłem. Na jednym z wykładów politycznych dostaliśmy jasno przedstawioną sytuację. Wprost powiedziano, że wypadki marcowe to żydowska robota i syjonistyczny spisek.

Trudno było wytrzymać tę ciasnotę, piętrowe prycze upchane w małych pomieszczeniach, wyczerpujące ćwiczenia i napastliwość oficerów politycznych. Aż wreszcie wepchnęli nas do kilku autobusów i nocą, w asyście dwóch żołnierzy na każdego z nas, jakbyśmy byli jakimiś kryminalistami, przewieźli do Żagania, gdzie teraz jestem. Trwają właśnie jakieś manewry, jeżdżą czołgi, latają samoloty, cały czas się zastanawiasz, czy ujdziesz z życiem, bo zakwaterowali nas w namiotach w samym środku poligonu! Tak się w Polsce wychowuje krnąbrną młodzież! Nikt z nas nie wie, co będzie dalej, dokąd nas wyślą, co z nami zrobią, czy po wojsku nie wsadzą znów do więzienia albo nie wywalą z uczelni.

To sobie ulżyłem! Wiem, że Ty masz też trudny czas. Trzymam za ciebie kciuki, Ciężarówko. Pamiętaj, że masz przyjaciół i możesz na nich polegać! Oddaję ten list mojemu tacie, któremu pozwolono tu przyjechać.

Ściskam Cię mocno,
Twój Stasiek

Monika przeczytała list raz i drugi, wreszcie złożyła go niczym relikwię i schowała głęboko do torebki. Pamiętał o niej! Wszystko się jakoś ułoży. Był początek maja i każdego dnia mogła zacząć rodzić. Anka obiecała, że jej w razie czego pomoże, ale Monika nie zamierzała wprowadzać przyjaciółki w szczegóły swojego planu. Chciała go wyjawić Staśkowi i nikomu innemu. Ale Staśka nie było. Nie wiedziała nawet, gdzie mieszkają jego rodzice. Gdyby się tam pojawiła z brzuchem, toby dopiero się przerazili! A przecież ona i Stasiek niczego sobie nie obiecywali, nie mieli planów na wspólną przyszłość, musiała więc poradzić sobie sama. Anka i tak prędzej czy później wszystkiego się dowie.

Zajezierzyce, wtorek 30 sierpnia 2016, 13:05

Maciek Podedworski wszedł do restauracji hotelowej i od razu zobaczył czekającą na niego Monikę Grochowską.

– Przepraszam za spóźnienie! Zadzwoniła moja mama i kiedy dowiedziała się, że mam dziś wolne, postanowiła załatwić wszystkie zaległe sprawy. I Mia przysłała SMS, że zmarł ten właściciel cukierni. Prosiła, żeby pani przekazać.

– Niemożliwe?! Co też pan mówi?... – zasmuciła się Monika. – Zmarł?! Strasznie to przykre. Właścicielka hotelu to jego córka. Przykro. Ale niech pan siada. Nie zamierzam owijać w bawełnę: ile by pan chciał dostać za Długołąkę?

Chłopak się stropił.

– Teraz to się dla mnie stało podwójnie trudne. Bo przeczytałem wreszcie pani książkę, polubiłem panią i bardzo mi się podoba idea odbudowy dworku, ale...

– Ale po drodze spotkał pan Mię?

– No właśnie... Nie wykluczam, że dziadkowi mogło chodzić o to, żebym pokochał to miejsce, nie wiem, czy chciał, abym się tu osiedlił, ale co miałbym tu robić? Nie jestem rolnikiem.

– Ciągnie pana do świata? – domyśliła się Monika.

– Zwłaszcza teraz. Dlatego potrzebuję tych pieniędzy. Agent mówi, że ma zdecydowanego kupca, ale też nie kryje, że jego oferta mogłaby być jeszcze lepsza.

Podeszła kelnerka i podała im karty dań. Studiowali je, nie przerywając rozmowy.

– Zdradził szczegóły?

– To tutejszy burmistrz czy poseł. Chce tu kopać piasek albo żwir.

– Nie może pan mu sprzedać! – wyrwało się Monice. – To znaczy, przepraszam. Może pan sprzedać każdemu, ale nie na kopalnię! Przecież pański dziadek by się w grobie przewrócił, gdyby na miejscu dworku zrobiono kratery jak na Księżycu. Nie mówiąc już o tym, że wieś bardzo by na tym straciła. W tej chwili wielu ludzi żyje tu z letników. A kiedy przez wieś będą przejeżdżały ciężarówki pełne żwiru, zrobi się nie tylko niebezpiecznie, ale i głośno. I ten kurz…

– Wiem, myślałem o tym. Mam też ofertę od właścicielki hotelu, ale dużo niższą.

– Jakiego hotelu?

– Tego, w którym jesteśmy.

– Po co jej ta ziemia?

– Podobno taka była idea Adama Toroszyna, mają nawet od niego jakieś pieniądze, żeby scalać przedwojenny majątek.

– Rozumiem. Ale ten pomysł byłby dla pana kosztowną fanaberią, prawda?

– No właśnie, fanaberią. Nie znam niemieckiego, dlatego trudno mi było przeczytać wszystko w sieci, ale chyba Mia jest dość zamożna?

– Mam być miła czy rzetelna?

– Już się boję, co pani powie… – stropił się Maciek.

– Jest bajecznie bogata. To jedna z najlepszych partii w Wiedniu.

– O matko…

– I co to za mina?! Przecież chyba pana kocha?

– Mam nadzieję, tak przynajmniej mówi, ale kim ja przy niej będę, gdybyśmy się nawet pobrali, odźwiernym? Chyba dlatego jej mama mnie nie lubi.

– Tym się proszę nie przejmować. Elena jest tylko ostrożna. Do Mii mogą się zalecać bardzo różni mężczyźni, nie wszyscy muszą mieć dobre intencje. Ufam, że pan ma.

– Gdyby była zwykłą dziewczyną, powiedziałbym z miejsca, że moje intencje są czyste jak kryształ. Ale wyobraża sobie pani, że się pobieramy i mieszkamy tylko za to, co oboje zarobimy? Że nie korzystamy z majątku jej rodziców?

– Konkretnie babki. Nie, nie wyobrażam sobie.

– I kim ja bym przy niej był? Kopciuszkiem w męskim wydaniu?

– Dla mnie sandacz – Monika zwróciła się do kelnerki. – A może chciałby pan jakąś przystawkę lub zupę? – zapytała Maćka.

– Wszystko mi jedno… – odparł zasmucony. – Dla mnie też sandacz.

– Nie tragizujmy! Z każdej sytuacji jest jakieś wyjście – próbowała go podnieść na duchu. Trochę ją bawiła rola swatki. Musiała go też do siebie przekonać, aby przeprowadzić swój plan. – Jej babka potrafi docenić pańskie zaangażowanie. No i sama Mia też nie jest przecież bezwolnym dzieckiem. Ona ma charakterek, proszę mi wierzyć! I ten blask w jej oczach, kiedy wspomina o panu…

– To miłe, ale chyba pani nie rozumie. Do dzisiaj łudziłem się, że nie ma między nami tej cholernej przepaści! Że miłość wszystko zwycięży. Ale ja jestem tylko zwyczajnym chłopakiem z Warszawy. Nic nie mam. Nawet mieszkania. Jedyne, co mam, to ten kawałek pola i do dziś mi się wydawało, że jestem szczęściarzem, bo mi fuksem wpadnie kilkadziesiąt tysięcy. Wystarczy na niezłą podróż do Indii albo Chin. Może nawet na dwa lata. Ale poznałem Mię. Zakochałem się od pierwszego wejrzenia i teraz zrozumiałem, że najlepiej byłoby, gdybym zniknął, żeby jej nie unieszczęśliwiać.

Monika zmarszczyła brwi.

– Co też panu przychodzi do głowy! Proszę nie gadać bzdur! Ma pan wiele zalet, a majątek każdy może zdobyć.

– Jak?! Mam obrabować bank?

Rozśmieszył ją.

– Nie! Tylko nie to, błagam! Na razie Mii wystarcza to, jaki pan jest. Zdaje się, że w świecie, w którym się obraca, naturalność to zaleta, a przecież pewnie ma pan też inne?

– Umiem gotować.

– To się zawsze przydaje. Jest pan również dowcipny i autoironiczny, to dość rzadkie u mężczyzn. Inteligentny. Jest na czym budować.

– Pani mnie pociesza, a ja nie potrzebuję pocieszenia.

– Wiem, potrzebuje pan pieniędzy.

– Dramatycznie.

– Tylko proszę nie oddawać duszy diabłu! – Roześmiała się. – I proszę jeść! Ryby to specjalność tej restauracji. Ale chyba pan to wie?

– Nie, nie stołowałem się tutaj. Zdecydowanie za drogo dla mnie. Chociaż widzę, że to godne miejsce i może zaproszę Mię przed wyjazdem.

– Pod warunkiem, że nas pan wcześniej dokądś przegoni! – roześmiała się Monika.

– No tak...

– Żeby trochę zmienić temat. Chcę powiedzieć, jeśli to dla pana w ogóle będzie jakąś pociechą, że problemy ludzie mają do śmierci, a miłość jest zaledwie jednym z nich, może nawet nie najbardziej bolesnym. Kiedy tak sobie gawędzimy nad rybą, to muszę wyznać, że ja też mam problem. Wielki problem, nierozwiązywalny niemal, który cieniem położył się na całym moim życiu.

– Nie śmiem nawet pytać, co to takiego.

– Nigdy nie poznałam mojego ojca. Nawet nie wiem, kim on był.

Chłopak popatrzył na Monikę wzrokiem pełnym autentycznego współczucia.

– To musi być straszne.

– Jest, proszę mi wierzyć. Oczywiście nie myślę o tym w każdej chwili, ale jest to bardzo przykre, bo każdy potrzebuje zakorzenienia, chciałby wiedzieć, skąd jest i dlaczego jest właśnie taki. Poniekąd odpowiedź na to pytanie uzyskujemy, patrząc na naszych rodziców.

– Rzeczywiście.

– Nie ściągnęłam tu pana, żeby opowiadać o przykrościach mojego życia, bo ani nie jestem nimi tak bardzo przytłoczona, nauczyłam się już z tą pustką żyć, ani pan akurat nie wydaje się odpowiednią osobą do takich zwierzeń. Jednak mówię to nie bez powodu. Pan potrzebuje pieniędzy, a ja potrzebuję wiedzy. Mogę panu zapłacić za wiedzę, którą pan ma o swoim dziadku.

– Przecież pani wie o nim więcej niż ja! I dlaczego miałaby pani mi za coś takiego płacić?

– Bo pieniądze to obiegowy środek płatniczy.

– A o co dokładnie chodzi?

– Proszę się przygotować na szok: możemy być spokrewnieni.

– My?! To byłby dla mnie zaszczyt! Ale jakim sposobem?

– Bardzo konkretnym: przypuszczam, że pański dziadek mógł być moim ojcem – mówiła Monika, patrząc na rosnące zdumienie Maćka.

– Naprawdę?! Ale numer! Taki był z niego kozak?

– Czy ja wiem? Kiedy patrzę na pana, myślę, że mógł być równie prawy i przypuszczalnie podejrzewanie go o ojcostwo to niedorzeczność z mojej strony. Ale od początku: moja matka była zwyczajną wiejską dziewuchą, „głupią Stefcią". On był paniczem ze dworu. Mogła go kochać czysto platonicznie, chociaż raczej nie znała tego pojęcia. Wiem jednak, że oddałaby za niego życie, a na pewno dopuściła się czegoś strasznego.

– Intryguje mnie pani!

– Czy ja wiem... Pański dziadek miał tu narzeczoną, panienkę z sąsiedniego majątku, Ewę Radziewicz.

– Nigdy o niej nie wspominał.

– Nic dziwnego, to musiała być dla niego straszna trauma, bo ona się utopiła w naszym jeziorze. Podobno po rozmowie z moją matką, która wtedy była w zaawansowanej ciąży. Co Stefcia mogła tej biedaczce powiedzieć? Bywała wobec mnie okrutna, więc bez problemu wyobrażam sobie, że powiedziała jej, kto jest ojcem dziecka.

– Myśli pani, że ta Ewa utopiła się z rozpaczy, że mój dziadek ją zdradził?

– Niekoniecznie, choć nie wykluczam takiej możliwości. Pytanie, czy zdradził, bo moja matka, choć niemal analfabetka, jak nikt, kogo znam, umiała ludźmi manipulować.

– Fascynujące! – westchnął Maciek.

– Ludzie kochali i intrygowali w imię miłości od zawsze. To bodaj najgłębsze uczucie i pragnienie, narzucone nam przez samą naturę, dlatego tak chętnie mu się poddajemy.

– A czego pani ode mnie oczekuje?

– Chciałabym potwierdzić lub zaprzeczyć tezie, że Michał Podedworski był moim ojcem. Proszę się nie bać, nie wystąpię z żadnymi roszczeniami, a już zwłaszcza o ten spłachetek ziemi w Długołące. Może najwyżej poproszę o informację, gdzie został pochowany, to wszystko.

– Jak możemy to potwierdzić? Jakieś badana genetyczne?

– Właśnie tak! Rozmawiałam już z laboratoriami specjalizującymi się w testach DNA. Sprawa wydaje się dość prosta. Potrzebowałabym jakiegoś przedmiotu, który należał do pańskiego dziadka. Grzebień, golarka, zegarek, coś, co jeszcze może nosić jakiekolwiek ślady.

– W domu rodziców mam zegarek. To stara rosyjska marka, Wostok, zdaje się.

– Nie wiem, jak dziękować! Oddam oczywiście. I chciałabym jakoś pana wynagrodzić za fatygę.

– Nie ma za co! Spotkanie z panią to dla mnie zaszczyt. Ale mama się zdziwi! – parsknął. – Już się dziwi, co tu robię, dlaczego tracę czas na tym… – zawiesił głos.

– Zadupiu? Proszę się nie krępować. Tak, to z perspektywy Warszawy może się wydawać zadupie. Pewnie dlatego pana rodzice nigdy tu nie przyjechali. Zresztą teraz mamy w zasięgu cały świat, prawda? Ale gdyby pan nie posłuchał dziadka i nie przybył tu na dobrowolne zesłanie, być może coś by pan stracił?

– Najważniejsze lato w życiu.

Gutowo / Warszawa, maj 1968

Teresa niejasno czuła, że odegrała jakąś rolę w zwolnieniu Janiuka. Bo to przecież ona pomalowała te tablice, które trzymali w rękach robotnicy z Fablaku. Nie potrafiła jednak zrozumieć, jakim cudem niecałe dwa tygodnie później towarzyszka Wypych już zajmowała jego stanowisko. Wtedy, podczas masówki, wmieszana w tłum, spoglądała na Janiuka stojącego na mównicy. Widziała, że nie miał zapału, wyglądał, jakby chciał z niej jak najszybciej zejść, patrzył niewidzącym wzrokiem gdzieś ponad głowami zebranych i krzywił się nieznacznie, kiedy Wypych krzyczała o syjonistach. Powinien coś powiedzieć, w końcu chyba po to przyszedł, był w mieście najwyższym rangą przedstawicielem partii, najważniejszą szychą, a miało się wrażenie, że kuli się, zawstydzony z powodu tej całej nagonki na studentów, pisarzy i syjonistów. To nie mogło się dobrze skończyć.

Teresa zamierzała po wszystkim podejść do Janiuka, aby zapytać o Monikę, co u niej i kiedy ślub, ale wyszedł szybko i zanim zdołała dopchać się na korytarz, już go nie było. A potem sprawy zaczęły się toczyć w takim tempie, że o tym zapomniała. Następnego dnia po masówce towarzyszka Wypych pojechała do województwa i wróciła stamtąd bardzo zadowolona. Powiedziała tajemniczo, że będzie awans i obie skoczą o kilka oczek w górę. Tak powiedziała: „kilka oczek".

– Pamiętaj: ze mną nie zginiesz! – zakończyła niby skromnie i natychmiast odesłała Teresę do sprzątania.

Nie bardzo jej się śpieszyło. Na konto niewiadomego awansu kupiła sobie Pod Amorem pączka i szła, delektując się jego cudownym smakiem i rozważając, czy po awansie też będzie musiała chodzić na posługę. Pewnie tak, bo jak inaczej? Zresztą tych godzin ze starszą panią nigdy nie żałowała. Przykro jej się zrobiło dopiero wtedy, gdy następnego dnia towarzyszka Wypych kazała jej spakować rzeczy z szaf do kartonowych pudełek.

– Przenosimy się! – zakomunikowała.

– Dokąd?

– Do Komitetu Miejskiego.

– O! Na te dywany?! To nowe buty wypadałoby kupić – rozsądnie zauważyła Teresa.

W pokoju POP PZPR w Fablaku stały stare sprzęty, a na podłodze pokrytej wytartym linoleum nie było nawet chodnika, zresztą tak łatwiej się sprzątaczkom myło podłogi. Ilekroć jednak Teresa bywała w Komitecie Miejskim PZPR, peszyły ją czerwone chodniki ciągnące się na całej długości korytarza i dywany w pokojach ważniejszych towarzyszy. Depcząc je, zawsze miała wyrzuty sumienia. Nieraz odruchowo chciała zezuć buty i opanowywała się wyłącznie siłą woli.

– Kup sobie, dostaniesz dobrą pensję! – zaproponowała towarzyszka Wypych.

– Stamtąd bliżej do autobusu i na Parkową. I w budynku elegianciej niż tu – przyznała Teresa, popatrując po ścianach biura. – No i pan Janiuk tak towarzyszkę ceni, też się pewno ucieszy!

– On?! – Aldona Wypych prychnęła kpiąco. – Na pewno nie! Już go tam nie ma.

– Też awansował?

– Do ZBoWiD-u na Owsianą – chłodno odparła towarzyszka.

Oglądała z uwagą swoje różowe paznokcie, zastanawiając się, czy już pora, aby je pociągnąć świeżą warstwą lakieru. Nawet Teresa wiedziała, jaka jest różnica między stanowiskiem, które do tej pory zajmował Janiuk, a tym, które mu zaoferowano.

– Ojej… Niedobrze… To się Monika zmartwi.

– Monika to ci będzie mogła buty wiązać! Trzymaj się towarzyszki Wypych, a nikt ci oka nie zaprószy. Teraz tak: od nowego roku akademickiego idziesz na studia, bo nie może jakiś garkotłuk być sekretarką pierwszej sekretarz PZPR w Gutowie. Co ty na to?

– Ja? Na studia? Ale ja się nie dostanę…

– Po linii partyjnej? Nawet egzaminów nie będziesz musiała zdawać! To co: prawo? Socjologia? Nauki polityczne?

Teresa stała oszołomiona. Nie wiedziała, co powiedzieć. Jednego dnia dostała awans, podwyżkę i nadzieję na studia. Czy jej się to wszystko śni?

– Ale dlaczego się mnie pozbywacie? – zapytała wreszcie, szczerze zmartwiona.

– Kto ci to powiedział?! Ja ciebie? W życiu! – Towarzyszka Wypych zmarszczyła brwi, nie rozumiejąc, a potem wybuchnęła szczerym śmiechem. – No cóż, stało się zadość sprawiedliwości dziejowej i to ja będę za kilka dni rządzić tym miastem. Ka-pe-wu?! – dodała, pochylając się ku Teresie.

– To może ja skoczę po pączki? – zaproponowała zdezorientowana dziewczyna. Miały taki swój niepisany zwyczaj, że wszystkie dobrze załatwione sprawy kończyły, zajadając się pączkami spod Amora.

– Dobry pomysł! Dla mnie weź trzy! I kup w delikatesach kawę!

Teresa wyszła na zalany słońcem dziedziniec Fablaku i poczuła, że świat się wreszcie do niej uśmiechnął! Ptaki śpiewały, drzewa kwitły, wszystko pachniało wiosną! Była tak zadowolona, że gdyby się tylko nie wstydziła, zaczęłaby śpiewać na głos. Wiedziała jednak, że tego talentu, jak zresztą wielu innych, Bóg jej poskąpił. Popędziła do delikatesów, gdzie już ją znali i nawet gdyby tego dnia kawy nie było, kierowniczka wykopałaby ją dla niej spod ziemi, czyli z zamykanej na kłódkę starej szafy, gdzie trzymała strategiczne zapasy na taką właśnie okazję. Przyniosła z zaplecza pakunek szczelnie zawinięty w szary papier. Zapytała, czy to prawda, nie precyzując, o co pyta. Robiąc porozumiewawczą minę, Teresa kiwnęła głową, a kierowniczka upewniła się, że warto teraz jeszcze lepiej żyć z towarzyszką Wypych, bo zaraz się będzie do niej można wybrać na żebry. Talon na telewizor, pralkę czy lodówkę, na samochód może, przydział mieszkania spółdzielczego poza kolejnością, jakaś posada lepsza, miejsce dla dziecka, które nie dostało się do szkoły średniej, wczasy w Bułgarii; sprawując tę funkcję, wszystko była w stanie załatwić. Kierowniczka delikatesów rozmarzyła się i dała nura na zaplecze. Tu dorzuciła do torby jeszcze ptasie mleczko i pół kilograma kabanosów, o które jej nikt nie prosił.

W cukierni nie było kolejki, zakup potrwał zaledwie kilka minut i nie wiadomo, jakie licho kazało Teresie poprosić o dodatkowe dwa pączki. Poszła z nimi wprost na Owsianą, gdzie pod numerem dwunastym w małym, obskurnym i ciemnym biurze mieściła się siedziba gutowskiego ZBoWiD-u. Kazimierz Janiuk siedział za wielkim starym biurkiem, na którym stał telefon. Mimo wczesnej pory nad jego głową świeciła się zwisająca z sufitu słaba żarówka, nieosłonięta żadnym kloszem. Zmęczonym wzrokiem popatrzył na nią sponad okularów w grubych oprawkach. Był sam, przeglądał jakieś papiery i nie wydawał się przygnębiony.

– Co cię sprowadza? – zapytał, wstając, i po męsku uścisnął jej dłoń.

Teresa położyła na biurku zawiniątko z pączkami. Przez chwilę milczeli.

– Bo ja... Pan rozumie? Będę teraz... Tam... Ona w pana gabinecie... I ja myślę, że to przeze mnie, bo to ja te plansze namalowałam. To moja wina! – O mało się nie rozpłakała.

Janiuk głośno wciągnął powietrze.

– Nie. Nie wolno ci tak myśleć. Nie jesteś niczemu winna. Tu jest mi dobrze. Spokojnie – wyznał. – Niedługo idę na emeryturę, człowiek nie młodnieje... Nie wiesz, co u Moniki? – dodał, nagle zmieniając temat, i sięgnął po leżącego na papierze pączka.

Teresa spojrzała na niego z uwagą. Więc on nic nie wie?! Jak to możliwe? Nie wiedzą z żoną o ciąży?! Monika nic im nie powiedziała?!

– Nie pisała do mnie ostatnio – odparła zgodnie z prawdą.

– Zadzwoniła, że ma dużo zajęć i nie przyjedzie aż do wakacji. A tam, wiesz... Martwię się o nią. Na uniwersytecie tyle się ostatnio działo... – powiedział oględnie i oblizał palce z lukru.

– Może do niej pojadę w niedzielę – nieoczekiwanie dla siebie samej rzuciła Teresa. – Zapytam co i jak, też się wybieram na studia!

Mimo że obiecała, nie udało się jej wyrwać do Warszawy ani w najbliższą, ani w następną niedzielę. Było dużo zamieszania w pracy, a i matka znowu źle się czuła. Dopiero pod koniec maja ruszyła z samego rana do stolicy. Najpierw kupiła w cukierni trochę ciastek, głównie babeczki z nadzieniem budyniowym, bo pamiętała, że Monika lubiła je najbardziej. Adres akademika dał jej Janiuk, który też wcisnął Teresie kilka banknotów stuzłotowych.

– Dla Moniki, żeby sobie kupiła coś nowego! – powiedział, trochę jakby zawstydzony.

Teresa pomyślała, że przyda się na wózek albo pieluchy dla dziecka, ale tylko kiwnęła głową i nie licząc, wcisnęła zwitek do torebki.

Autobus toczył się powoli, a ona bezmyślnie gapiła się w okno. Głowę miała nabitą Moniką i jej dzieckiem. Co zrobić? Jak się zachować, co powiedzieć? Nie była nawet pewna, że adres, który jej dał Kazimierz Janiuk, jest aktualny. Może Monika już nie mieszka w akademiku? Przecież nie wiadomo, czy mogą tam mieszkać dziewczyny w ciąży. A może przeniosła się do… No właśnie, do kogo? Czy to Stanisław jest ojcem? Kiedy tylko Teresa o tym pomyślała, bolesny skurcz zaląg się jej w żołądku. No, ale przecież powiedział, że są z Moniką tylko przyjaciółmi, i to wyglądało na szczere. Ale może coś się od tamtej pory zmieniło? Może uznał dziecko? Nie wiadomo. Na razie postanowiła, że będzie się Moniki radzić wyłącznie w kwestii studiów. Wszystkie inne sprawy musiała puścić na żywioł, zapomniała, że planowała na tych dwojgu okrutną zemstę. Bo jeśli naprawdę mają dziecko, to co się tu jeszcze mścić?

Teresa nadal nie wiedziała, jak to jest być z chłopakiem. Żaden poza Heńkiem jej się nie narzucał, a ona sama nie była z „tych". No i znów Monika ją wyprzedziła. Tylko czy jest aż tak bardzo czego zazdrościć? Teraz to ona czuła się górą. Ma poważną pracę i dobrą pensję, od jesieni pójdzie na studia, jeszcze niedawno nie mogła nawet marzyć o takim awansie. A teraz przekonała się na własnym przykładzie, że Polska Ludowa jest krajem sprawiedliwości społecznej! Monika zaś… Ona zawsze sobie poradzi. Z jej urodą i wykształceniem, jak nie w Warszawie, to w innym mieście. Na pewno już nie wróci do Gutowa, bo i po co?

Droga na ulicę Kickiego wydawała się Teresie niemal tak długa jak podróż z Płocka do Warszawy. Jechała i jechała, rozglądając się po mieście. Nie sądziła, że jest takie ogromne! Jak tu się nie zgubić? Zdecydowanie nie chciałaby w takim żyć!

Akademik był kilkupiętrowym blokiem. Monika mieszkała na pierwszym piętrze. Mimo wszystko Teresa szła po schodach nieco speszona. Kiedy zapukała, nawet nie bardzo usłyszała „Proszę!", ale i tak nacisnęła klamkę. Pokój zajmowały trzy łóżka. Dwa pod oknem, jedno bliżej drzwi. Były tu jeszcze stół, szafa i dwa krzesła. Nad dwoma łóżkami wisiały słomiane maty, a na nich jakieś zdjęcia czy pocztówki, plany zajęć i pluszowe maskotki. Mimo tych ozdób pokój sprawiał jakieś niemiłe wrażenie. Kiedy weszła do środka, zatrzymała się przy drzwiach i czekała. Po dłuższej chwili leżąca twarzą do ściany Monika odchyliła głowę.

– To ty? – powiedziała cichym, obojętnym głosem i nawet nie wstała.

Teresa nie mogła dobrze zobaczyć, ale Monika chyba nie była w ciąży. Jednak mimo to wyglądała fatalnie. Twarz miała spuchniętą, włosy w nieładzie, nie wstała nawet, żeby poczęstować gościa herbatą.

– Pan Kazimierz przesyła ci pieniądze.

– Nie potrzebuję! – zachrypiała Monika.

– Przywiozłam też babeczki. Twoje ulubione! – przypomniała sobie Teresa i wyjęła na stół nieco wymięte kartonowe pudełko z ciastkami. – Gdzie tu można zrobić herbatę? Trochę głodna jestem.

Odwrócona twarzą do ściany, Monika nie odpowiadała. Teresa rozpakowała ciastka, szeleszcząc papierem. Liczyła na to, że łakomstwo wreszcie każe się przyjaciółce podnieść. Ale ona trwała na łóżku, nie odzywając się. Teresa wyjęła z torebki zwitek banknotów i położyła obok ciastek. Chyba nigdy nie widziała Moniki w takim nastroju.

– Jesteś chora? – zapytała. – Zawaliłaś egzamin? – spróbowała znowu. – Odezwijże się, przecież nie po to tłukłam się tu taki kawał drogi, żeby patrzeć na twoje plecy i słuchać milczenia! – fuknęła zezłoszczona. – A może czegoś potrzebujesz? Mieszkasz tu sama?

– Nie – odezwała się wreszcie Monika.

– Wstań, zjedz ze mną ciastko i możesz się znów położyć. Ale herbaty tobym się napiła, bo czuję, że się zapchałam.

Po kilku nieznośnie długich minutach Monika odchyliła koc i z trudem usiadła na łóżku. Mimo szlafroka, w który była ubrana, Teresa od razu dostrzegła nienaturalnie duży brzuch przyjaciółki. Zatem plotki o ciąży były prawdziwe. Nie wiedziała, jak się zachować.

– Po prostu mi powiedz, gdzie tu się robi herbatę. Usiądź, ja sobie poradzę.

– Ty nie wiesz… – wysapała Monika i człapiąc z wyraźnym trudem, wyszła z pokoju.

Wróciła z czajnikiem. Nalała wrzątku do dwóch wyjętych z szafy kubków, nasypała do nich po szczypcie listków herbaty i znów wyszła. Kiedy wróciła, podała jeszcze łyżeczki i cukier w papierowej torbie. Teraz mogła już znowu usiąść, co zrobiła z wyraźną ulgą. Nie piła herbaty, nie patrzyła nawet na ciastka. Spoglądała gdzieś w bok, na łóżko albo w głąb siebie.

– Chciałabym się zabić – powiedziała nieoczekiwanie obojętnym, chłodnym tonem. – Ale brakuje mi odwagi.

– Co ty gadasz?! – wykrzyknęła przerażona Teresa. – Nawet tak nie myśl! Wszystko się ułoży!

Monika tarła dłońmi twarz, pociągając jednocześnie nosem.

– Nic się nie ułoży. Wszystko spieprzyłam. Rozumiesz?! Wszystko! Całe swoje życie! Pamiętam, kiedy byłam mała… Człowiek jest zawsze samotny. Mały, duży, zawsze… – nagle broda zaczęła jej się trząść. Usiłowała wziąć kubek z herbatą, ale zrezygnowała. – Co ja zrobiłam, Boże! Co ja zrobiłam! – Rozpłakała się na dobre.

Teresa przestraszyła się tych słów i tego płaczu, jednak bała się o cokolwiek pytać. Siedziała jak sparaliżowana, nie wiedząc, jak powinna zareagować. Przez dłuższą chwilę milczały. Wreszcie zapytała:

– Dlaczego jesteś sama? Gdzie są twoi przyjaciele?

– W więzieniu.

– W więzieniu? – nie zrozumiała Teresa.

– Albo w szpitalu. Jestem dorosła – pozornie spokojnym tonem odparła Monika. – Jestem dorosła! – powtórzyła, kręcąc głową, jakby się nie zgadzała z własnymi słowami. – Tak bardzo chciałam być dorosła. I teraz jestem… Boże, co ja zrobiłam?!

– To nic strasznego – łagodnie spróbowała ją uspokoić Teresa.

– Matka mnie zostawiała. Całe dnie siedziałam sama. Na podwórku albo w domu. Sama, zawsze sama… Myślałam, że jestem lepsza niż ona, mądrzejsza, sprytniejsza. Całe życie tak myślałam. Że nigdy nie będę taka jak ona. A jestem jeszcze gorsza! Głupia. Głupia! I w dodatku tchórz! – Znów się rozpłakała.

– Powiedz, co się stało?

– Zostawiłam ją tam. Samą. Rozumiesz? Samą! Ona nic nie rozumie. Nie wie, co się dzieje. Kiedy płacze, nikt jej nie przytula. Zostawiłam ją i uciekłam ze szpitala jak ostatni tchórz.

– To ty... Już po wszystkim?... – Teresa nie mogła uwierzyć.

Monika znów zapadła się w sobie. Nie płakała, ale jej milczenie było jeszcze gorsze. Sparaliżowana, bezradna Teresa siedziała obok, nie potrafiąc pomóc.

– Nie mogłam inaczej. Za późno było na zabieg. Pomyślałam, że tak będzie lepiej... Jestem z tym wszystkim całkiem sama, rozumiesz?! – Znów wybuchnęła płaczem. – Całkiem sama. Ludzie się na mnie gapią. Niektórzy chcą być mili i gratulują, a to jeszcze gorzej. Chciałabym gdzieś uciec, ale nie mam dokąd. Tylko tu jeszcze mogę udawać, że nic się nie stało. Muszę zdać egzaminy. Nie mogę zawalić roku! – Znów pociągnęła nosem i nieoczekiwanie skubnęła kawałek babeczki. Włożyła ją sobie do ust i chyba nawet nie zdając sobie z tego sprawy, żuła, myśląc o czym innym. – Nie powiesz im, co się stało? Matka nie może się dowiedzieć. Błagam cię!

– Nie powiem – obiecała Teresa, przekonana, że jeszcze wszystko pogarsza.

Gutowo,
wtorek 30 sierpnia 2016, 16:30

Grzegorz Hryć zmartwił się śmiercią swego brata mniej, niżby należało. Zresztą nigdy nie byli sobie bliscy. Dzieliło ich niemal wszystko: wiek, wygląd, zainteresowania, osiągnięcia. Waldek od najmłodszych lat przesiadywał w cukierni i niewiele poza tym go interesowało. Grzegorz miał ambicje, był rodzinnym intelektualistą. On jeden z szóstki potomstwa Celiny i Leona skończył studia i stanowił przedmiot matczynej dumy. Ale i tak był przekonany, że to Waldka matka kocha najbardziej. Jeszcze w wózku zabierała go do cukierni, wszędzie go ze sobą ciągała. Uczyć się nie chciał, ale przynajmniej poznał fach. Dlatego nikogo nie zdziwiło, że pomijając starsze potomstwo, to jego w końcu Celina zrobiła udziałowcem spółki i swoją prawą ręką. Nikt też już dziś nie pamiętał, że inwestowała po równo w każde ze swoich dzieci. I jeśli tylko któreś z nich potrzebowało zastrzyku gotówki, argument był zawsze jeden: Wy przecież macie szufladę pełną forsy… Dawała więc – na nowy samochód, remont, wczasy, studia dziecka, spłatę pijackich długów. Dawała ze swoich, ale kiedy odeszła, to Waldemar przejął w spadku opiekę nad rodzeństwem, chociaż niektórzy całkiem dobrze sobie radzili. Maria miała z synem sklep spożywczy w Gdańsku, który z małego osiedlowego warzywniaka rozrósł się do sporych rozmiarów supermarketu. Katarzyna była księgową, a jej mąż prowadził warsztat samochodowy. Amelia była co prawda od zawsze na państwowym, ale nieźle jej się wiodło jako urzędniczce magistratu na warszawskiej Woli i ona najrzadziej zjawiała się w Gutowie po wsparcie. Z nich wszystkich w najgorszej sytuacji, zresztą przez siebie samego zawinionej, był nałogowy alkoholik Roman, któremu nawet zdarzało się wrócić do domu bez kurtki i butów.

Grzegorz, w dużej mierze dzięki Anicie, żył całkiem dobrze. Nie dorobili się co prawda domu, nadal mieszkali w bloku, ale dzieci już się wyprowadziły na swoje i te sześćdziesiąt metrów w zupełności im wystarczało. Jego niechęć wobec młodszego brata wynikała z innych przyczyn. Grzegorz jako najstarszy miał ambicje, by po odejściu matki przejąć jej wpływy w rodzinie, sprawować wobec Waldka i reszty coś w rodzaju rodzicielskiej kurateli. To się jednak nie udało, bo spotkali się wszyscy tylko raz, na stypie po pogrzebie Celiny, i odbyło się to w domu matki. Podczas przyjęcia opłaconego w całości przez Waldka wszyscy jakoś bezwiednie zaczęli się do niego zwracać to o to, to o tamto, pytali o testament, o nagrobek, do którego się zresztą później wcale nie dołożyli, Grzegorza prawie całkiem ignorując. Nie lubili go jakoś szczególnie, ale co to w końcu ma do rzeczy, skoro był najstarszy?

Właściwie nie wiedział, dlaczego go nie lubili. Bo dlaczego on nie lubił Waldka, wiedział bardzo dobrze. Nie mógł wybaczyć bratu, że ten się powtórnie ożenił. I to z kim?! Z kobietą o wątpliwej reputacji! Że on sam miał udział w jej psuciu, Grzegorz Hryć się nie zastanawiał. Wkurzało go, że ten niedojda wyhaczył jego kobietę! Że wolała grubego, rudego, bez cienia inteligencji i że dla takiego czegoś porzuciła kogoś z pozycją, manierami i wyglądem, z kim mogła o wszystkim pogadać. Nieważne, że ta historia działa się dwadzieścia lat temu, zraniona ambicja nie pozwalała posłowi zapomnieć doznanej zniewagi. Zresztą Helena od razu wprowadziła nowe porządki. Skończyły się pożyczki, skończyły wigilie i jajeczka, piękna tradycja rodzinna, której nikt nie podjął. Od tej pory spotykali się we Wszystkich Świętych nad grobem Celiny, na którym stawiali jeden symboliczny znicz, uważając, że przecież Waldek załatwi resztę.

Grzegorz Hryć ani przez chwilę nie pomyślał, że nie lubi brata z powodu Zbyszka. Bardzo szybko wyparł z pamięci fakt, że to z nim Helena była w ciąży i że nawet chciał pożyczyć od Waldka pieniądze na zabieg. Ale ponieważ sprawa nie miała z jej strony dalszego ciągu, chłopak był do Waldka podobny jak dwie krople wody, a Helena nie próbowała walczyć o alimenty, odetchnął z ulgą i zapomniał o sprawie. Bratanka również nigdy nie lubił, odnosząc się doń z wyższością i solidnie zapracowując na miano „sztywniaka", które mu Zbyszek nadał, mając zaledwie osiem lat.

To wszystko dziś już nie miało znaczenia, liczyło się tylko, co dzięki śmierci brata Grzegorz mógłby zyskać. A było tego całkiem sporo. Jeśli Helena nie wystąpi do urzędu o odszkodowanie, on to zrobi bez najmniejszego wahania. Po pierwsze można dzięki pozwowi zdobyć konkretne pieniądze, po drugie pokazać niekompetencję obecnego burmistrza. Na tę myśl aż się uśmiechnął!

Taaak! Duży wywiad w gazecie i datek na tacę, żeby ksiądz podczas nabożeństwa żałobnego wspomniał, czyja to wina, że jeden z ważnych obywateli miasta został tak skrzywdzony przez komisję, że aż doznał zawału. I jeszcze nad grobem się powtórzy, wiadomo, że to ja będę przemawiał.

Siedząc zadumany w fotelu, Grzegorz Hryć postanowił sprawdzić, czy rodzeństwo w ogóle wie o śmierci Waldka. Okazało się, że gutowianie wiedzieli, ale Gdańsk i Warszawa oczywiście nie.

– Czwartek, dwunasta trzydzieści – poinformował siostry, udając pogrążonego w bólu.

Wziął notes i zaczął szkicować przemówienie. Umiejętne wskazanie winowajcy to połowa sukcesu. Oj, będzie się miał ten Walczak z pyszna, oj będzie... Ale kto mógłby poprowadzić taką sprawę? Przecież tu wszyscy są jakoś związani z urzędem! Zresztą kto miałby odwagę zadrzeć z burmistrzem, nie daj Boże jeszcze wygra kolejną kadencję, co wtedy? Nie, to musi być ktoś zamiejscowy... Z Płocka albo... No jasne!!! To jest myśl! Uśmiechnięty szeroko, znów sięgnął po telefon.

– Iga! No, wyrazy współczucia... Kto by się spodziewał, był jeszcze taki młody! Patrz, jak odszedł, nie wiadomo kiedy!

Iga milczała.

– A ten... Jak ty się czujesz?

– Tak jak się czuje po śmierci ojca.

– No tak… – Grzegorz Hryć odchrząknął. – Powiedz mi, jest jeszcze w hotelu ta pisarka? Monika Grochowska?

– Zapomniałeś chyba, że nie jestem recepcjonistką. Zresztą nie możemy udostępniać takich informacji, coś jeszcze? – zapytała obcesowo.

– Nie, nic!

– Dziękuję za wsparcie – powiedziała oschle Iga, jakby chciała go jeszcze bardziej obrazić.

Hryć, zły na nią, ale i na siebie, wybrał numer swojej asystentki.

– Tak, misiu? – zapytała, odbierając połączenie.

– Daj mi numer komórki tej pisarki z Gutowa, tej Moniki Grochowskiej. Może być na SMS. Nic się nie stało, zarobiony jestem. Tylko szybko, no. Pa, pa!

Za chwilę już dzwonił do swej „drogiej przyjaciółki" Moniki.

– Jesteś jeszcze w Gutowie? Kto mówi? Jak to kto? Grzesiek. Tak, ten poseł. Co? A tak, dziękuję, byliśmy sobie bardzo bliscy, w końcu bracia. Jesteś jeszcze w hotelu? Tak? To ja bym wpadł na chwilę. Potrzebuję kwadransa. Jest interes do zrobienia.

Zadowolony z przebiegu rozmowy i podniecony pomysłem, złapał kluczyki i dokumenty, i nucąc, zbiegł po schodach, a chwilę później wsiadał już do swojego mercedesa.

Monika czekała w lobby. Skoro to miała być krótka rozmowa, powinno wystarczyć. Grzegorz Hryć wszedł do hotelu jak do siebie, chyba bardzo się spiął, bo kroczył wyprostowany niczym na defiladzie. Przypatrywała mu się z pobłażliwym uśmiechem. Rozejrzał się podejrzliwie i bez powitania zaproponował:

– Wyjdziemy?

– Dokąd?

– Na dwór. Przejdziemy się?

Popatrzyła na niego ze zdziwieniem.

– Dobrze.

Wyszli na podjazd.

– Dokąd teraz? – zapytała Monika.

– Możemy tu zostać. To będzie krótkie pytanie i oczekuję krótkiej odpowiedzi. Mój brat umarł…

– Wyrazy współczucia!

– No. I chcę pozwać urząd.

– Ty chcesz pozwać?!

– Ja chcę pozwać. W końcu to brat!

– Co ja mam do tego? – nie rozumiała.

– No, przecież jesteś adwokatem! – objaśnił Hryć. Dokładniej się nie dało.

– A o co właściwie chodzi?

– Przez te ich konkursy on dziś nie żyje!

– Pani Hryć cię przysłała? To znaczy wdowa?

– Kto? Helena? Nie, ona chyba w ogóle nie zamierza tego robić. Ale ktoś musi! Ktoś z rodziny powinien pokazać im, co zrobili, uświadomić całemu miastu!

– Zły adres.

– Słucham?

– Źle mnie oceniłeś. Nie zrobię tego.

– Ale przecież ci zapłacę!

– Po pierwsze: za kilka dni wyjeżdżam, po drugie: nie stać cię, po trzecie: już mnie zatrudniła pani Hryć.

– A to spryciula! – Wziąwszy się pod boki, poseł Hryć kręcił głową.

– Czy ja wiem?… Moim zdaniem w kwestii sprytu do stóp ci nie dorasta.

– Tak myślisz?! – zadowolony Hryć gładko łyknął pochlebstwo.

– Bo na pewno nie wpadłoby jej do głowy, żeby zrujnować twoje dzieci.

– Co? Co? O czym ty mówisz?!

– O kopalni żwiru.

– Zabiję tego agenta!

– A więc to prawda?… Ryjesz doły pod bratanicą?… Za co tak jej nienawidzisz? Powinieneś zrobić wszystko, aby tej okolicy nie niszczyć, to przecież twoja gmina!

– Wiesz, jakie dochody ma poseł?

– Jak to się dzieje, że wy wszyscy na państwowych posadach zawsze macie za małe pensje? I póki tylko się da, traktujecie społeczeństwo jak dojną krowę. Musicie się śpieszyć, bo kadencja trwa tylko cztery lata, a przyszłości nikt nie zagwarantuje, prawda? Więc pożegnaj się z tą kopalnią żwiru. Nie zniszczysz Długołąki. Dopóki żyję, nikt tam niczego kopał nie będzie!

Gutowo, czerwiec 1968

Gdyby Teresa nie obiecała Monice milczenia w sprawie ciąży, tylko poszła od razu następnego dnia do Kazimierza Janiuka i opowiedziała mu, w jak złej sytuacji jest jego wychowanica, być może sprawy potoczyłyby się zupełnie inaczej. Janiuk zapewne bez zwłoki pojechałby do Warszawy, na prośbę Moniki nie wtajemniczając w sprawę jej matki. Właściwie Teresa nie wiedziała, co by zrobił, ale była przekonana, że nie skrzywdziłby dziewczyny.

A tymczasem związana przysięgą, tylko wpadła na chwilę do biura ZBoWiD-u, żeby w imieniu Moniki podziękować za pieniądze i upewnić Janiuka, że w Warszawie sprawy toczą się prawidłowym studenckim torem, Monika uczy się do sesji i generalnie wszystko gra. Obiecując przyjaciółce dochowanie tajemnicy w kwestii ciąży i rozwiązania, Teresa nie zdawała sobie sprawy, jak bardzo to wszystko ją samą obejdzie. I mimo że nigdy go nie widziała, nie mogła przestać myśleć o dziecku. Zaczęła sobie wyobrażać niemowlaka na izbie porodowej, pozostawionego samemu sobie, płaczącego, tęskniącego za matką. Ani się spostrzegła, jak ta myśl owładnęła nią do tego stopnia, że raz po raz do niej wracała i czuła ból, jakby to ona sama była zarazem tym niemowlęciem i jego matką. Jej przygnębienie niemal natychmiast spostrzegła starsza pani Wypych.

– A co? Znów zakochałaś się bez wzajemności? – próbowała żartować.

– Gdzie zaś! Ja i zakochanie! Ja się nigdy nie zakocham, to takie głupie i potem zawsze się cierpi! – fuknęła oburzona Teresa.

– Czyli wyjdziesz za mąż z rozsądku? Bardzo mądrze! Bo czekać na miłość życia to skazywać się na staropanieństwo, jak moja córka. Chyba się nigdy wnuków nie doczekam, a mogłyby już być dorosłe. Życie, życie…

– A gdyby tak córka wzięła dziecko z ochronki? – zasugerowała Teresa.

– Ona? Teraz jej tylko kariera w głowie. A dziecko i kariera to są dwie rzeczy nawzajem się wykluczające.

– Dlaczego?

– Bo dla dziecka trzeba mieć czas i dla kariery trzeba mieć czas. Zatem każda kobieta musi wybrać.

– A jak która chciałaby i to, i to?

– Wtedy ktoś powinien jej pomóc: musi oddać dziecko do przedszkola albo opiekunkę zatrudnić. Niestety, czasem bywa za późno i tak się stanie z moją córką, zobaczysz. Poczuje wolę Bożą, ale już będzie za stara na dziecko. Zresztą ona chyba wcale dzieci nie lubi, bywają też takie kobiety.

– No, ale można wziąć z domu dziecka. Tam chyba jest dużo dzieci, które nie mają rodziców.

– A wiadomo, czyje to? Może jakaś pijaczka urodziła, przecież tego to ty nigdy nie wiesz. Może chore, z wadami... I potem męcz się, cudzego bachora wychowuj. Zresztą do tego trzeba mieć męża, a ja już straciłam nadzieję również na zięcia. Co by to musiał być za mężczyzna, aby zaimponował mojej córce, olaboga! Jeszcze się chyba taki nie urodził.

Mimo skupienia na swoich nowych obowiązkach towarzyszka Wypych również zauważyła dziwne roztargnienie Teresy.

– Zakochałaś się czy co? – spytała zupełnie jak jej matka.

– Ja? Nie! Czemu tak myślicie?

– Bo nie słyszysz, kiedy mówię, nie odpowiadasz, kiedy pytam. Czy ja cię po to brałam do komitetu, żebyś myślała o niebieskich migdałach?!

– Tak mi jakoś smutno, bez powodu...

– Powód zawsze jest, tylko nie zawsze chce się go wyjawić.

– A tak ze starszą panią gadałam, kiedy byłam na sprzątaniu, że wy to chyba nie znajdziecie godnego siebie męża...

– Co wam obu do tego?! – fuknęła oburzona towarzyszka Wypych.

– Starsza pani to wnuka by pobawiła.

– Ode mnie niech się nie spodziewa! A co? Może ty w ciąży jesteś?

– E, gdzie zaś ja. Nawet nie mam chłopaka. Kto by tam mnie chciał?

– Bo ty się powinnaś jakoś ogarnąć. Brzydka nie jesteś, tylko trochę za bardzo oszczędzasz. Chłopy lubią sobie popatrzeć. A ty masz za długie spódnice i te twoje sweterki też już zużyte. Wiem! Dam ci premię! Kupisz sobie coś! Albo nie! Jak będę w Płocku, to sama ci coś kupię!

Blady uśmiech Teresy był jedyną odpowiedzią. Ale kiedy po kilku dniach towarzyszka Wypych rozłożyła przed nią trzy zestawy strojów, dziewczynie aż oczy się zaświeciły. Sama by sobie nigdy nie pozwoliła na taki zbytek, zwłaszcza że w jej głowie już poczynał kiełkować pewien plan.

– Ożeń się ze mną! – powiedziała do Mundka Bystrego podczas zabawy pewnego czerwcowego wieczora, a on w trzy sekundy wytrzeźwiał.

– Że co?!

– Kiedyś chciałeś.

– Ale ty nie chciałaś! – odparł. – A teraz to ty wielka pani z komitetu i nagle chcesz za mnie wyjść? – zapytał podejrzliwie.

Teresa długo przygotowywała się do tej rozmowy. Nie zmieniła o Mundku zdania. Wiedziała jednak, że z każdym innym będzie musiała przejść długi proces poznawania się, chodzenia, a Mundek wciąż pozostawał wolny. Nie był to wymarzony kandydat, ale znajdował się na miejscu. Do wzięcia od zaraz, a to się liczyło najbardziej. Bo czasu miała niewiele. Każdego dnia mogło być za późno.

– Jest mieszkanie w spółdzielni, ale dla małżeństwa – kusiła.

Rzeczywiście, towarzyszka Wypych proponowała jej pokój z kuchnią na Piaskach, akurat była możliwość otrzymania przydziału, ale Teresa nie wyobrażała sobie zostawienia chorej matki z niedomagającą babcią i dwojgiem młodszego rodzeństwa. Jednak od kiedy wróciła z Warszawy, zaczęła na to patrzeć inaczej. Jej młodszy brat, Mietek, miał już przecież piętnaście lat, a siostra Danusia trzynaście. Pewne obowiązki mogli wziąć na siebie. Teresa nie wiedziała, czy jej plan się powiedzie, ale postanowiła spróbować.

– Ja się z tobą ożenię, a ty weźmiesz mieszkanie i się ze mną rozwiedziesz? – domyślił się Mundek, uśmiechając się rezolutnie.

– Prawdopodobnie tak będzie, jeśli nie przestaniesz pić. Mam jeszcze inne warunki, ale porozmawiamy o nich, kiedy będziesz całkiem trzeźwy.

– Przecież jestem trzeźwy! – beknął w odpowiedzi.

– A podobam ci się jeszcze? – Teresa uśmiechnęła się, co było do niej tak niepodobne, że całkiem zbiło go z pantałyku.

– No pewnie! Ty jesteś… Jesteś… – Nie potrafił znaleźć odpowiedniego określenia, poprzestał więc na głębokim, pełnym treści westchnieniu.

– To pogadamy jutro po mszy. Tylko masz być całkiem trzeźwy, rozumiesz?! Jak świnia!

Aż dziw bierze, że wszystko tak na chłodno wykalkulowała! Działała jak w transie, walcząc z czasem, który jej tak strasznie szybko uciekał. Nie myślała o niczym innym, tylko o tym, że musi się śpieszyć, bo za dzień, dwa, może być za późno. Przez ten pośpiech straciła trochę z oczu kłopoty matki i babki, odsunęła się od rodzeństwa i wreszcie zaczęła żyć na własny rachunek. Oczywiście liczyła się z tym, że kiedy powie trzeźwemu Mundkowi, jakie mu stawia warunki, a zwłaszcza przyzna się do tego, czego on wciąż jeszcze nie wiedział, kandydat na męża czmychnie gdzie pieprz rośnie. Wtedy musiałaby zaczynać swoje poszukiwania od nowa. Dlatego czekała niespokojna.

Nocy z soboty na niedzielę nie przespała. Było gorąco, słowiki darły się jak opętane, a ona raz po raz powtarzała swą przemowę do Mundka. Czy był na tyle głupi, aby przyjąć jej warunki? Zgodzić się na proponowany układ? A może ją wyśmieje i wyda? Jeśli rozniesie plotkę po wsi, czy jej zaprzeczenia wystarczą? Komu ludzie będą skłonni uwierzyć? Miała nadzieję, że to ona okazałaby się godna zaufania, ale plotka rządzi się swoimi prawami, czasem najbardziej niedorzeczne, wyssane z palca pomówienia trwają latami, a ludzie przysysają się do nich, jakby tylko czekali, aby oczernić bliźnich. Potem nawet nie warto zaprzeczać, i tak wiedzą swoje.

Ale chciała być wobec Mundka uczciwa. Skoro zamierzała z nim spędzić resztę życia, nie mogła go budować na oszustwie. Owszem, fundamentem miało być kłamstwo, jednak zaakceptowawszy je, Mundek nic nie tracił, a w każdym razie nie tak wiele. I jeśli prawdą jest, że zawsze chciał, aby została jego żoną, to teraz ma okazję to udowodnić. Ona też przecież była gotowa coś poświęcić. A dla niej, dla Teresy Kuszel, to nie byle co! Bo nie zwykła rzucać słów na wiatr. I jeśliby się umówili na wspólne życie, to ona też by za to płaciła pewną cenę. Cenę życia z niekochanym mężczyzną. Mundek czasem nawet budził w niej wstręt, ale tylko on znajdował się na podorędziu. W gruncie rzeczy czy był jej kiedykolwiek pisany ktoś inny? Chyba sama w to nie wierzyła. Ale w głębi serca wiedziała, że on nie jest złym człowiekiem. Uważała jedynie, że nie miał dobrego przykładu i może dlatego matce nie udało się go uchronić przed pijaństwem.

Godziny mijały, a ona nerwowo czekała, powtarzając sobie argumenty, które miały go przekonać. Do kościoła wystroiła się w najpiękniejszą sukienkę i włożyła różowy sweterek z guzikami udającymi perły. Chyba wszyscy się za nią oglądali, jak szła sztywno wyprostowana, z wiszącą na zgiętej ręce torebką, której jedyną zawartością była książeczka do nabożeństwa. Teresa jej jednak nawet nie otworzyła. Modliła się chaotycznie, poruszała tylko ustami, bo myśli szybowały gdzieś daleko, ku przyszłemu życiu z Mundkiem.

Kiedy po mszy wychodziła z kościoła, nie patrzyła na ludzi z obawy, że ktoś wyczyta z jej oczu czyn, którego zamierzała się dopuścić, i będzie się starał w tym przeszkodzić. Mundek stał na ulicy w cieniu wielkiej lipy i wpatrywał się w bramę kościoła. Miał na sobie białą koszulę, spodnie w kant i pożyczony od ojca krawat. Oderwał się od grupy chłopaków i podszedł do niej. Był trzeźwy. Wziął ją za rękę i pocałował. Pod lipą rozległy się gwizdy. Od dawna nikt tu nie widział takiej galanterii. Teresa zapłoniła się, rzuciła krótko: – Chodźmy! – i szybko ruszyła przed siebie.

Kiedy dotarli do zabudowań pałacowych, nie skręcili, tylko nadal szli prosto. Teresa raz po raz oglądała się za siebie, aż wreszcie, widząc, że nikt ich nie podsłucha, zdecydowała, że może zacząć.

– Nadal chcesz się ze mną ożenić? – spytała zuchwale.

– Przecież wiesz!

– Tak bardzo, żeby rzucić picie?

– Ale chyba nie na zawsze? – przestraszył się.

Teresa spojrzała na niego surowo.

– Imieniny i święta, wystarczy? Ale jeśli podniesiesz na mnie albo na dziecko rękę, to ci ją odrąbię – odparła lodowatym tonem, a on zarechotał.

– Dziecko?! Tak od razu?! No to chyba musimy się szybko zabrać do roboty?!

Jego śmiech wytrącił ją z równowagi.

– Nie musimy!

Spojrzał na nią podejrzliwie. Nagle jakby coś zaczęło mu świtać.

– To skąd weźmiesz dziecko?

– Ja mam dziecko.

– Co?!!!

– Bierzesz mnie z dzieckiem albo wcale! – ucięła wszelkie negocjacje.

– Ale jak?... Kiedy?...

– Kiedy się biły Szwedy! – odparła hardo.

– Więc ten elegancik?... Ten nauczyciel?... Ty z nim?...

– Nie twój zasrany interes! – burknęła, zła na siebie, że się posypała w przemowie, i już prawie pewna, że pokpiła sprawę.

– Jak nie mój?! Chcesz, żebym tyrał na cudzego bachora, i nawet mi nie powiesz, czyj on jest?! Zaraz, zaraz! A kiedyś ty go urodziła? – zreflektował się Mundek.

– To dziewczynka. Miesiąc temu.

– Co?! Przecież wcale nie byłaś w ciąży!

– Chłopy, chłopy, co wy wiecie?! – Teresa westchnęła pogardliwie. – Widziałeś mnie w płaszczu?

Mundek zastanowił się przez dłuższą chwilę.

– I co z tego?!

– A tam był brzuch.

– Pod płaszczem?! To dlatego chcesz za mnie wyjść… – Dopiero teraz się domyślił. I wreszcie zrozumiał.

– Chyba ci to nie przeszkadza?

– Zasadniczo… – zaczął pojednawczym tonem. Jego siostra miała trójkę potomstwa, każde z innym mężczyzną, a żaden dłużej przy jej boku miejsca nie zagrzał. Takie rzeczy się zdarzają porządnym ludziom.

– Więc o co chodzi? Tylko szybko, bo nie będę tak na drodze stała jak jakaś wywłoka. Tak czy nie?

– To tego… Ten… Niech ci będzie! – rzucił, nie wiadomo, zadowolony czy wręcz przeciwnie, a Teresa pomyślała, że od września musi go wysłać do technikum, żeby nabrał trochę ogłady.

– No dobra, to teraz wsiadaj na ten swój gruchot i przywieź mi z Gutowa jakieś ciastka i wielki bukiet z kwiaciarni, żebym miała co wspominać przez całe życie! – rozkazała. – Pierścionka nie musisz kupować, będziemy mieli ważniejsze wydatki!

– To ja ten… Tego… Skoczę po te ciastka! – krzyknął uszczęśliwiony i rzucił się w stronę zabudowań pałacowych po motor.

Z tego wszystkiego zapomniał pocałować narzeczoną. A ona jeszcze długo stała, patrząc na unoszący się nad drogą kurz, który Mundek wzniecił swoimi niedzielnymi pantoflami, i myśląc, że teraz już wszystko powinno pójść gładko.

Spodziewała się kwiatów i ciastek jeszcze przed obiadem, ale Mundek jakoś długo nie wracał. Po obiedzie wciąż go nie było. Teresa raz po raz odchylała firankę, nasłuchiwała, wyglądała nawet na podwórze. Babka i matka, spodziewając się czegoś ważnego, patrzyły na nią w napięciu. Domyślały się, że wreszcie poszła po rozum do głowy i nie chce zostać starą panną, ale w milczeniu czekały. Jednak czas płynął i nic się nie działo. Wreszcie Teresa zaczęła półgłosem narzekać.

– Pewno się upił, cholernik! Jeżeli się schlał, jeśli tylko... to niech go jasny szlag! Jeśli poczuję od niego choćby małe piwo, to niech na nic nie liczy! Co on myślał, że trafił na naiwną?! O nie, nie dam się za nos wodzić!

Chodziła z kąta w kąt, zacierając dłonie, zdenerwowana. Potem usiadła przy stole, aż wreszcie zmęczona zasnęła. Obudziły ją jakieś podniesione głosy i krzyki dobiegające z podwórka. W mieszkaniu nie było nikogo, wyszła zatem i ona. Zmierzchało już, a na podwórzu przed sąsiednim czworakiem zgromadziło się kilkanaścioro ludzi. Otaczali kobietę, która na cały głos lamentowała. Po chwili Teresa poznała, że to głos matki Mundka. Przecisnęła się bliżej. Kobieta siedziała na ławce przed wejściem do domu i spazmatycznie płakała, raz po raz wtrącając jakieś niepojęte zdanie:

– Boże, co ja zrobię?! Co bez niego pocznę?! Matko Boska, czemuś mi go zabrała?! Taki był młody, taki dobry dzieciak! O ja biedna, nieszczęśliwa! – wykrzykiwała, płacząc. Aż nagle podniosła głowę i zobaczyła Teresę. – To twoja wina! Tyś mi go zabrała! Coś ty mu powiedziała, że sobie postanowił odebrać życie?! Ty łajdaczko, wywłoko, dziwko!

Teresa nie rozumiała, o co jej chodzi. Ale babka Bronia, widać bardziej zorientowana, wzięła wnuczkę za łokieć i odciągając od wrogo spoglądających ludzi, krzyknęła do matki Mundka:

– Wstydziłabyś się takie głupoty wygadywać! Gdzie ona może być czego winna, skoro cały czas siedziała w domu?! Ciesz się, że ci współczuję, bobyś jeszcze co ode mnie usłyszała. I nie oskarżaj nikogo bez dowodów, bo to obraza boska! Takeś go wychowała, że ciągle pijany chodził, więc pomyśl dwa razy, zanim na kogoś swoje winy zwalisz!

– Co się stało? – zapytała zdezorientowana Teresa.

– Mundek Bystry się na motorze zabił.

Gutowo, wtorek 30 sierpnia 2016, 17:15

Zbyszek usłyszał dźwięk przychodzącego SMS-a i z uśmiechem kliknął w wiadomość. Po chwili jednak przygryzł wargę, siadł do komputera i otworzył swoje konto na Facebooku. W przesłanej wiadomości Kasia Malczyk pisała: WIDZIAŁEŚ FANPAGE CUKIERNI? KTOŚ WAS TAM STRASZNIE HEJTUJE!

Rzeczywiście na koncie facebookowym cukierni Pod Amorem pod wrzuconym kilka dni temu zdjęciem ciastka z wróżbą kilkanaście nieznanych mu osób napisało niepochlebne komentarze.

– Co to jest?! – Zbyszek zmarszczył brwi i kręcąc ze zdumienia głową, czytał kolejne wpisy. Wreszcie nie wytrzymał, chwycił otwarty laptop i poszedł z nim do sypialni rodziców.

Drzwi były zamknięte, co mogło znaczyć, że matka śpi, ale prawie natychmiast wyszła mu naprzeciw.

– Tak, synku?…

– Muszę ci coś pokazać. Chodź do stołu!

Weszli do salonu i usiedli obok siebie.

– To jest nasz fanpage na Facebooku.

– Co to jest?!

– Nasz fanpage na Facebooku. To jest taka platforma reklamowa. Kaśka to założyła z pół roku temu. O, zobacz, mamy ponad tysiąc polubień!

– Jaka Kaśka? Kasia Malczyk?

– No tak. Wtedy, jak tu przychodziła. Powiedziała, że cukiernia musi mieć konto na Facebooku.

– A po co to nam?

– Dla reklamy, mówiłem przecież. I wrzucała tam różne nasze wyroby, o zobacz... – przesuwał przed matką zdjęcia różnych ciastek z ich oferty, wnętrza cukierni oraz letniego ogródka.

– Ona to wszystko robiła dla nas? I nawet jej nie podziękowaliśmy?!

– Ja jej dziękowałem...

– Ty najbardziej! – z przekąsem powiedziała Helena. – I co z tym... Co powiedziałeś...?

– Hejtowaniem. No bo zobacz, do piątku nie było ani jednego złego wpisu, a w sobotę się pojawiło kilka, w niedzielę kilkanaście. Ludzie wpisują kłamstwa, że ktoś się po naszych ciastkach źle poczuł, że sprzedajemy nieświeże i takie tam...

– I to ma być reklama?! – oburzyła się Helena.

– Do piątku mieliśmy pięć gwiazdek! Każdy, kto chciał nas odwiedzić, mógł zobaczyć ofertę i ceny. Ludzie z całej Polski nas lajkowali. To naprawdę działa!

– W dwie strony działa, jak widać! Każdy może cię publicznie opluć, a ty nic nie możesz z tym zrobić?

– Nie denerwuj się. Coś poradzę, tylko że ja chyba nie jestem adminem na tym koncie...

– Kim nie jesteś? – Helena pokręciła głową.

– Nieważne, zadziałamy! – powiedział Zbyszek i wrócił do swojego pokoju.

Przypadkowo Kasia Malczyk była również dostępna poprzez Facebook. Przygryzł wargi, ale cóż było robić, napisał do niej:

ZBYSZEK: Hej! Co tam?

KASIA: A nic ciekawego. Jak się trzymasz?

ZBYSZEK: Bywało lepiej.

KASIA: Bardzo mi przykro z powodu twojego taty…

ZBYSZEK: Dzięki. Gniewasz się na mnie?

KASIA: Ja?! Za co?

ZBYSZEK: No wiesz… Ciągle jesteś w Warszawie?

KASIA: Nie, w domu.

ZBYSZEK: A mógłbym na chwilę wpaść? Bo nie mam uprawnień do tego konta.

KASIA: Dobra, wpadaj! Coś z tym zrobimy.

Zbyszek wyszedł z pokoju, nie zamykając komputera. Krzyknął tylko do matki: – Idę do Kaśki! – i nie czekając na odpowiedź, pobiegł do sąsiadów.

Magdalenę Malczyk trochę zdziwił jego widok, ale tego nie skomentowała, może uprzedzona przez córkę.

– Dzień dobry! Ja do Kasi! – przywitał się, jak gdyby nigdy nic.

– Jest na górze.

Zbyszek z przyzwyczajenia zdjął buty w sieni i w samych skarpetkach wszedł po schodach do pokoju dziewczyny, która słysząc otwierające się drzwi, tylko odwróciła się od komputera.

– Pousuwam te komentarze.

– Możesz to zrobić?

– Tak. I zbanuję tych ludzi.

– Co zrobisz?

– Odbiorę im dostęp. Ale najpierw zobaczymy, czy to nie są fejkowe konta.

Zbyszek stał nad jej plecami, a Kasia, szybko uderzając w klawisze, sprawnie poruszała się po Facebooku.

– Wygląda na to, że mamy do czynienia z jakimiś idiotami.

– Dlaczego?

– Bo w ogóle nie zacierają śladów. Nawet im się nie chciało fejkowych kont założyć, tylko komentują ze swoich profili. A kogo oni mają w znajomych, popatrzmy…

Kasia znów wykonała kilka operacji, na które Zbyszek patrzył zza jej pleców.

– Nie stój nade mną, weź sobie krzesło jak człowiek. O, ciekawe… No, dalej, a pan? Też? Super! Pani też? To są ludzie z Gutowa. Kilka kont bez zdjęcia i znajomych być może założono tylko po to, żeby komuś szkodzić. Wam albo jeszcze komuś. Wiesz, taki głos oburzonego ludu.

– Nie przyjdą i nie powiedzą wprost? Przecież przyjmujemy reklamacje!

– Bo może tych reklamacji nie było? Może ktoś ma interes, żeby wam robić antyreklamę?

– Przypuszczasz, że konkurencja?… – głośno myślał Zbyszek. – Podyktuj mi te nazwiska. Masz coś do pisania? I kawałek kartki?

Kasia dyktowała mu kolejne nazwiska, a on wpisywał jedno pod drugim.

– Posłuchaj… – powiedział, nie podnosząc wzroku znad kartki.

– No?...

– Gniewasz się na mnie?

– Za co?

– Za Martynę.

Zadając to pytanie, Zbyszek spodziewał się wszystkiego: westchnienia, wyrzutów, łez, nawet oburzenia i ponownego zerwania kontaktów. Oczywiście liczył w duchu na to, że skoro Kaśka pozwoliła mu przyjść i pomagała w oczyszczeniu konta cukierni z hejterskich wpisów, być może uda mu się ją przeprosić, żeby już mu matka nie zawracała głowy. Nie spodziewał się tylko pełnego politowania prychnięcia!

– No co ty!

– Serio? – nie dowierzał.

– O co wam wszystkim chodzi? Matka mi to wmawia od dwóch miesięcy! Zrozum, dla mnie jesteś jak brat. Znam cię od dziecka. Nigdy nie pomyślałam, że możemy kiedykolwiek być parą. Niestety nasze mamy chyba chętnie by nas połączyły.

– Dziwisz się? – rzucił z ulgą, gdy uświadomił sobie, że dla Kaśki sprawa z nim znaczyła o wiele mniej, niż wszyscy sądzili.

– W sumie to nie. I nie gniewaj się, lubię cię, zawsze będę lubiła, jak starszego brata. Ale ja marzę o tym, żeby stąd się wyrwać. Gutowo to dziura, nie chcę tu stracić życia. I poza tym, nie obraź się, ale o czym byśmy gadali w długie zimowe wieczory?

– Byśmy się gapili w telewizor. To znaczy ty byś się gapiła, a ja bym spał – zażartował Zbyszek. – Jak do niedawna moi rodzice.

– Tak mi przykro ze względu na twojego tatę, to takie straszne…

– Jeszcze to do mnie nie dociera. I wiesz, nic nie czuję… – Broda mu zadrżała. – W ogóle nic – powiedział przez łzy.

– Pani Heleno, to ja już będę szła… – powiedziała Ukrainka Katia.

– Dobrze. Dziękuję. Pieniądze są na szafce.

– Tak, już wzięłam. Ja bardzo przepraszam, ale czy mogłabym panią o coś zapytać?

– Naturalnie.

– Wiem, że to może niedobry moment, ale jeszcze jak pan Hryć żył, to była u niego ta moja kuzynka, Lena. I ona miała się zgłosić do pracy po Dniach Gutowa, to znaczy od września.

– Pamiętam. Pierwszego mamy pogrzeb, nie będę miała dla niej czasu, ale niech przyjdzie jutro. Miała pracować na produkcji, prawda?

– Tak! Ona ma doświadczenie, bo pracowała dwa lata w tej cukierni na Piaskach…

Helenę aż prąd przeszedł.

– W cukierni Jaga?

– Tak! Ale ten właściciel nie pozwolił jej dziecka urodzić, więc pojechała na Ukrainę i jak wróciła, to musiała się wziąć za sprzątanie. Ale pan Hryć jej obiecał. Ona tam robiła wszystko, naprawdę wszystko, nawet torty!

– Dobrze. Niech przyjdzie. Nie mogę jej zagwarantować wysokiej pozycji, bo mamy mistrza i kierownika zmiany, ale dla utalentowanej osoby coś się na pewno znajdzie.

– Nie chciałabym pani martwić, ale musi pani coś jeszcze wiedzieć…

– Co takiego?

– Właściciel tamtej cukierni was nie lubi.

– A to dopiero nowina! – Helena roześmiała się sarkastycznie.

– On kazał swoim ludziom wpisywać w Internecie jakieś bzdury o was. Groził, że ich zwolni. Katia spotkała się z koleżanką z tej cukierni i ona jej powiedziała. Ale oni nic do pani nie mają, tylko pracy nie chcą stracić.

Helena westchnęła ciężko.

– Popatrz, jaki to świat. To już tak się robi? I to gdzie: u nas? Przecież on był podobno naszym uczniem, ten Zagańczyk. Mąż go nauczył zawodu. A teraz on przeciwko nam intryguje. Smutne to…

Pół godziny po wyjściu Katii wrócił do domu Zbyszek. Krzyknął z dołu:

– Mamo! Ale mam nowinę!

Wszedł do kuchni, gdzie Helena siedziała smutna nad kubkiem stygnącej herbaty.

– Już wiem, kto stoi za tymi wpisami na Facebooku! Nie uwierzysz!

– Krzysztof Zagańczyk? – zapytała, uśmiechając się półgębkiem na widok jego zdumionej miny.

Zakopane, lipiec 1968

Jakim cudem zdała egzaminy z jedną tylko dwóją i jednym egzaminem przeniesionym na wrześniową sesję poprawkową, tego Monika nie potrafiła zrozumieć. Raz po raz targana wyrzutami sumienia wsiadła pewnego dnia do tramwaju, żeby pojechać do szpitala i dowiedzieć się o swoją córkę. Wytrwale szła pieszo od mostu Poniatowskiego aż do Karowej, ale kiedy stanęła przed drzwiami, nie odważyła się wejść do środka. Przecież nie chciała cofnąć raz podjętej decyzji. Wstydziła się sama przed sobą, że poczuła ulgę, zostawiając wtedy dziecko w szpitalu. Nie wyobrażała sobie siebie jako matki. Niewiele było formalności i nikt jej z tego powodu nie oceniał. Pielęgniarki pewnie widziały niejedną taką sytuację.

Czas płynął i Monika zrozumiała, że jeśli nie chce zwariować, najlepszą strategią będzie nierozpamiętywanie tego, co zrobiła, bo każda kolejna myśl wpędzała ją coraz głębiej w czarną rozpacz. Pocieszała się wtedy, że może kiedyś, kiedy już będzie miała posadę i męża, wróci po swoją córkę. Pomagało na krótko. Ani razu nie pomyślała, żeby odebrać dziecko ze szpitala, czy gdzie ono trafiło, przerwać studia, wrócić do Gutowa i pod okiem matki je wychować. Nie przyszło jej też do głowy, aby się zwrócić o pomoc do Grześka lub pani Hryć, tak jakby ciąży i wszystkiemu, co się z nią wiązało, tylko ona jedna była winna. W pewnym sensie miała rację. Kiedy sobie przypominała tamte wakacje, docierało do niej, że przez cały czas była sama. Nawet w łóżku z Grześkiem nie czuła prawdziwej bliskości. Służyła do zaspokajania jego potrzeb. A kiedy dała mu się przekonać i poszła razem z nim na plażę naturystów, też nie był to jej pomysł. Nigdy z własnej woli nie rozebrałaby się przed tłumem ludzi.

Teraz, miesiąc po porodzie, prawie nie było już widać brzucha po ciąży i mogła wrócić do Gutowa, ale jej paczka wybierała się w góry. Monika pomyślała, że warto skorzystać z zaproszenia. Nigdy nie była w górach, w ogóle nigdy nigdzie nie była, poza tymi wczasami, kiedy matka odeszła z ratownikiem, i przymusowym pobytem w Dziekanowie.

Tymczasem Danka, która miała w Zakopanem ciotkę, wyszła właśnie ze szpitala, a Heniek i Stasiek zostali zwolnieni z wojska. W połowie lipca skończyła się sesja i wszyscy mieli czas. Dołączyło do nich jeszcze troje ludzi z grupy i tak zgrana paczka wsiadła piętnastego lipca o szóstej rano do ekspresu „Tatry". Nie mieli miejscówek, bilety były drogie, ale nie zdecydowali się na łapanie stopa, boby się musieli rozproszyć. Siedzieli więc wszyscy na podłodze, w niemożliwym ścisku, pozwalając się raz po raz deptać podróżnym, zmuszonym do skorzystania z toalety.

Dom ciotki, otoczony dużym starym sadem owocowym, typowy drewniany zakopiańczyk, stał w cudownym miejscu, u podnóża Gubałówki. Nieutwardzoną ulicą, Walową Górą, po deszczu spływały strumyki i można się było przewrócić na śliskiej glinie, ale z okien domu roztaczał się cudowny widok na Giewont i Tatry. Warunki były skromne. Ciotka Danki kupiła tę nieruchomość niedawno i jeszcze nie zdążyła umeblować domu, ale oddała młodzieży do dyspozycji wypełnione słomą sienniki, stół, kilka krzeseł i kuchnię węglową, na której można było gotować posiłki. Wygódka znajdowała się na zewnątrz, po wodę musieli schodzić do położonego kilkanaście metrów niżej źródełka, a po najbardziej podstawowe rzeczy do jedzenia na targ przy Krupówkach. Tam też, zrobiwszy uprzednio zrzutkę pieniędzy, kupowali w delikatesach chleb, dżem i kiełbasę. Na szczęście wszędzie było blisko. Lipiec, podobno to tradycja w Zakopanem, zacinał deszczem, więc przeważnie siedzieli w domu, grając w karty, okręty, czytając książki i wygłupiając się. Trochę popijali wino, palili papierosy i rozmawiali z przejęciem o tym, co się stało w Polsce oraz jakie będą tego konsekwencje.

Już trzeciego dnia Monika zauważyła, że raz po raz natyka się na trzymającego się blisko niej Heńka. Wieczorem Danka nawet zrobiła do tego jakąś kąśliwą aluzję, ale Monika z tym nie dyskutowała, rozpamiętując poranną rozmowę z Lidką, która nagle podczas śniadania zapytała ją o dziecko. Nie podnosząc głowy znad smarowanej masłem kanapki, Monika odparła, że zawiozła córkę do dziadków, do Gutowa.

– I tak się tu wesoło zabawiasz? Przecież twoje dziecko właśnie teraz najbardziej potrzebuje matki! – skarciła ją koleżanka.

– Daj jej spokój! To jej dziecko i jej decyzja! – odezwał się Stasiek. – Niejedno z nas było wychowane przez dziadków, a jednak wyrośliśmy na porządnych ludzi, co nie? – Powiódł wzrokiem po zebranych, a oni pokiwali głowami. – Takie czasy! Młoda jest, a ty byś od razu chciała przykuć ją do dziecięcego łóżeczka.

– Wszyscy jesteśmy dorośli i odpowiadamy za swoje czyny. Jeśli była dość dorosła, żeby zajść w ciążę, a od jedzenia cukierków się to nie zdarza, to powinna też być dość dorosła, żeby spędzać czas ze swoim dzieckiem.

– No, Lidka, daj już spokój! – zirytowała się Danka. – Chyba jej nie zazdrościsz, co? Mimo ciąży i porodu zdała prawie wszystkie egzaminy. Tylko na historii państwa i prawa się wyłożyła, jak reszta grupy zresztą. A publicznie potępiać jest bardzo łatwo. Nie wiesz, jak byś się zachowała w jej sytuacji, dlatego proszę cię, nie oceniaj Moniki.

– Dostaliśmy mocnego kopniaka w dupę od naszych kochanych przywódców – włączył się do rozmowy Heniek. – Teraz choćby nie wiem co powinniśmy się trzymać razem. Będzie nam to po wakacjach cholernie potrzebne! Kto idzie na papierosa? – zawołał.

Podniosła się Anka, Stasiek i Andrzej, Lidka też opuściła swoje miejsce przy stole, a patrząca wciąż w pusty talerz Monika nie miała śmiałości podnieść wzroku.

– Cholera, tyle kanapek z mielonką zostało! Mam to wszystko sama zjeść?! – niby to oburzyła się Danka, po czym podeszła do Moniki i przytuliła ją serdecznie. – Z czasem przywykniesz. Ona nie jest zła, ale wiesz, to oazówa, jadąc tramwajem, klepie różaniec. Ciekawe, jak by się zachowała w twojej sytuacji?

– Wiem, że zrobiłam źle. Wiem, że do końca życia będę żałować – głucho odparła Monika. – Nikt mi tego nie musi mówić. To grzech, który na zawsze obciążył moje sumienie. I możesz mi wierzyć lub nie, ale codziennie o tym myślę.

– Daj spokój, znamy się nie od dziś! Przeszłam to razem z tobą. Nic mi nie musisz mówić. Czasem człowiek popełni błąd. Nie rodzimy się aniołami.

Nagle z ogrodu przez uchylone okno kuchni zaczęły dobiegać odgłosy sprzeczki, a nawet kłótni.

– To wszystko przez was, to wy, Żydzi, wszczęliście tę burdę na uczelni. A wiecie, jak to jest nie dojadać, bo się nie ma na chleb? Ktoś z was tego doświadczył? Wszyscy macie bogatych tatusiów w ministerstwach i KC. Bananowa młodzież. Na co wam to było? Coś osiągnęliście? Bo nie widzę jakichś zauważalnych efektów. Teraz nam przykręcą śrubę, będzie jeszcze dwa razy więcej agentów i już każdy będzie się musiał zapisać do ZMS! – prawie płacząc, krzyczała Lidka.

– Co się mądrzysz, nawet nie podpisałaś listy poparcia! – warknęła Anka.

– I co? Teraz będziecie oceniać ludzi po tym, czy byli, czy nie byli na *Dziadach*?! Czy podpisali, czy nie podpisali? Czy zostali spałowani, czy nie? Czy ich ubecja zapuszkowała? A może nie każdy musi się angażować w politykę?!

– No nie, zabiję ją! – wściekła się Danka i poderwawszy się od stołu, wybiegła na dwór. – Czy ty się nie potrafisz zachować?! Najpierw Monika, potem chłopaki! Ktoś ci na odcisk nadepnął, że się tak rzucasz?! Nie angażuj się, ale potem morda w kubeł, rozumiesz?!

– Tacy niby wykształceni, tacy mądrzy jesteście! – mówiła coraz bliższa płaczu Lidka. – Może dla was wywalenie ze studiów to głupstwo. Ale ja nie miałabym po co wracać do domu. Cała rodzina się składała na moje studia, ktoś z was jest sobie to w stanie wyobrazić? Wiecie, co to znaczy?! – Chlipnęła i odeszła w głąb ogrodu, a potem ze spuszczoną głową usiadła na trawie.

– Co ją ugryzło? – zapytała Danka, a Stasiek, wziąwszy ją za łokieć, odszedł kilka kroków w kierunku domu i powiedział szeptem:

– Polski katolicyzm starł się właśnie z żydowskim komunizmem.

Danka popatrzyła na niego z uśmiechem pobłażania.

– A moja teoria jest taka, że mamy tu do czynienia z trójkątem: Monika – Heniek – Lidka. Reszta to zasłona dymna.

– Nie gadaj! – Stasiek aż się odwrócił i popatrzył na Lidkę, która objąwszy dłońmi kolana, położyła na nich głowę. Nikt sobie nie zadał trudu, aby sprawdzić, czy przypadkiem nie płacze.

Kiedy po południu zeszli na Krupówki, Lidka została w domu. A po powrocie oświadczyła, że wraca nocnym pociągiem do Warszawy. Heniek i Stasiek odprowadzili ją na dworzec i niby wszystko wróciło do normy, ale jakoś humory im się zwarzyły.

– Nie mogliśmy się po prostu wygłupiać, jak to studenci? – marudziła Danka. – Po co nam te swary, polityka i w ogóle?

– Nigdzie nie uciekniesz od polityki – smutno powiedział Stasiek. – My się już nie spotkamy na drugim roku.

– Jak to? – nie rozumiała Monika.

– Relegowali nas. Za wszczynanie burd.

– To dlaczego wypuścili was z więzienia? A potem z wojska? Nie mogli was tam zostawić?

– Władza jest wielkoduszna, ale mores musi być, żeby nasi naśladowcy dwa razy się zastanowili, zanim zaczną coś podobnego.

– Gdyby robotnicy nas poparli, może byłoby inaczej... – głośno zastanawiał się Heniek.

– A co oni mieli do *Dziadów*? – nie rozumiała Danka.

– Przecież nie o *Dziady* chodzi, tylko o całokształt. O to, że to nie jest żaden socjalizm, tylko jakaś autokracja dla swoich, że ubecja rządzi krajem, że wzniecają nienawiść jednych przeciwko drugim. Robotnicy powinni to wreszcie zauważyć. Sami studenci nie dadzą rady. Dlatego powinniśmy zacząć z nimi współpracować.

– Moi rodzice mówią coś o wyjeździe – cicho powiedział Stasiek.

– Dokąd? – nie rozumiała Danka.

– Tam, gdzie nasze miejsce...

– A gdzie jest wasze miejsce? – Monika również nie chwyciła aluzji.

– W Izraelu.

Danka zachichotała nerwowo, a Monika przygryzła policzek.

– Przecież wy nie jesteście... Jesteście Żydami?

– Żeby była jasność, ja się tam nigdzie nie wybieram! – buńczucznie oświadczył Heniek i zebrawszy się wreszcie na odwagę, wziął dłoń Moniki i pocałował.

To wyznanie speszyło ją, ale nie miała siły, żeby wyciągnąć rękę. Tak, chciała miłości, chciała czułości, całowania po rękach i nie tylko, ale nigdy nie myślała o tym w kontekście Heńka! Z Heńkiem byli wyłącznie przyjaciółmi. Na dodatek patrzył na to wszystko Stasiek! Monika nie miała pojęcia, jakie to na nim zrobiło wrażenie. Uśmiechał się lekko, nie wiadomo, skonsternowany czy zadowolony. Sytuacja stawała się niezręczna.

– Jutro ma być ładna pogoda, może byśmy się wybrali do Doliny Kościeliskiej, co? – rzuciła lekko Danka, a wszyscy pokiwali głowami na zgodę.

Monika uznała, że musi wykorzystać wycieczkę i załatwić swoje sprawy ze Staśkiem. Przynajmniej zapytać go, co o niej sądzi i czy mają przed sobą jakąś wspólną przyszłość. Nie była panienką z dobrego domu, urodziła dziecko, ale tego na szczęście akurat Staśkowi nie musiała mówić. Wiedział o niej dostatecznie wiele, aby powiedzieć wprost: tak lub nie. Trochę szyki pomieszał jej Heniek tym swoim całowaniem. Owszem, to było miłe, ale jakoś niezręcznie wyszło. Stasiek to widział i teraz wszystko trzeba będzie wyjaśniać. Szła więc nieco z tyłu, szukając momentu, kiedy zdoła pogadać ze Staśkiem sam na sam. Szczęśliwie grupa się rozciągnęła, a on przystanął, aby zawiązać but. Kiedy się wyprostował i zauważył ją tuż obok, uśmiechnął się.

– Naprawdę chcecie wyjechać? – zapytała, nie tracąc czasu.

– Ja nie chcę, ale rodzice mówią, że czują się zaszczuci. Ojca zwolnili z pracy. Każą nam się przeprowadzać do jakiegoś mniejszego mieszkania. Matka mówi, że tego drugi raz nie przeżyje. Trwa polowanie na Żydów, jak przed wojną i podczas okupacji. Oni to wszystko widzieli. Mają zbyt świeże wspomnienia, nie chcą nas narażać.

– Przecież tak bardzo chciałeś studiować! Jesteś znakomitym studentem!

– Najpierw mnie nie przyjęli, a teraz wyrzucili! Dobrze chociaż, że zostałem dopuszczony do egzaminów, przynajmniej nie straciłem roku. Zresztą studiować można wszędzie.

– I co teraz zrobisz?

– Nie mam pojęcia. Trwamy w takim dziwnym stanie. Jednego dnia mama pakuje walizki, drugiego rozpakowuje. Coś się musi wydarzyć, co nas pchnie w którąś stronę. Tu albo tam.

– Ty nie możesz wyjechać… – prawie z płaczem powiedziała Monika. – Błagam, nie wyjeżdżaj! Jakoś damy sobie tu radę. Bo ja… Bez ciebie… Ja nie chcę żyć!

Spojrzał na nią wzrokiem człowieka, który przejrzał na oczy.

– Więc ty?… O Boże!… Monisiu… – Wyciągnął ręce i przytulił ją, całując w czoło. – Moja kochana! Co mam ci powiedzieć… Biedny Heniek. Naprawdę jest w tobie zakochany. Będzie nieszczęśliwy. Wszyscy będziemy nieszczęśliwi. Widać taki już nasz los…

Przez dłuższą chwilę stali objęci i milczący, a on nie wiedział, jak jej wyznać to, czego się wciąż nie domyślała i co zburzy jej z takim trudem od niedawna poskładany świat.

– Wiesz, że bardzo cię lubię. Bardziej niż bardzo. Wiesz o tym, prawda? – kluczył.

– Mhm… – powiedziała wciąż wtulona w jego koszulę.

– Problem w tym, że bardzo się różnimy.

– Ale ja nie mam nic przeciwko Żydom! Jeśli zechcesz, mogę nawet zmienić wyznanie! Pojadę za tobą, dokądkolwiek mi każesz! Tylko proszę, nie zostawiaj mnie teraz! Nie masz pojęcia, jak potrzebuję kogoś, kto mnie zrozumie, kto nie będzie mnie oceniał. Tylko ty możesz sprawić, że będzie mi się chciało jeszcze żyć po tym wszystkim!

– Mogę ci obiecać, że nigdy nic się między nami nie zmieni. Nigdy. Tylko tyle mogę ci obiecać.

Monika odsunęła się i spojrzała Staśkowi w oczy.

– Tylko tyle?… Dla mnie to aż tyle.

– Zrozum… Możemy być tylko przyjaciółmi…

– Dlaczego? Nie kochasz mnie?

– Kocham, jak przyjaciółkę. Bo ja nie jestem taki, jak myślisz. Nie jestem takim mężczyzną. Nie pociągają mnie kobiety. Rozumiesz?

Opuściła ręce i patrzyła na niego otępiała z bólu.

– Pokochaj Heńka. On jest normalny. Będzie dobrym mężem.

Zajezierzyce,
wtorek 30 sierpnia 2016, 18:30

Nie będę na kolacji. Jadę z Maćkiem do Warszawy – powiedziała Mia, wychodząc z łazienki.

– Umyłaś z tego powodu głowę?! – zdziwiła się Elena.

– Tak, bo może poznam jego rodziców.

– Po trzech dniach znajomości jedzie przedstawić cię swoim rodzicom? Nie przesadzacie aby?

– Spokojnie, po prostu się z nim przejadę do towarzystwa, przecież nie będziemy się zaręczać!

– Mam nadzieję.

Mii zrobiło się przykro. Podeszła do matki i objęła ją czule.

– Nie dąsaj się, proszę!

– On nie jest dla ciebie! To kiepska partia. Chcesz zaprzepaścić dorobek dziadków i całe swoje życie oddać chłopakowi znikąd?!

Mia westchnęła głęboko.

– Tak, chcę zrobić dokładnie to co ty, mamo.

Monika nie była specjalnie dumna z siebie. Pod żadnym pozorem nie powinna przeciwnikowi odkrywać kart. Ale tak ją wkurzył ten Grzesiek, że puściły jej nerwy. Ależ to samolub i prostak, że też życie niczego go nie nauczyło! Jedyna nadzieja w relacji, jaką nawiązała z Maćkiem Podedworskim, zresztą teraz miała już więcej niż nadzieję, że on Długołąki Hryciowi nie sprzeda. Ale przecież tak bardzo chciała pomóc temu chłopakowi. Bardziej, niż wypadało. Co zrobić? Jak to ugryźć?!

Tymczasem była jeszcze ta sprawa z odszkodowaniem. Ktoś przecież w końcu weźmie to zlecenie, nie odmawia się posłowi partii rządzącej. Chyba trzeba przestrzec panią Hryć, że szwagier niekoniecznie chce jej dobra. Pewnie ona już to zresztą sama wie, ale wypada biedaczkę przygotować. Tylko kiedy? Teraz? Od razu? Czy po pogrzebie? Nie ma dobrej chwili dla złych wieści, jednak Monika wyznawała zasadę, że im szybciej, tym lepiej, dlatego wyjęła komórkę i zadzwoniła do pani Hryć. Ta po kilku sygnałach odebrała zbolałym głosem.

– Tak, słucham.

– Pani Heleno, proszę przyjąć wyrazy współczucia.

– Dziękuję.

– Jeśli mogłabym w czymkolwiek pomóc…

– Dajemy sobie radę. Wyręcza nas firma pogrzebowa.

– Rozumiem. Nie wiem, czy to dobry moment, ale chciałabym panią ostrzec, że poseł Hryć chciał mnie wynająć do postawienia zarzutów wobec ratusza…

– Więc jednak nie zrezygnował?!

– Wygląda na to, że nie. Odmówiłam oczywiście, ale gdyby pani chciała, możemy te dwie kwestie połączyć.

– Nie wiem, czy chcę zadzierać z burmistrzem. Zresztą to chyba nie będzie łatwe do udowodnienia. Nie jest przecież oczywiste, że to urząd przyczynił się do śmierci męża. Mój szwagier może mieć nadzieję na korzyści polityczne. On i burmistrz są z różnych partii. Nawet dla sportu będzie chciał mu zrobić krzywdę. Taki to człowiek. A teraz mam zupełnie inne zmartwienie, ktoś nas szkaluje w Internecie. Nawet wiem kto. Nasz były uczeń, a obecnie konkurent. Podejrzewam, że również on stał za podważeniem wyników konkursu.

– To poważne oskarżenia! – stwierdziła Monika.

– Mówię nieoficjalnie, ma się rozumieć. Nikogo jeszcze nie oskarżam, ale mam wiadomości z dwóch niezależnych źródeł.

– Może spróbować mediacji?

– Tak chyba zrobię, chociaż wobec kogoś, kto dopuścił się takich rzeczy, mediacja może okazać się nieskuteczna.

– W każdym razie bez względu na tamtą sprawę proszę pamiętać, że jestem do dyspozycji.

– Naturalnie. A ja pomyślałam, że może dobrze byłoby zrobić porządek w piwnicach, muszę się przecież czymś zająć, żeby nie zwariować.

– Będę wdzięczna za każdą informację.

Helena odłożyła telefon i westchnęła głęboko. Na każdym kroku dotkliwie odczuwała brak męża. Każda jej myśl biegła ku niemu, chciała właśnie zapytać go, czy opukiwanie ścian ma w ogóle jakiś sens i jak sprawdzić podłogi, bo polubiła tę adwokatkę i chciałaby jej jakoś pomóc. Właściwie pomagałaby nie tyle jej, ile zleceniodawcy. Komuś, kto z domu, gdzie przeżyła ostatnie dwadzieścia lat i który traktowała jak swoje miejsce na ziemi, wywodził własne korzenie. I jeśli prawdą jest ta powieść, którą pobieżnie przekartkowała, związana z tym domem historia tamtej rodziny i tamtej cukierni jest o ponad sto lat starsza od jej własnej. Więc przy czym się tu upierać, jak nie pomóc? Po cóż fałszować prawdę? Trzeba z podniesionym czołem powiedzieć sobie: tak, tu mieszkali inni ludzie, kto inny zbudował ten dom, sprzedawał tu artykuły spożywcze i piekł swoje ciasta. Czemu miałaby się upierać, że nikogo przed nią nie było? Po co zakłamywać historię? W miasteczku mieszkali Żydzi, którzy zginęli, zamordowani w okrutny sposób. A Amor był kiedyś Aniołem. To wszystko prawda.

Teraz, doznawszy sama bolesnej straty, Helena pomyślała, że powinna zaprosić te kobiety, spadkobierczynie po Cukiermanach, i pokazać im dom. Żałoba wyczuliła ją na cudzą krzywdę. Ile teraz rzeczy się zmieni! Trzeba będzie przyzwyczaić się do życia na nowo, przejąć część obowiązków Waldka, zanim Zbyszek nauczy się być nie tylko podwładnym, ale i szefem. Na razie jest zbyt młody, żeby dowodzić ludźmi. Powinien z własnej woli pozostać tu, na swoim stanowisku, a szefem produkcji jeszcze przez jakiś czas powinien być kierownik zmiany. Tylko jak to przeprowadzić, przecież od kiedy się spotyka z tą dziewczyną, Zbyszek tak zhardział, że nie da się mu nic powiedzieć, wszystko traktuje jak zamach na swoje prawa.

Helena westchnęła i zadzwoniła do pasierbicy. Iga niemal od razu odebrała.

– Co tam? Jak się czujesz?

– Nic. Pustka. Niedowierzanie. Zbyszek pojechał do Płocka, bo przecież nie usiedzi nawet jednego wieczora na miejscu, a ja siedzę sama. Aha, okazało się na dodatek, że ktoś nas hejtuje w Internecie. O ile dobrze wypowiedziałam ten zwrot.

– Dobrze. A co to znowu za historia?

– Zbyszek to zauważył. Wiemy już nawet, kto to. Zgadniesz?

– Chyba nie stryjek? – ze śmiechem zapytała Iga.

– Nie, chociaż to do niego podobne. Zagańczyk, wyobrażasz sobie? Oczywiście przez podstawionych ludzi i nic mu nie zrobimy.

– Niech go szlag! – niemal krzyknęła Iga. – To pewne? Skąd wiesz?

– Zbyszek mówi, że wszyscy, którzy wpisywali negatywne komentarze na Facebooku, są znajomymi Zagańczyka, a kuzynka Katii, która u niego kiedyś pracowała, powiedziała, że wręcz nakazał pracownikom i ich rodzinom to robić.

– Ale tak jawnie? Co mu z tego przyjdzie?!

– Waldek mi mówił, że to wasz były uczeń?

– To długa historia. Przepraszam cię, ale Xavier z dziećmi wrócił i chciałabym im poświęcić trochę czasu. A może przyjedziesz do nas na kolację?

– Nie, dziękuję. Połknę tabletkę i położę się spać. Nawet mnie nie interesuje, o której wróci Zbyszek.

– No pewnie, w końcu nie jest dzieckiem. Chociaż mógłby ten wieczór spędzić z tobą.

– I tak by siedział w swoim pokoju przed komputerem. Człowiek jest taki samotny… – westchnęła Helena.

– A może chcesz, żebym do ciebie przyjechała?
– Nie, zajmij się dziećmi. Dam sobie radę. Dobranoc.

Iga zakończyła połączenie i przez dłuższą chwilę zastanawiała się, czy nie powinna jednak pojechać do Gutowa. Wstrzymała ją tylko informacja, że Helena zamierza wziąć coś na sen. Ale chyba nie teraz, nie o siódmej? Jeśli teraz zaśnie, obudzi się przed czwartą! I nim jeszcze zdążyła pójść do dzieci, aby z nimi porozmawiać o śmierci dziadka, usłyszała sygnał telefonu. Rozmowa była z nieznanego jej numeru.

– Słucham.
– Iga?
– Kto mówi?
– Krzysiek.
– Jaki Krzysiek?
– Zagańczyk. Chciałem ci złożyć kondolencje.
– Skąd masz mój numer?! – zapytała wściekła.
– To nie było takie trudne.
– Nie mamy sobie nic do powiedzenia! – powiedziała stanowczo i rozłączyła się, telefon jednak zadzwonił znowu.
– Porozmawiaj ze mną…
– Nie mamy o czym!
– Iga… Jak ja na to czekałem…

Chciała wykrzyczeć wszystko, że zabił jej ojca, że szkaluje jego pamięć i firmę, ale nie mogła nic powiedzieć, bo stała w kuchni i lada chwila mógł tu wejść Xavier lub któreś z dzieciaków.

– Nie dzwoń do mnie, rozumiesz?! Nigdy! – syknęła wściekła.

– Iga... Proszę, powiedz coś... Powiedz, że rozumiesz. Przecież to nie moja wina.

– Zemściłeś się?! Wreszcie nasyciłeś swoją potrzebę skrzywdzenia mojego ojca? Co teraz zamierzasz? Może podpalisz cukiernię albo hotel? Bo ty się nigdy nie opamiętasz, prawda?! Nigdy nie dasz nam spokoju?!

– Przecież ja nie chciałem, żeby on umarł.

– Chciałeś tylko pokazać, jak bardzo się wobec ciebie pomylił, tak?! I jak bardzo cię skrzywdził. I jak bardzo ja cię skrzywdziłam! Po dwudziestu latach ty wciąż pamiętasz! To niepojęte.

– Nigdy nie zapomnę.

– To jest chore, wiesz?! Powinieneś się leczyć!

– Na to nie ma lekarstwa.

– Ale są sądy! Szkalujesz nas w Internecie. Każesz ludziom pisać bzdury. Wszystko po to, żebyśmy cię nigdy nie zapomnieli? Kogo teraz chcesz wykończyć? Helenę?

– Ona mnie nie obchodzi.

– To uważaj, bo jeśli jej spadnie choćby jeden włos z głowy, będzie po tobie!

– Iga... Jak ja czekałem...

– Też sobie znalazłeś okazję! Wyłącz się już i nie dzwoń do mnie więcej! – powiedziała, ale nie rozłączyła się. – I skończ wreszcie tę farsę.

– Zrozum, ja nie mogę. Nigdy nie przestanę. Ja nie zapomniałem...

– Więc zgłoszę na policji, że nas nękasz!

– Spotkaj się ze mną... Proszę...

– Nigdy, rozumiesz?! Nigdy!

Gutowo, sierpień 1968

Po śmierci Mundka wieś patrzyła na Teresę niechętnie. Nikt jej nie uwierzył, że obiecała wyjść za niego za mąż. Wiedzieli, że przez tyle lat go odrzucała, więc skąd ta nagła zmiana? Zwłaszcza teraz, kiedy siedzi na urzędzie, na co by jej był taki Mundek? Matka chłopaka również podsycała złość wioskowych do Teresy, widząc w niej główną winowajczynię śmierci syna. Zakazała nawet Teresie przychodzić na mszę i pogrzeb, co stało się powodem kolejnych plotek. Babka Bronia próbowała mediacji, jednak nie na wiele się to zdało. Teresa się tak znowu żywo nie broniła, bo to przecież ona posłała Mundka po ciastka do Gutowa. Gdyby został we wsi, to może by nie zginął, w każdym razie nie wtedy. Co tam się stało na drodze, nie wiedziała, jednak była przekonana, że to nie było samobójstwo. Po pierwszym wstrząsie w gruncie rzeczy poczuła ulgę. Widać Bóg nie chciał tego małżeństwa – powtarzała sobie, aby stłumić wyrzuty sumienia, co brzmiało dziwnie w ustach komunistki, za jaką we wsi uchodziła.

A wieś stanęła murem po stronie starej Bystrej, dlatego babka Bronia poradziła Teresie zakręcić się wokół tego mieszkania obiecanego przez towarzyszkę Wypych, bo w Zajezierzycach prędko o Mundku nie zapomną i długo jeszcze nie będzie mieć spokoju. Szefowa wywiązała się z obietnicy i zasugerowała prezesowi spółdzielni Odnowa dopisanie Teresy do listy lokatorów we właśnie oddawanym bloku na Piaskach. Był to zaledwie pokój z kuchnią, tuż pod lasem. Daleko, ale Teresa nie narzekała. Duże, słoneczne pomieszczenia z ogromnymi oknami, pachnące świeżością i… puste. Z domu rodzinnego niewiele mogła zabrać. Ot, poduszkę, jakąś derkę, garnek. Wszystko inne było im tam potrzebne, ale przepełniona radością nowego życia, Teresa nawet niczego nie chciała. Dzięki pożyczce z ORS-u kupiła podstawowe rzeczy, bo przyzwyczajona do biedy, potrzebowała ich naprawdę niewiele.

Chciała pokazać matce mieszkanie, kiedy już troszkę je urządzi, i źle się stało, że zwlekała, bo Wiesława Kuszel pewnej sierpniowej nocy niespodziewanie zmarła. Od dawna chorowała na żołądek, nie chciała jednak iść ponownie do szpitala, cierpiała więc w milczeniu. Może by ją tam uratowali i pożyłaby jeszcze rok lub dwa? Ale matka się wzbraniała, jakby egzystencja, jaką wiodła, nie miała już dla niej zbyt wiele sensu.

Stojąc nad jej grobem, Teresa nie mogła sobie darować, że tak się pośpieszyła z wyprowadzką. Ale przecież nikt nie podejrzewał, że matka jest tak bardzo chora. Przecież gdyby się tego domyślała, Teresa oparłaby się pokusie ucieczki do miasta, poczekałaby miesiąc czy dwa, wzięła wolne, czuwała przy niej we dnie i w nocy. Jednak nikt się nie spodziewał, że Wiesława tak prędko odejdzie. Może babka, ale ona też wyglądała na zaskoczoną. Wszyscy przyzwyczaili się już do tego, że Wiesława jest chora, że niewiele robi, że tylko kręci się po domu, wiecznie zgięta w pałąk, że narzeka na ból. Ostatnio coraz częściej kładła się do łóżka. Ale oni, zajęci swoimi troskami, zagonieni, nawet nie zapytali, czy nie wezwać pogotowia. Zresztą na pewno by im zabroniła.

Teresę śmierć matki zabolała bardziej, niż się spodziewała. Do tej pory gotowa była przypuszczać, że to z babką jest najmocniej związana. Matka była dla niej trochę jak siostra, trochę jak kuzynka. To do babki Teresa szła po radę, po pieniądze, po pociechę i pomoc. Matka, długo nieobecna w jej dzieciństwie, nigdy się chyba nie doczekała zwierzeń czy czułości. Zresztą Teresa raczej nie była do nich skłonna. Ale teraz w domu babki zrobiło się strasznie pusto. I trzeba było pomyśleć o dzieciakach. Babka nie zgodziła się, aby zamieszkały z Teresą. Chociaż miałyby blisko do szkoły, ona tu, w Zajezierzycach, pozostałaby nagle całkiem sama. A przecież miała już swoje lata. Zawsze pracowała ponad siły, często nie dojadając. Teresa wolała, aby ktoś ją miał na oku, bo kiedy tylko nieśmiało wspomniała o likwidacji gospodarstwa, babka podniosła taki rwetes, że trzeba było czym prędzej zmieniać temat. Ona miastową nigdy nie zostanie! Przecież w takim bloku to nawet nie ma czym oddychać! Miałaby zabić wszystkie kury i świniaki? A co by robiła całymi dniami? Wyglądała przez okno? Chyba Teresa chce ją do grobu wpędzić, bo lepsza już śmierć niż takie życie na wygnaniu. Babka Bronia nie wyobrażała sobie życia bez pracy. Jakie obowiązki miałaby w takim Gutowie? Z czego by żyła?

I tak temat przeprowadzki został zamknięty, a Teresa zmuszona do mieszkania na dwa domy. Cieszyła się, że nie ma jeszcze rodziny, bo kiedy tylko chciała, mogła zanocować w Zajezierzycach i następnego dnia prosto z autobusu pójść do pracy. Mąż i dzieci mocno by jej to utrudniali, jednak wciąż pamiętała o małej i nie przestała hodować w sobie nadziei na to, że wkrótce zostanie matką.

Własne mieszkanie było pierwszym krokiem do celu. Potem zaczęła przepytywać towarzyszkę Wypych, jak adoptuje się dzieci. Niby kuzynka chciałaby, bo już dobiega czterdziestki i chyba się nigdy własnych nie doczeka. Otrzymawszy wyjaśnienie, po jakimś czasie Teresa zwierzyła się z kłopotu innej kuzynki, która zostawiła dziecko w szpitalu, nie mając warunków, aby je sama wychować.

– Popatrz, co to za ludzie! – Towarzyszka Wypych potrząsała trwałą ondulacją.

Nie potrafiła zrozumieć, choć w swej praktyce widziała i wiedziała o niejednym. Mimo wytężonej pracy członków partii, w tym jej samej, nawet w takim Gutowie wciąż żyli ludzie nieuświadomieni i – to znacznie trudniej przechodziło jej przez gardło – żyjący w ubóstwie.

Teresa nazmyślała, ile to problemów ma biedna nieistniejąca kuzynka, aż się szefowej zrobiło żal i nawet zaczęła jej trochę współczuć. Wtedy Teresa wpadła na pomysł, że zaprosi towarzyszkę Wypych do siebie na osiedliny. Trzeba było przecież godnie podziękować. Nauczyła ją tego babka, która za doznane dobro zawsze dwukrotnie większym dobrem się odwdzięczała. W tym przypadku jednak trudno by jej było wprowadzić w życie tę zasadę. Kupiła więc tylko wermut i ciastka od Hryciów i kiedy już sobie troszkę popiły, zwierzyła się ze swojego pomysłu.

– Ale po co ci cudze dziecko?! – przeraziła się towarzyszka Wypych. – Przecież z dzieckiem to już żadnego chłopa nie złapiesz!

– Mnie chłop do niczego niepotrzebny. Tak patrzę na towarzyszkę i widzę, że i bez chłopa żyje się całkiem dobrze.

– Dobry chłop nie jest zły, co ci będę opowiadać. A że o takiego niełatwo, to insza inszość. Po co ci dziecko, w twoim wieku, i to cudze? Wybacz, ale nie rozumiem.

– Ja też nie, możecie mi wierzyć. Tylko że ciągle mam ją przed oczyma, jak tam płacze bez matki. Bez przerwy o niej myślę. Nawet wyjść za mąż chciałam, żeby było łatwiej o adopcję. Pomóżcie mi, dla was nie ma rzeczy nie do załatwienia!

– Co ja tam mogę… – z udawaną skromnością odparła towarzyszka Wypych i elegancko unosząc mały palec, upiła łyk wermutu. – Ale spróbować nie zaszkodzi. Tylko żebyś potem nie żałowała, bo cudze zawsze będzie cudze. No i matka się kiedyś może znaleźć, a jeśli ono się dowie, to też nie będzie szczęśliwe. Widziało się trochę takich spraw i ludzkich problemów. Dlatego daj sobie odrobinę czasu, a ja będę działać.

Teresa przystała na tę propozycję. Zresztą bez towarzyszki Wypych nic by się pewnie nie udało. Po pierwsze: gdzie szukać dziecka? Przecież nie chodziło o pierwsze lepsze dziecko, tylko o tę jedną jedyną dziecinę, córkę Moniki. Czasem przed snem Teresa zastanawiała się, czy wszystko by się inaczej nie potoczyło, gdyby nie ten wiec.

Gdyby jej szefowa nie zdobyła podstępem tak wysokiego stanowiska i pierwszym sekretarzem nadal w Gutowie był Kazimierz Janiuk? Czy wtedy też córka Moniki byłaby skazana na dom dziecka? Janiuk byłby nadal szychą, a ojciec dziecka najpierw by się dwa razy zastanowił, zanimby zostawił taką partię jak Monika. Chociaż, kto wie, może ona się tym nawet nie chwaliła? Teresa nie bardzo się znała na mężczyznach, ale raczej nie miała o nich dobrego zdania. Ci, których spotkała na swej drodze, rzadko budzili jej podziw. Natomiast podziwu godnych kobiet spotykała wiele. Zabawne, że im słabszy, bardziej leniwy i więcej pijący był mężczyzna, tym kobieta musiała być silniejsza, bardziej pracowita i zaradna. Skąd brała się ta dysproporcja? Może starsza pani Wypych ją kiedyś uświadomi. Pijących kobiet Teresa znała niewiele, choć musiała przyznać, że spotykała i takie, ale to już były ostatnie szmaty. A o pijącym facecie nikt nigdy nie powiedział, że jest łajdak. Chyba że żona w złości. Mężczyźni po prostu z jakiegoś powodu musieli pić. I zawsze uchodziło im to na sucho. Najwyżej co poniektóry dostał od żony ścierką po łbie. Natomiast niepijący był zawsze podejrzany. Że taki delikatny, może nawet nie facet? Młodych chłopaków w Fablaku starsi robotnicy najpierw przyuczali do picia, dopiero potem do roboty.

A Teresie marzył się niepijący. Taki jak ten nauczyciel Stanisław. Może to głupie, ale dopiero teraz, kiedy ją odrzucił, zrozumiała, że nie pasowaliby do siebie. Prawdopodobnie lepiej by się dogadała z Mundkiem. Wspólne tematy, oto co łączy. Wspólne doświadczenia. Kim mogła być dla tego nauczyciela? On zawsze z nosem w książkach, a ona zalatana za groszem. Nawet maturę zdawała na dwa razy. Do niej pasował ktoś zwyczajny, jakiś robotnik z Fablaku albo traktorzysta z kółka rolniczego w Zajezierzycach. Nie warto za wysoko skakać. Zwłaszcza teraz, kiedy podjęła tak ważną decyzję.

Dni mijały, a towarzyszka Wypych nie miała jej nic do powiedzenia. W każdym razie nie podnosiła tematu dziecka. Często zamykała się w swoim gabinecie, co znaczyło, że prowadzi ważne rozmowy z górą. Skończyły się pogaduszki i wspólne jedzenie pączków. Teraz wszystko było do zrobienia na już i Teresa musiała się maksymalnie skupić, żeby nie popełnić jakiegoś błędu. Wciąż pisała jakieś pisma na maszynie, chociaż kiepsko jej to szło i ciągle musiała zmieniać papier. A na dodatek szefowa co chwila nawoływała ją, aby „ruszyła głową". Do tej pory Teresa nie musiała się wykazywać samodzielnością, teraz jednak nadszedł czas spłaty zaciągniętego długu wdzięczności. Nie ze wszystkim sobie radziła, czasem aż jej się chciało płakać. Dzwoniła wtedy lub biegła do starszej pani Wypych, bo jej jednej mogła wierzyć, i prosiła o wskazówki. I tylko dzięki temu unikała wpadek.

Sprawa dziecka jakoś tak sama z siebie zeszła na drugi plan, Teresa nie wspominała o małej, bo szefowa miała inne zmartwienia. Aż pod koniec sierpnia stała się rzecz nieoczekiwana. Kiedy Teresa wychodziła z komitetu po skończonej pracy, ze zdumieniem zauważyła stojącą nieopodal Monikę. Co się mogło stać? Skoro wiedziała, gdzie może ją znaleźć, dlaczego nie weszła do budynku? Czyżby chodziło o dziecko? Jakimś cudem się dowiedziała? Od kogo? Na dodatek miała coś twardego, jakby karcącego w spojrzeniu. Teresa najchętniej by odeszła, ale Monika już ją zauważyła. Nie ruszyła się, tylko patrzyła w jej stronę. Robiąc dobrą minę do złej gry, Teresa podeszła do przyjaciółki.

– Serwus! Jak się masz?

– Ja? – z wyczuwalną ironią powiedziała Monika. – Powiedz mi raczej, jak ty się masz?

Teresa wzruszyła ramionami.

– Normalnie.

– Nic mi nie chcesz powiedzieć? Żadnego słowa przeprosin?

– Za co?

– Byłaś wtedy w Warszawie i niby to użalałaś się nade mną, a w rzeczywistości już sobie tu uwiłaś przytulne gniazdko! Aż trudno uwierzyć, że cię wzięła na sekretarkę, przecież nawet nie masz matury! Wszędzie ta protekcja i wpychanie swoich! – parsknęła z wyższością.

– Ale Monika… Ja… mam maturę.

– I tak tam sobie urzędujesz i skaczesz wokół niej, kiedy Kazimierz, stary partyzant, człowiek, który naprawdę wiele przecierpiał, a jeszcze więcej zrobił dla Polski, siedzi w tej zagrzybionej pakamerze na Owsianej!

– To moja szefowa… Co mogłam zrobić? Kim ja tu w ogóle jestem?

– Sama widzisz, że się nie nadajesz, ale grzejesz stołek. I taka niby współczująca przyjechałaś do Warszawy. Tak się nade mną litowałaś… Nie zastanowiłaś się, że pozbawiłaś mnie możliwości nauki?! Po tym wszystkim, co razem przeszłyśmy?

– Ale jak to?! – nie zrozumiała Teresa.

– Kazimierza już nie stać, żeby mnie utrzymywać na studiach. Kto by przypuszczał, że właśnie tobie to zawdzięczam!

Zdruzgotana Teresa stała niczym posąg ze wzrokiem wbitym w ziemię. Ze zdenerwowania zaschło jej w gardle.

– Ja przecież nie mam z tym nic wspólnego… – powiedziała cicho.

– I jeszcze tak się z człowieka naigrawać! Jak gdyby nigdy nic przynosić pączki! Nie wstyd ci?!

– Ale… Ja myślałam… Ja lubię pana Kazimierza. Było mi go żal, dlatego tam poszłam. Żeby go pocieszyć.

– Akurat od ciebie potrzebował pocieszeń! – zirytowała się Monika. – Najpierw z tą twoją Wypych wbijacie mu nóż w plecy, a potem podsyłacie pączki! W ogóle nie masz serca?! Przecież to jest stary, zmęczony człowiek! Nie mogłyście poczekać z tą intrygą?

– Z jaką intrygą?

– Żeby go wysadzić z komitetu za pomocą masówki. Zabrałyście mu stanowisko, bo się sprzeciwił partyjnej propagandzie! My tam, w Warszawie, narażaliśmy życie, a wy potupaliście sobie przez pół godziny w ciepłej hali i tyle! To takie wstrętne, że aż mi się robi niedobrze! Nigdy nie sądziłam, że z ciebie wyrośnie taka karierowiczka!

– Myśmy nic takiego nie zrobiły… Ja tylko namalowałam tablice.

– Naprawdę jesteś taka tępa czy tylko udajesz? Będziesz go miała na sumieniu przez całe życie!

– Ja nie wiedziałam…

– Ale drogę do Warszawy znałaś, prawda? I mój adres też!

– Nie mogę cię o wszystko pytać. Przecież to moje życie.

– Jesteś narzędziem partyjnej propagandy, przygniatającego naród potwornego kłamstwa! To jest wstrętne, oburzające, nieludzko okrutne! Mogłabyś chociaż przeprosić, ale nie, przecież wy nie przepraszacie! Zapomnij, że mnie kiedykolwiek znałaś! – krzyknęła Monika. Nie oczekując jakichkolwiek przeprosin, odwróciła się i zamaszyście poszła w stronę ratusza.

Teresa z szeroko otwartymi ustami odprowadzała ją wzrokiem, niczego nie rozumiejąc.

Zajezierzyce, wtorek 30 sierpnia 2016, 19:30

Iga siedziała przy stole i słuchała swoich dzieci, Natalii i Oskara, rozprawiających o wakacjach z tatą, spędzonych u rodziny w Anglii. Kochane dzieciaki! Byli już tacy duzi! Czuli się prawie dorośli, a brak mamy podczas wyjazdu dodatkowo im tę dorosłość uświadomił. Nikt nie troszczył się o to, czy się najedli, czy mają zawiązane buty, nikt nie zaganiał wieczorem do łóżka. Można by pomyśleć, że życie bez matki to istny raj! Iga uśmiechała się i nawet zadawała pytania, uzyskując jakieś odpowiedzi, które do niej nie miały szansy dotrzeć, bo jej myśli wciąż uciekały ku odległym czasom, kiedy uczniem rzemiosła cukierniczego był w cukierni Pod Amorem Krzysztof Zagańczyk.

Wysoki, przystojny blondyn z brązowymi oczami przyszedł pewnego wrześniowego dnia do jej ojca z pytaniem o możliwość odbycia praktyk zawodowych. Gdyby Waldemar Hryć zdawał sobie sprawę, ile nerwów będzie go kosztował ten uczeń, z pewnością powiedziałby mu, że wszystkie miejsca są już zajęte. Na dodatek Celina znała matkę chłopaka, więc nic nie wróżyło nieszczęścia. Pierwsze tygodnie upłynęły spokojnie. Poza przekonaniem, że zjadł wszystkie rozumy, Zagańczyk niczym szczególnym się nie wyróżniał. Miał usta pełne frazesów i każde zdanie zaczynał od „ja” lub „moim zdaniem”, a mówił nawet wtedy, kiedy nikt go o nic nie pytał.

Hryć jakoś to wytrzymywał, ale w końcu zwrócił chłopakowi uwagę, że praktyki w cukierni polegają na pracy, może czasem niewdzięcznej, może poniżej godności kogoś takiego jak on, a nie na wypowiadaniu własnego zdania. To rozpoczęło cichy konflikt między szefem a podwładnym. Temperowanie chłopaka, który, jak się okazało, był półsierotą, zajęło Hryciowi cały pierwszy rok. Tak bardzo go to zmęczyło, że zaproponował mu zrezygnowanie z praktyk u siebie. Był gotów nawet opłacić chłopakowi bilet miesięczny do Płocka, byle tylko się go pozbyć. Ale Zagańczyk błagał go na wszystko, żeby mu wybaczono, obiecał poprawę i rzeczywiście przez kilka tygodni drugiej klasy był z nim spokój. Waldemar nie znał przyczyny, nie domyślał się ani przez chwilę, że uczeń zapłonął gorącym uczuciem do jego córki.

Chodzili do różnych szkół, Iga do liceum, on do zawodówki, ale widać nie uznał tego za przeszkodę, bo jak mógł, starał się podążać jej śladem. Chodził na dyskoteki, żeby z nią zatańczyć, i nawet mu się to udało raz czy dwa, jednak ze strony dziewczyny nie było widać nawet cienia zainteresowania. Traktowała go z sympatią, ale wyłącznie jak znajomego, pozwoliła się odprowadzić do domu po dyskotece, ale nic więcej. Żadnego przytulania, obmacywania, całowania w ruinach zamku. Na najmniejszy sygnał z jego strony reagowała stanowczym: „Nie!”. Dziwił się, bo nie miała wtedy chłopaka. Patrzył w lustro i nie rozumiał.

A ona instynktownie wyczuwała w nim kogoś, kto jest bardzo daleki od jej ideału mężczyzny. Owszem, można się było z nim pokazać, ale już z rozmową było znacznie gorzej. Skupiony na sobie, niezainteresowany jakąś lekturą czy głębszą myślą, był płytki do bólu. Właściwie bardziej kręciły go samochody niż receptury ciast. Ciągle o nich rozprawiał, nawet w pracowni, gdzie powinien się skupić na robocie. Parę razy coś zepsuł i dostał ostrzeżenie. To poskutkowało. Hryć był zdziwiony, jakim jest znakomitym pedagogiem, bo chłopak zaczął się nagle uczyć, dopytywać, notować. Waldemar nie domyślał się chytrego planu, jaki młodzieniec uknuł sobie w głowie: ożeni się z Igą, która jest jedynaczką, i obejmie cukiernię Hryciów! Aby go zrealizować, potrzebował zgody obojga: ojca i córki, więc w drugim roku nauki był wzorem pracowitości. Idze się nie narzucał, wodził tylko za nią stęsknionymi oczyma, budząc wyrzuty sumienia. Zaprosiła go więc znowu na dyskotekę, stawiając jednocześnie sprawę jasno: nie chodzimy ze sobą, jesteśmy tylko przyjaciółmi!

Wytrzymał rok. A kiedy zobaczył Igę na ulicy z chłopakiem, zaczął ją śledzić. Przy okazji narzucał się na wiele sposobów, niemal co tydzień wyznając jej miłość, której nie potrafiła i nie chciała odwzajemnić. Stał się jej przykry do tego stopnia, że powiedziała o wszystkim babce, a ta synowi. Hryć kazał zostać chłopakowi po praktykach i przeprowadził z nim męską rozmowę, która nie odniosła pożądanego skutku poza tym, że Krzysiek narzucał się Idze nieco rzadziej.

Skąd czerpał przekonanie, że ona wreszcie ulegnie? Nie wiadomo, ale targnął się ponoć nawet na swoje życie, dzwoniąc do niej z informacją, że połknął opakowanie tabletek nasennych matki. Tuż po zakończeniu roku szkolnego Hryć powiedział mu stanowczo, że go zwalnia i żeby sobie szukał miejsca praktyk gdzie indziej. A po wakacjach się okazało, że w jednej z płockich cukierni sprzedawano kilka ciastek według ich receptury! Jak tam trafiły, nietrudno się było domyślić. Rozmowa z właścicielem rozwiała wszelkie wątpliwości. Miał niezwykle utalentowanego ucznia z Gutowa.

Hryć nie wyciągnął konsekwencji. Nie zgłosił kradzieży, nie wszczął sprawy w szkole, w sądzie ani w Izbie Rzemieślniczej. Machnął ręką na swoją krzywdę, nie chcąc tracić czasu na dochodzenie prawdy i nie bardzo ufając w jej zwycięstwo. Przekonany, że kradzione nie tuczy, nie roztrząsał sprawy i zaczął bardziej patrzeć uczniom na ręce oraz dokładniej przeglądać ich zeszyty praktyk. Ale chłopak nie odpuszczał. Jakby niczego nie zrozumiał, przychodził pod szkołę Igi, wyznawał jej miłość, pytał, dlaczego go unika, błagał o spotkanie, straszył, że zrobi sobie krzywdę.

Wreszcie do sprawy wkroczyła Celina. Pofatygowała się do matki chłopaka i opowiedziała jej wszystko po kolei. Nie wiadomo, czy ta interwencja poskutkowała, ale Zagańczyk zniknął na jakiś czas. Podobno zaczął pracować w Płocku. Znalazł sobie wdowę, właścicielkę cukierni, która się w nim zakochała, i choć starsza o ponad piętnaście lat, nie miała co do intencji chłopaka żadnych wątpliwości. Hryciowie odetchnęli. Docierały do nich skąpe informacje. Czasem przyszedł do nich po ciastka, niby dla matki, czego nie mogli mu zabronić. Zawsze był sam, zawsze nienagannie ubrany, jeździł drogimi samochodami. Wreszcie, dwa lata temu, wrócił na dobre. Postanowił założyć w Gutowie filię swojej płockiej cukierni i przystąpił do frontalnego ataku. Najpierw na reklamy, które były wszędzie i trochę klientów Hryciom odebrały, potem na negatywną propagandę szeptaną i internetową. Znalazł dojście do burmistrza i liczył na sukces podczas konkursu na Ciastko Roku, ale gutowianie nie zawiedli Amora. Może rzeczywiście słuszność była po jego stronie, teraz to już nie miało znaczenia. Waldemar Hryć przypłacił ten konkurs życiem. Dlatego Iga nie mogła i nie chciała słuchać udawanych westchnień. Telefon Zagańczyka zdziwił ją i rozdrażnił, zrozumiała bowiem, że przystąpił do kolejnego ataku i będzie musiała przed nim bronić Bogu ducha winną Helenę oraz brata.

Z zamyślenia wyrwał ją znów dzwonek telefonu. Na szczęście była to ta adwokatka i pisarka, Monika Grochowska-Adams. Jej książka napędzała rokrocznie wielu klientów tak cukierni, jak i hotelowi, dlatego Iga zawsze dawała jej duży rabat.

– Dobry wieczór, co słychać? – odezwała się do słuchawki, próbując przybrać radosny ton.

– Pani Igo, czy poświęciłaby mi pani pięć minut? Jestem w restauracji. Wiem, że to nie najlepszy moment, ale chyba mam dla pani propozycję biznesową.

– Już schodzę.

– Kto by pomyślał, że nasz barman okaże się dziedzicem Długołąki? – nieco na pokaz zachwycała się Tessa, która wraz z córką i wnuczką wróciła właśnie z Płocka.

– Jaki: nasz? – zdenerwowała się Elena.

– Może nieprecyzyjnie się wyraziłam. Ten barman Mii.

– Oj mamo, proszę cię. Daj już temu spokój. To dziecinada. Wiem, że chcesz mnie do niego przekonać, ale nikogo nie wyręczaj. Na wszystko przyjdzie czas.

– To mądre i słuszne! – wtrąciła się do rozmowy Monika. – Czas jest lekarstwem na wszystko... – powiedziała i natychmiast zreflektowała się, że popełniła gafę.

– Nawet na życie – spokojnie skwitowała Teresa.

Podeszła kelnerka i podała im karty. Wszystkie trzy zagłębiły się w lekturze, choć menu było krótkie i znały je już niemal na pamięć. Nim zdążyły zamówić, do stolika podeszła Iga Toroszyn.

– Dobry wieczór! Nie przeszkadzam?

– Skądże znowu! Zechce pani z nami usiąść? – zaproponowała Tessa.

Iga zawahała się przez chwilę.

– To nie tajemnica – uspokoiła ją Monika. – Z pewnych względów będzie nawet lepiej, jeśli porozmawiamy tutaj.

– Wobec tego z przyjemnością się dosiądę.

– Otóż przez przypadek poznałyśmy właściciela Długołąki. To znaczy tego majątku po Pawlaku – zagaiła Monika. – Obie, czyli ja i pani Steinmeyer, jesteśmy w pewnym sensie wychowankami Pawlaka i zależy nam na ocaleniu pamięci tego wspaniałego człowieka.

– Panie go znały! – wykrzyknęła Iga. – Ojej...

– Dość krótko co prawda – do rozmowy włączyła się Tessa. – Ale jego nauki pamiętamy do dziś.

– Był naszym mentorem – potwierdziła Monika. – Dlatego chciałybyśmy pomóc w odzyskiwaniu tej ziemi.

– A jaka jest propozycja?

– To dość skomplikowane. Ale rozmawiałam kilka godzin temu z właścicielem. Zależy mu na pieniądzach, to oczywiste, jednak zgadza się co do jednego: Długołąki nie można zniszczyć jakimiś wykopami! Żadnej kopalni żwiru kilkaset metrów od jeziora być nie może! – tłumaczyła Monika.

– Cieszę się, że pani to mówi! – Iga westchnęła z ulgą.

– A co by pani powiedziała na to, żebyśmy połączyły siły i razem kupiły tę ziemię?

Iga zmarszczyła brwi.

– Ale jak to?

– Zawiążemy spółkę i będziemy jakoś eksploatować te hektary. To do uzgodnienia. Ja myślałam o odbudowaniu dworku Pawlaka, ale chętnie wysłucham pani propozycji.

– Nie byłam na to przygotowana... Muszę się naradzić z mężem.

– Oczywiście. Nie pali się. Najważniejsze, że mamy zgodność co do meritum.

– Dziękuję, że panie o mnie pomyślały. Czuję się zaszczycona! To ważne zwłaszcza w tych dniach... Przemyślę tę propozycję. Pożegnam się już. Dobranoc! – powiedziała Iga i odeszła.

– A czemu on sam nie miałby się tym zająć? – po dłuższej chwili milczenia mruknęła Tessa.

– Bo jest goły jak święty turecki! – beznamiętnie westchnęła Elena.

Gutowo, wrzesień 1968

Jestem najszczęśliwszym człowiekiem na ziemi! – wykrzyknął wniebowzięty Heniek, a Monika pocałowała go w usta.

Jeśli ktoś ich wtedy widział na samym środku rynku, to pewnie westchnął z zazdrości, bo promienieli, uśmiechnięci, wpatrzeni w siebie, zakochani. Trzymali się za ręce i nic ich nie obchodziły plotkarki, które być może krzywiły się oburzone. Heniek tu zresztą nikogo nie znał, a Monice było wszystko jedno.

Sztuki obojętności zaczęła uczyć się kilka miesięcy wcześniej i dochodziła w niej do coraz większej wprawy. Nauczyła się nie myśleć o pozostawionym w szpitalu dziecku, o ukochanym, który nagle okazał się tylko przyjacielem, o innym przyjacielu, któremu powodowana rozsądkiem ze wszystkich sił próbowała teraz dać szansę. On jeden wiedział o niej wszystko. Na razie starała się uciszać wewnętrzne obawy, że może to kiedyś przeciwko niej wykorzystać, czuła jedynie ulgę, że o nic nie będzie pytał. Nie przerażała jej też różnica kulturowa, bo mimo że Heniek pochodził z rodziny żydowskiej, była to rodzina przedwojennych komunistów, niereligijna i niekultywująca tradycyjnych żydowskich zwyczajów, o których Monika nie miała przecież pojęcia. Zajęta sobą, nie zdążyła się nawet przestraszyć, że mogą jej nie przyjąć do swego grona.

Ale Heniek nie stawiał żadnych warunków, był szczęśliwy, że w ogóle zgodziła się z nim chodzić, radośnie planował wspólne życie i tylko bał się jej powiedzieć, że to już postanowione: jego rodzina wkrótce wyemigruje. Czy Monika zdoła to zaakceptować? Czy znajdzie w sobie gotowość do porzucenia rodziny, kraju, tego wszystkiego, co stanowi o jej tożsamości, i rozpoczęcia wszystkiego od nowa? A może to będzie koniec ich miłości? I dziś, tu, na gutowskim rynku, ona mu wreszcie powiedziała:

– Tak. Zostanę twoją żoną i wyjadę z tobą do Izraela.

Bramy nieba się przed nim otworzyły, a słońce zaczęło nagle świecić z podwójną intensywnością.

– Nie masz pojęcia, nie potrafisz sobie wyobrazić, jak potwornie się bałem… – powiedział ze łzami w oczach, które ona oceniła jako niegodne mężczyzny. To, co by jej się jeszcze trzy miesiące temu podobało u Staśka, teraz nagle zasługiwało niemal na pogardę. – Gdybyś się nie zgodziła, ja bym został! Wbrew wszystkiemu. Bo ja bez ciebie już sobie nie wyobrażam życia. Zobaczysz, nie pożałujesz! Będziesz moją królową, ptasiego mleka ci nie zabraknie! – zapewniał gorąco i całował ją po rękach, nie zwracając uwagi na przechodniów.

Heniek był wysoki, mocno zbudowany. Niezbyt przystojny, jednak bardzo męski. Jego słowom mogła wierzyć bez zastrzeżeń. Czasem opowiadał o swojej harcerskiej przeszłości w walterowcach, gdzie bardziej jeszcze niż w domu rodzinnym wpojono mu zasady uczciwości i honoru. Być może o tym myślał Stasiek, kiedy namawiał ją, aby związała się z jego przyjacielem.

Czy miała coś do stracenia, skoro sądziła, że i tak życie pozbawiło ją dosłownie wszystkiego? Grześka też nie kochała, a jednak była z nim szczęśliwa. Krótko, ale była. Albo tak jej się zdawało, ale to przecież nieważne. Perspektywa wyjazdu oszołomiła ją. Co miała do stracenia? Niczego tu jeszcze nie osiągnęła, nic jej nie wiąże. Niedługo zaliczy ostatni egzamin i może wyfruwać. Polska jest komunistycznym więzieniem, trzeba stąd uciekać gdzie pieprz rośnie.

Uśmiechnęła się do niego i pociągnęła za rękę w stronę cukierni. Celina Hryć chyba ją sobie przypomniała, bo wyraźnie się stropiła, ale z kamienną twarzą podała każdemu po pączku. Monika ostentacyjnie przytulała się do Heńka i robiła do niego słodkie oczy. Może matka powie Grześkowi, że nikt po nim nie płacze? Właściwie Monika już dawno nie wspominała Grześka, tak jej zobojętniał, że nie życzyła mu nawet nic złego. To była pomyłka, a ona uczy się na błędach. Wiązać się z kimś, kto widzi tylko czubek własnego nosa? Niewybaczalna głupota.

Wprost z cukierni zaprowadziła Heńka do biura ZBoWiD-u, aby go przedstawić Kazimierzowi. Panowie podali sobie dłonie po męsku i wymienili kilka ogólnikowych zdań, ale lody zostały przełamane. Monika widziała, że Kazimierz przygląda się Heńkowi z uwagą, nie spodziewała się jednak z jego strony żadnego oporu. Natomiast Stefania będzie bez wątpienia szukała dziury w całym, dlatego wstąpili do osiedlowego spożywczaka i kwiaciarni po jakiś bukiet i czekoladki.

Mile ją tym zaskoczyli. Właśnie kończyła obiad. Wycierając dłonie w fartuch, który założyła specjalnie dla gościa, dała się pocałować w rękę i spłoniła niczym pensjonarka. Monika patrzyła na zachowanie matki zaledwie z politowaniem, bo to też już nie było w stanie jej zezłościć. Usiedli w jej pokoju i nie zamykając drzwi, słuchali płyty Ewy Demarczyk. Wiedząc, co niedługo nastąpi, Monika popatrywała po ścianach, pokazywała Heńkowi zagraniczne widokówki, które zgromadziła jeszcze jako licealistka. Wielki, kolorowy, daleki świat, tak inny od biednej szarej polskiej rzeczywistości. Chociaż ten świat był już na wyciągnięcie ręki, ona jakoś nie czuła podniecenia. Wiedziała, że musi najpierw wyjść za Heńka, bo jego rodzice wkrótce zaczną starania o wyjazd, że będzie to ślub cywilny, że Stefania pewnie nic jej nie da, może Kazimierz swoim zwyczajem wsunie jej do torebki pieniądze na porządną sukienkę. Ale w gruncie rzeczy mogła iść do ślubu tak, jak stała, był to dla niej zupełnie nieistotny obrządek. Najważniejsze i tak już się wydarzyło: decyzja zapadła. Reszta to konsekwencje. Jakie? Było jej wszystko jedno.

Stefania kończyła przygotowywać obiad, Kazimierz też już wrócił, Monika i Heniek pomagali nakrywać stół. Matka nieomal pląsała, przynosząc do pokoju gorącą zupę w świątecznej wazie. Nalewała ogórkową szczodrze posypaną koperkiem, ujmująco się przy tym uśmiechając i nie strofując Leszka, który domagał się uwagi gościa, prezentując swoje ołowiane żołnierzyki.

– Więc jesteście na jednym roku? – upewniał się Kazimierz.

– Mhm – odparła Monika z łyżką w ustach.

– A jak się pan nazywa? – spytała Stefania, siadając do stołu.

– Henryk Krawczyk.

– To ulga! Bo na tym waszym uniwersytecie to tak się ostatnio rozpanoszyło żydostwo, że mówię do męża: jak znam Monikę, to gotowa się nam jeszcze w jakimś Żydzie zakochać, a to by dopiero było nieszczęście! – trajkotała Stefania, nie zauważając, że przy stole zapanowało nieprzyjemne napięcie. – Chodzę po mieście i tu Żyd, tam Żyd, a ta, co mojego męża z posady wysadziła, to aby nie Żydóweczka? Jak nie, jak tak! – Machnęła ręką, nie dopuszczając Kazimierza do głosu. – I jakie to podłe, jakie podstępne, niby masówkę zrobiła antyżydowską i się na tym wypromowała, to się, proszę pana, w głowie nie mieści! Niby Wypych się nazywa, ale to pewnie zmienione, bo jak na nią patrzę, to mi się normalnie niedobrze robi. Sami Żydzi nami rządzą! Że też ich Hitler do cna nie wytłukł, mówię panu! A jakie to łase na pieniądze, u nas taki tu sklepik mamy z żywnością. Pierwszorzędne wszystko, nie powiem, i wędliny, i warzywa, i pieczywo mają, ale drożyzna... Nic, tylko się za kieszeń trzymaj! I co z tego, że właściciel się Stolarski nazywa? To Żyd jak nic! Tylko oni mają takie głowy do interesu!

– Cóż to pana obchodzi, Stefciu? Dajże spokój tym bzdurom! – łagodnie skarcił ją Kazimierz.

Heniek pochylał się coraz niżej nad jedzeniem, a Monika, wściekła, kręciła głową. Natomiast Stefania, która nieczęsto miała okazję wypowiadać się publicznie, perorowała z ożywieniem:

– Przyjechało to tałatajstwo z Rosji, bo tam przed Niemcami uciekli, i tak nam tę naszą biedną Polskę urządzili, że pożal się Boże! Komuniści, czerwoni! Wszyscy się Ruskim wysługiwali.

– A skąd ty to wszystko wiesz?! – nie wytrzymała Monika.

– Godzinami w kolejkach stoję przez tę Wypych, już mi się żylaki od tego porobiły. No i ksiądz też coś tam na kazaniu mówił. A jak pan myśli – zwróciła się wprost do Henryka – czy przyjdzie czas, że kiedyś się ich wreszcie wszystkich pozbędziemy?

Henryk zawisł z łyżką w pół drogi, spojrzał na Stefanię i spokojnym głosem odparł:

– Myślę, że nie, proszę pani. Jest ich zbyt wielu…

– Ma pan rację… – westchnęła ciężko Stefania. – Zbyt wielu…

– Zresztą od kilkuset lat tu mieszkają. Tu jest ich ojczyzna i kochają ten kraj.

– Młody pan jest, życia pan nie zna, a serce u pana miękkie. Może to i dobrze dla Moniki. Ale w jednym się pan myli. Ojczyzna Żydów jest w Izraelu, co zresztą przypomniał im ostatnio nasz rząd! I wie pan, co panu jeszcze powiem? Że nawet w takiej sytuacji oni się świetnie urządzili!

– O, a jakimże sposobem? – zapytał szczerze zainteresowany Henryk.

– Bo my wszyscy tkwimy tu jak w więzieniu, jakby pan chciał pojechać do takiej Francji na przykład, toby pan nie mógł. A im się udało! Każdy, który tylko zechce, ten dostanie paszport! Czy to nie jest szczęście?!

– Oni chyba tak nie uważają. Pani by chciała do tej Francji pojechać bez możliwości powrotu?

– Nie wiem, nigdy tam nie byłam. A zresztą dlaczego miałabym nie móc wrócić? Przecież tu jest mój dom, tu wszystko, czego się dorobiłam, rodzina, mąż, dzieci…

– No właśnie, oni też tak myślą.

– Dajcie wreszcie spokój! – Monika nie wytrzymała.

– A co mamy na drugie? – przyszedł jej w sukurs Kazimierz.

– Ojej, kartofle! – Stefania poderwała się na równe nogi i pobiegła do kuchni.

Monika położyła dłoń na ręce Heńka i miękko spojrzała mu w oczy, a on tylko pokręcił głową, jakby chciał powiedzieć: „Daj spokój, już przywykłem".

– A obiad naprawdę bardzo smaczny! – stwierdził, kiedy Stefania podała drugie danie.

– Pan to umie docenić, bo oni… – wskazała głową na Monikę i Kazimierza – to nigdy dobrego słowa nie powiedzą. A człowiek stoi najpierw w kolejce, potem nad tymi garami i nie doczeka się choćby słowa podziękowania. Monika to nawet jajka dobrze nie ugotuje. Nie wie, jakie miękkie, jakie twarde. Jej wszystko jedno. Nic, tylko te książki i książki! A życie to przecież nie tylko książki, prawda? Trzeba też żyć, a w domu potrzebna jest kobieta. Na nią bym nie liczyła, zawsze była leniwa, pomóc to nie chciało, wszystko sama musiałam robić.

– Ależ, Stefciu, to przecież nieprawda… – słabo zaoponował Kazimierz.

– Co ty tam wiesz, ciągle jesteś poza domem! – fuknęła. – A skłonności jakich pan nie ma? – zwróciła się do Heńka.

– Na przykład? – zainteresował się uprzejmie.

– No: papierosy, wódka, czy ja wiem, co jeszcze?

– Mamo! – krzyknęła Monika. – Daj mu wreszcie spokój! To nie twoja sprawa!

– Zarobi pan na rodzinę? Bo na nas nie możecie liczyć.

– Biorę to pod uwagę – spokojnie odparł Heniek.

– To dobrze, to bardzo dobrze! Młodzi jesteście, po studiach na pewno dobre posady dostaniecie, raz-dwa się wszystkiego dorobicie.

– Też mam taką nadzieję.

Monikę zaczynała drażnić jego ugodowość wobec Stefci. Z drugiej strony była mu wdzięczna, że znosi jej gadanie i się nie obraża. Ona sama już dawno by wyszła. Wiedziała, że Heniek robi to ze względu na nią. Bo jej matkę widzi prawdopodobnie po raz ostatni w życiu.

– A rodzice? Czym się zajmują? – pod koniec obiadu uprzejmie zapytała Stefcia.

– Tata pracował w ministerstwie, a mama w bibliotece.

– Jak to: pracował? – zaniepokoiła się Stefania. – A co teraz robi?

– Pakuje i wysyła meble.

– Przeprowadzacie się? A dokąd?

– Do Izraela, proszę pani.

Płock,
wtorek 30 sierpnia 2016, 20:07

Zbyszek trochę sobie wyrzucał, że kiedy ciało jego ojca spoczywa w kostnicy, on sam nie potrafi się powstrzymać przed spotkaniem z Martyną. Niby próbował się tłumaczyć, że jedzie do najbliższej osoby, wybranki serca, bo z kim innym ma przeżywać żałobę, ten najtrudniejszy w życiu moment, jeśli nie z nią? Ale przecież nie był ani tak głupi, ani tak zakłamany, w gruncie rzeczy nie chodziło mu o rozmowę, o pociechę ze strony Martyny. Nie pragnął potrzymania za rękę, nie chciał opowiadać o szczęśliwych chwilach, które zmarłemu zawdzięczał, nie chciał się wyżalić, nie zamierzał opłakiwać swej straty. Nie oczekiwał niczego innego jak tej krótkiej chwili seksu.

Ona to zresztą doskonale rozumiała, żaden jej partner nie był inny. Jednak Zbyszek miał jeszcze coś, czego tamci byli pozbawieni: pewną staroświeckość, galanterię, której Martyna nigdy od swoich chłopaków nie zaznała. Już samo to było miłe i kochałaby się z nim nawet za ten moment, kiedy wysiadał zza kółka, żeby otworzyć jej drzwiczki samochodu. Ale miał przecież także inne zalety. Nie przeklinał, był schludny i zawsze przy forsie, co napawało ją bezbrzeżnym zdumieniem, bo do tej pory nie zdarzyło jej się poznać faceta, który nie byłby pijawką. Prawda, nie żłopał też piwska! Nie czuć go było niczym innym poza wodą toaletową! Nie dociekała, czy sam prasował swoje koszule, w tej chwili to nie było ważne. Dlaczego miała nie chcieć się z nim związać? Jakie wobec niego były atuty Daniela? Więc kiedy dziś znów Zbyszek chciał się z nią zobaczyć, zrobiła wszystko, aby dać mu tę chwilę radości, na którą bez wątpienia zasługiwał.

Przyjechał pod jej dom tuż po siódmej i nic nie mówiąc, ruszył. Potem okazało się, że dotarli w to samo miejsce.

Aż dziw, że żadna dziewczyna tu nie stoi, tak blisko Płocka, a jednocześnie zacisznie – zastanawiała się Martyna.

– O czym myślisz?

– O tych farbach… – skłamała gładko.

– Co z nimi?

– A nic, matka mówi, żebyśmy też zrobiły renowację mebli, bo już nie może patrzeć na te stare graty.

– Jak chcesz, ale czy to konieczne? Przecież chyba po ślubie zabierzemy twoją mamę do nas? – powiedziawszy to, ugryzł się w język, ale już było za późno.

– Myślisz? – zapytała z niedowierzaniem.

– Pokój się znajdzie. Na dole, to znaczy na piętrze, bo parter zajmuje przecież cukiernia… Więc na pierwszym piętrze jest tylko kuchnia, salon i łazienka. Na drugim piętrze są trzy pokoje. No i jest jeszcze strych, ale taki tylko na pranie i różne przydasie. Chociaż tam można by zrobić małe mieszkanie… – roztaczał przed nią bajeczną wizję przyszłości. – Mówisz, że tu nie macie nawet bieżącej wody. Jak można w dwudziestym pierwszym wieku żyć bez bieżącej wody? Przecież to straszne.

– Ale to ładny punkt. I tanio. A mieć matkę pod bokiem, no nie wiem... Będzie się do wszystkiego wtrącać. Nie, nie myśl, że jej nie kocham, w końcu to matka. Ale też chciałabym się już od niej uwolnić. Tylko do tej pory nie miałam jak.

– Rozumiem, ale nie zgodzę się na to, żeby twoja matka nosiła wiadra po schodach. A tym bardziej żebyś ty nosiła! Kiedyś możemy jej kupić jakieś małe mieszkanie w bloku, może w Gutowie? Bo taniej i blisko by miała do wnuków.

– O! Super pomysł! One ją bardzo kochają! – niby to wyrwało się Martynie. Chciała wysondować, jak Zbyszek zareaguje na temat dzieci.

– Kto? – zapytał zdezorientowany.

– Wnuki.

– Jakie wnuki?! – rzucił bez cienia radości, raczej zły.

Martyna zorientowała się, że popełniła głupstwo.

– Tak sobie marzę! – wybuchnęła śmiechem. – Że już jesteśmy małżeństwem, że mamy dwoje dzieci: synka i córeczkę.

– A może nawet troje?

– Z tobą to mogę mieć i czwórkę! – Złapała go za rękę i przycisnęła do ust.

Zażenowany pocałunkiem, Zbyszek skrzywił się.

– Daj spokój! Nie, mnie dwójka wystarczy. Nie chcę, żeby cię zamęczały, ty też musisz mieć coś z życia – powiedział, myśląc raczej o sobie niż o jej nieprzespanych nocach.

– Będę miała ciebie! – westchnęła, znów przyciskając jego dłoń do swego policzka.

– Czwórka dzieci wymaga strasznie dużo czasu i kasy. Potem każde będzie chciało wyjechać na studia, dostać mieszkanie, samochód... A ty masz rodzeństwo? – zapytał nagle.

Martyna nie była przygotowana na taki temat.

– Brata – odparła więc zgodnie z prawdą.

– Starszy czy młodszy?

– Starszy, ma trzydzieści dwa lata.

– Kiedy nas poznasz?

– On... Wyjechał do pracy za granicę – skłamała, żeby nie powiedzieć, że brat odsiaduje wyrok za uliczną burdę.

– Ale chyba na nasz ślub przyjedzie?

– Jeśli dostanie urlop, to na pewno! – zapewniła żarliwie, by nie mnożyć kolejnych pytań.

Chciała już dojechać na miejsce i zabrać się do tego, na czym się znała najlepiej i o co mu przecież chodziło. Inaczej siedziałby z matką i wspominał starego. Bała się, że posypie się na jakimś durnym pytaniu i zniszczy cały misterny plan. Ale Zbyszek nie drążył tematu, wystarczyło mu to, czego się dowiedział. Wierzył jej bez zastrzeżeń. Już zdecydował, że da jej wszystko, co sam dostanie od rodziców. Uczyni ją szczęśliwą.

Ale na razie to ona uszczęśliwiała jego. Nawet nie wysiedli z auta. Odbyli szybki seks, jak w amerykańskim filmie, i Zbyszek był z siebie bardzo dumny. Właśnie tego potrzebował. Tego wstrząsu, podczas którego chce się krzyczeć. Jednoczesnego bólu i przyjemności. Spazmu szarpiącego wnętrzności, jakby człowiek miał zaraz umrzeć. Dochodzenia na szczyt. Czuł się z tym naprawdę świetnie. Zapomniał o wszystkich smutnych sprawach, o śmierci ojca i konieczności pracy za dwóch, która go przez najbliższe dni czekała, był silny i gotów na każde wyzwanie i poświęcenie, bo jego życiu nareszcie niczego nie brakowało.

Kiedy skończyli, szybko ruszył w drogę powrotną do Płocka. Pod domem Martyna próbowała jeszcze raz zrobić ten sam numer, a on był nawet na to gotowy, ale nagle wyciągnęła dłoń z jego rozporka.

– Zablokuj drzwi! – krzyknęła niemal rozkazująco.

– Co? Po co? – Zbyszek nie rozumiał, jednak odruchowo spełnił jej prośbę.

W stronę samochodu szło trzech typów. Dwaj w koszulkach z orłem na piersi, jeden w bluzie dresowej. Jeden z nich, dość wysoki i bardzo szczupły blondyn, dopadł do samochodu, bijąc pięścią w przednią szybę i kopiąc gdzie popadnie.

– Ty pieprzony złodzieju, oddawaj moją dziewczynę! – wrzasnął.

– Dzwoń na policję! – powiedziała zdenerwowana Martyna.

On zrobił jednak coś zupełnie innego. Otworzył drzwiczki, wysiadł z auta i zaczął z napastnikiem przepychanki. Tamten pokrzykiwał, ale Zbyszek nie dał się początkowo przestraszyć. Dopiero kiedy mężczyzna uderzył go z całej siły w żołądek, zrozumiał, że to nie przelewki. Dostawał cios za ciosem i już ledwo stał na nogach. Po twarzy zaczęła mu cieknąć krew z rozbitego nosa, ale wiedział, że kiedy upadnie, nie uniknie kopnięć. Nie dałby sobie rady z jednym, a co dopiero z trzema? Zamroczony, zakrwawiony, ledwo rejestrował, gdy tamten krzyczał coś w rodzaju:

– Odwal się od mojej kobiety, pedale! Odechce ci się zarywać cudze dziewczyny! Ty mlonie kędzierzawy!

Martyna też się darła, próbowała odciągać napastnika, ale jej nie wychodziło. W międzyczasie jego koledzy przyniesionymi nie wiadomo skąd kamieniami rozbijali szyby w aucie. Zbyszek jeszcze się zerwał do bicia resztką siły woli, ale celny cios w oko ostatecznie go powalił. Minęły nieznośnie długie minuty, kiedy Martyna, to przeklinając, to błagając, oddawała tamtemu jeden po drugim wszystkie pięć banknotów stuzłotowych otrzymanych od Zbyszka na remont, nazywając go Danielem. Więc to nie był przypadkowy napad rabunkowy! To chyba naprawdę był jej chłopak?

Dopiero po upływie kilkunastu minut usłyszeli dźwięk radiowozu. Napastnicy skoczyli na podwórko domu Martyny i zniknęli z pola widzenia. Zbyszek zwijał się z bólu, pociągając nosem, z którego leciała krew zmieszana ze smarkami. Policjanci wysiedli z samochodu i zaczęli swoje czynności.

– Dobry wieczór! Sierżant Maczek. Co tu się stało? – zapytał starszy z nich.

– Zostaliśmy napadnięci – wyjęczał Zbyszek.

– A pan wie, że tu nie można parkować? – niby żartem powiedział drugi z policjantów.

– Narzeczony mnie tylko odwoził do domu.

– Narzeczony? – ironicznie zapytał młodszy policjant. – A gdzie napastnicy?

– Jak to gdzie?! Uciekli, jak usłyszeli sygnał radiowozu! Przecież nie będą czekać na aresztowanie!

– Nazwiska pani zna?

– Nie – skłamała Martyna, co Zbyszek, nawet mocno obolały, zauważył z przykrością.

– Ani jednego?... – sierżant Maczek wyjął notes. – A może rysopisy nam pani poda? Rozejrzymy się po okolicy.

– Panie władzo! Narzeczonego mam zmasakrowanego, może mu coś złamali, musimy jechać do szpitala! Cały zakrwawiony!

– Wezwać panu karetkę? – zaproponował sierżant Maczek.

– Dam sobie radę.

– Ale jak?! Może masz wstrząs mózgu?

– Te szyby to też oni? – zapytał młodszy z policjantów. – Chce pan złożyć zawiadomienie o pobiciu i zniszczeniu mienia?

Zbyszek pokręcił lekko głową i poczuł, że jest naprawdę niedobrze.

– Może najpierw pojechałbym do szpitala?

Wszystko go bolało. Samochód był zniszczony. Jedyna nadzieja, że podczas bójki nie stracił telefonu. Kiedy wysiadał z auta, odruchowo rzucił go na siedzenie. Kluczyki wciąż tkwiły w stacyjce! Przecież napastnicy, wykorzystując zamieszanie, mogli również ukraść auto! I tak jest zdemolowane, ale przynajmniej jest.

– To celem złożenia zawiadomienia zapraszamy na komendę przy Kilińskiego.

Zbyszek kiwnął głową. Niechby już sobie pojechali! Musiał zastanowić się, co dalej. W tym czasie z podwórka wyszła niska chuda kobieta z bandażem i wodą utlenioną w ciemnej butelce.

– Co tu się stało?

– Napadli nas jacyś chuligani! – powiedziała Martyna.

– Daniel? – domyśliła się tamta.

– A skąd mam wiedzieć, jak się nazywali, przecież ich nie znam! – znowu skłamała Martyna, co mimo bólu ponownie nie uszło uwagi Zbyszka. – Mamo, bo to właśnie jest Zbyszek…

– Domyśliłam się. No, nachylże się, przetrę ci twarz – powiedziała.

Zaszczypało potwornie. Zbyszek jęknął.

– Nie maż się, do wesela się zagoi! – zażartowała kobieta.

– Na pewno! – chcąc zatrzeć złe wrażenie, Martyna pocałowała go w policzek.

– Dziękuję.

Zgarnął ostrożnie rozbite szkło z siedzenia, z trudem usiadł za kierownicą, podniósł telefon i wybrał numer siostry.

– Iga? Możesz przyjechać do Płocka?

Warszawa, listopad 1968

Chociaż Heniek zasadniczo nie miał wątpliwości co do charakteru swoich uczuć, długo odwlekał rozmowę z rodzicami. Wiedział, że swą decyzją nie przysporzy im radości i pewnie zareagują jak matka Moniki. Ojciec powie coś mocnego i dosadnego, a potem zamknie się w sobie, a matka zacznie jęczeć, zrzędzić, szukać dziury w całym, wracać do tematu nawet wtedy, kiedy już będzie po wszystkim. Zawsze taka była, a obecnie sytuacja rodziny pogarszała się z tygodnia na tydzień i z każdym dodatkowym kłopotem matka coraz bardziej się gryzła. Próbowała przewidzieć kolejne zmartwienia i nigdy jej się nie udawało. Najpierw, kiedy ojciec zaczął przebąkiwać o wyjeździe, bo miał przecieki z samej góry, że będą naciski, histeryzowała: „Nikomu nie dam się wysiedlić!". Ale nagonka antysemicka nie ustawała, nawet koleżanki w pracy, niby takie serdeczne wcześniej, odnosiły się do niej z coraz większą powściągliwością.

– Jak można tak z dnia na dzień całkiem zmienić front? – żaliła się, prawie płacząc. – A jedna to powiedziała, że mnie nawet lubi, chociaż Żydów jako narodu to już nie, bo jej dziadek opowiadał, że jakiś Srul za długi zabrał mu ostatnią krowę.

– A co to ma wspólnego z tobą? – zapytał Heniek.

– Nic, i to jest właśnie najgorsze. Nie lubią mnie, bo jakiś Żyd odebrał swój dług jakiemuś chłopu spod Sieradza. To jest powód, żeby mi wypominać moje pochodzenie! Czy żaden Polak nigdy nie zrobił czegoś podobnego innemu Polakowi?

– Przestań! – zdenerwował się Mieczysław Krawczyk. – Tak było i tak będzie zawsze! Polacy są katolikami i to wiara nastawia ich przeciwko nam, a że większość nie myśli samodzielnie, nie ocenia nas jako ludzi i chętnie obarcza nas grzechami całego naszego narodu, dlatego musimy wyjechać.

– Ale przecież my jesteśmy ateistami! – skarżyła się pani Krawczyk.

– To może jeszcze gorzej, bo to takie podejrzane. Żal mi ich wszystkich... – westchnął Mieczysław Krawczyk. – Biedni ludzie, myślą naiwnie, że jeśli nas wszystkich wygnają, to sami się na naszym miejscu urządzą i dla nich będzie więcej intratnych posad, krócej będą czekać w kolejkach po mieszkanie, a w szkołach ich dzieci nie będą się tłoczyć po trzydzieścioro kilkoro w jednej klasie...

– A nie będzie tak? W naszym mieszkaniu zaraz ktoś zawiesi nowe firanki. Mam nadzieję, że tego nie zobaczę...

– Nie maż się! – łagodnie skarcił żonę Mieczysław Krawczyk. – Nie będzie tak, bo kradzione nie tuczy. Ktoś zamieszka w naszym mieszkaniu, ale wciąż będzie miał świadomość, że to nie jego. Że nas stąd wygonił i że zawsze możemy wrócić. Na pewno będą mieć wyrzuty sumienia.

– Chyba żartujesz!

– Nie wiedzą, że na swoją pozycję trzeba zapracować, bo bogactwo bierze się z pracy. Co to za kraj, który tak łatwo pozbywa się swoich obywateli. I to wtedy, kiedy tyle jest tu do zrobienia! Zamiast osądzać nas jako członków społeczeństwa, robi się nad nami zaoczne kapturowe sądy! I tylu ludziom jest to całkiem obojętne, a nawet ich cieszy. Nie, stanowczo trzeba stąd emigrować...

Potem rodzice nie mogli podjąć decyzji, o jaką wizę się starać: do Izraela czy do Stanów. Długie godziny debatowali, rozważając wszystkie za i przeciw. Kiedy już stanęło na Izraelu i ojciec przyniósł listę dokumentów do wypełnienia, znów kilka dni upłynęło im na dzieleniu włosa na czworo. Heniek miał tego wszystkiego dość, a to był dopiero początek, bo musieli się jeszcze pozbyć wszystkiego, czego nie mogli zabrać. Dopiero wtedy matka zauważyła, jak wiele zgromadzili. Nie był to żaden cenny majątek, ot, meble i inne rzeczy codziennego użytku, ale brała do ręki każdy drobiazg, a to świecznik, a to obrazek, a to wazon, i gładząc czule, wspominała, w jakich okolicznościach i gdzie go kupili. Nie była gotowa sprzedawać pamiątek, dlatego ojciec jej nie powiedział, że większości rzeczy pozbył się za bezcen, bo chętni, znając ich sytuację, często się wycofywali z transakcji lub płacili zaledwie niewielką część, twierdząc, że nagle zauważyli jakieś wady czy rysy, a zużycie sprzętów jest większe, niż myśleli. Cóż było robić, godził się na proponowaną kwotę.

Podczas składania dokumentów okazało się, że może trzeba będzie zapłacić za ten rok studiów Heńka na uniwersytecie. Jak im do tego wszystkiego dodać jeszcze jedno zmartwienie, że wyjadą nie we trójkę, a we czworo? Dlatego Heniek jak mógł zwlekał z informacją, że jeszcze przed wyjazdem chce się ożenić. I to z gojką! Już pod koniec sierpnia poszli z Moniką do urzędu stanu cywilnego i zaklepali termin ślubu. Świadkami mieli być Anka i Stasiek, ale ten w ostatniej chwili zasłonił się pilnym wyjazdem do Wrocławia, robiąc Heńkowi wielką przykrość. Teraz nie miało już znaczenia, kto podpisze akt. Anka zaproponowała swojego chłopaka. Zgodzili się.

Heniek trochę zazdrościł Monice, że jest tak mało związana z matką i Kazimierzem. Gdyby on mógł się ożenić, nie zawiadamiając rodziców, byłoby mu znacznie lżej. A tu dni mijały, termin się zbliżał i robiło się coraz bardziej gorąco. Wreszcie matka zauważyła dziwną nerwowość Heńka.

– A ty czasem nie jesteś przeziębiony?

– Nic mi nie jest! – odburknął.

– Wiem, że ci ciężko, zostawiasz tu przecież wszystkich przyjaciół, cały swój świat. Rozumiem doskonale.

To był idealny moment, żeby powiedzieć matce prawdę. Teraz albo nigdy! – pomyślał, spojrzał na nią, westchnął, odchrząknął i zaczął nieco nerwowo:

– No właśnie, mamo, bo wiesz, jest coś... To znaczy nie zrozum mnie źle, bo ja was bardzo kocham i będę kochał do końca życia, ale przychodzi taki moment, że człowiek musi decydować sam za siebie...

Popatrzyła na niego okrągłymi, pełnymi przerażenia oczyma, wreszcie zasłoniła dłonią usta.

– Mój Boże, ty chcesz zostać... – wyszeptała wreszcie ze zgrozą.

– Gorzej.

– Co może być gorszego?

– Żenię się! – powiedział i zobaczył, że napięcie na twarzy matki nagle zelżało.

– To dobra wiadomość – odparła, jakby sama chciała się do tego przekonać.

– Mamo, to gojka.

Maria Krawczyk stężała na chwilę.

– I co? To też ludzie.

Heniek kucnął przed matką i wziął ją za ręce. Patrzył w oczy i oddałby w tej chwili wszystkie skarby świata, byle jej dodatkowo nie ranić.

– To moja koleżanka z roku. Kocham ją od dawna. Zgodziła się wyjść za mnie przed wyjazdem, zgodziła się wyjechać. Strasznie mi wstyd, ale jestem taki szczęśliwy! – paplał niczym dziecko. – Chciałem ją tu zaprosić, ale wiesz...

– Zrobiłeś nam niespodziankę, myślałam, że to się odbędzie całkiem inaczej – powiedziała tonem wyrzutu. – Będzie nam trudno na początku. Musisz ją na to przygotować.

Była przygnębiona, ale ze wszystkich sił starała się tego nie pokazywać, a Heniek siedział ze spuszczoną głową, czując niewyobrażalną ulgę.

– Gdzie my ją tu przyjmiemy? – Matka rozejrzała się po niemal pustym mieszkaniu. – Zaraz będzie trzeba oddać klucze. My się przytulimy u ciotki Adeli na podłodze, ale ona... Nie chciałabym, żeby tak zaczynała dorosłe życie.

To młoda dziewczyna. Ma jakieś marzenia, jakieś wyobrażenie nocy poślubnej, a tam nie będziecie mieć żadnej intymności.

– Jakoś sobie poradzimy. Nie martw się! – krzyknął uradowany i ucałował matkę w obie ręce, ona zaś westchnęła ciężko. Teraz trzeba jeszcze powiedzieć mężowi…

Poznali ją dopiero tuż przed ślubem. Wszyscy byli spięci, a Heniek najbardziej. Monika zaprosiła na ślub Kazimierza, ale ukryła ten fakt przed Stefanią, przekonana, że matka przyniesie jej tylko wstyd. Zresztą przed jej wyjazdem z Gutowa zdążyły się jeszcze kilka razy pokłócić. Monika wsiadała do autobusu z jedną niewielką walizką i poczuciem pustki. Nie żałowała niczego, co tu zostawiała. Była pewna, że już nigdy nie wróci.

Przytuliła się na razie w akademiku, tak było najłatwiej. Miała zaległy egzamin, który zamierzała zdać przed wyjazdem. Heniek wpadał do niej niemal codziennie i albo robili sobie herbatę i kanapki, albo szli gdzieś, gdzie było niedrogo i spokojnie. Patrzyła na tego mężczyznę, który został jej mężem, i czasem myślała w panice: „Boże, co ja zrobiłam?!”. Innym razem pocieszała się: „Będzie dla mnie dobry”, a jeśli nie, to przecież są rozwody. Jednak gdzieś podświadomie czuła, że go skrzywdziła. Był dla niej przyjacielem, nikim więcej. Kiedy kładła się z nim do łóżka, kiedy szeptał jej do ucha czułości, kiedy dochodził, leżąc na niej, uciekała ze wzrokiem, aby nie odgadł prawdy. Mdliło ją na wspomnienie o jego pocałunkach, coś w jej głowie krzyczało: „Jesteś dziwką!”.

A przecież została jego żoną, uszczęśliwiła go. Kiedy wychodził, czasami ryczała w poduszkę. Co zrobiłam ze swoim życiem?! – nie potrafiła zrozumieć. Zastanawiała się, czy nie powinna jednak zostać w Polsce, ale tu już tak wszystko ją drażniło, tak jej się wydawało obce, że decydowała się na zaciśnięcie zębów i wytrwanie u boku Heńka. Liczyła na to, że daleki świat ją uzdrowi.

Jego rodzice i on sam dawno przygotowali listę rzeczy, które zabiorą ze sobą do pociągu, ona też zrobiła taki spis. Wszystko musiało się zgadzać: każda para majtek, każda bluzka i każdy but. Teraz czekała już tylko na dokument uprawniający do jednorazowego przekroczenia granicy. Kiedy pojechała do biura paszportowego, została poproszona na rozmowę. Nieco szorstki urzędnik zapytał ją, dlaczego chce wyjechać, przecież nie jest Żydówką.

– Właściwie mógłbym panią tu zatrzymać – zawiesił głos.

– Niech pan to zrobi – odparła bez emocji. – Myśli pan, że złożenie podania do Rady Państwa o pozbawienie mnie polskiego obywatelstwa nie było dostatecznie upokarzające? A teraz pan w majestacie prawa orzeknie, że nie jestem już obywatelką polską.

Przyjrzał jej się bacznie, nie rozumiejąc, że ona właśnie czeka na to, by ktoś zdecydował za nią, ale wystawił dokument w ciągu tygodnia i nic już nie mogło jej w Polsce zatrzymać.

Niespełna dwa tygodnie później wsiadali do pociągu na Dworcu Gdańskim, odprowadzani przez garstkę przyjaciół i rodzinę Heńka. Był dżdżysty listopadowy wieczór, dochodziła siódma.

– Będzie mi brak tych listopadów – powiedziała z westchnieniem pani Maria. Była przygnębiona. Jej mąż otworzył okno i krzyknął do znajomych prawie wesoło:

– Do zobaczenia w Wiedniu!

Monika patrzyła dookoła, czuła się, jakby grała w filmie.

To niemożliwe! To naprawdę moje życie? – pytała wciąż, bezgranicznie zdumiona.

Nagle ludzie stojący na peronie zaczęli się przesuwać, pociąg ruszył. Monika z rozpędu się przeżegnała i natychmiast opuściła głowę, zawstydzona tym gestem. Nie mogła się powstrzymać, aby raz po raz nie zerkać na palto, gdzie pod podszewkę wszyła woreczek z całym swoim posagiem – dwudziestoma dolarami otrzymanymi od Kazimierza.

Mieli ze sobą wódkę i kiełbasę krakowską dla celników. Nie kryli się z tym, a celnicy przyjęli łapówkę z zadziwiającą naturalnością. Dzięki temu nawet nie musieli otwierać na granicy swoich bagaży. Ale już polskich pieniędzy nie pozwolono im wywieźć ani grosza. Kiedy pociąg ruszał ze stacji w Zebrzydowicach, na peronie zostały dwie przestraszone, niemłode kobiety z walizkami.

– Jeszcze i tu szykany? Nie mogliby ich puścić bez tej histerii? – westchnęła Maria Krawczyk. – I co teraz z nimi będzie?

– Pewnie rewizja bagażu. Celnicy też muszą się wykazać czujnością – stwierdził Heniek.

– W tym kraju wszystko jest na pokaz… – dodał pan Krawczyk, kręcąc głową.

Monika, z głową wtuloną w płaszcz, udawała, że drzemie.

Płock,
wtorek 30 sierpnia 2016, 20:05

Może zaprosisz pana na górę? – zaproponowała matka Martyny.

– No jak! – dziewczyna niemal wrzasnęła. – Żeby mu samochód ukradli?!

Ma rację – pomyślał Zbyszek, ale było coś jeszcze, coś niepokojącego w jej tonie. Na razie nie próbował tego dociec, zarejestrował tylko kolejne dziwne zachowanie Martyny. Siedział w samochodzie z wybitymi szybami, na miejscu, gdzie teoretycznie nie wolno było parkować, trzymał przy krwawiącym łuku brwiowym bandaż przyniesiony przez jej matkę i zastanawiał się, czy nie zagadać jakoś do tej kobiety, chociaż kompletnie mu się nie chciało. Miał mętlik w głowie i nie wiedział, co dalej, jednak wściekły i upokorzony, postanowił jakoś wszystko ogarnąć.

Zadzwonił na numer pomocy drogowej i zamówił transport auta do Gutowa. Laweta przyjechała po dziesięciu minutach. Podał adres domowy, zastanawiając się, czy powinien matkę jeszcze i tym dobijać, ale umówił się z kierowcą, że w ciągu kwadransa może zmienić adres docelowy na Zajezierzyce. Kiedy pomoc drogowa odjechała, wezwał taksówkę i kazał się wieźć na pogotowie. Przez cały ten czas konsekwentnie ignorował Martynę, nie bez racji uważając, że mogła mieć coś wspólnego z napastnikami. Na pewno przynajmniej jednego z nich znała, nazwała go Danielem, dlaczego potem kłamała policjantom?

Kiedy czekał na taksówkę, może ze cztery minuty, Martyna próbowała zatrzeć złe wrażenie, czuła i delikatna, zamierzała z nim jechać na pogotowie, ale Zbyszek stanowczo odmówił.

– Kiedy jest pogrzeb? – zapytała wreszcie, czując, że traci grunt.

– Dam ci znać. Ale nie musisz przyjeżdżać.

– Chciałabym...

– Nie ma potrzeby. Będę musiał zająć się matką. Przyjedzie pewnie też dalsza rodzina, zwalą się nam na głowę, odpuść sobie.

Martynie nie podobała się ta stanowczość.

– To po prostu pójdę w kondukcie jak każdy.

Wydawało się, że teraz wreszcie Zbyszek się zgodzi.

– A właściwie gdzie masz pierścionek? – zapytał, zbijając ją z tropu.

– Żal mi go nosić na co dzień, jeszcze się porysuje. Nigdy nie miałam tak pięknego pierścionka – powiedziała.

Pokiwał tylko głową, ale na twarzy rysowało mu się niedowierzanie. Wreszcie, wciąż trzymając bandaż przy brwi, bez słowa pożegnania wsiadł do taksówki, zostawiając ją na chodniku.

Na SOR-ze siedział z opuszczoną głową i zastanawiał się, co właściwie zaszło. Dopiero teraz zaczęły mu się przypominać różne drobne znaki, które lekceważył. Słowa rodziców, ich obawy, którym zaprzeczał, widząc tylko to, co chciał widzieć.

Jestem durniem! – pomyślał. – Ale z drugiej strony przecież to niemożliwe, żeby Martyna ich na mnie nasłała. Co by jej z tego przyszło? To jakiś przypadek. Przecież nie wiedzieli, że tam przyjadę, chyba że jej matka im powiedziała? A co, jeśli on za każdym razem będzie czatował pod jej domem? Przecież nie mogę się ciągle bić z jego kolesiami!

Dziesiątki pytań i żadnej odpowiedzi. Na szczęście niedługo potem przyjechała Iga. Kiedy zobaczyła brata, przeraziła się.

– Kto cię tak urządził?!

– Jej kumple.

– Trzeba zgłosić to na policję!

– Samochód mi zniszczyli…

– Jeszcze i to!

– Wszystkie szyby wybite.

– Matko Boska!

– Pomoc drogowa wiezie auto na lawecie do Gutowa, ale kiedy mama je zobaczy, to się jeszcze bardziej zmartwi… Może do ciebie postawię na parę dni? – zapytał Zbyszek.

– Nie, bo potem trzeba będzie jeszcze raz holować.

– Dobra, już dobra! – fuknął zły, że jeszcze i on przysporzy matce zmartwień.

Martyna wróciła do domu wściekła. Gdyby się jej teraz Daniel nawinął pod rękę, toby ją popamiętał! Ale się nie nawinie, bo mu z własnej woli oddała całą kasę, więc ma na kilka dni zabawy! Nie mogła uwierzyć, że tak głupio postąpiła! Trzeba było zeznać tym policjantom prawdę! Powiedzieć jeszcze, że ją okradli, podać adres, przynajmniej byłaby czysta wobec Zbyszka. Ale strach ją obleciał, bo potem nie miałaby spokoju. Ta łajza gotowa się mścić! Tak by było. Z kolei Zbyszek też chyba coś podejrzewa. Napisała do niego SMS, ale nie odpowiedział. Powinna z nim jechać na pogotowie, a nie dać się zbyć. Pokazać, kto jest dla niej najważniejszy. Pozwoliła się potraktować z buta, a on wybrał siostrę. Jasne, ktoś go musiał potem odwieźć do domu... Ciekawe, ile kasy wybuli na szyby, pewnie ze dwa tysie, ale głupi ten Daniel, matko... Jedyne szczęście, że Zbyszek nie chciał wejść na górę, jakby zobaczył dzieci, już by nie wrócił. Teraz trzeba będzie coś wymyślić.

– Mam wstrząśnienie mózgu. Chcieli mnie zostawić w szpitalu, ale się nie zgodziłem – powiedział Zbyszek, wychodząc od lekarza.

Iga przygryzła wargę. Też by tak postąpiła na jego miejscu, teraz powinien być przy matce, lepiej, żeby go zobaczyła, choćby pokiereszowanego, ze szwami na łuku brwiowym, niż dowiedziała się, że w wyniku pobicia musiał być hospitalizowany! Przecież zaraz by się zerwała, żeby do niego pojechać! W środku nocy! Ale jeśli coś mu się stanie? Niewiele myśląc, poderwała się i weszła do gabinetu, gdzie Zbyszek był opatrywany.

– Ja w sprawie brata… Czy on na pewno może jechać do domu? Wie pan, nasz tata zmarł w tym szpitalu wczoraj… Mamy we czwartek pogrzeb…

Lekarz dopiero teraz podniósł na nią wzrok.

– Jeśli może, to niech jutro poleży. Żadnych wysiłków, lekka dieta. Może mieć torsje. W razie czego wzywać karetkę.

– Tak zrobimy. Dziękuję! – powiedziała i wróciła na korytarz. – Zbieraj się, wracamy! – rzuciła do Zbyszka. – Mam nadzieję, że nie obudzisz Heleny, bo jak cię zobaczy, to do rana nie zmruży oka.

Wyszli przed budynek i skierowali się na parking.

– Nie chcę być marudna, ale w coś ty się wplątał?

– Zwykła bójka uliczna… – próbował bagatelizować sprawę.

– Była policja?

– Tak.

– Złożyłeś zawiadomienie?

– Nie jeszcze! Daj spokój, krew zalewała mi twarz, auto miało rozbite szyby, nie miałem głowy do zeznań!

– A gdzie to się stało? I o co w ogóle poszło?

– O dziewczynę. To chyba jej były.

– Więc musisz zacząć od niej. Ona powinna go powstrzymać.

– Próbowała.

– Nie możesz się pchać na trzeciego.

– Nie mówiła, że kogoś ma.

– I zobacz, do czego doprowadziła. To jej wina. Przemyśl jeszcze ten związek.

Wiedeń, listopad 1968

Pociąg relacji Moskwa–Wiedeń, do którego wczoraj wsiedli na stacji Warszawa Gdańska, dojeżdżał do celu z godzinnym opóźnieniem. Była siódma rano. Dla całej czwórki, ale również dla większości pasażerów, miało się zacząć nowe życie. Wysiadali zmęczeni wielogodzinną podróżą, zdezorientowani, rozglądając się po peronie w poszukiwaniu pomocy. Kręciło się tu kilkunastu mężczyzn, jedni niecierpliwie rzucali hasło: „Izrael", inni wołali: „Szwecja", „Dania" lub „Ameryka!", i zbierali grupki wyjeżdżających w innych kierunkach. Wyglądało to tak, jakby ze sobą konkurowali. Ojciec Heńka z widoczną ulgą podniósł rękę, dołączając do grupy izraelskiej. Bał się obcego miasta, nie znał języka, nie mieli przecież nawet pieniędzy na spędzenie w hotelu choćby jednej nocy, a dokumenty podróży zabrano im jeszcze w pociągu.

Na parkingu przed dworcem wsiedli do busa i – sami o tym nie wiedząc – rozpoczęli wycieczkę po Wiedniu. Kierowca bowiem prawdopodobnie miał polecenie, aby im pokazać najpiękniejsze fragmenty miasta. Heniek raz po raz mocno ściskał dłoń Moniki. Oczy mu się śmiały, trącał ją i powtarzał: „To jest wielki świat! Tak wygląda Europa! Uciekliśmy z grajdołka! Teraz zaczniemy nowe życie! Będzie wspaniale!". Był zachwycony i wszystko mu się podobało: elegancja ludzi, domy, wystawy sklepowe, samochody, czystość i porządek na ulicach. Piękne, zadbane, kolorowe miasto po warszawskiej szarzyźnie mogło zawrócić w głowie. Monika przytakiwała i starała się uśmiechać, aby mu nie psuć humoru, ale w gruncie rzeczy nic jej to nie obchodziło. Wiedeń był tylko przystankiem.

Po blisko godzinnej podróży dotarli do miejscowości Schönau, gdzie w niewielkim, lecz uroczym pałacyku znajdował się tymczasowy obóz dla emigrantów. Tam, oprócz badania lekarskiego i regularnych posiłków, niemal przez cały dzień oglądali propagandowe filmy o Izraelu, mające utwierdzić ich w podjętej decyzji. Rodzice Heńka przyjęli postawę bierną, on sam był zadowolony. Uśmiechał się i komentował, nowa ojczyzna zrobiła na nim wrażenie.

– Nie to, co u nas. Wszędzie świetna organizacja i porządek! Widać, że ktoś nad tym panuje!

– Ale tam jest wojna! – szeptała przerażona Monika. – Będziesz musiał pójść do wojska!

– I co z tego? W Polsce wzięli mnie w kamasze za strajk na uczelni. Czym to się różni?

Nie dał sobie wytłumaczyć, a ona czuła się coraz gorzej. Jeszcze w pociągu budziła się raz po raz z płytkiej drzemki i kręcąc głową, pytała samą siebie, czy rzeczywiście chce opuścić ojczyznę i spędzić całe życie w kraju, do którego nie miała ochoty wyjeżdżać, z człowiekiem, którego nie kochała. Nie znajdowała jednak odwagi, aby szczerze o tym z Heńkiem porozmawiać. Natrętna propaganda w obozie tylko utwierdzała ją w przekonaniu, że Izrael nie będzie jej miejscem na ziemi. Może byłby, gdyby na miejscu Heńka był Stasiek, wtedy poświęcenie miałoby jakiś sens, a egzotyka Izraela by ją zachwyciła. Ale Stasiek miał przecież wyemigrować do Ameryki!

Dziwne, że Heniek niczego nie zauważył. Ani jej skrępowania, ani tego, że myślami była zupełnie gdzie indziej. Teraz Monika rozpaczliwie czepiała się nadziei, że w końcu znajdzie odpowiedni moment i wróci na dworzec kolejowy, gdzie spotka tę drugą grupę mężczyzn, nie z Sochnutu*, tylko z Jointu** lub HIAS-u***, bo tylko oni mogli jej pomóc. Wielokrotnie sprawdzała, czy ma jeszcze swoje dwadzieścia dolarów, jedyne środki, którymi mogła tu rozporządzać. Na szczęście były, szeleściły zaszyte pod podszewką.

Następnego dnia obudziła się koło czwartej. Po cichu wstała, ubrała się, wzięła torebkę, w której nie miała ani pieniędzy, ani dokumentów, tylko kosmetyczkę, chusteczkę do nosa, małe okrągłe lusterko ze zdjęciem Kim Novak na odwrocie, indeks z zaliczonym pierwszym rokiem prawa, legitymację studencką, kalendarzyk i wieczne pióro. Wyszła przed budynek. Było jeszcze ciemno, ale bus parkował

* Agencja Żydowska (inaczej JAFI) – organizacja działająca na całym świecie na rzecz rozwoju Izraela oraz pomagająca Żydom pragnącym się tam osiedlić.

** American Jewish Joint Distribution Committee – organizacja powstała w 1914 roku, wspierająca Żydów i organizacje żydowskie.

*** Hebrew Immigrant Aid Society – powstała w 1881 roku żydowska organizacja charytatywna, pomagająca żydowskim imigrantom z Europy Środkowej i Wschodniej.

nieopodal. Udało jej się dogadać z kierowcą, powiedziała mu, że chce odebrać z dworca starą ciotkę, która ma przyjechać dzisiejszym pociągiem, i kiedy Heniek z resztą rodziny jeszcze spali, zostawiając niemal wszystkie swoje rzeczy, wsiadła do samochodu. Roztrzęsiona z powodu popełnianej zdrady, co chwila oglądała się, czy ktoś jej nie goni. Kierowca na szczęście o nic nie pytał, choć po jej zachowaniu mógł domyślać się, że zmieniła decyzję. Było to w pewnym sensie prawdą, bo ta decyzja wciąż się ważyła. Monika wcale nie miała pewności, co wybierze. Musiała najpierw porozmawiać z kimś z Jointu lub HIAS-u.

Na szczęście kierowca nie wysiadł z samochodu. Spokojnie wyjął gazetę i zaczął czytać, a ona, niczym przestępca, oglądając się raz po raz, czy nie jest śledzona, wyszła na peron. W oczekiwaniu na pociąg z Moskwy kręcili się tam ci sami ludzie. Zapytała któregoś o Joint. Odparł, że on jest z Jointu.

– Przyjechałam wczoraj z mężem i teściami. Ale nie chcę jechać do Izraela! – przestraszona, wyrzuciła na jednym oddechu. O mały włos powiedziałaby też, że nie jest Żydówką, ale w porę ugryzła się w język.

Popatrzył na nią, marszcząc brwi, jakby chciał wniknąć do jej duszy albo liczył się z konsekwencjami, a ona stała, drżąc z zimna i strachu. Uratował ją nadjeżdżający pociąg.

– Czekaj tu na mnie! – rzucił mężczyzna i pośpiesznie ruszył ku ostatniemu wagonowi.

To było chyba najdłuższe pół godziny w życiu Moniki. Stała, szczękając zębami, przekonana, że zaraz na peronie pojawi się ktoś z Sochnutu albo nawet sam Heniek z ojcem i każą jej wracać do obozu. Po półgodzinie mężczyzna wrócił z samotną matką, niosącą może dwuletnią dziewczynkę, a w drugiej ręce niewielką walizkę.

Stanęli z boku.

– Macie tu adres hotelu, to blisko dworca. Za nic nie płacicie. A tu jest adres naszego biura, też niedaleko. Jutro o dziesiątej przyjdźcie, załatwimy formalności.

Dał im po sto pięćdziesiąt szylingów na jedzenie, życzył miłego dnia i tyle. Popatrzyły na siebie bez szczególnej sympatii i ruszyły w milczeniu. Kobieta była bardzo zmęczona, dlatego Monika zaproponowała, że weźmie jej walizkę, jednak tamta spojrzała tylko podejrzliwie i szła dalej, z wyraźnym trudem dźwigając bagaż i śpiące dziecko.

– Mam na imię Monika. Jestem z Warszawy, miałam jechać do Izraela z mężem i teściami, ale uciekłam z obozu.

– Ruta. Mam na imię Ruta. Jadę do Ameryki albo do Szwecji, właściwie wszystko mi jedno. Boże, ależ ona ciężka! – powiedziała kobieta, nie wiadomo, myśląc o córce czy o walizce. – Nie masz żadnego bagażu?

– Wszystko zostawiłam. Boję się, że mój mąż będzie mnie szukał – kontynuowała Monika.

– Mój mnie nie będzie. Przynajmniej taka pociecha.

– Nie wiem, co robić. Bo jeśli trafi na tego człowieka z Jointu i tamten powie, gdzie mamy nocleg, to on mnie bez trudu odnajdzie.

– Nie mówiłaś mu, że zmieniłaś zdanie?

Monika pokręciła głową.

– Ale jak cię znajdzie? Wiedeń to duże miasto.

– Kierowca mnie przywiózł na dworzec. Jutro Heniek może też tu przyjechać. Poda mój rysopis tym z Jointu i oni mu powiedzą, gdzie mieszkamy.

– Chyba nie będzie wyważał drzwi? Jeśli chcesz, możemy się zamienić pokojami.

– Myślałam, że gdzieś wyjdę. Na miasto czy coś...

– Nie jesteś zmęczona? Ja marzę tylko o tym, żeby się przespać. Zresztą jest strasznie zimno, gdzie się będziesz tułać przez cały dzień?

Tego Monika nie wiedziała. Pewnie poszłaby do jakiegoś muzeum. Ale gdzie tu są muzea, też nie wiedziała. Niby miała swoje dwadzieścia dolarów zachomikowane na czarną godzinę, ale głupio byłoby od razu je wydawać.

Nie wychodząc z dworca, przysiadły w małym barku. Zjadły kanapki z wędliną i popiły kawą. Ależ Monice wszystko smakowało! Gdyby nie to, że wciąż się rozglądała, czy przypadkiem nie nadchodzi Heniek, czułaby się niemal jak na wycieczce z Orbisem. Odpocząwszy, ruszyły w kierunku hotelu. Monika raz po raz pokazywała kartkę z adresem jakiemuś sympatycznie wyglądającemu przechodniowi, a ten, mówiąc coś, czego żadna nie rozumiała, machał ręką. Domyślały się, że w ten sposób wskazuje im kierunek.

Hotelik rzeczywiście znajdował się w pobliżu. Był dość niepozorny i nieszczególnie elegancki, ale Ruta czuła się zbyt zmęczona, aby narzekać, a Monika chciała się tylko jak najszybciej zamknąć w swoim pokoju. Kiedy już weszła do tej usytuowanej tuż pod dachem chłodnej klitki, gdzie mogła ręką dotknąć sufitu, rzuciła na łóżko torebkę, zdjęła buty, płaszcz, czapkę i szalik. Po krótkim wahaniu rozpięła też guzik spódnicy, zrzucając ją na podłogę. Potem przyszła kolej na sweter i bluzkę. W końcu odpięła pończochy, zdjęła pas do pończoch i ubrana jedynie w bieliznę i milanezową halkę, z westchnieniem ulgi wsunęła się pod przykrycie.

Leżąc z kolanami pod brodą, przez dłuższy czas trzęsła się z zimna i zdenerwowania. Wreszcie nakryła sobie głowę poduszką i próbując o niczym nie myśleć, chciała jak najszybciej odciąć się od wszystkiego. Uciec. Zasnąć.

Kiedy się obudziła, w pokoju panował już mrok. Na korytarzu nikt nie rozmawiał. Ubrała się i ostrożnie uchyliła drzwi, a potem lekko zapukała do sąsiadki. Słysząc zaproszenie, nacisnęła klamkę.

– Też jesteś głodna?

– Mhm. Ciągniemy losy, która pójdzie do sklepu?

– Ja pójdę – heroicznie zaproponowała Monika. – Co kupić?

– Chleb, masło, wędlinę. Na co ci wystarczy. Nie znam tutejszych cen, na pewno wszystko jest bardzo drogie. A przecież musi nam zostać jeszcze na śniadanie. Może coś do picia? Chciałabym spróbować coca-coli. – Kobieta wyjęła pieniądze i podała je Monice, która wróciła do swojego pokoju, ubrała się szybko i wyszła.

Mały sklepik spożywczy znajdował się tuż obok. Zaopatrzony był tak jak niewiele sklepów spożywczych w Polsce. Monika nie rozumiała napisów, ale brała to, na co się z Rutą umówiły, przez cały czas licząc w głowie, czy jej na wszystko wystarczy. Wzięła więc parę bułek, coś, co przypominało mortadelę, małą kostkę masła, trzy jogurty, herbatę w torebkach, dwie coca-cole oraz małą czekoladkę dla dziecka. Rozglądając się bacznie na ulicy, szybko wróciła do hotelu.

Bardzo już głodne, szybko zjadły bułki z wędliną, zaparzyły sobie herbatę, a na deser spróbowały coca-coli. Nie bardzo im smakowała.

– Wolę naszą oranżadę! – powiedziała Monika.

Wspólny posiłek je zbliżył. Siedziały na łóżkach i gadały o wszystkim i o niczym. Ruta pochodziła z Łodzi. Była nauczycielką. Jej mąż, urzędnik, zmarł niedawno na zawał serca spowodowany prześladowaniami, jakie go spotkały w wyniku antysemickiej nagonki.

– Do marca wszyscy go lubili, a potem nagle przestali znać. Z dnia na dzień stał się trędowaty. Stracił pracę, zaczęto go oskarżać o jakieś niestworzone rzeczy, robili nad nim sądy partyjne. Był takim porządnym człowiekiem... Ta nagonka go zabiła. Za co, pytam? Dlaczego musiał umrzeć?! Co komu przyszło z jego śmierci? – Rozpłakała się.

Koło północy Monika wróciła do swojego pokoju. Wzięła od Ruty *Noce i dnie* Dąbrowskiej, lekturę, której nie zdążyła przeczytać w liceum, ale nie potrafiła się skupić. Zasnęła przed pierwszą. Nikt nie przyszedł jej szukać.

Zajezierzyce,
wtorek 30 sierpnia 2016, 20:08

Właściwie to jestem wdzięczna Gomułce i Moczarowi, że zrobili mnie pół-Żydówką – westchnęła Monika, kiedy Elena poszła do pokoju, zostawiając je same. Monika czekała na telefon od Maćka, a Tessa od Mii.

– Można być pół-Żydem?

– Nie, ale ja jestem. Dzięki temu, że wyszłam za Heńka, jestem dziś tu, gdzie jestem. Nigdy by mi się to nie udało, gdyby nie Marzec. Bo kim bym dziś była? Adwokatką w Gutowie? Taką panią Gawryło-Frajnic?

– Małe miasto, małe możliwości… – westchnęła Tessa.

– Otóż to. Ty chyba możesz powiedzieć coś podobnego?

– Polska raz na dekadę wyganiała swoich obywateli. Nie jestem tego w stanie pojąć. Pięćdziesiąty szósty, sześćdziesiąty ósmy, osiemdziesiąty pierwszy… Jaka to strata dla państwa!

– Chyba nikt się nigdy nad tym nie zastanawiał. Zresztą dla kolejnych rządów ważniejsze było, aby im społeczeństwo nie podskakiwało. Chcieli mieć grzecznych, biernych obywateli, co jest morderstwem postępu, który się sam nie zrobi. Ale inteligencja to same problemy... Zatem najpierw kształcono, a potem wydalano najzdolniejszych. Lub pomagano im emigrować. Teraz też się to dzieje. Migracja ekonomiczna nie jest wcale mniejszą zbrodnią na społeczeństwie niż polityczna. Politycy nie potrafią zatrzymać młodzieży i zachęcić jej do rozwijania nauki i biznesu w kraju. Już tylko za to powinni być karani dożywotnim skreśleniem z list wyborczych! Podlizują się różnym grupom interesów, rozdają przywileje, zapominając, że to młodzi tworzą ferment, ten potrzebny każdemu państwu nowoczesny model funkcjonowania społeczeństwa, i jeśli nie będziemy dawać szansy młodym, spakują manatki, zostawiając nas samym sobie – przyznała Monika.

– A Polska się starzeje i kto będzie pracował na emerytury, które są finansowane z podatków?

– Takie to krótkowzroczne, takie naiwne. Oni tego nie widzą?

– Kto?

– Wyborcy.

– Wyborcy są wszędzie tacy sami. Głosują na ślepo. Nie wiedzą, że ich życie zależy od polityków, którzy w ostateczności mogą nawet doprowadzić do wojny, co już się w historii wielokrotnie zdarzało i co dzieje się aktualnie w Syrii czy na Ukrainie. Gdyby wyborcy rozumieli zależność między oddaniem głosu a swoim życiem, wybieraliby mądrych polityków, gwarantów ładu i spokoju – zawyrokowała Tessa.

– Oj, chyba się zagalopowałaś. Po pierwsze: gdzie są ci mądrzy politycy? Bo nie widzę ich w Stanach, nie ma ich chyba też zbyt wielu w Austrii, o Polsce nie wspominając.

– Cały czas się nad tym zastanawiam: dlaczego ludzie biorą się do udziału w życiu społecznym dopiero wtedy, kiedy politycy coś mocno zepsują albo w imię swoich interesów czy jakiejś ideologii zniechęcą do siebie duże grupy? Gdyby udział społeczeństwa w rządzeniu był większy, politycy baliby się ulegać lobbystom.

– Duże grupy społeczne też są lobbystami: górnicy, rolnicy. Te, które potrafią się zorganizować. Mam nadzieję, że już niedługo, chociaż może nie za naszego życia, nastąpi jakaś wielka zmiana. Może zostanie wymyślony jakiś zupełnie nowy ustrój? – zastanawiała się na głos Monika.

– Nie za dużo wypiłyśmy? – Tessa scenicznym gestem wzięła butelkę i pod światło spojrzała, ile wina zostało w środku.

Monika wzruszyła ramionami.

– Nie czujesz, że nadchodzą zmiany? – gorączkowała się.

– Może i czuję, ale czy tak bardzo się z nich cieszę? Zmiany zawsze mnie przerażały. A zmiana społeczna tak wielka, o jakiej mówisz, nowy ustrój... Do takich zmian nie dochodzi na drodze pokojowej. Wszystkie, jeśli sobie dobrze przypominam, były skutkiem przelewu krwi. Trudno się tym ekscytować.

Monika spojrzała w okno, jakby rozważała słowa Tessy lub szukała argumentów.

– Jednak coś się musi wydarzyć. Bo na razie się cofamy. Nierówności znów rosną, biedni biednieją, bogaci się bogacą.

– Mówisz o nas? – roześmiała się Tessa.

– Też. Ale my nie jesteśmy aż tak bardzo bogate.

Tessa spojrzała na Monikę i uśmiechnęła się półgębkiem. Najwyraźniej przyjaciółka nie spróbowała nawet zdobyć o niej podstawowych informacji.

– Na szczęście.

– Oczywiście w Stanach prawnicy nie są lubiani. Jesteśmy uprzywilejowaną, drogo opłacaną kastą, coś jak lekarze.

– Tyle że lekarze są potrzebni… – Tessa zawiesiła głos.

– Wiem, co masz na myśli. Prawo jest zbyt skomplikowane i nieintuicyjne. Posługuje się trikami, sztuczkami. Jesteśmy trochę jak magicy. Nagle wyjmujemy królika z kapelusza, którego tam nikt nie włożył.

– Zamiast walczyć o prawdę, popisujecie się sprawnością intelektualną.

– Mnie to się też nie podoba, ale to wina prawa – usprawiedliwiała się Monika.

– Czyżby? A nie jego interpretacji? Szukania precedensów, słabych stron przeciwnika? Uprawianie zawodu prawnika nie ma dziś nic wspólnego z moralnością i to mnie przeraża. A prawo będzie się nadal komplikowało, co służy tylko i wyłącznie bogatym, bo biednych na prawnika nie stać.

– Często pracujemy *pro bono*!

– Co jeszcze bardziej frustruje doły społeczne, bo nikt nie lubi, aby ktoś mu robił łaskę. Dajmy im godnie zarobić, a będą nam godnie płacić.

– Ty płacisz swoim ludziom godnie? – prowokacyjnie zapytała Monika, ale Tessa nie odpowiedziała. Zamyślona patrzyła gdzieś za okno.

– Wiesz, co wtedy ludzie o tobie mówili?

– Kiedy?

– W sześćdziesiątym ósmym.

– Skąd mam wiedzieć?

– Że jesteś szczęściarą.

Monika prychnęła i nie podnosząc oczu, pokręciła z niedowierzaniem głową.

– Ludzie chętnie wydają takie sądy.

– Ty sama powiedziałaś przed chwilą, że jesteś wdzięczna Moczarowi i Gomułce.

– Teraz! Po tylu latach! Wiesz, jak się czuje ktoś, kogo się pozbawia obywatelstwa, daje psi paszport, zmusza do zakupienia biletu w jedną stronę i z ulgą otrzepuje ręce?! Co tam z ulgą! Do końca nas traktowali podejrzliwie i gdzie tylko mogli, pokazywali, że jesteśmy gorsi. A najdziwniejsze, że po przekroczeniu granicy nasz pociąg został zaplombowany! Rozumiesz?! Bo ja nie. Gdyby zamknęli drzwi na czas podróży po Polsce, jeszcze dałoby się to wytłumaczyć. Nie mieliśmy już obywatelstwa, kraj się nas pozbywał. W mało elegancki sposób, ale *dura lex, sed lex.* Jechaliśmy jak do obozu zagłady.

– Teraz już przesadziłaś. Jechaliście do wolnego świata i większości powiodło się tam lepiej niż tu.

– Wiesz, co to wtedy była zagranica? Przecież myśmy tu żyli jak za chińskim murem. Nikt z nas nie wiedział, jak się tam funkcjonuje.

– Mogę sobie to wyobrazić – spokojnie stwierdziła Tessa. – Ale większość emigrantów miała rodziny w Izraelu i Stanach.

– To nic nie zmienia. Nasz kraj nas porzucił, pozbył się nas. Społeczeństwo podpuszczone przez władze partyjne po raz kolejny wyładowało na Żydach swoją frustrację.

– Ty chyba nie musiałaś wyjeżdżać? Nie byłaś Żydówką.

– Mój mąż był.

Tessa pokiwała głową w milczeniu. Uznała temat za wyczerpany. Nie będzie teraz Monice opowiadać, co wtedy czuła, jak wielu z nich by się z nią zamieniło. Bo, parafrazując Szekspira, czuli się, jakby Polska była więzieniem. Nikt chyba nie myślał, co ona traciła, raczej zastanawiano się, co zyskiwała, bo przecież nie wierzyli, że Kazimierz, do niedawna tak prominentna osoba, nie zaopatrzył jej we wszystko. Nikt nie widział Moniki wsiadającej do autobusu z jedną tekturową walizką, a nawet jeśli, to nie sądził, że jedynie taki bagaż zabrała. Nikt nie zastanawiał się, co ją tam czeka, wiedzieli, że w sklepach będzie mogła kupić wszystko, co jej się tylko zamarzy. Tego jej zazdroszczono. Ile miała ze sobą pieniędzy, nie wnikano. Że trzęsła się ze strachu, szmuglując je przez granicę, także nie. A tym bardziej co za nie mogła kupić. I tak wielu by się z nią bez wahania zamieniło, bo znalezienie się za granicą dla wszystkich automatycznie oznaczało wolność.

– Ludzie ci zazdrościli – powiedziała jednak.

– Czego?!

– Choćby tego, że oddychasz świeżym powietrzem.

– Właściwie masz rację. – Monika kiwnęła głową. – To właśnie się stało. Przecież wtedy już wszyscy wiedzieliśmy, że nigdy nie uda nam się dogonić Zachodu. A co do Wschodu nikt nie miał złudzeń, nawet ty czy ja, chociaż byłyśmy wtedy gówniarami. Stamtąd przychodziły wskazówki. Jest taki termin wędkarski: przyducha. Tak tu wtedy było. Brakowało tlenu. Dla wolnej myśli, dla inicjatywy, dla przedsiębiorczości. Dlatego Polska tak wolno goniła Zachód. Władza położyła na wszystkim łapę.

– A raczej but…

– Przecież wtedy na emigrację zdecydowało się kilkuset nauczycieli akademickich, niemal dwustu dziennikarzy, setka artystów, kilkudziesięciu pracowników telewizji, niemal trzydziestu reżyserów filmowych, ponad pięciuset urzędników, również dyplomatów! Gdzie byśmy dziś byli, gdyby nie politycy?! – westchnęła Monika.

– To akurat jest nie do przewidzenia. Ale rzeczywiście, wiele państw skorzystało na tej marcowej emigracji. Polska sama sobie zrobiła drenaż mózgów.

– Zgoda. I pomników już nikt Gomułce nie postawi.

– Stawiają komu innemu. Tutaj święci się klęski – wyrażając dezaprobatę, Tessa pokręciła głową.

– Taki to naród. Od zawsze nie cierpi elit. Z radością równa w dół. Ale to znowu wina polityków. Grają swoje małe gierki, nie widzę żadnego, który by się wzniósł ponad małostkowość, łączył, zamiast dzielić. Był charyzmatyczny i miał długoletnią strategię.

– Każdy ma strategię: byle wygrać wybory. Tak jest wszędzie. Polityka staje się populistyczna. Nie wiem, czemu Polska miałaby być w tym akurat inna.

– Bo to nasza ojczyzna – powiedziała Monika i obie się roześmiały.

– Polskość jest niczym choroba, nie da się z niej wyleczyć.

– Tyle lat na emigracji, a my wciąż jesteśmy przede wszystkim Polkami!

– Polkami z zagranicznym paszportem. Każda z nas ma swoje życie i stara się je przeżyć na swój sposób, ale takich jak my, zagranicznych Polek, jest bardzo wiele. Zawczasu trudno orzec, jaki wybór będzie właściwy, ale z Polski przez długie lata uciekało się do lepszego życia. Tu było biednie, nie dało się awansować bez układów, nie mogłaś się niczego dorobić.

– A teraz Polska to część Europy. Zawsze z radością tu wracam. I naprawdę jest coraz mniej powodów do wstydu. Czemu się śmiejesz? Znowu myślisz o polityce? Żaden polityk nie jest wieczny!

– I w tym cała nadzieja! – odparła Tessa. – Bo to, co się teraz dzieje, napawa mnie głęboką troską. Przyjechałam tu również w tym celu, żeby zobaczyć, czy to, o czym piszą i mówią, naprawdę ma miejsce. „Polska w ruinie"? Wolne żarty! Chwyt retoryczny, nic więcej.

– Ale kilkanaście lat potrwa sprzątanie po tym chwycie retorycznym.

– Ufam mądrości Polaków. Nie będą chcieli stracić statusu Europejczyków. Ale ja pewnie tego nie doczekam…

– Jesteś taka spokojna. – Monika popatrzyła na przyjaciółkę z podziwem.

– To pozory. Ale nauczyłam się sztuki kamuflażu. Pracujesz z ludźmi, to wiesz, że na opinię pracuje się długo, a stracić ją można w jednej chwili. Negocjacje wymagają panowania nad mową ciała, odruchami, wyrazem twarzy. A potem to już zostaje, bo trudno raz być otwartym, to znów zamkniętym. Przyjmujesz jakąś maskę raz na zawsze.

– A w środku? Kim jesteś w środku?

– Kiedy tu siedzę: tamtą małą przestraszoną Teresą. Ale wrócę do Wiednia i będę umierać jako Tessa Steinmeyer.

Kiedy się starzejesz, pierwszy ból, niedogodność życiową, przyjmujesz ze zdziwieniem. Nagle psują ci się oczy, wysiadają kolana, pobolewają stawy. Nie masz wyjścia, przyzwyczajasz się. Chorób przybywa, a ty próbujesz się adaptować. Coraz wolniej chodzisz, coraz gorzej zapamiętujesz, bez okularów nie możesz już nie tylko nawlec igły czy przeczytać gazety, ale nawet funkcjonować na co dzień.

– Okulary muszą być w zasięgu ręki. Zawsze noszę ze sobą dwie, trzy pary na wszelki wypadek.

– Żyjemy coraz mniej sprawnie, znosimy coraz więcej bólu. I jest to dosłownie ból istnienia, nie jakiś tam wydumany *weltschmerz*. Dość tego, nie marudzę już! Popatrz na te drzewa. Jakie piękne, jak dostojne w tym zachodzącym słońcu. I Gutowo tak bliskie. Małe miasto, które było dla nas wtedy niedosięgłe. Te budynki po drugiej stronie… Marzyłam, żeby się tam znaleźć.

– Dotarłyśmy dużo dalej.

– A mimo to musiałyśmy wrócić. Właściwie po co?

– Może to nasza skala? Tylko stąd potrafimy ocenić, do czego doszłyśmy?

Wiedeń, listopad 1968

Wbrew temu, na co trochę liczyła, Heniek nie pogodził się z jej zniknięciem. Bez trudu odkrył, że pojechała do Wiednia, nie wiedział tylko po co. Przeczuwał, że stara ciotka nie istnieje, kiedyś by przecież musiał o niej słyszeć. Dlaczego więc Monika opuściła obóz? Może jej się nudziło? Chciała pochodzić po mieście? Na razie nie wszczynał alarmu, bo to mogłoby rodzinie zaszkodzić. Kiedy jednak nie wróciła na noc, zaczął się poważnie denerwować. Nie miał pojęcia, co się mogło stać. Następnego dnia z samego rana też wsiadł do busa. Rozpytując ludzi na peronie, pokazywał zdjęcie żony i nieoczekiwanie trafił na mężczyznę, który skierował Monikę do hotelu. Ten podał mu adres biura i godzinę, o której miała się tam zgłosić, aby dopełnić procedury wyjazdu do Ameryki. Do Ameryki? Heniek nie rozumiał, był pewien, że to pomyłka. Z pewnością chodzi o kogoś innego. Jednak na razie nie miał żadnego innego tropu, uznał, że nie zaszkodzi sprawdzić. Jeśli to ona, łatwo ją odnajdzie. A jeśli nie?... Przecież nie mogła wrócić do Polski? Co się z nią dzieje?!

Monika, obawiając się takiego właśnie obrotu spraw, pół godziny przed planowaną wizytą w siedzibie HIAS-u stanęła po drugiej stronie placyku, przy którym pod adresem Brahmsplatz 3 znajdowało się biuro. Na jego widok serce zaczęło jej walić jak oszalałe. Z rękoma w kieszeniach szedł energicznym krokiem jedyną możliwą drogą, to jest od Tilgner Strasse. Ruta wraz z córką zgłosiła się w biurze punktualnie o dziesiątej. Zgodnie z przewidywaniami spotkała go na korytarzu. Nie zdziwiła się, kiedy zagadnął ją o Monikę. Choć żal jej było chłopaka, powiedziała, jak wcześniej ustaliły, że w nocy przyjechała do hotelu karetka pogotowia. Usłyszała sygnał, który ją obudził, i wyjrzała na korytarz, a potem przez okno. Widziała tylko blondynkę na noszach, która wyglądała na nieprzytomną. Nie ma pojęcia, do jakiego szpitala, wcześniej nie rozmawiały, to wszystko, co wie.

Monika zauważyła, jak Heniek niczym oparzony wybiegł z biura i tą samą drogą, którą przyszedł, pobiegł w kierunku Favoriten Strasse. Odczekawszy kilka minut, ostrożnie przeszła na drugą stronę i weszła do budynku. Ruta kończyła właśnie wypełniać jakiś formularz. Urzędniczka rozmawiała z nią częściowo po polsku, częściowo po angielsku:

– Jutro o szóstej wieczorem mamy pociąg do Rzymu, jeśli nadal jesteś zdecydowana.

– Oczywiście! – Monika kiwnęła głową i usiadła naprzeciwko młodej Amerykanki, która przygotowywała dokument podróży, a po kilkunastu nieznośnie długich minutach wręczyła jej z uśmiechem bilet do Rzymu z lapidarnym *Good luck!*

– Właściwie dlaczego tak się ukrywasz przed tym chłopakiem? Wydawał się miły – zapytała Ruta, kiedy wyszły z biura HIAS-u.

– Nie jestem Żydówką – wyznała Monika, jakby to mogło wszystko wyjaśnić. – Wyszłam za mąż przypadkiem. Kochałam innego. W Polsce nie miałam nikogo, kto by... – zawiesiła głos. – Właściwie nie wiem, co chciałam powiedzieć.

– On może wrócić – zauważyła Ruta. – Co wtedy zrobisz?

– Nie mam pojęcia.

– Pewnie teraz szuka cię we wszystkich szpitalach.

– Postąpiłam okropnie. Jestem złym człowiekiem. Wyrodną córką, okrutną żoną. Myślę tylko o sobie i nie wiem, czy kiedykolwiek zdołam im to wynagrodzić. Mam mnóstwo potwornych rzeczy na sumieniu – powiedziała zdesperowana Monika.

– Każdy z nas ma coś na sumieniu – nie dając się ponieść emocjom, powiedziała Ruta. – Nie zasłaniaj się tym, tylko pomyśl, co dalej.

Miała rację, Heniek był zdeterminowany i na pewno chciał ją znaleźć. Ile czasu potrzebował, żeby zadzwonić do wszystkich szpitali? Wystarczy mu godzina.

– Nie wracam. Pójdę na spacer – zdecydowała.

– Dokąd?

– Wszystko jedno. Przed siebie.

– Jest strasznie zimno. Jak długo wytrzymasz?

– To co mam robić? – płaczliwie zapytała Monika.

– Weźmiesz wolne łóżko w moim pokoju.

– Zapomniałaś, że to ja zajmuję twój pokój?

– Może nie będzie cię szukał.

– Przyjdzie od razu na dworzec. Ja bym tak zrobiła.

– To przyjdzie. Kiedyś musisz stanąć z nim twarzą w twarz. Im wcześniej, tym lepiej. Zachowaj się jak dorosła. Wyjaśnij wszystko. Zaczniesz nowe życie bez obciążenia – chłodno stwierdziła Ruta.

– Nie rozumiesz! Widziałaś go? On jest zakochany. Zrobi wszystko, żeby mnie zatrzymać! Żeby mnie zabrać ze sobą. Czuje się za mnie odpowiedzialny. Nie puści mnie tak łatwo. Jednak pójdę się przejść... – pociągając zakatarzonym nosem, zdecydowała Monika.

Ruta spojrzała na nią uważnie.

– Jeśli chcesz dalej żyć w spokoju, musisz się z nim spotkać! Może kiedyś będziesz chciała się rozwieść, co wtedy zrobisz?

– Chciałabym mieć starszą siostrę – wyrwało się Monice.

– A ja młodszą.

– Przecież masz córkę.

Ruta spojrzała z miłością na znudzoną Polę i uśmiechnęła się. Dziewczynka natychmiast zrozumiała, że to jej moment.

– Kcem cukierka! – zażądała.

Ostatecznie Monika nigdzie nie poszła. Przeleżała cały dzień w łóżku. Zasypiała, budziła się i znów zasypiała. Wreszcie przestraszyła się, że prześpi odjazd pociągu. Podświadomie przez cały czas czekała, aż ktoś zapuka. I była pewna: to będzie Heniek. Ale on tego dnia nie przyszedł. Domyśliła się, że może zobaczyć go jutro na peronie. Długo zastanawiała się, co mu powie, jak rozegra całą sytuację. Nie czuła się z tym dobrze, bo wiedziała, że go zrani, ale zabrnęła już tak daleko, że nie mogła teraz wrócić do Schönau.

Kolejny dzień również przeżyły na bułkach z mortadelą. Nie chciało im się szukać żadnego baru, zresztą ani Monika, ani Ruta nie znały niemieckiego, i nie miały ochoty wychodzić. Dostały za mało pieniędzy, aby starczyło na rozrywki, nie były zresztą turystkami. Chciały się dobrze wyspać przed czekającymi je trudami podróży. Znowu kilkanaście godzin nocą w pociągu. A potem znów niepewność.

Monikę jednak trapiło możliwe spotkanie z Heńkiem. Co on zrobi? Jak zareaguje? A może wcale się nie spotkają?

Nie jestem taka zła – przekonywała sama siebie. – Po prostu go nie kocham. Przerażała ją własna decyzja. Za nic w świecie nie przyznałaby się, że ucieka od wszystkiego, co znała, goniona przez wyrzuty sumienia i nie spocznie, póki nie zapomni. Gdyby została z Heńkiem, nigdy by jej się to nie udało.

Czwartek ciągnął się niemożliwie. Monika wstała o siódmej, bo i tak już od godziny kręciła się w łóżku, nie mogąc zasnąć. Ale wstanie nic nie załatwiło. Owszem, poszła do sklepu i przyniosła kolejną porcję bułek, a kiedy przez ścianę usłyszała głosy Ruty i Poli, zapukała i weszła z gotowymi kanapkami. Była smutna, ale Ruta nie drążyła tematu. Nie pocieszała, nie uspokajała. Nie rozmawiały o czekającej je podróży, tylko czasem napomknęły coś półgębkiem, zmęczone trwającym od kilku dni stanem zawieszenia. Wreszcie Monika podniosła się i wróciła do swojego pokoju. Leżała, gapiła się w ścianę i myślała o wszystkim i o niczym, a czas jakby stanął w miejscu. Nie mogąc znieść oczekiwania, wstała i wyszła z hotelu. Nie chodziło jej o ucieczkę przed Heńkiem, tylko o zabicie czasu, który wlókł się tak niemiłosiernie. Po godzinie zmarznięta wróciła. I znów leżała, spoglądając raz po raz na zegarek.

Ustaliły z Rutą, że pójdą na dworzec i tam posiedzą w barze. Zjedzą jakieś kiełbaski, wypiją kawę lub herbatę. Tym razem Ruta nie oponowała, gdy Monika wzięła jej walizkę. Usiadły w barze i patrzyły na ludzi zdążających we wszystkich kierunkach.

– Chciałabyś tu zostać? – nieoczekiwanie zapytała Ruta.

– Chyba nie.

– Kiedy to wszystko już wreszcie się skończy! – westchnęła. – Mam dość tej niepewności, tego nieustannego strachu, co będzie, co się stanie, jestem u kresu sił. Chciałabym gdzieś osiąść, gdzie będzie nudno, gdzie dzień za dniem będzie płynął bez wstrząsów, bez zmian, gdzie nic się nie będzie działo! Absolutnie nic.

Monika nie odpowiedziała, bo wydało jej się nagle, że gdzieś w oddali mignęła jej sylwetka Heńka. Patrzyła z bijącym sercem w tamtym kierunku, ale już go nie zobaczyła.

– On tu jest... – powiedziała głucho.

– Kto?

– Heniek, mój mąż.

– Dowiedział się, że wyjeżdżasz do Rzymu, i przyszedł się pożegnać.

– Boję się...

– Czego?

– Nie wiem. Że każe mi wracać do Schönau, jechać do Izraela…

– Boisz się, że przyjdzie z policją?

– Aż tak to nie…

– Co ci może zrobić? Przecież już musiał zrozumieć. W końcu nie jest głupi. Wyjechałaś z obozu i nie wróciłaś, to jak pozew o rozwód. A potem jeszcze ta zabawa w ciuciubabkę, fałszywa informacja o szpitalu. Zadrwiłaś z niego. Jeśli tu rzeczywiście jest, to tylko po to, żeby ci wybaczyć. Pójdziemy na peron?

Przygryzając wargę, Monika skinęła głową. Słowa Ruty nie przekonały jej, ale dodały odwagi. Odruchowo chwyciła jej walizkę. Podeszły do rozkładu jazdy, sprawdzając, na który peron powinny się skierować. I kiedy już się tam znalazły, zobaczyła Heńka. Z opuszczoną głową, jakby nieobecny, siedział na pobliskiej ławce. Przy jego nogach stała walizka Moniki. Mogła go zignorować, odejść, uciec. Ale choć wszystko się w niej trzęsło ze zdenerwowania, podeszła i usiadła obok. Pogrążony w myślach początkowo chyba nawet jej nie zauważył.

– Długo tu siedzisz? – zapytała wreszcie.

Heniek nie podniósł głowy.

– Od rana. Przywiozłem twoją walizkę.

– Heniu, ja… – Monika sama nie wiedziała, co chce powiedzieć.

– Nie jestem ci do niczego potrzebny.

– To nie dlatego. Nie byłbyś ze mną szczęśliwy.

– Mnie wystarczy, żebyś była obok. Niczego nie chcę. Zaczekałbym.

– Nie mam prawa zabierać ci twojego życia, nie dając nic w zamian. Nie zdołam już nikogo pokochać.

– Zrobiłbym dla ciebie wszystko.

– Wiem. Wybacz mi, proszę.

– Dokąd jedziesz?

– Nie wiem, może do Ameryki.

– Nie masz tam nikogo.

– Nigdzie nie mam nikogo.

– To nieprawda. Martwię się o ciebie.

– Muszę zacząć wszystko od początku. Sama. Nic nie powinno mi przypominać tego, co było, może wtedy znajdę spokój.

– Będziemy mieszkali w Hajfie. Pójdę na uniwersytet. Gdybyś jednak chciała przyjechać… Będę czekał.

Wyciągnęła rękę i dotknęła jego dłoni. Dopiero wtedy Heniek podniósł wzrok.

– Cieszę się, że nic ci się nie stało – powiedział, a ona przytuliła go z bolesnym szlochem.

Gutowo,
wtorek 30 sierpnia 2016, 20:10

Helena obudziła się z ciężkiego, pełnego koszmarów snu. Otworzyła oczy i w pierwszej chwili ucieszyła się, że nic, co jej się przyśniło, nie jest prawdą. Jednak zaraz dotarło do niej, że wobec śmierci Waldka wszystkie koszmary są jedynie niewinnymi bajeczkami. Coś ścisnęło ją w dołku i wbrew woli rozpłakała się.

– Dlaczego? Dlaczego mi to zrobiłeś?! – łkała, drąc na strzępy papierową chusteczkę.

Miała straszny żal do męża, że nie pojechał od razu do szpitala. Z niewiadomego powodu uznała bowiem, że to ta kilkugodzinna zwłoka spowodowała zgon. Sama też czuła się oczywiście winna. Przecież wiadomo, że on ze wszystkim, co dotyczyło zdrowia, zawsze niemiłosiernie zwlekał. Trzeba go było na każde badania wielokrotnie wysyłać, nękać, straszyć. Właśnie dlatego łkała, bo w tym całym bałaganie zabrakło jej wczoraj stanowczości i teraz już wyłącznie siebie obwiniała o to, co się stało.

Chciałaby nie być sama w taki wieczór. Miała nadzieję, że Zbyszek zrozumie, że są sprawy ważne i ważniejsze, że nie ucieknie jak złodziej z własnego domu, że posiedzi, przytuli ją, zrobi herbatę, zachowa się jak mężczyzna. Nic wielkiego przecież. Ale jego nie było. Helena przeczuwała, że ta dziewczyna z Płocka jeszcze stanie się przyczyną kłopotów. Szkoda, że Zbyszek tego nie rozumiał. Do Igi Helena też już nie chciała wydzwaniać, jej dzieci wróciły z wakacji, na pewno chciała się nimi nacieszyć.

Wstała z kanapy i poszła do kuchni. Wypiła wystygłą herbatę i przez kilka minut wpatrywała się tępo w okno, za którym na czubkach drzew jeszcze gdzieniegdzie połyskiwały złote refleksy zachodu słońca. Czuła się potwornie zmęczona. Chyba nigdy nie było jej tak źle. Nagle, bez żadnego ostrzeżenia, jej świat się zawalił. Naturalnie będzie musiała żyć, wspierać Zbyszka, pomóc mu we wszystkim, a zwłaszcza w prowadzeniu firmy, czuła jednak, że z odejściem Waldka opuściły ją zapał i chęć do pracy. Pomyślała, że chętnie zatrudniłaby jeszcze jedną ekspedientkę, a sama wycofała się trochę, zwolniła. Miała już swoje lata, nogi jej puchły po długim staniu za ladą, zaczęły się jakieś kłopoty z wątrobą, cholesterolem. Nigdy nie miała czasu, aby zająć się sobą. I teraz nie będzie go miała więcej.

Gdzie ten Zbyszek? Mógłby już wrócić! Młodzi chyba nigdy nie zrozumieją, że pewnych rzeczy w konkretnych sytuacjach po prostu robić nie wypada! Gdzie jego szacunek dla ojca? Gdzie zrozumienie powagi sytuacji?! Trudno, trzeba się czymś zająć do jego powrotu. Helena westchnęła i zeszła do piwnicy, aby poszukać w szafce na buty czarnych pantofli na niskim obcasie. Dawno w nich nie chodziła, nie pamiętała, w jakim są stanie, czy nie są niemodne i czy się jej jeszcze w nich zmieszczą stopy. Przy okazji poszuka nalewki na pigwie, zawsze jej dobrze robiła w trudnych chwilach. Włączyła światło i rozejrzała się po pomieszczeniu.

Przydałoby się zrobić tu trochę porządku – pomyślała. – Trzeba powiedzieć Katii, żeby wygospodarowała parę godzin. Chociaż tu to i ja byłabym potrzebna. Pełno jakichś klamotów, skąd ona ma wiedzieć, co zostawić, a co wyrzucić?!

Zapomniała, po co tu przyszła, i rozpoczęła porządki na półkach. Zdejmowała stare garnki, w których już nikt nie będzie gotował, słoiki, doniczki, durszlaki, odstawiane w pośpiechu i z nadzieją na wykorzystanie w przyszłości stare lampy, pojemniki, żyrandole, kasetki na biżuterię. W kartonie jeden na drugim stały dwa nieczynne odkurzacze, a szafka z butami pełna była niemodnych, podniszczonych modeli.

Kto w tym będzie chodził?! Trzeba to wszystko wyrzucić! – zdecydowała i poszła po worki na śmieci, żeby czekając na Zbyszka, zająć się czymś pożytecznym. Po kwadransie szafka była pusta, a obok pojemnika na śmieci leżały dwa worki. Helena zdecydowała, że musi przetrzeć szafkę, zanim ją czymkolwiek zapełni. Odsunęła więc mebel od ściany i ku swemu zmartwieniu zauważyła, że za szafką odłupał się duży kawałek tynku. Poszła po wiadro i szczotkę oraz szufelkę. Kiedy już namiotła gruz, spojrzała, czy gdzieś obok nie oderwie się jeszcze jakiś kawałek. Postukała więc delikatnie w ścianę trzonkiem szczotki i rzeczywiście odbiła kolejny duży kawałek.

Zaraz się okaże, że trzeba tu będzie zrobić remont! – westchnęła.

Kiedy powiększali cukiernię, zajmując również parter drugiej kamienicy, nie mieli ani tyle pieniędzy, ani tyle czasu, aby pozwolić sobie na długi przestój, dlatego do piwnicy nawet nie zajrzeli. Zresztą to był od zawsze składzik na niepotrzebne rzeczy, które kiedyś mogły się okazać przydatne, ale na ogół nigdy się nie okazywały. Zapominano o nich, kupowano nowe, a starocie porastały kurzem i pajęczynami. Dlatego dziś Helena postanowiła, że rozprawi się z tym zwyczajem i raz na zawsze zrobi porządek w piwnicy. Jej wzrok spoczął na ścianie, z której odpadł tynk.

Trzeba to będzie załatać... A może by tak choć raz zrobić to dobrze? Wystawić sprzęty, skuć ten stary tynk, położyć nowy? Zrobić tu porządne półki na kolejne rzeczy? – pomyślała i znów zaczęła stukać w odpadający tynk. Zdziwiła się, słysząc inny, tym razem głuchy odgłos, jakby po drugiej stronie trafiła na pustkę. Ostukawszy większy kawałek ściany, zauważyła, że „pusto" brzmi tylko niewielki fragment. Zaciekawiona, przyniosła z garażu dłuto i młotek i zabrała się do kucia. Nie było to specjalnie trudne, pod uderzeniami młotka cegły kruszyły się i osypywały na podłogę.

Narobię sobie bałaganu – pomyślała, ale zaciekawiona znaleziskiem, kuła dalej.

Po kilkunastu minutach w ścianie powstała szpara wystarczająca na włożenie dłoni. Helena, nie myśląc o niebezpieczeństwie, wsadziła tam rękę i wymacała jakiś metalowy przedmiot, jednak żeby go wyjąć, musiała jeszcze nieco powiększyć otwór. Wreszcie udało się jej wyciągnąć doskonale zachowane metalowe pudełko z napisem „Ciastka maślane Cukiernia Pod Aniołem Gutowo".

Gapiła się na nie oszołomiona. Całkiem nieźle zachowane, nieco podrdzewiałe, to oczywiste, ale nie przypuszczałaby, że cukiernia w małym mieście mogła mieć swoje firmowe pudełko! Potrząsnęła znaleziskiem, lecz nie usłyszała żadnego dźwięku. Poszła więc do kuchni po nóż i tam, podważywszy wieczko, otworzyła pudełko.

Najpierw zobaczyła czerwoną jedwabną tkaninę; po rozłożeniu okazało się, że jest to chustka. Były w niej zawinięte rozmaite złote przedmioty: trzy grube łańcuszki, kilka damskich pierścionków z oczkami czerwonym, niebieskim i białym, dwa sygnety z wygrawerowanymi splecionymi literami N i C, kilka par kolczyków, trzy grube złote bransolety, otwierany medalion ze zdjęciem młodej kobiety w środku, kilkanaście złotych monet, przeważnie dziesięciorublowych, i złoty męski kieszonkowy zegarek na łańcuszku firmy A. Lange & Söhne.

Patrzyła na swoje odkrycie, oczom nie wierząc. Więc jednak ta kobieta z Francji miała rację, mówiąc, że jej dziadek coś zostawił! Nie było dużo tego złota, ale ona sama nawet tyle nie miała. Waldek nigdy nie potrzebował złotego zegarka, nie chciał go mieć, bał się, że zgubi, nigdy nie był zbyt elegancki. Zresztą nigdzie nie bywał, nie musiał się stroić. Ona sama też nigdy nie kochała się w złocie. Miała dwie obrączki (z pierwszego małżeństwa i z drugiego), kilka pierścionków, może pięć, może sześć, w tym jeden od rodziców, stary, który nosiła jeszcze w szkole, dwie bransoletki, dwa łańcuszki, jeden od komunii z medalikiem, jeden z ładnym wisiorkiem, kupionym jej kiedyś przez Waldka.

Z tego wszystkiego najbardziej zafascynowało Helenę metalowe pudełko, w którym zapakowano skarb.

Rozejrzała się za telefonem, żeby zrobić zdjęcie, a potem zadzwonić z dobrą nowiną do Moniki Grochowskiej. Ale czy jest sens znów zawracać jej głowę? Zresztą w dziurze mogło być schowane coś jeszcze, zeszła więc znowu do piwnicy i tym razem w gumowej rękawiczce przez wąski otwór macała, aby się upewnić, czy jeszcze czegoś tam nie pozostawiono.

I rzeczywiście znalazła kolejne pudło, chyba drewniane. Żeby je wyjąć, musiała rozkuć większy kawałek ściany. Z każdym uderzeniem młotka serce biło jej mocniej. Wreszcie otwór był na tyle duży, że wyjęła zakurzoną skrzynkę wielkości sporego pudełka po butach. Otworzyła je, wstrzymując oddech. Oto dotykała historii domu, która sięgała połowy dziewiętnastego wieku! Nie sądziła, że kiedykolwiek coś tu znajdzie. Pudełko było pomalowane w róże, które kiedy przetarła po nich dłonią, nawet nie bardzo wyblakły. W piwnicy zawsze było bardzo sucho, to z pewnością przyczyniło się do dobrego zachowania przedmiotów.

W środku znajdował się album ze starymi zdjęciami, również cukierni, ale przede wszystkim rodzinnymi Cukiermanów. Helena wiele by dała, aby mieć taką pamiątkę własnej rodziny. Niestety, zdjęć, które przywiozła z likwidowanego mieszkania swoich rodziców, nigdy nie zdołała uporządkować, nie wkleiła ich do żadnego albumu, ba!, nawet nie wiedziała, kogo niektóre z nich przedstawiają.

Co ciekawe, w wyjętym ze schowka pudełku znajdował się jeszcze piękny duży zeszyt zapełniony ręcznie pisanymi przepisami na ciasta! Helena siedziała w piwnicy pod lampą i czytała jeden po drugim, zastanawiając się, czy to oryginalne receptury cukierni Pod Aniołem, czy też podręczna książka kucharska pani domu i czy ciasta są możliwe do wyprodukowania i sprzedawania dzisiaj. Oczyma duszy widziała już reklamę w oknie wystawowym: DZIŚ ORYGINALNE CIASTA Z CUKIERNI POD ANIOŁEM!

Receptury były pisane pięknym kaligraficznym pismem, początkowe prawdopodobnie w jidysz, od lat dwudziestych dwudziestego wieku po polsku. Najwyraźniej zeszyt był przekazywany z pokolenia na pokolenie, bo pierwsze strony już pożółkły i atrament, którym zapisywano receptury, zmienił kolor z czarnego na zielonkawy. Prowadzono go nadzwyczaj starannie, na jednej stronie znajdował się tylko jeden przepis, czasem dopisywano uwagi odnośnie do przepisów lub dekoracji.

Ależ Waldek by się ucieszył z tego znaleziska! Mam nadzieję, że i Zbyszek je doceni. Najważniejsze, żeby nam właścicielki pozwoliły je skopiować! – westchnęła.

Zabrała lampę i z zeszytem w dłoni wróciła do kuchni. Siedziała przy stole, popijała herbatę i rozczytywała się w przepisach na torty, biszkopty, baby wielkanocne, serniki, makowce, szarlotki, makaroniki, pierniki, mazurki, strudle, ciastka maślane, a nawet lody! Czuła tchnienie minionych epok i nieśpieszny styl czasów, kiedy jeszcze celebrowano popołudniowe herbatki pań z towarzystwa.

Przebogate te receptury! Szafują masłem, cukrem, bakaliami, jajami! Spóźniłam się z tym odkryciem. Gdybyśmy skorzystali z któregoś z tych przepisów, nie byłoby może afery z ciastkiem z wróżbą, może Waldek żyłby jeszcze…

Sięgnęła po telefon i napisała SMS do Moniki Grochowskiej-Adams: PROSZĘ O KONTAKT, HELENA HRYĆ.

Adwokatka natychmiast oddzwoniła.

– Pani Heleno, jak pani samopoczucie? Czym mogę służyć? – spytała.

– Mam dobre wieści! – nieoczekiwanie dla Moniki powiedziała pani Hryć. – Czy może pani do mnie jutro przyjechać?

– Naturalnie, tylko nie chciałabym przeszkadzać w takiej chwili.

– Nie powinnam się ekscytować, ale jednak znalazłam coś, co należało do Cukiermanów. Mały skarb rodzinny, można powiedzieć.

– Naprawdę?! Co to jest?!

– Trochę złotej biżuterii, album ze zdjęciami i kajet z recepturami na ciasta.

– Czy mogłaby pani zrobić zdjęcie znaleziska? Oczywiście jeśli to nie sprawiłoby kłopotu.

– Żadnego, zaraz to zrobię. I zapraszam jutro po odbiór.

– Na pewno nie będę niepożądanym gościem? Możemy z tym zaczekać kilka dni…

– Nie, jutro będzie dobrze. Nie mam nic szczególnego do roboty. Cieszę się, że mogłam pomóc. I przepraszam za moje powątpiewanie.

– Och, to się pani Milena ucieszy! – westchnęła uradowana Monika. – Nie wiem, jak pani dziękować!

– Mam prośbę… Kiedy będzie pani z nią rozmawiała… Nie chcę nic dla siebie, broń Boże żadnego znaleźnego, nic z tych rzeczy, jednak chciałabym uzyskać pozwolenie na skopiowanie zeszytu z recepturami. Co prawda Anioł to nie Amor, ale staramy się godnie kontynuować tradycję tamtej przedwojennej cukierni. Naturalnie czasy się zmieniają, przychodzą mody na lekkie desery, musimy iść z duchem czasu, ale kopia tego zeszytu byłaby dla nas piękną pamiątką!

– Nie ma problemu, zapytam i nie sądzę, aby ze strony pani Marcoveanu był jakiś opór w tej kwestii. Naturalnie nie mogę obiecać nic konkretnego, nie ja podejmuję ostateczną decyzję.

– To oczywiste. Dziękuję.

– Pani Heleno… Jeszcze raz najszczersze wyrazy współczucia.

– Cieszę się, że mogłam pomóc. Muszę kończyć, ktoś dzwoni do bramy. Dobranoc! – powiedziała Helena i wyjrzała przez okno.

Gutowo, grudzień 1968

Kazimierz pochylił się nad talerzem krupniku, ale zanim jeszcze zdążył zanurzyć łyżkę w zupie, Stefania odchrząknęła i siadła naprzeciwko niego, wzdychając głęboko.

– Co tam? – zapytał, niespecjalnie ciekaw babskich plotek.

– No i rozniosło się!

– Co takiego?

– Że ONA wyjechała.

Od kiedy Monika opuściła dom, Stefania nie mówiła o niej po imieniu.

– To każdy wie, że wyjechała.

– Ale DOKĄD wyjechała, też wiedzą!

– Skąd?! Przecież to wiemy tylko ty, ja i Leszek, o ile dziecko może wiedzieć, co to znaczy Izrael. – Ostatnie słowo Kazimierz powiedział już znacznie ciszej, żeby nie usłyszał go syn bawiący się w pokoju obok.

– A może, może! W dzisiejszych czasach każdy to może wiedzieć i wie, wystarczy telewizor włączyć.

– I tam powiedzieli, że Monika wyjechała?! – zapytał sceptycznie.

Stefania stropiła się na chwilę.

– W każdym razie wiedzą.

– Kto?!

– Matka tej grubej Kaśki, wiesz… Tej latawicy. No, tej, co to już na pewno skrobankę miała, aż dziw, że jeszcze brzucha nie nosi albo bachora nie niańczy. Zaczepiła mnie w mięsnym.

– Kto? Ta Kaśka?

– No skąd! Jej matka. Że niby a to to, a to tamto i wreszcie mówi: „Pani Janiukowa, a to prawda, że Monika wyszła za Żyda i wyjechała do Izraela?". Aż mi serce stanęło, mówię ci!

– I co odpowiedziałaś?

– Zaczęłam coś kręcić, że do Warszawy tylko, na studia niby, a ona, że daremne moje zapewnienia, bo już i tak całe miasto wie.

Kazimierz słuchał, nie podnosząc na żonę oczu.

– Całe miasto, mówisz? Tak się rozniosło? – komentował beznamiętnie.

– Widzisz, kto by pomyślał! I co teraz z nami będzie? Powiedzą, że i my Żydami jesteśmy.

– Kto tak powie?

– Ludzie.

Kazimierz dojadł zupę, otarł dłonią usta i spojrzał na żonę.

– A tobie to sprawia przyjemność?

– Co?

– Że tak judzisz na własną córkę?

– Kto?! Ja?!

– Bo niby kto te plotki po mieście rozpuścił?!

– No wiesz?! – parsknęła dotknięta do żywego.

– Tak jej nienawidzisz, że rozpowiadasz ludziom w kolejce, co zrobiła i dokąd się wyniosła, chociaż nic dobrego z tego nie może wyniknąć i nie ona, tylko my za to zapłacimy! Ja, ty, Leszek w przedszkolu. Mnie to już wszystko jedno, najwyżej mnie wyślą na wcześniejszą emeryturę. Raptem dwa lata mi zostały. Ale dzieciaka żal, bo ludzie długo pamiętają i jak raz łatka do kogo przylgnie, to nie ma zmiłuj! Wszystko im powiedziałaś? Że cię na własny ślub nie zaprosiła też?! A pomyślałaś chociaż przez chwilę, jak to jest mieć taką matkę, co cię nienawidzi, co plotki o tobie rozpuszcza, co cię zostawia na łaskę obcego chłopa i nie licząc się z niczym, wyfruwa, żeby gzić się z młodym gachem?

– Co?! Co?! – nie spodziewając się ataku, Stefania nie wiedziała, jak ripostować. Patrzyła na Kazimierza zdumionym i przestraszonym wzrokiem, i oddychała ciężko. Wreszcie złapała się za serce, jakby nagle dostała duszności.

– Ktoś ci to musiał wreszcie powiedzieć. Jesteś złą matką i co gorsza nigdy już tego nie zdołasz naprawić, bo ona uciekła przede wszystkim od ciebie. Bardzo dobra zupa! – dodał na koniec, jakby chciał złagodzić ostrą wymowę swoich słów. Podniósł się, wstawił talerz do zlewu i nie pytając o drugie danie, wyszedł do pokoju, włączył telewizor i zapalił papierosa, udając, że ogląda Dziennik, a Stefania została przy stole, patrząc z niedowierzaniem po ścianach i zastanawiając się, za co ją to wszystko spotkało.

To nieprawda, że wszyscy w mieście wiedzieli. Chociaż ktoś taki jak towarzyszka Wypych powinien być najlepiej zorientowany, to do Komitetu Miejskiego wieści dotarły dwa lub trzy dni po tym, jak Stefania ze zgrozą opowiedziała w kolejce o emigracji własnej córki. Jeśli oczekiwała współczucia, to przez chwilę sąsiadki rzeczywiście jej współczuły, później jednak, kiedy przekazywały tę nowinę kolejnym osobom, współczucie szybko ulatywało, zastępowane przez złośliwość, zajadłość, niechęć. Bo nikt z nich nie miał takiej szansy, a tej małej gówniarze znów się udało!

Teresa usłyszała plotkę w sklepie, kiedy robiła zakupy dla starszej pani Wypych. O mało siatek nie upuściła. Poczuła żal do Moniki, że nie znalazła czasu, aby wpaść choć na chwilę i się pożegnać. Ale w końcu była obrażona, a jeśli kobiety w kolejce nie zmyślały, wyjechała na zawsze. Pierwsza myśl, która przyszła Teresie do głowy, to czy przyjaciółka zabrała ze sobą również córkę. Jak tu sprawdzić, skoro przysięgła, że nikomu nie powie? Właściwie Teresa była nawet pewna, że Monika wyjechała jedynie po to, żeby ukryć przed matką i światem swoją panieńską ciążę i jej owoc.

Zatem dziecko jest bezpieczne... – pomyślała i zawstydziła się, bo nie poczuła ulgi, a przecież to, że Monika wyszła za mąż i ułożyła sobie życie, było dobrą wiadomością. Chociaż gdzieś na dnie jej serca tkwiło zarzewie lęku, że Monika zrobiła jednak tak, jak planowała od początku, i zostawiwszy dziecko w szpitalu, już nigdy go nie odwiedziła. Ta sprawa znów zajęła wszystkie myśli Teresy. A przecież chyba była zakochana, spotkała się dwa czy trzy razy z młodym inżynierem z Fablaku, Romanem Zagańczykiem, tym, który pomagał jej rozwiązywać zadania z matematyki. Niezbyt był urodziwy, ale miły i kulturalny, z jego powodu towarzyszka Wypych kazała nawet Teresie kupić nylonowe pończochy, nowy pas do pończoch, parę halek, kilka staników i fig, czółenka na obcasie, dopasowane spódnice i sweterki, trzy apaszki i torebkę do ręki. No i płaszcz na koniec. Osobiście też zapisała ją na trwałą ondulację u swojej fryzjerki, której zaleciła również ufarbowanie włosów swej podwładnej. Te wszystkie wydatki na początku roku szkolnego wywołały u Teresy wyrzuty sumienia, jednak warto było, bo interesanci, którzy przewijali się przez sekretariat, ledwie mogli ją poznać.

Czasem Teresa rozkładała te wszystkie skarby na swojej nowej wersalce i przyglądała im się ze zdumieniem. Pas do pończoch ją wyszczuplił, stanik zaokrąglił jej niemal niewidoczny biust, krótka fryzurka nadała włosom objętość, a buty nieco ją podwyższyły. Dzięki tym zmianom Teresa zaczęła przeglądać się w lustrze i oknach wystaw sklepowych. Spostrzegła, że się garbi, co czym prędzej naprawiła. Ludzie przestali ją poznawać na ulicy, a kiedy im się kłaniała pierwsza, zatrzymywali się i oglądali, próbując przyporządkować osobę do nazwiska.

Tak, wyglądała teraz inaczej, już nie przypominała tamtego kopciuszka z Zajezierzyc, co nie znaczy, że zmieniła się wewnątrz. Czasem myślała, że to jakaś maskarada, ale przecież na wyraźne żądanie szefowej wyrzuciła prawie wszystkie swoje stare rzeczy. To znaczy zaniosła je babce, która miała zostawić to, co uzna za warte zostawienia, a resztę rozdać dziewczynom ze wsi. Babka trochę kręciła nosem na to zgrywanie wielkiej damy, ale w końcu sama sobie wytłumaczyła, że wnuczka, pracując w urzędzie, nie może wyglądać jak kocmołuch.

No i w końcu Teresa zaczęła się umawiać! Poszli z Romanem dwa razy do kina na *Tabliczkę marzenia* i *Hrabinę Cosel*, co bardzo jej się podobało. Po kinie zaprosiła go do siebie na kolację, ale do żadnego spoufalania się nie doszło. Powiedziała mu wprost, że dla niej to zbyt poważne sprawy, że na razie musi go poznać i jeśli mu to odpowiada, to mogą się spotykać, a jeśli nie, to trudno. Od swojego postanowienia nie odstąpi i już. A inne rzeczy po ślubie. Na razie nie protestował, powiedział, że mu imponuje, bo jest inna od innych. Od jakich, nie powiedział.

Ale teraz te wszystkie sprawy zeszły na plan dalszy, bo Teresa myślała znów tylko o dziecku. Wiedziała, że powinna zapomnieć, i miała nadzieję, że tak się stanie, kiedy tylko ktoś potwierdzi, że Monika zabrała córkę ze sobą. Odpowiedzi musiała poszukać w Warszawie. Gdyby w październiku zaczęła studia, tak jak początkowo zamierzała, byłoby to o wiele łatwiejsze, ale jakoś nie czuła się na tyle silna, aby zdawać egzaminy, a protekcji nie chciała. Dlatego odłożyła te plany na przyszły rok.

Czasami budziła się w nocy i leżała z otwartymi oczyma, zastanawiając się, co zrobi, jeśli okaże się, że Monika zostawiła córkę w Polsce. Tak się w tym myśleniu zapamiętała, że znów zaczęła towarzyszce Wypych napomykać o dziecku. Na szczęście przyszły święta i miała dużo pracy, bo chciała, żeby przy stole w jej mieszkaniu zgromadziła się cała rodzina, to znaczy ona, babka, Danusia i Mietek. Miały to być dla nich najpiękniejsze święta w życiu. Drugiego dnia świąt zamierzała przedstawić babce Romana, bo już kilka razy wspomniał o zaręczynach. Nie wiedziała tylko, jak mu powiedzieć o dziecku. Jak wytłumaczyć, że musi odszukać i adoptować córkę Moniki? A jeśli on nie zechce? To nie jest byle chłystek. Jeśli się wścieknie i ją odepchnie, porzuci na zawsze?

Ale kiedy w wolnych chwilach rozmyślała, zawsze w końcu dziecko zwyciężało. Młodych panien na świecie nie brakuje, Roman sobie poradzi. A dziewczynce trzeba było jak najszybciej stworzyć prawdziwy dom.

Dlatego pod jakimś nieważnym pretekstem odwołała zaproszenie go na święta. A potem nie znajdowała czasu, aby się z nim spotkać. Chciała, żeby sam zrozumiał, żeby zerwał. Ale on przełknął obrazę. I nawet mu nie przeszkadzało, że ona prawie wcale nie ma dla niego czasu. W kraju się kotłowało, towarzyszka Wypych często wysyłała ją w teren, Roman to rozumiał. On też odkładał na później ważną rozmowę, że jak każdy mężczyzna chciałby mieć żonę w domu i wracając po pracy, zasiadać przy kuchennym stole do parującego rosołu albo pomidorowej. To chyba nie tak wiele?

Wiedział jednak, że trudno mu będzie ją do tego przekonać. I nawet nie chodziło tu tylko o pieniądze, bo Teresa nigdy zachłanna nie była. Ona się już po prostu zdążyła przyzwyczaić do tego, że sama o wszystkim decyduje.

I wreszcie w połowie stycznia usiłowania towarzyszki Wypych dały rezultat: wytropiła córkę Moniki w jednym z podwarszawskich domów dziecka.

Płock, wtorek 30 sierpnia 2016, 20:15

Martyna wróciła do domu z zaciśniętymi ustami. Była wściekła na Daniela za tę aferę. A tak dobrze szło! Zbyszek już prawie jadł jej z ręki! Teraz będzie miał okazję wszystko przemyśleć, ta siostra pewnie mu nakładzie do głowy! Nie, to nie może się tak skończyć! Tak łatwo nie można odpuścić kamienicy w rynku i cukierni! Zrobiła dzieciom kaszkę i nakarmiła je, myśląc o Zbyszku. Matka przezornie zeszła jej z drogi. Zawsze w takich sytuacjach mówiła coś głupiego i wybuchała awantura. Owszem, Daniel nie jest porządnym facetem. Wiedziała to od dawna, może od samego początku. Zawsze trafiali jej się nieodpowiedni partnerzy. Tylko czy teraz można coś na to poradzić? Stało się, trzeba patrzeć do przodu. Głupio zrobiła, że nie pojechała ze Zbyszkiem do szpitala, ale jak się miała pchać na trzecią? Najważniejsze, żeby coś zrobić z Danielem. Jak mu przetłumaczyć, że powinien się wreszcie zająć tą swoją dziunią? Zawsze wraca w złym momencie!

– No jedz, jedz, proszę! – ponaglała syna. – Mamusia musi jeszcze na chwilę wyjść. Jedz szybciej!

Ale mały Danielek był senny, marudził, chciał zatrzymać uwagę matki, zaczął popłakiwać ze zmęczenia.

– Mamo! – krzyknęła Martyna, chociaż wystarczyłoby, żeby powiedziała, matka była tuż obok. – Zajmiesz się dziećmi? Muszę wyjść.

– Dokąd znowu? Przecież dziś nie pracujesz.

– Połóż je do łóżka, proszę. Niedługo wrócę.

Irena Nowak wzruszyła ramionami, co znaczyło, że przecież zawsze odbywa się to w ten sam sposób.

– Co ty byś beze mnie zrobiła?! – westchnęła, kręcąc głową.

– Odpłacę ci kiedyś, może wcześniej, niż myślisz! – zapewniła Martyna, pocałowała matkę w policzek, córeczkę pogłaskała po głowie, złapała torebkę i wybiegła z domu.

Daniela mogła spotkać w trzech miejscach: w pubie, u jakiegoś kumpla albo w domu. Żeby nie łazić po mieście bez sensu, wybrała jego numer.

– Czego? – warknął nieprzyjemnie.

– Gdzie jesteś?

– Bo co? Chcesz mnie wystawić glinom?

– Bez jaj. Pogadać chciałam.

– Niby o czym?

– Przecież wiesz.

– U Kamila jestem.

– To wyjdź. Najlepiej na ulicę. Żadnych świadków.

– Kiedy?

– Zaraz.

– Luz. Za dziesięć minut?

– Spoko.

Dziesięć minut wystarczyło, żeby dojść do domu Kamila, jednego ze starych bloków przy Sienkiewicza. Daniel nie dotrzymał słowa. Siedział z Kamilem na schodkach i palili w milczeniu. Wyglądało to podejrzanie, zawsze tacy rozgadani... Może mieli wyrzuty sumienia? Wokół walało się sześć pustych butelek po piwie, co mogło potwierdzać taki stan ducha.

– Siemacie, łobuzy! – rzuciła lekko.

– Zapalisz? – spytał Daniel.

– Nie mam czasu!

– Piwo przyniosę! – zaproponował Kamil, podniósł się i poszedł do mieszkania, a Martyna uznała, że to dobry moment, żeby wyjawić Danielowi swoje przemyślenia.

– Posłuchaj, nie nadam cię glinom... – powiedziała, przysiadając na schodku.

– Ja myślę! Bo chyba nie chcesz zbierać zębów z chodnika? – zagroził jej niby żartem.

– Proponuję układ: dajesz mi raz na zawsze spokój, a ja ci się odwdzięczę, kiedy tylko będę mogła.

– A kiedy będziesz mogła?

– Nie wiem jeszcze. Wszystko się skomplikowało, jego stary odwalił kitę...

– Ups! To kondolencje, czy jak się tam mówi. Ale sama widzisz, że to nie jest żadna propozycja.

– Młody je mi z ręki! – tłumaczyła. – Będzie z tego kasa, tylko zaczekaj trochę! I nie szastaj się tak, bo wszystko zepsujesz!

– Będę robił, co mi się podoba! – odparł i spojrzał na nią trochę już mętnym wzrokiem.

– Wywaliłeś pierścionek za pięć stów przez okno i co ci to dało?

– Satysfakcję.

– Do dupy z taką satysfakcją. To był kawałek grosza, a ty go machnąłeś przez okno. Powiedz, czy ja cię kiedyś oszukałam?

– Setki razy!

– Ale w ważnych sprawach.

– Bo co?

– Proponuję układ: zostawiasz mnie w spokoju, a ja ci nie dam zginąć.

Daniel popatrzył na nią, marszcząc brwi. Był coraz bardziej pijany.

– S… so to znaczy?

– Nie wiem: może jakaś kasa by się znalazła, może robota?

– Robota? – fuknął szczerze rozbawiony. – Po tym, jak go wyprałem po mordzie?

– Sam widzisz. I po co ci to było?

– Może mi na tobie zależy?

– Akurat.

– Z drugiej strony kasa by się przydała… – zamyślił się.

Z domu wrócił Kamil z trzema otwartymi butelkami piwa. Podał im i sam usiadł obok.

– O czym tak gaworzycie, gołąbeczki? – zapytał.

– O niczym specjalnym.

– Mamy żałobę. Tatuś młodemu wykitował. – Daniel zaśmiał się z żartu.

– To na zdrowie! – Kamil podniósł do ust butelkę.

– Idę się odlać – oświadczył Daniel i wszedł do budynku, a oni siedzieli, patrząc przed siebie.

– Serio wychodzisz za niego za mąż? – nie wytrzymał Kamil.

Martyna wzruszyła ramionami.

– A kto mi zabroni?!

– I on cię chce?! – Kamil nie krył zdumienia. – Przecież ty jesteś… No wiesz…

– Jaka?! Kurwa?! Jaka jestem, matole?! – Martyna poderwała się na równe nogi.

– Daj spokój… – Nie wstając, pociągnął ją za rękę. – Siadaj. Chciałem powiedzieć, że wiesz, kurde, no masz dzieci i tego…

– A może on lubi dzieci?! – warknęła Martyna, siadając.

– Ja też lubię dzieci, ale żeby na cudze robić, to już chyba trzeba mieć nierówno pod sufitem.

– Kamil – wydarł się z góry Daniel. – Chodź na chwilę.

– Nie obraź się.

– Spoko. – Martyna wzruszyła ramionami.

O co im chodzi, czemu się tak ciskają? Zazdroszczą jej czy co? Jak się ich pozbyć małym kosztem? W sumie najlepiej byłoby podać ich nazwiska na policji. Ile mogliby dostać za taką bójkę? Zważywszy na ich przeszłość, góra dwa lata i co potem? Z Płocka do Gutowa jest zbyt blisko, mogliby chcieć się mścić. Westchnęła ciężko. Trzeba znaleźć inny sposób… Zaczyna się robić tych spraw za dużo, kiedy będzie po kolei wprowadzać Zbyszka w swoje życie, może się okazać, że on nie jest w stanie znieść dwójki dzieci, byłego narzeczonego i brata w pierdlu. Może powinna odpuścić? Dać sobie spokój? Nie marzyć o lepszym życiu, o zostaniu panią? Może dla takich jak ona życie ma na swojej loterii zawsze najgorsze losy?

Sięgnęła po piwo i sączyła w zamyśleniu. Musi zaproponować Danielowi coś takiego, co go z miejsca przekona. Ale co? Jeśli dostanie pieniądze, utwierdzi się tylko w przekonaniu, że może dostać jeszcze więcej. Cholernie trudna sprawa.

W tej chwili poczuła, że ktoś jej zarzuca śmierdzącą szmatę na głowę.

– Ej, Daniel, nie wydurniaj się! – nie zdążyła dokończyć, bo oni już zawijali dookoła jej szyi taśmę klejącą. – Co ty robisz, idioto, zdejmuj to! Nie wkurzaj mnie! – krzyczała, zdenerwowana. Ale przez grubą tkaninę niewiele było słychać.

– Nie udusi się? – zapytał Kamil.

– Wiąż ręce, debilu! – fuknął Daniel.

Martyna zaczęła machać rękoma, aby nie dać sobie ich skrępować, ale oni byli silniejsi. Chwycili ją i umieścili ręce za plecami, owinęli taśmą i popchnęli przed siebie.

Szła niepewnie. Nic nie widziała, potykała się raz po raz, ale nie pozwolili jej upaść. Nie miała pojęcia, dokąd ją prowadzą. Po metalicznym szczęknięciu domyśliła się, że Kamil otwiera garaż swojego starego, w którym przechowywał nienadającego się już do użytku audika, ściągniętego wieki temu z Reichu. I rzeczywiście, otworzyli drzwiczki i kazali jej usiąść.

– Co robicie?! – wołała.

– Naprawdę się nie udusi? – znów z trwogą zapytał Kamil. – Bo wiesz, co innego porwanie, co innego mokra robota. To mi się nie uśmiecha.

– Zamknij się! – warknął Daniel. – Przynieś z chaty nożyczki!

Kiedy Kamil pobiegł na górę, Daniel grzebał w rzeczach Martyny.

– Jaki masz kod?

Coś niezrozumiale zamruczała, ale już wrócił Kamil z nożyczkami. Materiał był gruby, bardzo trudno szło im przecinanie, ale jakoś udało się wyciąć wąską szparkę.

– Kod do telefonu, jaki masz?

– Trzy, pięć, zero, siedem.

Daniel wbił kod, ale telefonu nie udało się odblokować.

– Co, kurwa, zmyślasz?! Jaki masz kod, gadaj, bo tu zdechniesz!

– Trzy, pięć, siedem, zero.

Tym razem komórka została odblokowana. Teraz rzecz banalnie prosta: trzeba znaleźć tego Misia. Jak on się nazywa? Zbyszek chyba. Jest Zbyszek, wpisany bez nazwiska.

– To sobie teraz pogadamy – specjalnie głośniej powiedział słowo „Zbyszek" i wyszedł z garażu. Wybrał numer, ale pomimo dwukrotnego dzwonienia za każdym razem odzywała się poczta głosowa. – Co jest?! – denerwował się. Chciałby jak najszybciej skończyć ten temat. Przedstawić Misiowi swoje warunki i czekać na jego ruch, ale tamten nie reagował. Może został w szpitalu? Może jest nieprzytomny?

Daniel spróbował jeszcze raz, znów bez rezultatu.

– Co jest, kurwa?! – warknął. Wrócił do garażu. – Zamykaj ten śmietnik! – krzyknął do Kamila.

– Ale jak to? A ona?

Martyna, domyślając się, że chcą odejść, zaczęła krzyczeć.

– Daniel, daj spokój, rozwiąż mnie! Nie rób sobie jaj! – wołała błagalnym tonem.

– Zamknij ryja! – warknął. – Zamykaj! – ponaglił Kamila, który ociągając się, sięgnął po kłódkę.

– Niedługo wrócimy – powiedział uspokajająco do Martyny i zamknął drzwi do garażu.

Rzym, luty 1969

Czy mogłam przypuszczać, że kiedykolwiek spędzę trzy miesiące w Rzymie? – zastanawiała się Monika.

Po tych trzech miesiącach pobytu i dzięki pracy na zmywaku w pizzerii całkiem nieźle mówiła po włosku. Zarobiła też trochę pieniędzy i czuła się z tego powodu niezmiernie dumna. Czasem myślała o Heńku, który już pewnie zadomowił się w Izraelu, ale nie żałowała swej decyzji. Nie znała jego adresu i nie zamierzała utrzymywać kontaktów. Tak było łatwiej. Nie oglądała się za siebie. Niekiedy zastanawiała się, co o jej decyzjach pomyślałaby Stefania, ale do niej też nie napisała, sądząc, że nic, co mogłaby osiągnąć, nie wywoła u jej matki tak oczekiwanego zachwytu. Dlaczego chciała imponować kobiecie, którą pogardzała? Dlaczego była tak do niej przywiązana? Dlaczego nie mogła wyzwolić się z tej zależności? Czasem rozmawiała o tym z Rutą, która swoją matkę straciła dawno temu i radziła Monice utrzymywać więź ze Stefanią za każdą cenę. Ale Monika nie miała ochoty jej posłuchać.

Również Polski, w odróżnieniu od Ruty, ani przez chwilę nie żałowała. Nie zostawiła tam niczego ani nikogo.

To, co zobaczyła w Austrii, a potem we Włoszech, uświadomiło jej, jak zacofana, biedna i brudna jest Polska i że nigdy nie będzie należała do krajów rozwiniętych. Więc dlaczego miałaby za nią płakać?!

W Rzymie powtórzyła się sytuacja z Wiednia, po krótkim pobycie u rodziny wskazanej im przez przedstawicieli HIAS-u znalazły z Rutą pokój u jakiejś zbiedniałej arystokratki, nobliwej staruszki, ubierającej się w koronkowe żaboty, jakby wciąż trwał dziewiętnasty wiek, i tu już zostały do końca. Ruta ze względu na córkę nie mogła pracować, utrzymywała się z zasiłku ofiarowanego przez Joint, dlatego to Monika czasem coś kupowała dla małej. O własnej córce jakby zapomniała, jeśli czasem jakaś natrętna myśl przyniosła jej obraz ciasno zawiniętego niemowlaka, jaki zapamiętała ze szpitala, starała się ją szybko odgonić.

Nie myśleć! Nie przypominać sobie! Nie cierpieć! Żyć! – było jej mottem. Tak wiele mostów za sobą spaliła, że musiała patrzeć wyłącznie przed siebie.

W Rzymie mieszkały przy Via Gregoriana, niedaleko Schodów Hiszpańskich. Wszędzie miały bardzo blisko, i do Koloseum, i na Piazza di Spagna, salonu Rzymu, do fontanny di Trevi, i do parku Villa Borghese, i do Zamku Świętego Anioła. Dużo chodziły z Rutą i Polą, nie wiedząc, czy kiedykolwiek uda im się znów przyjechać do Wiecznego Miasta. Pokochały pizzę, espresso i lody. Siadywały w maleńkich trattoriach z dala od głównych szlaków turystycznych i patrzyły na rzymian, którzy nie znali swojego szczęścia, a byli tu u siebie. One tymczasem musiały wkrótce stąd wyjechać.

Jedyne, co martwiło je obie, to fakt, że Ruta chciała emigrować do Danii, aby mimo wszystko być blisko kraju, gdyby kiedykolwiek można tam było wrócić, przynajmniej po to, aby położyć kamyk na grobie męża. Na razie szansa na to była znikoma, ale Ruta wierzyła głęboko, że Polacy kiedyś zrozumieją, jak wielką krzywdą były pomarcowe represje, i ponownie otworzą granice tymczasem dla Żydów zamknięte. Nic nie wiedziała o Danii, miała jedynie przeczucie, że to przyjazny kraj i że uda jej się zbudować tam swój dom.

Monika w zasadzie chętnie zostałaby w Rzymie, podobała jej się energia tego miasta, jego cudne budowle, urokliwe zaułki, rytm życia. Lubiła Włochów, ich język, kulturę i historię, ale sprawa jej amerykańskiej wizy już nabrała tempa, wołali ją czasem do biura HIAS-u, aby potwierdzać pewne informacje. Tu też pewnego razu doszło do przykrego incydentu.

Czekała właśnie w poczekalni na comiesięczną wypłatę zasiłku, kiedy ktoś powiedział głośno i dobitnie:

– A co ty tu robisz?!

Obejrzała się i zobaczyła Zośkę Bergman, jedną z koleżanek z roku, o której nigdy nie pomyślałaby, że jest Żydówką. Zamiast rzucić się sobie w ramiona, bo tu, na obczyźnie, ludzie stawali się sobie naprawdę bliscy, tamta patrzyła na nią surowo, nawet jakby karcąco.

– Czekam na zasiłek.

– Ty?! Z jakiej racji?!

– Jestem żoną Heńka Krawczyka. Wyjechaliśmy razem – tłumaczyła spokojnie Monika, coraz bardziej ściszając głos. Przez głowę przelatywało jej tysiąc myśli, w tym ta jedna, której się naprawdę obawiała, że ktoś zacznie głęboko kopać w jej papierach, i co wtedy?

– A gdzie on teraz jest?

– W Izraelu…

– Nieźle się ustawiłaś, słowo daję! Białe małżeństwo, co?! My tu z wilczymi biletami, a ona sobie znalazła fajny sposób na emigrację!

– Też mam wilczy bilet.

– To nie to samo, bo ty nie jesteś Żydówką.

– Jakie to ma teraz znaczenie? – Monika nie podnosiła głosu i przez cały czas starała się tonować koleżankę.

– Takie, że podszywasz się pod prześladowanych, bo nikt cię nigdy nie prześladował, nie brałaś nawet udziału w wystąpieniach na uniwersytecie, więc jakie masz prawo do naszych pieniędzy?! Powinnaś zostać w Warszawie, nikt cię stamtąd nie wyganiał! To oburzające! Co za tupet!

Monika skuliła się i zwiesiwszy głowę, czekała, aż z biura ktoś wyjdzie i rozwiąże sprawę po myśli Zośki. W gruncie rzeczy to by było sprawiedliwe. Po tym, co się stało, nie zasłużyła na pomoc. Jest oszustką, nie da się zaprzeczyć…

Ale nic takiego się nie stało. Wręcz przeciwnie, słysząc podniesione głosy na korytarzu, urzędniczka poprosiła ją do środka, zażegnując kłótnię.

– Proszę się nie gniewać – powiedziała jakaś młoda, śliczna dziewczyna, którą Monika znała jako Sabinę. – To dla nas wszystkich trudna sytuacja. Ludzie czasem coś mówią w nerwach, a potem tego żałują. Proszę jej wybaczyć.

Monika nie wytrzymała. Najpierw zaczęła jej się trząść broda, a potem z oczu popłynęły łzy.

– Kiedy to wszystko prawda. Nie zasłużyłam na waszą pomoc. Nie jestem Żydówką.

– Teraz to już bez znaczenia.

– Jest mi wstyd. Naprawdę.

– Nie ma powodu. Te pieniądze, które służą zaspokojeniu pani potrzeb, kiedyś może pani oddać organizacji, a wtedy posłużą kolejnym emigrantom – piękną polszczyzną tłumaczyła łagodnie Sabina.

Monika poczuła wielką wdzięczność i przysięgła sobie, że od najbliższej wypłaty zacznie odkładać na spłatę długu zaciągniętego u narodu, do którego nie należała. Wtedy nie wiedziała jeszcze, że głęboko zakorzenioną powinnością Żydów jest pomoc innym. I to właśnie *tikkun olam* powodował, że jej pochodzenie nie miało znaczenia.

Ameryka jednak nie oczekiwała na nią z otwartymi ramionami. Monika nie miała nikogo, kto by za nią zaręczył, kto pomógłby na starcie. Wiedziała tylko, że chce tam jechać, bo jest to kraj wielkich możliwości. Trochę dziecinne przekonanie, ale trzymała się go i czekała na wizę, przechodząc kolejne procedury. Jako ubogie dziecko marzyła dawniej o bogatej cioci z Ameryki, która niespodziewanie przyjeżdża do Gutowa i przywozi jej piękne ubrania i dużą lalkę. Do tej właśnie nieistniejącej ciotki jechała, pragnęła ją odnaleźć. Wolała myśleć, że ktoś tam na nią czeka, niż lękać się wrogiego świata, z którym musi sobie poradzić zupełnie sama. Wspominała, jak kiedyś na wybrukowanym kocimi łbami podwórku, gdy bawiła się w brudnych kałużach i błocie, sąsiadka zapraszała ją na barszcz czerwony. Wierzyła, że taka sąsiadka się znajdzie, i dlatego odmawiała Rucie, która namawiała ją na wyjazd do Danii. Dania wydawała się Monice nudna. Też jej nie znała, podobnie jak Ruta, ale z Danią nie kojarzył jej się szeroki oddech prerii, tłum w wielkim mieście, krążowniki szos na ulicach i fotosy gwiazd filmowych w jaskrawo oświetlonych reklamach. Dziesięć lat różnicy między nimi robiło swoje.

I wreszcie dwudziestego siódmego lutego 1969 roku przyszła dobra wiadomość: jest wiza, jest rodzina, która za nią poręczy i otoczy opieką. Przed biedną dziewczyną z Gutowa otworzyły się wrota Ameryki.

Zajezierzyce,
wtorek 30 sierpnia 2016, 20:25

Monika kliknęła SEND i przeciągnęła się. Więc jednak! Już straciła nadzieję, że uda się cokolwiek wskórać z panią Hryć. Tymczasem niespodziewanie śmierć męża skłoniła ją do poszukiwań. Może to i lepiej, dzięki temu przez chwilę zajęła myśli czym innym. Wspaniale, że podzieliła się nowiną o znalezisku. To nie było wcale takie oczywiste. Ludzie różnie reagują. Przeważnie ukrywają prawdę, uważają, że to, co znaleźli na swoim terenie, z mocy prawa im się należy, jest już ich własnością, po co się dzielić, szukać prawowitych właścicieli. Często tylko z tym kłopot.

Podekscytowana dobrymi wiadomościami, wstała od laptopa i poszła do Tessy. Zapukała cicho, ale kiedy niemal natychmiast usłyszała: „Proszę", odetchnęła z ulgą. Jeszcze ubrana w bluzkę i spodnie, Tessa leżała w łóżku i czytała książkę.

– Przepraszam, jeśli nie w porę…

– Wejdź, zapraszam! – Tessa zdjęła okulary i odłożyła lekturę.

– Mam nowiny!

– Ach tak?! Jakie?

– Pani Hryć znalazła skarb Cukiermanów!

Tessa spuściła nogi na podłogę, jakby miała zamiar wstać. Pozostała jednak na razie w pozycji siedzącej.

– A co to takiego?

– Trochę kosztowności i zeszyt z przedwojennymi recepturami.

– No proszę! Jesteś zadowolona?

– Bardzo! Moja klientka będzie szczęśliwa. Ten zeszyt ktoś zapisał ręcznie, wyobrażasz sobie?! Jeszcze tego nie widziałam, pani Hryć zadzwoniła przed chwilą, żeby mi powiedzieć – entuzjazmowała się Monika.

– Swoją drogą zadziwiające, że zdołała się oderwać od żałoby... Gdzie znalazła te rzeczy?

– W schowku w piwnicy.

– Ile jeszcze takich schowków ludzie odnajdą?

– Pewnie niemało.

– Tylko czy będą chcieli znaleźć prawowitych właścicieli? – powątpiewała Tessa.

– Wielu z nich pewnie nie. Zresztą często to po prostu niemożliwe. Tym bardziej się cieszę, że pani Hryć chce oddać znalezisko.

– Piękny, szlachetny gest.

– Tak myślisz? Ja sądzę, że po prostu uczciwy.

– Też tak sądzę, ale zanim do ciebie zadzwoniła, nie byłaś pewna jej uczciwości – przypomniała Tessa.

– A zdała i ten egzamin. Tymczasem mam wrażenie, że poseł Hryć raz po raz oblewa różne egzaminy z uczciwości.

– Nie potrafię zrozumieć. – Tessa pokręciła głową. – Toż to Himalaje hipokryzji. Przecież on był wtedy partyjny!

– Na szczęście istnieje spowiedź, pokuta i takie tam... Politykowi wolno zmieniać kolory. To problem jego wyborców.

– Smutna prawda. Populizm: choroba naszych czasów. Wierzyć się nie chce, że ludzie tak łatwo się dają nabierać!

– Co chcesz: każdy chciałby być młody, piękny i bogaty. I to właśnie dostaje od takich Hryciów. Żadnego wysiłku, jesteście solą ziemi, choćbyście byli łobuzami i nieudacznikami, ja poseł wam to mówię! Nikt naprawdę myślący nie da się na to nabrać. Ludzie mądrzy nie oczekują od polityka usprawiedliwienia swoich klęsk, stać ich na samokrytycyzm. A że tych bezmyślnych było tylu do zagospodarowania, bo nikt ich jeszcze nie głaskał po główkach, to poszli karnie do wyborów. Oni nie wątpią. Takie są prawidła demokracji.

– I to mnie zastanawia: że mijają dziesięciolecia, a ludzie ciągle głosują przeciw.

– Albo na mniejsze zło! – parsknęła Monika. – Bywam tu dość często i czasem klient mnie zapyta o Amerykę. Zwyczajem Amerykanów nie narzekam, odzwyczaiłam się. A Polacy jak jeden mąż: wszyscy narzekają!

– Narodowy charakter.

– Długo się tego oduczałam.

– Ja też, chociaż nie wiem, czy gdzieś tam bardzo głęboko mi to nie zostało – ironizowała Tessa. – Właściwie nie mam powodu, ale czasem narodowy charakter dochodzi do głosu. Na szczęście bardzo cichutko.

– Wielki naród malkontentów. Zastanawiam się, skąd ta mania wielkości i jednocześnie to ciągłe marudzenie?

Jak w ogóle można to pogodzić? Albo jestem dumnym Polakiem, albo jestem sfrustrowanym Polakiem.

– Może z przejęcia ról? Polacy od dawna chełpią się swoim rodowodem. Nie bardzo jest się czym chwalić, bo szlachta rządziła fatalnie, wepchnęła nas w łapy zaborców. Potem z pomocą Niemców i Ruskich wytłukliśmy nasze elity. Jesteśmy potomkami chłopów. – Tessa westchnęła głęboko.

– Chyba nie uczą tego w szkole?

– Bo to dziedzictwo raczej wstydliwe. Zatem kto może, buduje sobie dworek z ganeczkiem i z kolumienkami. Gdyby jeszcze dało radę, to na dachu namalowałby jakiś herb, żeby sobie dodać godności. Jestem chłopką, nie ma w tym żadnego powodu do wstydu. Moi przodkowie byli chłopami. Może temu właśnie zawdzięczam mój sukces, bo zawsze ciężko pracowałam?

– Prawdziwy sukces broni ludzi przed takimi potrzebami. Jesteś tym, na co zapracowałeś, a nie tym, co zrobili twoi prawdziwi czy rzekomi przodkowie. Prus się kłania i pozytywiści, aż wstyd, że są ciągle aktualni – zauważyła Monika.

– Niepojęte! – westchnęła Tessa i wstała. – Napijemy się wina?

– Za sukces?

– Mam jakąś butelkę w lodówce.

– Widzę, że karnie odrabiasz lekcje – spojrzawszy na książkę, leżącą na nocnym stoliku przyjaciółki, powiedziała Monika. – Jak ci się podoba moja powieść?

– Nigdy nie przypuszczałam, że tak wiele ciekawych rzeczy się tu działo. Przychodzisz na świat, przeżywasz dzieciństwo, jakby to był początek wszystkiego. Dla ciebie jest. Oglądałam razem z tobą te przedwojenne zdjęcia u Pawlaka, ciekawe swoją drogą, co się z nimi stało. Wiedziałam, że istnieli hrabia Tomasz, Ada, Adam, Gina, pamiętam przecież te opowieści Pawlaka, ale równie dobrze to mogły być baśnie, prawda? – zastanawiała się Tessa.

– Dla nas to były baśnie.

– I nagle w twojej powieści oni ożywają, stają się prawdziwymi ludźmi z ich małostkami, pragnieniami, ograniczeniami, z ich nie zawsze łatwym życiem, choć ktoś patrzący z boku mógłby powiedzieć, że na niczym im nie zbywało. Ale te namiętności… Zazdroszczę ci wyobraźni!

– Nie ma czego. To raczej wynik wielu godzin spędzonych na myśleniu o nich. Plus długie transoceaniczne loty – zaśmiała się Monika, wznosząc kieliszek z białym winem. – Twoje zdrowie… Przepraszam, to było niestosowne.

– Ależ nie! Wcale! – Tessa uniosła swój kieliszek. – Naprawdę mają tu dobre wina. Na takiej prowincji, można by powiedzieć.

– To kwestia ludzi, którzy przyjeżdżają i potrafią docenić. Albo i nie.

– Według mnie właściciele trochę tracą z powodu poziomu, na jakim zdecydowali się utrzymać ten obiekt.

– Może dlatego otworzyli ten hostel, w którym mieszka Maciek? Żeby podreperować budżet?

– Mogę ci zadać osobiste pytanie? – rzuciła niespodziewanie Tessa.

– Przerażasz mnie trochę, ale dawaj! – zażartowała Monika.

– Nie, to nie będzie aż tak osobiste. Powiedz, kiedy tu przebywasz, patrzysz na tę wieś, na miasto, które kiedyś było naszym miastem, nie czujesz się trochę obco?

Monika odchrząknęła, jakby chciała się przygotować do wygłoszenia ważnego oświadczenia.

– Owszem. Mam wrażenie, że to nie jest to samo miejsce. Że tamte Zajezierzyce i tamto Gutowo ktoś mi ukradł i na ich miejsce podstawił imitację.

– Bo tamto było lepsze, prawda?! – Tessa ucieszyła się, że przyjaciółka ma identyczne zdanie w tej nurtującej ją sprawie.

– Nie wiem, czy lepsze, tamto było prawdziwe, a to nie jest. Za każdym razem, kiedy tu przyjeżdżam, muszę się na nowo przekonywać, że tak działa czas: zabiera nam cząstkę naszej pamięci i na to miejsce daje coś innego.

– Dlaczego mi się wydaje, że tamta uboga rzeczywistość była lepsza? Nasza szkoła w pałacu i PGR zamiast hotelu, błoto albo piach zamiast gazonu z różami. Obory zamiast hostelu i ten zapach gnoju, którego już na wsi nie sposób poczuć.

– Jechałaś tu z nadzieją, że odnajdziesz młodość?

– Chociaż trochę. Odrobinę. Miałam nadzieję, że to miejsce czeka na mnie niezmienione. Tymczasem życie to nieustanna zmiana. Śmieszne, ale nie brałam tego pod uwagę. Przynajmniej nie aż tak bardzo. Doznałam zawodu, poczułam się wydziedziczona. I wiesz: paradoksalnie dzięki temu będzie mi chyba łatwiej wyjechać.

– Przeszłość jest zawsze piękniejsza od teraźniejszości. Nawet jeśli teraz tak tu ładnie wszystko zagospodarowano, nasze biedne dzieciństwo nie ma ceny! – westchnęła

Monika i dopiła wino. – Chyba niepotrzebnie cię zamęczam. Pójdę już.

Tessa spojrzała na przyjaciółkę z bladym uśmiechem.

– Dziękuję i dobranoc!

Zajezierzyce, marzec 1969

Bronisława Paździoch przeżywała złe chwile. Choć Wiesława niedomagała od dawna, śmierć córki ją zaskoczyła. Jednak, wstyd przyznać, ale jeszcze bardziej zasmucająca okazała się przeprowadzka Teresy. Dopiero teraz babka zdała sobie sprawę, z którą z nich dwóch czuła się bardziej związana. Nie nagła pustka po Wiesławie ją rozrzewniała, nie za utraconą na zawsze córką tęskniła, tylko za wnuczką. Wprawdzie mieszkała tuż obok i zawsze można było do niej pojechać, choćby po to, aby wcisnąć jej parę jajek i z dumą popatrzeć, jak wysoko zaszła, ale to Teresy brakowało babce w długie bezsenne noce, to z nią nieobecną, mrucząc, rozmawiała podczas obrządku czy kopania kartofli. I chociaż miała jeszcze na wychowaniu dwójkę wnucząt, Danusię i Mietka, coraz częściej zaczynała myśleć, że już jej na to sił nie wystarczy.

Nagle zeszłej jesieni poczuła się stara, zniedołężniała, zaczęła powłóczyć nogami, do tego stopnia zrobiło jej się wszystko jedno, że nawet pozwoliła Teresie przygotować święta. I kiedy siedziała w jej czystym, zasobnym mieszkaniu, gdzie wszystko było takie nowoczesne, gdzie była nawet lodówka, pomyślała, że nie jest już wnuczce do niczego potrzebna. Z jednej strony czuła dumę, a z drugiej przygnębienie, bo ta zmiana oznaczała, że życie Teresy będzie się toczyło już bez niej, że świat nieodwołalnie się zmienił.

Często to do niej wracało. Właściwie bez przerwy, bo nie potrafiła się z tym pogodzić. Czuła się przez Teresę porzucona, zdradzona. Nie pamiętała już, kiedy tak bardzo cierpiała. Jednocześnie cieszyła się, widząc uśmiech wnuczki, jej zapał w budowaniu nowego życia i tego inżyniera, co to miał jej mężem zostać. A kiedy Teresa zaczęła przebąkiwać, że jeszcze na studia pójdzie, to się starej nijak w głowie nie mogło pomieścić. Nawet powiedziała jej kiedyś przy piątku, jak ser i śmietanę do komitetu zaniosła, że świat to niechybnie ku lepszemu zmierza, bo gdzie by przed wojną ktoś taki jak ona mógł myśleć o dzieci czy wnuków kształceniu. Ale Teresa i jej szefowa tylko popatrzyły na siebie, łagodnie się przy tym uśmiechając.

Paździochowa, zajęta wyjmowaniem butelki ze śmietaną i odwijaniem sera z chrzanowych liści, na szczęście tego nie zauważyła. Wszędzie szukała pociechy, choćby i w tych studiach, chociaż wiedziała, że będzie widywała Teresę jeszcze rzadziej. Miała jednak nadzieję, że wnuczka najpierw wyjdzie za mąż, a jeśli już wyjdzie, to może i szybko zajdzie w ciążę, a przy dziecku wiadomo – nijakiej nauki nie ma. I tak jej się marzenia mieszały, że już sama nie wiedziała, czego by chciała poza powrotem dawnych czasów, kiedy siedziała na pieńku przed domem, obierając kartofle, a Teresa w kucki z brodą podpartą dłońmi gadała jakieś bajdy.

Babka czuła, że coś jej dolega, ale miała nadzieję, że jeszcze uchowa gęsi na kołdrę dla wnuczki, a w letni dzień usiądzie na ławce przed domem i na jej dziecko bawiące się w piachu popatrzy. Ale wczesną wiosną bóle dotychczas ćmiące w podbrzuszu zaczęły się rozlewać na całe wnętrzności i chcąc nie chcąc, trzeba się było wybrać do lekarza. A tam po krótkim badaniu rwetes i natychmiastowe skierowanie do szpitala, na które Paździochowa nie chciała się zgodzić. No bo kto dopilnuje inwentarza, kto rozsadę przygotuje, kto jajka na targ zaniesie? Więc niby potakiwała lekarzowi, ale tylko kupiła w kiosku proszki z krzyżykiem, mając nadzieję, że wszystko samo minie.

Nie minęło. Po trzech tygodniach pogotowie zabrało ją do szpitala, bo ruszyć się z bólu nie mogła. Leżącą na podłodze, z kolanami pod brodą, zastał ją pewnego popołudnia Mietek po powrocie ze szkoły.

Nikt nie myślał, że Paździochowa pożyje jeszcze tylko dwa tygodnie. Zwłaszcza Teresa, bo przecież wzięłaby urlop i ani na krok nie odstępowała łóżka chorej. Ale śmierci się nikt nie spodziewa, zresztą tyle się kotłowało spraw i w pracy, i w jej życiu osobistym, że na różnych polach zaczęła nawalać. Pokłóciła się z Romanem, została skarcona przez szefową, wreszcie, co bolało najbardziej – nie była przy babce tyle, ile powinna, nie przypuszczała jednak, że tuż po jednym pogrzebie będzie musiała organizować następny. Odejścia babki Broni w ogóle nie brała w rachubę, przekonana, że zaraz będzie dla niej miała wspaniałe nowiny. Ciekawa jej reakcji, trochę się też obawiała. Miała jednak nadzieję, że babka jak zwykle poprze jej decyzję, choć może nie obędzie się bez kilku dni fukania i dąsów.

To, co dla Teresy najważniejsze, działo się wtedy w Warszawie. Bo wreszcie poznała to dziecko: Jadzię, córkę Moniki. Niewiele jej brakowało do roczku. Biedne to było, chuchro z wiecznie wiszącym u nosa gilem, ciągle zapłakane. Kręcone blond loczki, niebieskie oczy i niewyobrażalny wyraz cierpienia na ślicznej buzi nie dawały o sobie zapomnieć. Kiedy tylko Teresa pierwszy raz na nią spojrzała, była pewna, że nie może jej już zostawić samej. I tak zbyt długo zwlekała z rozpoczęciem poszukiwań. Ale teraz ją znalazła i wiedziała, że nie zostawi. W każdą niedzielę przyjeżdżała do domu dziecka i serce jej się kroiło, kiedy maleństwo, drąc się wniebogłosy, próbowało ją przy sobie zatrzymać. Wczepiało się chudymi rączynami w jej szyję i ściskało z całej siły. Kiedy opiekunka wreszcie odrywała dziewczynkę od Teresy, mała zachłystywała się płaczem, aż chwilami brakowało jej tchu. Czasami Teresa zostawała więc dłużej, do ostatniego autobusu, a raz nawet póki jej nie uśpiła.

Z każdymi odwiedzinami utwierdzała się w przekonaniu, że musi ją zabrać, nie mogłaby dalej żyć ze świadomością, że Jadzia jest całkiem sama. Nie przejmowała się już tak bardzo problemem adopcji. Moniki od kilku miesięcy nie było w Polsce, któż inny mógłby się zgłosić po małą? Chodziło tylko o jakiś papier, który by potwierdzał ostateczny wyjazd matki, i towarzyszka Wypych taki papier załatwiła! Miała dojścia, zresztą emigracja Moniki razem z mężem, Żydem, była odnotowana, a żadna inna rodzina się małą nie interesowała. Tymczasem Teresa przecież nie była obca, przedstawiła się jako daleka krewna matki. W domu dziecka widzieli więź, jaka się między nimi wytworzyła, i po kilku tygodniach wreszcie Jadzię Teresie wydali.

Stało się to dokładnie tego dnia, kiedy umarła babka Bronia. Od tej pory Teresa myślała, że dusza babki nie odeszła, tylko zamieszkała w małej Elenie, bo tak nazwała dziewczynkę, chociaż w papierach nadal figurowała jako Jadwiga. Ale przecież nikt nie gwarantował, że Monika jednak kiedyś nie wróci i nie spróbuje odszukać córki, być może nawet zechce jej Jadzię odebrać, a na to Teresa by nie pozwoliła. Teraz to było jej dziecko!

Przyjechała do domu z małą, która jeszcze nie potrafiła chodzić. Wiozła ją w nowym wózku spacerówce, nie patrząc na boki, ale czuła, że ludzie zaraz zaczną gadać, bo w ciąży jej nikt nie widział i męża też nie miała. Zresztą na nic się zdały te wszystkie sukienki, szminki, torebki i buty na obcasach: Roman niby taki zakochany, nie chciał jednak wychowywać cudzego bękarta. Wyraził to dobitnie i wprost, kiedy tylko zauważył przygotowania Teresy. Wyrzucał jej, że nawet nie spróbowała go zapytać o zdanie, tylko postawiła przed faktem dokonanym. Gdyby dała mu trochę czasu, może by się zgodził, ale nie chce być facetem, za którego w tak ważnej sprawie decyduje kobieta.

Wstał i wyszedł. Może myślał, że za nim pobiegnie, że będzie przepraszała, błagała, aby wrócił, ale ona zrozumiała w jednej chwili, że pragnie dziecka, nie męża. Owszem, mąż się czasami przydaje. Dostarcza gotówki na przykład. Ale po doświadczeniach z samotną babką i wykorzystywaną przez ojca pijaka matką Teresa nie czuła potrzeby wchodzenia w związek z żadnym mężczyzną. Nauczona przez życie, wystarczała sobie sama.

Ludzie lubią, kiedy wszystko odbywa się „po bożemu", ustalonym trybem, w odpowiednim czasie. Nie potrafią zrozumieć, że ktoś może być inny, chcieć czegoś innego. A ona już była w związku. Swoje macierzyństwo traktowała śmiertelnie poważnie. Elena zabierała jej niemal każdą myśl i nikogo więcej Teresa nie potrzebowała. Pozwoliła więc Romanowi odejść i nawet odczuła z tego powodu ulgę. Choć gdyby go trochę poprosiła, gdyby z nim to przegadała wcześniej, może odrobinę popłakała i zapewniła, że bez niego nie da sobie rady, pewnie by się w końcu złamał. Ale nic takiego nie nastąpiło. Elena była dla niej ważniejsza od wszystkich mężczyzn świata, a macierzyństwo doskonale zastępowało związek z mężczyzną. Tym bardziej że nieoczekiwanie została opiekunką nie jednego, a trójki dzieci. Bo Mietek i Danusia, choć już nastolatki, z chwilą odejścia babci Broni nikogo poza Teresą nie mieli.

Pochowała więc babkę i zabrała rodzeństwo do siebie, z dnia na dzień w wieku dwudziestu dwóch lat stając się pełnoetatową matką. Ciasno się zrobiło w jednopokojowym mieszkaniu na Piaskach i znów biednie, ale jakoś dawali radę. Danusia pomagała, jak mogła, Mietek wziął się ostro do nauki, czując, że jako mężczyzna ma również swoje obowiązki. Musieli tylko zrezygnować z gospodarki, na razie wydzierżawili mieszkanie w Zajezierzycach, zagrodę i pole siostrze Mundka Bystrego, która akurat wyszła za mąż. Zresztą ani Danusia, ani Mietek, zaznawszy miejskich luksusów, nie chcieli już wracać na wieś.

Pojawienie się Eleny w ich życiu Teresa wyjaśniła, mówiąc, że to dziecko jej zmarłej przyjaciółki, co było poniekąd prawdą, choć zataiła, że Moniki, którą przecież znali, i bezwzględnie zażądała od rodzeństwa przysięgi, że mała nigdy się tego nie dowie. Początkowo nie rozumieli powagi sprawy, przysięgli dla świętego spokoju, a potem nie miało to już dla nich żadnego znaczenia. Przyzwyczaili się i traktowali Elenę jak swoją młodszą siostrzyczkę, obdarzając ją bezmiarem czułości, opiekując się dzieckiem podczas nieobecności Teresy, odwożąc ją i przywożąc ze żłobka.

Kiedyś tylko, nieco buńczucznie, może nastawiony przez kolegów, Mietek zapytał mimochodem:

– Jesteś lesbą?

Teresa nawet nie wiedziała, co to znaczy. Ale skoro nie wiedziała, domyśliła się, że to określenie, brzmiące jakoś obraźliwie, z pewnością jej nie dotyczy.

– Nie, a czemu pytasz? – odparła, choć głos jej nieco zadrżał.

– Bo nie masz męża.

– Wiele kobiet nie ma mężów. Może jeszcze kiedyś będę miała. Takiego, jak sama zechcę – powiedziała spokojnym tonem, a on tylko wzruszył ramionami, najwyraźniej zgadzając się z jej rozumowaniem.

Teresa bała się już tylko jednego: że ktoś może poznać, do kogo Elena jest podobna, skojarzyć, zacząć szukać dziecka i w końcu odkryć prawdę. I mimo posiadanego mieszkania, dobrej pracy i przyjaźni obu pań Wypych zrozumiała, że Gutowo jest dla niej i jej dziecka zbyt niebezpieczne. Nie chciałaby spotkać na ulicy Janiuka albo matki Moniki, nie chciałaby uciekać przed nimi na drugą stronę ulicy. Nieznośna była obawa, że patrzyliby na jej córkę i może podejrzewali, kim ona jest w istocie. Teresa nawet przecież nie wiedziała, czy Monika wyznała matce i ojczymowi prawdę. Raczej nie, skoro ją zobowiązała do utrzymania wszystkiego w tajemnicy. Ale wystarczyło, że ona sama wiedziała.

Dlatego niemal natychmiast po przywiezieniu Eleny z domu dziecka zaczęła myśleć o wyjeździe. Nie miała pojęcia, dokąd mogłaby się wyprowadzić, przekonana jednak, że w dużym mieście łatwiej znajdzie pracę, uznała również, że łatwiej się tam ukryje.

– Tyś chyba oszalała! Nigdy, rozumiesz, nigdy na to nie pozwolę! – wściekała się towarzyszka Wypych na pierwszą wzmiankę o zamiarach Teresy. – To ja robię z ciebie człowieka, kształcę, ubieram, jestem na każde twoje skinienie, a ty mi chcesz pod byle pretekstem zwiać?! A gdzie lojalność?! Gdzie zwykła ludzka uczciwość?! Nie! Nie ma mowy! – mówiła, wyszedłszy zza biurka. – To się nie może tak skończyć! Co tak siedzisz i gapisz się jak wół na malowane wrota?! Mówże coś!

– Wiem, ile wam zawdzięczam, i nigdy nie zapomnę. Jest mi tu u was jak u Pana Boga za piecem…

– Nie wyjeżdżaj mi tu z Bogiem w komitecie! – ofuknęła ją towarzyszka Wypych.

– Kiedy naprawdę! – szczerze zapewniła Teresa. – Ale nie mogę zostać.

– Chcesz większą pensję? Większe mieszkanie?

– Nie, co też wy! Jestem wam wdzięczna i póki żyję, nie przestanę, ale boję się, że ona wróci i odbierze mi dziecko.

– Nie może tego zrobić! I nigdy nie wróci.

– Nie rozumiecie. Gdybym musiała oddać dziecko, tobym chyba umarła.

Towarzyszka Wypych chciała powiedzieć coś w stylu: „Młoda jeszcze jesteś, możesz urodzić niejedno dziecko, na dodatek własne", ale spojrzawszy na Teresę, zobaczyła jej trzęsący się podbródek, uniesione brwi i oczy pełne łez. Zrozumiała, że nie zdoła zatrzymać jej w Gutowie.

– A ty to miałaś chłopa w ogóle? – zapytała, żeby się choć trochę zemścić, ale przecież znała odpowiedź.

Gutowo,
wtorek 30 sierpnia 2016, 20:45

Grzegorz Hryć nie mógł strawić afrontu, jaki go spotkał. Jeśli to prawda, że Monika zamierza walczyć o Długołąkę, będzie musiał to jakoś wyjaśnić wojewodzie, a ten gotów się śmiertelnie obrazić. Oczywiście będzie próbował przebić oferowaną przez nią kwotę, ale nie wiadomo, na co się zdecydowała, jakie ma zasoby, ile jest dla niej „dużo", a ile „za dużo". Być może w imię starych krzywd teraz gotowa jest szukać zemsty? Byłoby to głupie i całkiem niepotrzebne, ale kto zrozumie kobiety?! Powinni się jakoś dogadać, ale jak? Co on mógłby jej zaoferować? Może obsługę prawną jakiegoś posła? Albo firmy żony? Tylko że ona nie ma takich spraw, no i kasy szkoda. Kiedy szło o pieniądze, a zwłaszcza te, które on miałby zapłacić, sprawa zawsze robiła się nadzwyczaj poważna. A stanowiskami na razie żadnymi nie rozporządzał.

I jeszcze ta śmierć Waldka. Hryć wzdrygnął się nieprzyjemnie. Waldek jeszcze teraz budził niechęć starszego brata. Chodziło oczywiście o Helenę! Helena była jedyną miłością Grzegorza. I gdyby tylko wykazała trochę więcej sprytu, mogli być ze sobą i jednocześnie nie rujnować swoich rodzin. Ale ona musiała postawić na swoim! Uczciwość ponad wszystko! I wybrała tego fajtłapę! Urodziła mu syna, została cukierniczką. A mogła być artystką! Oczywiście, że zrobiła jemu na złość. Po co w ogóle wracała do Gutowa? Grzegorz codziennie widział cukiernię brata, zamykając sklep żony, a potem ilekroć stanął w oknie swego gabinetu w ratuszu. Widział, jak Helena otwiera drzwi, jak razem z ekspedientkami wystawia stoliki, jak rozgląda się po rynku, coś do nich mówi, uśmiecha się, kłania przechodniom. Stał jak palant za firanką i póki nie zniknęła w środku, gapił się na jej piersi i pupę w opiętej spódnicy, mimowolnie przypominając sobie najbardziej ognisty i szalony seks, jakiego w życiu zaznał. Seks, którego ona go nauczyła i przeciwko któremu potem tak ostro protestowała Anita.

Te lata udawania, że wszystko jest w porządku, te rzadkie kontakty z bratem, zaprawione goryczą, fałszywymi uśmiechami i autentycznym bólem odrzucenia... Życie tak blisko niej, tak mimo urodzenia dziecka ciągle pożądanej i całkowicie niedostępnej, długo było dla Grzegorza Hrycia torturą nie do zniesienia. Jak fantomowy ból odciętej kończyny. A ten dureń, Waldek, nawet niczego się nie domyślał! I na pewno nie doceniał, jaki skarb mu się trafił!

Grzegorz Hryć siedział bezmyślnie zapatrzony w ekran telewizora, nie wiedząc, co za program ogląda, i zastanawiając się, co teraz będzie. Dawne emocje oczywiście nie są już tak żywe jak kiedyś, chociaż Helena jak żadna inna kobieta nadal budzi w nim sentyment. Zresztą trudno to nazwać sentymentem: wciąż budzi w nim pożądanie!

– Myślisz, że uda nam się wyszarpać jakąś kasę z cukierni? – usłyszał tuż nad głową. To Anita weszła cicho do salonu z kubkiem herbaty w dłoni. – Przydałoby się, co nie? Zwłaszcza teraz, kiedy będziemy musieli szybko wyremontować ten budynek po mleczarni. Zajmij się tym, dobrze?

– Chyba nie przed pogrzebem? – wymamrotał niezadowolony.

– Ale zaraz po. Może będzie trzeba iść do prawnika?

– Może.

– Ty mnie w ogóle nie słuchasz! – obruszyła się.

– Słucham – westchnął Grzegorz. – Pójdę do prawnika. Dostaniemy, co nam się należy.

Burmistrz Walczak domyślał się, że wraz z odejściem Hrycia sytuacja konkursu na Ciastko Roku i jego własna mocno się skomplikowały. Teraz konkurs będzie kojarzony przede wszystkim ze śmiercią jednego z głównych uczestników i najczęstszego zwycięzcy, a on pozostanie tym, który mimowolnie się do tego przyczynił. I na nic się zdadzą tłumaczenia, że nie ma w tym krzty jego winy. Walczak doskonale pamiętał, jaki był zaaferowany, kiedy oglądał propozycje do Ciastka Roku. Przypomniał sobie zachwyt ciastkiem w formie mumii i oczekiwanie na kolejne zaskoczenia. Trzeba przyznać, że pracowitością i pomysłowością Waldemar Hryć podnosił poziom gutowskiego rzemiosła. Przez jedną kadencję był nawet radnym, ale niespecjalnie się wtedy udzielał. Najlepiej sprawdzał się na swoim stanowisku w pracowni cukierniczej. Czy jego syn, który podobno w tym roku po raz pierwszy wystartował zamiast ojca, da radę unieść tę tradycję?

Na szczęście jest jeszcze pani Helena, trzeba by ją po pogrzebie zapytać, bo może będzie odradzała synowi udział w przyszłorocznym konkursie. Skrzywił się, przypomniawszy sobie Zagańczyka. Ten protegowany Marciniaka ma przecież cukiernię w Płocku, a wrócił tu z jakichś powodów. Dziwny typ, jest w nim coś nienaturalnego, jakby się do nich wszystkich zniżał. Teraz dopiero Walczak zaczął naprawdę żałować Hrycia.

Trzeba to mądrze rozegrać z posłem, jego bratem... Przecież on już z pewnością knuje jakąś intrygę. I jakkolwiek misterna by ona była, trzeba mu wytrącić broń z ręki. Burmistrz sięgnął po telefon i wybrał numer przewodniczącego Rady Miasta, Jacka Marciniaka.

– Sorry, że ci głowę zawracam, ale mam pytanie: co byś powiedział, gdybyśmy tę uliczkę, co idzie na tyłach mleczarni, nazwali Rodziny Hryciów? Jak to widzisz?

– Ale to taka raczej niepozorna uliczka jest i na dodatek niewybrukowana...

– To nie problem.

– A może gdzieś dalej? Na Piaskach jest projektowana ulica, tam gdzie będą budować te nowe bloki.

– Tylko wiesz, musimy to ogłosić we czwartek.

– Dlaczego akurat wtedy?

– Gdyby się udało podczas pogrzebu, co o tym myślisz?

Radny Marciniak głośno wciągnął powietrze.

– Rozumiem, uprzedzić atak. Mądrze, mądrze... Ale wiesz, mogą to równie dobrze obrócić przeciwko nam, bo skoro im daliśmy ulicę, to znaczy, że się przyznajemy do winy. No i opinia publiczna... Ludzie może się będą zastanawiać, za co ta łapówka, pomyślą, że to dla posła, a my przecież jesteśmy z zupełnie innej partii.

Burmistrz Walczak cmoknął, niezadowolony.

– To nie jest ulica w centrum, to nie jest rynek ani jakiś znaczący skwer, to mała uliczka za mleczarnią. Ile tam będzie numerów, z dziesięć? – zapytał.

– Im mniej, tym gorzej. Poseł się będzie ciskał, że go obrażamy, rzucając mu ochłap, ulicę na Zarzeczu, że jego ojciec, matka i brat zasługują na więcej. A on też się nazywa Hryć i był burmistrzem… Jeszcze nam zacznie podbijać stawkę!

– Może by to jakoś wysondować? – głośno zastanawiał się Walczak. – Zadzwonić do niego? Tylko wiesz, to już by musiało być przyklepane przez Radę Miasta, bo tak na zapas pytać to jakoś bez sensu…

– Nie sądzę, aby ktoś miał coś przeciwko temu. Hryciowie, może z wyjątkiem posła, byli dość lubiani. Poczekaj z kwadrans, podzwonię po ludziach, a jutro spróbujemy to klepnąć w trybie przyśpieszonym ze względu na pogrzeb.

– Proboszcz powie, że mu w kościele politykę uprawiam – mitygował się burmistrz.

– I co z tego? Wszystkich nie zadowolisz, oni mają swoją politykę, my mamy swoją, a czyje będzie na wierzchu, to się jeszcze zobaczy. Zresztą gdzie miałbyś to ogłosić, żeby się zainteresowani najszybciej dowiedzieli?

– W sumie racja…

– To ja teraz podzwonię po radnych, odezwę się!

Walczak wyłączył telefon i ciężko westchnął. Nie obawiał się wyniku zakulisowych rozmów Marciniaka, tu raczej im się uda. Nie przepadał za pisaniem przemówień, trzeba by to jakoś gładko i jednocześnie z rozmachem powiedzieć, a choćby i przeczytać, a on nigdy nie był dobry w te klocki. Zawsze raczej fizyczny, ostatnio nauczyciel wuefu, niewiele miał w życiu okazji, aby się posługiwać słowem pisanym. Usiadł przed laptopem i chrząknął, żeby dodać sobie odwagi. Na dodatek nic nie wiedział o tym Hryciu, ale w sumie od czego się ma przyjaciół? Była w liceum imienia Norwida jedna polonistka, z którą się dogadywał, może nawet robiła do niego trochę słodkie oczy, co starał się ignorować ze względu na swoją żonę, Magdę. Nie wykorzystywał tej znajomości, ale ona miała takie same poglądy polityczne, często czuł, że jest mu przychylna. Postanowił więc spróbować.

– Halo, Jagoda?

– Dobry wieczór, panie burmistrzu, jak miło! Czym mogę służyć?

– No właśnie, dzwonię z taką trochę krępującą sprawą…

– Między przyjaciółmi nie ma krępujących spraw, co się stało?

– Nic wielkiego, tylko wiesz, będziemy tu mieli polityczny pogrzeb.

– Matko Boska, kto umarł?

– Ten cukiernik, Hryć, brat posła. I muszę coś powiedzieć w kościele jako burmistrz, żeby ludziom zamknąć usta, że to niby z naszego powodu, bo on zasłabł w urzędzie i potem już go nie odratowali.

– Smutna sprawa, nie wiedziałam. Pamiętam panią Helenę jeszcze z dawnych czasów, kiedy była nauczycielką. Taka zawsze piękna, istny rajski ptak! – rozmarzyła się Jagoda Bieniasz.

– Dlatego chciałbym powiedzieć coś, wiesz, coś takiego, żeby ludzie się wzruszyli. Myślimy o nadaniu nazwy Rodziny Hryciów ulicy za mleczarnią, kiedy tam wyburzą te magazyny. I to też chciałbym ogłosić, tylko to na razie nieoficjalne, ale chciałbym, aby się znalazło w tej mowie. Więc jak, skrobnęłabyś mi parę zdań?

– Ale ja nic nie wiem o tym Hryciu.

– Czyli wiesz dokładnie tyle co ja. Ale o zmarłych z zasady mówi się tylko dobrze, więc cokolwiek napiszesz, będzie doskonale!

– Spoko, zadzwonię do Dawida z „Obserwatora", może ma jakieś materiały, on się chyba kumpluje z jego córką, tą od hotelu? Dawid wisi mi przysługę, więc go poproszę, żeby podesłał jakieś dane.

– Jesteś wielka, dzięki! A jakby co, to wiesz, drzwi mojego gabinetu dla ciebie zawsze stoją otworem! – zapewnił burmistrz, uszczęśliwiony, że pozbył się kłopotu.

– To miłe, dzięki, pewnie kiedyś przyjdzie taka chwila, człowiek nie zna dnia ani godziny…

– I mnie to właśnie dopadło z tym Hryciem! Matko, ale ci jestem wdzięczny, nie masz pojęcia! To już nie przeszkadzam! Odezwiesz się?

– Jutro rano dostaniesz to przemówienie, ile minut? Myślę, że trzy wystarczy, żeby ludzi nie zanudzić i nie stworzyć wrażenia, że grasz nieboszczykiem politycznie.

– Krótko i treściwie, tak będzie najlepiej! – potwierdził Walczak i rozłączył się, aby wybrać numer swojego zastępcy. – Słuchaj, uradziliśmy z Jackiem, że trzeba dać Hryciom ulicę.

– Jeszcze tego brakowało! – Marek Gwara nie wydawał się zachwycony pomysłem.

– Nie wściekaj się, to mała uliczka, ta za mleczarnią. Teraz tam są magazyny, ale jak się zburzy, będzie teren pod budowlankę, jakieś dziesięć numerów. Jacek dzwoni po radnych, żeby jutro klepnęli w trybie nadzwyczajnym, nazwalibyśmy ją Rodziny Hryciów i ogłosiłbym to podczas pogrzebu.

– No nie! Bez dwóch zdań poseł tam pomnik postawi!

– Co ty gadasz?! Jaki pomnik?!

– A nie, nie ten, chociaż kto go wie, co jest zdolny zrobić, żeby głębiej wejść… w struktury partyjne. – Zastępca burmistrza roześmiał się z własnego żartu. – Bo wiesz, że oni kupili mleczarnię?

– Kto?

– Poseł z żoną. Wzięli kredyt i już zadatkowali. Więc kiedy zburzymy te magazyny i wystawimy na sprzedaż działki przy tej niby ich ulicy, to nie nazywam się Gwara, jeśli nie staną do przetargu. A wtedy na prywatnym gruncie mogą wystawić, co im się spodoba.

– Ale serio myślisz, że pomnik wywalą?

– Nie sami, głupi nie są. Poseł powoła jakiś komitet z proboszczem na czele, a dla proboszcza to pół Gutowa wesprze tę szczytną ideę.

– Jedyna pociecha, że to tak dosyć na uboczu jest… – chłodno podsumował burmistrz.

– Jak się dobrze sfotografuje i sfilmuje, to nikt w Warszawie nie zobaczy, że nie w centrum miasta. Liczy się fakt, a nie lokalizacja.

– Czyli myślisz, że robimy mu tym przysługę?

– Sam nie wiem. Poseł już raczej na nasze posady się nie połaszczy. Jemu się pewnie marzą jakieś stołki w spółkach Skarbu Państwa, bo to odpowiedzialność żadna, a kasa leci…

– Przepraszam cię, ale dzwoni Jacek, muszę odebrać. Halo, Jacku? Tak? Bez problemu? Super! Czyli mamy nową ulicę w Gutowie! Dzięki! Do jutra!

Walczak wyłączył komórkę i głośno wypuścił powietrze, po czym nie zwlekając, wybrał numer komórki posła Grzegorza Hrycia.

– Dobry wieczór, panie pośle. Przepraszam, że w takiej chwili i o takiej porze, ale chciałbym uzyskać pańską zgodę na zaproponowane przez radnych nadanie jednej z ulic nazwy Rodziny Hryciów. Tak, jutro rano zamierzamy poddać to pod głosowanie.

Stegna / Gdańsk, sierpień 1969

Towarzyszce Wypych mogło się wydawać, że Teresa jest tłukiem, bo wypełniała bez szemrania wszystkie jej partyjne i prywatne polecenia, bo zrezygnowała ostatecznie z wyjazdu, chociaż taka była przekonana, że musi to zrobić ze względu na rzeczywiste czy wyimaginowane niebezpieczeństwo, bo choć dziewica, z poczucia obowiązku adoptowała cudze dziecko. W nagrodę i chyba po trosze żeby jej pokazać, że nie opłaca się nigdzie wyprowadzać, mając taką protektorkę, załatwiła dla Teresy i dzieciaków wczasy FWP w Stegnie Gdańskiej.

Co to była za radość! Najpierw kupowanie walizek, bo przecież nie mieli nic porządnego, potem szykowanie strojów, pakowanie i planowanie podróży, wreszcie wyjazd i długa podróż pociągami zatłoczonymi do granic możliwości. Ale kiedy zobaczyli morze, prawdziwe morze z prawdziwą plażą – oniemieli wszyscy czworo. Elena, która miała rok i trzy miesiące, umiała już trochę chodzić, ale do tej pory bała się odrywać od sprzętów, teraz pobiegła co sił w maleńkich nóżkach ku ogromnej wodzie, której początkowo pewnie nawet nie widziała.

Ośrodek wczasowy składał się z kilkunastu domków kempingowych krytych blachą falistą. W każdym z nich była kuchnia i dwa mikroskopijne pokoiki. Stołówka zapewniała obiad, ale śniadania i kolacje musieli przygotowywać we własnym zakresie, jednak i tak Teresa mogła wreszcie trochę wypocząć. Co prawda nie spuszczała małej z oka, ale kopanie dołków i stawianie babek z piasku było również dla niej niezaznaną nigdy wcześniej przyjemnością. Starsze dzieci chodziły swoimi drogami, zarówno Mietek, jak i Danusia znaleźli sobie przyjaciół i grali z nimi w piłkę, organizowali wycieczki, ganiali po plaży i ośrodku, czując niespotykaną dotychczas wolność. To były dla ich trójki pierwsze wakacje bez pracy. Dotychczas zawsze w lecie musieli brać udział w sianokosach, zbieraniu jagód, grzybów, owoców u bogatszych rolników, żniwach, a jeśli zdarzył im się wolny dzień, dopiero wtedy pomagali babce.

Teresa, patrząc na rodzeństwo, uśmiechała się rozrzewniona. Żałowała babki, każdego dnia tuż po obudzeniu wzdychała w jej intencji, ale co było, nie wróci, i te wakacje, pierwsze wakacje odpoczynku i lenistwa, były dla jej rodzeństwa czymś wspaniałym. Dla niej zresztą również. W połowie drugiego tygodnia nagle oznajmiła, że jedzie do Gdańska załatwić jakąś sprawę. Zabrała ze sobą tylko Elenę w wózeczku i przykazała im zachowywać się jak na dorosłych przystało.

Ani Danusia, ani Mietek nie mieli pojęcia, po co Teresa się tam wybrała, sądzili, że pewnie na zakupy, ale jej cel był zgoła inny. Zrozumieli to, kiedy przyjechała jedynie z jakimiś słodyczami, które im dała po kolacji. Potem jak zwykle wybrali się na spacer, a ona powiedziała, jakby już rzeczywiście byli dorośli:

– Wrócicie do Gutowa sami.

– Jak to? – nie rozumieli.

– Tam mamy mieszkanie, póki będziemy płacić czynsz, nikt was z niego nie wyrzuci, tam są meble, nasze rzeczy i wszystko. Tam macie szkoły, musicie do nich wrócić.

– A ty? Nie wracasz z nami?

– Nie.

– Ale dlaczego? Co zrobiliśmy?

– Nic. Kiedy tylko zechcecie, możecie do mnie przyjeżdżać.

– Do ciebie? To znaczy dokąd?

– Do Gdańska. Muszę się tam przeprowadzić.

– Dlaczego nas zostawiasz? – spytała płaczliwie Danusia. – Ja tak nie chcę!

– Dacie sobie radę. Będę wam przysyłać pieniądze, trochę musicie sami dorobić. Ja... Nie mogę wrócić do Gutowa. Ściągnę was, kiedy tylko będę mogła!

Przykro jej było patrzeć, jak Danusia chlipie, a Mietek zagryza wargi. Nic nie mówił, ale było widać, że go ta nowina nie ucieszyła.

– Cicho bądź, głupia! – burknął do siostry. – Mówi, że musi, to musi!

– Ale jak? Mamy mieszkać sami?! Przecież my jesteśmy jeszcze dziećmi! – Danusia rozpłakała się na dobre.

– Wszystkim się chwalisz, że jesteś już dorosła, bo poszłaś do technikum.

– Wykupię wam obiady, będę płacić za mieszkanie i przysyłać pieniądze – powtórzyła Teresa.

– Damy radę! – Mietek wzruszył ramionami. – Mus to mus.

– Ale dlaczego?! – szlochała Danusia. – Mama umarła, babcia umarła, a teraz jeszcze ciebie zabraknie, to jest za dużo na moje biedne serce!

– No, ja nie mogę! – Mietek kręcił głową niezadowolony. – Przestań już, bekso! Powinnaś się cieszyć! Będziemy mogli oglądać telewizję do późna i nie myć zębów, i w ogóle... Fajnie będzie!

– Wiem, że jesteście mądrzy i sobie poradzicie. Będziemy się widywać. A na następne wakacje przyjedziecie do mnie, do Gdańska.

– Znów nad morze! – westchnął z satysfakcją Mietek. – Ale tylko na dwa tygodnie, bo trzeba będzie trochę w wakacje popracować. Przy żniwach najlepiej płacą. A powiesz nam kiedyś, dlaczego musiałaś uciec z Gutowa?

– To miasto bez przyszłości. Jeślibym tam została, byłabym sekretarką do końca życia. A ja chcę się uczyć i chcę awansować.

Popatrzyli na nią z respektem. Znali ją od dawna, ale nie przypuszczali, że jest aż tak ambitna.

Rzeczywistość była o wiele mniej kolorowa. Co prawda Teresa pracę znalazła bardzo szybko, bo weszła do pierwszego z brzegu budynku i od ręki dostała posadę sprzątaczki. Był to żłobek. Miała zacząć od pierwszego września i to jej bardzo pasowało. Wróciła na wczasy, wiedziała, że zdąży jeszcze odwieźć rodzeństwo, posprzątać mieszkanie w Gutowie, złożyć wypowiedzenie w komitecie, zabrać rzeczy i przenieść się do Gdańska. Towarzyszka Wypych się wścieknie, ale trudno, ślubu nie brały. Teresa miała niezwykle silne przeczucie, że jeśli zostanie w Gutowie, wydarzy się coś strasznego. Nie wiedziała co, ciągle tylko śniła koszmary o Monice, która ją goni, dopada, wyszarpuje Elenę z jej objęć i ucieka, a Teresa nie może ich dogonić i tylko krzyczy zrozpaczona. Ten krzyk czasem budził ją o świcie. Zrywała się z łóżka zlana zimnym potem i rozglądała dokoła, przeczuwając, że nieuchronnie przyjdzie kiedyś taki moment, że będzie musiała oddać dziecko przyjaciółce.

Tuż przed ostatecznym opuszczeniem Gutowa stało się coś, co ją odrobinę uspokoiło. Właśnie wychodziły z Eleną z cukierni, kiedy ni stąd, ni zowąd pojawiła się przed nimi Stefania Janiuk. Uniosła wysoko brwi, jakby się zastanawiała, czy uraczyć tę biedną Kuszlównę łaskawym spojrzeniem. Teresa rozejrzała się na boki, ale nie miała dokąd uciec, ukłoniła się więc, pozdrawiając matkę Moniki. Ta, wykrzywiwszy usta, spojrzała na Elenę i z niezrozumiałą wyższością zapytała:

– Podobno nieślubne?

Zbyt zdenerwowana, aby kwaśno skomentować tę nieuprzejmość, Teresa tylko pokiwała głową, udając skruszoną grzesznicę, a pani Janiuk pogłaskała ją po ramieniu i wyszeptała protekcjonalnie:

– Jeszcze sobie kogoś znajdziesz… Jakiegoś wdowca…

Teresa nie wiedziała, czy ma się śmiać, czy płakać. Patrzyła więc w ziemię, udając zawstydzoną, a Stefania, świetnie się czując w roli mentorki, ni to ze skromnością, ni to się chwaląc, powiedziała:

– Monika jest w Ameryce… Studiuje prawo… Po amerykańsku… – Westchnęła na koniec, jakby niezmiernie tęskniła za córką.

– Gratuluję! – przez zaschnięte usta wybełkotała Teresa, a Janiukowa, pochylając się jej do ucha, wyszeptała konspiracyjnie:

– Przysłała nawet sto dolarów! Wyobrażasz sobie?! Sto dolarów! Nie mam pojęcia, co z nimi zrobić, przecież to mnóstwo pieniędzy!

– Będzie na czarną godzinę – odparła Teresa, naiwnie wierząc, że Janiukowa mówi prawdę.

Trochę jej to co prawda nie pasowało do Moniki, której stosunki z matką doskonale znała, ale może Monika chce pokazać, że świetnie jej się powodzi? Teresa nie zdziwiłaby się, gdyby Monika, nie dojadając, uzbierała te pieniądze tylko po to, aby pokazać matce, jak bardzo jest zaradna.

Teraz też Teresa mogłaby jednym zdaniem zetrzeć z twarzy Stefanii ten wyraz fałszywej dumy, nieuzasadnionej niczym wyższości. Ale stojąc tak naprzeciwko niej i trzymając malutką rączkę jej wnuczki, czuła tylko żal.

Mogłaś być szczęśliwą babcią, a musisz się obcym ludziom chwalić na ulicy córką, której nigdy nie kochałaś… – pomyślała i odeszła.

To było ich ostatnie spotkanie. Teresa, powodowana irracjonalnym lękiem, że ktoś zechce jej odebrać dziecko, które nikogo poza nią nie obchodziło, kilka dni później na zawsze wyjechała z Gutowa.

Gutowo, wtorek 30 sierpnia, 21:30

Grzegorz Hryć dopił koniak, ale jeszcze wciąż miał na języku smak ulubionego trunku. Siedział zapatrzony w swoje marzenia i czekał z dobrymi wieściami na Anitę, która pojechała na chwilę do córki. Owładnęło nim uczucie spełnienia, co było chyba jeszcze lepsze od tego ukraińskiego koniaku. Poseł czuł, że odzyskuje panowanie nad miastem. Ulica Hryciów nawet by mu się nie zamarzyła, w końcu jest skromnym człowiekiem. Owszem, jego osiągnięcia były niewątpliwe, poświęcił temu miastu całe swoje zawodowe życie. Teraz pracuje dla kraju, jednak kto wie, czy w przyszłych wyborach nie wróci na dawne stanowisko. Lepszy wróbel w garści…

Ulica Rodziny Hryciów – to mogła być jego ulica, ulica posła Grzegorza Hrycia, ale przy obecnym brzmieniu nikt go nie posądzi o małostkowość. Wiadomo, że zawsze będzie wysuwał na pierwszy plan rodziców i brata, twierdząc, że w końcu żyjącym nie stawia się pomników, a taka ulica to przecież jakby pomnik!

Hryć popatrzył na butelkę i uniósł się nieco, aby dolać sobie kolejną porcję. Zasłużył. Zresztą niewątpliwie kiedy

Anita wróci, wypiją jeszcze po jednym. Na razie rozkoszował się nową piękną perspektywą i niezbyt gorliwie zastanawiał, kogo i z jakiego powodu ma honorować nowa ulica. Mętnie zdawał sobie sprawę, że ta inicjatywa może mieć związek ze śmiercią Waldemara i jest czymś w rodzaju zadośćuczynienia. On, który dopiero co chciał walczyć z urzędem o rekompensatę za śmierć brata, teraz nagle złagodniał, upajając się swym politycznym zwycięstwem.

Oby tylko podczas sesji któryś radny nagle nie wyskoczył i nie zawetował! Hryć wziął kartkę i długopis i zaczął wypisywać nazwiska radnych, stawiając przy nich plus, kiedy był pewien głosu na „tak", i minus, kiedy obawiał się głosu na „nie". Tak policzone głosy nie dawały mu szansy na zwycięstwo, ale Hryć uświadomił sobie, że przecież to pomysł jego konkurencji, zatem opozycja też będzie głosowała na „tak"! To było spostrzeżenie godne kolejnego kieliszka, więc znowu się uniósł, sięgnął po butelkę i nalał sobie złocistego płynu, który niczym balsam rozlał się chwilę później po jego przełyku. Tak, to chyba było szczęście! Głęboko westchnąwszy, już sięgał po telefon, aby przyśpieszyć powrót Anity, kiedy usłyszał, że żona właśnie weszła do mieszkania.

– Kochanie! – zawołał z salonu.

– Już się nawalił! – westchnęła ze złością pani Hryć.

– Mam nowinę!

– Ty i te twoje nowiny…

Kiedy Anita stanęła w drzwiach salonu, mąż wskazał jej kanapę i polecił wygodnie usiąść. Z lekka trzęsącą się ręką nalał trunku do dwóch kieliszków.

– Pij! – polecił.

– Za co?

– Ale się zdziwisz! – powiedział z uśmiechem szczęścia, co już ją trochę zaniepokoiło. Umoczyła usta w koniaku i czekała na wyjaśnienia z miną, w której mieszało się politowanie i znudzenie.

– Będziemy mieli ulicę!

– A jednak się nabąblowałeś! – warknęła wściekła.

– Nie, jestem trzeźwy jak niemowlę! Posłuchaj: zadzwonił ten, wiesz, no, ten jak go zwać... Burmistrz...

– A ja już myślałam, że papież! – zamamrotała pod nosem.

– Uważasz, że zmyślam?! Jak Boga kocham! Jutro Rada Miasta przegłosuje nadanie jednej z ulic nazwy Rodziny Hryciów.

– Której ulicy? – trzeźwo zapytała Anita.

– A, czekaj, no właściwie nie wiem...

– Może takiej na księżycu?

– Nie, nie! W Gutowie! Jutro się dowiem. Dziś tylko zapytali, czy jest wola polityczna. To znaczy czy się zgadzam... Zgadzamy... – poprawił się, widząc znów jej krzywy uśmiech.

– I wypiłeś na to konto całą butelkę?!

– Najwyżej połowę!

– Jeszcze rano była pełna.

– Co też ty mówisz! A nawet jeśli, no chyba mi wolno w takim dniu? Moja rodzina uhonorowana jak żadna w tym mieście! Hryciowie górą!

– A tak na marginesie: za co te honory? – z zaciętością wroga drążyła pani Hryć.

– Mamy chyba jakieś zasługi?

– Nie większe od innych.
– Nie każdy był w tym mieście burmistrzem! – Hryć wypiął dumnie pierś.
– I nie każdy ma tu swoją ulicę. Z tego, co się orientuję, to żaden z burmistrzów się nie doczekał, chyba że gdzieś na Piaskach pod samym lasem, dawno tam nie byłam. Więc pytam jeszcze raz: za co te honory?
– Za całokształt.
– Co im obiecałeś?
– Nic! Absolutnie nic! Sami z tym zadzwonili.
– Akurat dziś? Na dwa dni przed pogrzebem?
– Tak się złożyło.
– Chcą cię zmusić do wdzięczności, żebyś się nie upomniał o odszkodowanie za brata, a ty łyknąłeś to jak jakiś durny pelikan! Jeśli wszyscy nasi politycy są tacy głupi, to niech nas Bóg ma w swojej opiece!
– Nawet jeśli, nawet jeśli to rodzaj przekupstwa... – Hryciowi zaczął się już plątać język.
– To jest rodzaj przekupstwa, bez „nawet" i bez „jeśli"! – warknęła Anita.
– Głupia gęś! – wściekł się poseł.
– Gdzie ta ulica, pytam?! Bo może ją zmyśliłeś, żebym ci awantury za wódę nie zrobiła?!
– No co ty, przecież i tak nie zrobisz?...
Pani Hryć nabierała właśnie powietrza, aby ostatecznie dobić męża, a potem w poczuciu zwycięstwa pójść do łazienki, ale zadzwonił telefon domowy. Numer na wyświetlaczu był nieznany, warszawski.
– Anita Hryć – powiedziała obcesowo i zamilkła, a mąż, korzystając z jej nieuwagi, otwierał kolejną butelkę

koniaku. Tymczasem pani Hryć robiła się coraz bardziej czerwona, a wreszcie powiedziała nie swoim głosem: – To pomyłka! – i wyłączyła telefon.

Opadła głową na oparcie kanapy i najniespodziewaniej w świecie oświadczyła:

– Nalej mi!

Grzegorz skrzętnie skorzystał z tej okazji i podśpiewując, nalał żonie alkohol do kieliszka.

– Kto dzwonił? – zapytał z uśmiechem.

– „Fakt".

– „Fakt"? – pytał najwyraźniej uradowany. – Ten „Fakt"?! Już się dowiedzieli? Chcą przeprowadzić ze mną wywiad?

– Najwyraźniej – wysapała pani Hryć, jednym haustem wypijając koniak. – Nalej mi jeszcze!

Hryć ze zdziwieniem i radością spełnił prośbę żony. Pani Hryć wypiła duszkiem następną kolejkę, potrząsnęła głową i wstała z kanapy. Wzięła się pod boki i patrząc twardo na męża, powiedziała:

– Teraz tak: dziś jeszcze możesz tu spać, ale jutro masz się spakować i żeby mi twoja noga więcej nie postała w tym domu, ty łajzo cholerna!

– Co ty bredzisz, Anita?! Po dwóch lampkach tak cię rozebrało? – zażartował Grzegorz.

– To ja tu zasuwam jak mały samochodzik po to, żebyś ty się mógł w tej Warszawie łajdaczyć?! W samych skarpetkach cię puszczę, dziwkarzu jeden!

– Ale co ty?! O czym ty w ogóle mówisz?!

– Co myślisz, że jesteś taki sprytny?! I ta twoja pindzia razem z tobą?! Asystentka... To się teraz asystentka nazywa!

Widząc, że to nie przelewki, Hryć zaczął powoli trzeźwieć.

– O co właściwie chodzi? Czego się mnie czepiasz? Że znowu za dużo wypiłem?

– Nie odwracaj kota ogonem, ty zboczeńcu! Ulicy mu się zachciało! Chyba Wiecznego Wstydu! Po co ty do tej Warszawy jeździsz, co? Żeby się łajdaczyć?! To proszę bardzo! Zażyj tego miodu z młódką! Od jutra jesteś wolny.

– To nie jest wcale śmieszne.

– A myślisz, że mnie jest do śmiechu? Że mnie to bawi, że ci na stare lata odbiło?! No i myślę, że cię ten twój prezes za uwodzenie nieletnich wywali na zbity pysk, bo zasłużyłeś!

– Ona nie jest nieletnia.

– A więc wyszło szydło z worka! – Anita Hryć pokręciła głową, nie mogąc sobie poradzić z faktami. – I nie myśl, że znów cię będę chroniła przed ludźmi, ty cholerny obłudniku! I żebyś mi już nie śmiał leźć do komunii! Najpierw się wyspowiadaj, a pokuty nie udźwigniesz, już ja ci za to ręczę!

– Przepraszam…

– Gdzieś mam twoje przeprosiny, nieudaczniku jeden! Pakuj manatki i zjeżdżaj do tej swojej dziuni! Ty stary dziadu, co sobie myślisz, że ona na twój urok poleciała?! Popatrz lepiej w lustro. Jutro cały kraj się dowie z gazety, jakiś ty dobry mąż, ojciec i poseł. Nawet romansu nie umiesz utrzymać w tajemnicy, niedojdo jedna!

– Ale Anita, poczekaj, o co właściwie chodzi?

– Czy ja się wyraziłam niejasno? Twoja dupeczka przesłała do „Faktu” swoje i twoje zdjęcia. Będą jutro na pierwszej stronie.

– Niech to szlag! – poseł uderzył pięścią w ławę.

– No masz, nie udawaj mi teraz, że cię to nagle wzięło.

– Nie rozumiesz?! Przecież to była ustawka! Te zdjęcia wypłynęły za wcześnie!

Anita Hryć nie mogła uwierzyć, że mąż ma tak nędzne wytłumaczenie swoich postępków. Ze zdziwienia aż jej mowę odjęło.

– Widziałaś te zdjęcia? Przecież oni teraz w tym Photoshopie potrafiliby nawet z ciebie zrobić Marilyn Monroe!

Pani Hryć na powrót usiadła, wychyliła do dna swój kieliszek i próbując ochłonąć, zastanowiła się, jak powinna postąpić w tej sytuacji. Z jednej strony Grzegorz się zhańbił i zhańbił całą rodzinę. Nie pierwszy raz zresztą. Z drugiej zaś jako poseł był kimś! Nikt w Gutowie tak daleko nie zaszedł. Nie potrafiła zdecydować, co bardziej jej się opłaca: zostać samej z kredytem na mleczarnię i wygonić niewiernego czy po raz kolejny zapomnieć o ekscesach i żyć pod jednym dachem, mając go na oku. Bo przecież nie odszedłby potulnie, zabierając ze sobą wyłącznie wstyd. Walczyłby w sądzie o każdy drobiazg. Próbowałby udowodnić, jak dużo dostał od matki, co zresztą było prawdą.

Hryć spostrzegł, że żona po pierwszym wybuchu ma jednak wątpliwości. Nalał jej i sobie i bez słowa usiadł na kanapie. Anita wychyliła jednym haustem kolejny kieliszek, a potem oparła głowę i głośno westchnęła.

– Sumienia nie masz. Chyba Bóg mnie pokarał takim mężem!

– Mówiłem ci, że to wszystko fotomontaż…

Spojrzała na niego sceptycznie. I krzywiąc się, pokręciła głową.

– Tę dzidzię jutro zwolnisz!

– Wedle rozkazu!

– I przysięgam ci na to, co mam najświętszego: jeśli się jeszcze kiedykolwiek dowiem o jakimś wyskoku, to długo tu miejsca nie zagrzejesz!

– Tak jest! – przytaknął z niewymowną ulgą, czując się całkowicie oczyszczony.

W gruncie rzeczy wszystkiemu można zaprzeczyć.

Nowy Jork, grudzień 1970

Kiedy przypominała sobie, co ją spotkało w minionym roku, nie mogła uwierzyć, że człowiek jest w stanie bezkarnie przeżyć tyle emocji! A przecież nie zwariowała z nadmiaru wrażeń. Nie rozpamiętywała też swoich nieszczęść ani krzywd, jakie po drodze do Ameryki wyrządziła innym. Świadomie lub mimo woli nie dało się o tym nie pamiętać. Niemal od roku była sierotą. Dziwne uczucie. Kiedy wreszcie zdecydowała się napisać do matki i wysłać list do Polski, odwrotną pocztą dostała krótką i dość szorstką wiadomość od Kazimierza, który poinformował ją, że Stefania zginęła w wypadku.

„Przejechana przez samochód" – napisał i to się nijak nie mogło pomieścić Monice w głowie. Takiej śmierci nigdy by się nie spodziewała. Próbowała sobie wyobrazić tę sytuację, odtwarzała niczym film obraz Stefanii przechodzącej przez ulicę, pędzące auto, pisk hamulców, głuche uderzenie o maskę, ciało leżące na ulicy, kałużę krwi, odrzuconą gdzieś w bok małą torebkę, której nikt nie zauważył. Ale ta kobieta na jezdni to nie była jej matka. W jej pamięci Stefcia wciąż żyła. W przydeptanych kapciach, z papilotami, w satynowym szlafroku, z papierosem raz po raz odkładanym na szklaną popielniczkę kręciła się po kuchni, marudząc coś pod nosem i budząc niechęć. Teraz może nawet większą niż kiedykolwiek. Monika znów się mimowolnie raz po raz z nią konfrontowała. Nie zdając sobie nawet z tego sprawy, pokazywała jej Nowy Jork.

Podniosła oczy i spojrzała w niebo przesłaniane przez niebotycznie wysokie budynki. Schodząc ze schodów Nowojorskiej Biblioteki Publicznej, boleśnie poczuła, że została sama na świecie. Oczywiście natychmiast odezwał się głos wewnętrzny, który próbując stłumić dziecięce wzruszenie, uparcie przypominał, że nigdy przecież nie było inaczej. Swego ojca nie poznała, a ze Stefcią nigdy nic jej nie łączyło. Zdała sobie sprawę z tego, że tęskni i płacze za wyobrażonym ideałem matki, której już nigdy mieć nie będzie, że jedyny ojciec, jakiego miała, to Kazimierz i czym prędzej powinna do niego napisać, bo jest stary i wkrótce może się okazać, że i on odszedł na zawsze.

Po pół roku w Nowym Jorku, kiedy zaczynało się zarysowywać na horyzoncie jakieś nowe życie, znów czuła wołanie z Polski. Nie, Kazimierz nie wzywał jej do powrotu, nawet nie pytał, jak jej się żyje za oceanem, co robi i czy jej czegoś nie brak. Najwyraźniej obrażony, chyba nie chciał mieć już z nią do czynienia. Monika żałowała tych lat, kiedy starał się być jej ojcem, chciałaby do niego napisać, ale w tej sytuacji uznała, że to nie ma sensu.

Co zresztą miałaby opowiadać? Że w Ameryce ułożyło jej się całkiem znośnie? Że leciała po raz pierwszy w życiu samolotem, i to od razu nad oceanem? Że w Nowym Jorku poręczyła i zaopiekowała się nią rodzina Holzmanów, starsi ludzie, Sara i Chaim, którzy potraktowali ją jak swoje piąte, najmłodsze dziecko? Że mieszka u nich na Brooklynie, żywiąc się koszernym jedzeniem i wrastając w środowisko, o którego istnieniu jeszcze przed rokiem nie miała pojęcia? Że ma coraz więcej znajomych, podobnych jej studentów, którzy uciekli z Polski, i wraz z nimi odkrywa dzienne i nocne uroki miasta, które nigdy nie zasypia? Co on, stary partyzant i polski komunista, by z tego wszystkiego zrozumiał? Jak mu wyjaśnić różnicę między Nowym Jorkiem a Gutowem? Jak opisać drapacze chmur, niekończące się sznury aut, sklepy, których wystawy oszałamiają, a wnętrza przyprawiają o zawrót głowy? Jakie słowa potrafią oddać obraz tłumu wlewającego się na każdej stacji do kolei podziemnej? Co Kazimierz by zrozumiał z trwającej właśnie rewolucji hipisowskiej, z filozofii dzieci kwiatów, ruchów pacyfistycznych, w obliczu wojny w Wietnamie wciąż przybierających na sile? Co by powiedział, słysząc hasło *Make love, not war*? Jak karmiony ludowymi przyśpiewkami i socrealistyczną muzyczną sztampą zareagowałby na muzykę Jimiego Hendriksa, Rolling Stonesów i im podobnych? Jak mu wyjaśnić, czego ludzie szukają w narkotykach i jak się po ich zażyciu czują?

Nie, wolała nawet nie próbować, to jakby tłumaczyć, jak wygląda życie na innej planecie. Ona sama codziennie otrząsała się z kulturowego szoku. Ale była młoda, młodzi mają większą tolerancję dla nowości, łakną ich, poszukują, lubią eksperymentować i łamać konwencje. Podobnie jak większość młodych polskich emigrantów Monika zachłystywała się Nowym Jorkiem, czuła gotowość do zmiany, do przyjęcia swojej nowej ojczyzny ze wszystkimi jej zaletami, ale i wadami, których na razie nie dostrzegała zbyt wyraźnie, o których jednak piąte przez dziesiąte słyszała podczas barowych kłótni. Nie wszystko rozumiejąc, nie próbowała brać udziału w gorących politycznych dyskusjach, tak często kończących się następną kolejką, głębokim pociągnięciem skręta lub nocnym łażeniem od klubu do klubu.

Sara gderała po jej porannych powrotach, ale niezmiennie podawała ciepłą chałkę z mlekiem i siadała, aby popatrzeć Monice w oczy. A potem i tak wysyłała do pościelonego zawczasu łóżka. Chaim bronił podopiecznej, twierdząc, że swoje dzieci trzymali zbyt krótko i niech szaleje, póki jeszcze może. Dlatego Monika odpłacała im, jak mogła, nie nadużywając cierpliwości opiekunów, i nawet nie burzyła się zanadto, kiedy Sara odgrażała się, że znajdzie jej jakiegoś dobrego żydowskiego męża, aby ją wreszcie utemperował. Holzmanowie nie zostali poinformowani o jej mężu, który wyjechał z rodzicami do Izraela. Monika miała nadzieję, że jej stan cywilny nigdy się nie wyda, i naprawdę znów czuła się wolna. Świetnie grała rolę niewinnej panienki.

Sara i Chaim wyjechali z Polski tuż po wojnie. Jak im się udało przetrwać Holokaust – nie opowiadali, a ona nie pytała. Czasem tylko z jakiegoś żartu lub przymówki domyślała się, że przed Niemcami uciekli do Związku Radzieckiego i choć Chaim przed wojną siedział w więzieniu za przynależność do partii komunistycznej, tam również nie było im lekko. Chyba po wojnie porzucił młodzieńcze ideały, skoro w Ameryce stał się kupcem. Powodziło im się zupełnie nieźle, mieli własny dom, a Sara nie pracowała. Chaim prowadził sklep papierniczy, w którym Monika lubiła mu pomagać. Wychowana w socjalistycznej biedzie, nie mogła się nadziwić, jak piękne mogą być zwykłe zeszyty, notesy, a nawet papiery listowe! Ile było w sklepie rodzajów długopisów czy gumek do ścierania, ile ołówków, kredek, linijek, piórników! Taka rozmaitość wszystkiego mogła zawrócić w głowie każdemu przybyszowi zza żelaznej kurtyny. Z bogactwem kapitalizmu trzeba się było najpierw oswoić. Na wszystkie inne spostrzeżenia czas przychodził później.

Ponieważ angielski Moniki był ubogi, swą amerykańską edukację zaczęła od nauki języka. W domu gospodarze rozmawiali z nią po polsku, między sobą w jidysz, za to w sklepie miała okazję osłuchać się z angielskim, często ze slangiem. W wolne wieczory oglądała telewizję, w tym wspaniałe hollywoodzkie filmy, których nigdy nie miała dosyć. Z wielkim trudem nadążała za dialogami, ale powoli zaczynała rozumieć, co do niej mówią, i nabierała swobody w odpowiadaniu klientom.

Mniej więcej po miesiącu nastąpił przełom. Podczas wizyty dzieci Holzmanów, kiedy wszyscy mówili do Sary „mame", również Monika bezwiednie tak się do niej zwróciła. Chciała natychmiast przeprosić, ale zauważyła, że zrobiła jej tym przyjemność, a najdziwniejsze, że jej samej nie przeszkadzało, aby do obcej kobiety zwracać się „mamo". Lubiła Sarę i podobało jej się to, jaką była matką dla swoich dorosłych już dzieci i babcią dla wnuków. Gderała, owszem, ale nie tak, aby komuś zrobić przykrość, raczej żartobliwie, bo tego po niej oczekiwano. Codziennie przez wiele godzin była na nogach, a wyglądała, jakby jej nigdy nie brakowało sił.

Monika czuła wdzięczność za życzliwość, opiekę i pokazanie, czym może być rodzina. Ci obcy ludzie uczyli ją wzajemnego szacunku i miłości okazywanej w drobnych odruchach. Nigdy nie sądziła, że tak się do kogoś przywiąże. Tym bardziej było jej ciężko z powodu tajemnic, których nie wyjawiła. Chciała coś z tym zrobić, ale przede wszystkim pragnęła okazać Sarze swoje przywiązanie. Dlatego w połowie grudnia zapowiedziała, że chce ją zaprosić do kina. Tylko ją. Na pani Holzman ta deklaracja zrobiła duże wrażenie, zwłaszcza że Monika wybrała eleganckie kino na Broadwayu i wydała na bilety niemal całą swoją tygodniówkę, a ona od lat nie ruszyła się poza Brooklyn i traktowała wyprawę niemal jak wyjazd na urlop. Film był wybitnie babski i wyciskający łzy z oczu, taki, jaki lubiły najbardziej. Nosił romantyczny tytuł: *Love story*, i rzeczywiście obie się spłakały, co stworzyło znakomity grunt do zwierzeń.

Ponieważ była to popołudniówka, szły bez celu boczną ulicą, rozmawiając o tym i o owym. Sara dyskretnie podpytywała Monikę o jej chłopaków, na co ta odpowiadała ogólnikowo. Widząc skrępowanie podopiecznej, starsza pani mówiła o rzeczach obojętnych i cierpliwie czekała, aż Monika sama zdecyduje, kiedy powiedzieć, co jej leży na sercu. I rzeczywiście kilkanaście minut później poczuła się na tyle komfortowo, że powiedziała cicho:

– Nie wiesz, jaka jestem wam wdzięczna! Po prostu nie umiem tego wyrazić.

– Nie trzeba, dziecko. Nie trzeba!

– Gdyby nie wy, nie miałabym się gdzie podziać.

– Nie my, to ktoś inny by się znalazł – spokojnie stwierdziła Sara. – Musimy sobie pomagać.

– Ale ty nie rozumiesz! – niemal ze łzami w oczach mówiła Monika. – Bo ja... Ja nawet... Ja nie jestem...

– Nie jesteś Żydówką? To chciałaś powiedzieć?

Monika spojrzała na nią czujnie. Bardzo bała się reakcji Sary, a jednocześnie przynajmniej w tej kwestii nie chciała już jej oszukiwać.

– Zrozumiem, jeśli każecie mi się wyprowadzić.

Sara westchnęła głęboko.

– Nikt nie mówi o tym, żebyś się miała dokądkolwiek wyprowadzać. Nasz dom nagle ożył. Znów mamy się kim opiekować. Nie wiesz, jakie to ważne dla kogoś w naszym wieku.

– Ale ja, ja przecież... Ja was oszukałam.

– Jakoś to zniesiemy. A z tym pochodzeniem to czasem jest tak, że ci, którym najmniej na tym zależy, dowiadują się nagle, że mieli żydowskiego przodka, i dopiero mają kłopot, bo zdarza się, że to potworni antysemici. Tak było w Polsce, tak było w Rosji, tak jest tutaj. Więc nie rób smutnej miny, bo nie pomagamy ci z powodów rasowych, tylko dlatego, że potrzebujesz pomocy. Zjadłabym jakieś ciastko, a ty? – powiedziała, rozglądając się po witrynach.

– Chętnie, ale ja stawiam! – z ulgą odparła Monika.

– Nie ma mowy! Wystarczy tego fundowania!

Weszły do pierwszej napotkanej samoobsługowej kafeterii. Monika przyniosła zamówienie, a Sara, wyglądając przez okno, uśmiechała się, zamyślona.

– Gdyby nie ty, nigdy bym się pewnie nie znalazła na Broadwayu.

– Ale przecież macie tu tak blisko!

– Manhattan to jak inny świat – westchnęła Sara. – Nigdy nie musiałam tu przyjeżdżać. Jakoś się nie złożyło. Ale skoro już tak dobrze poznałaś miasto, to musisz mi coś obiecać.

– Wiem! Zabiorę cię do Central Parku! Zrobimy sobie piknik którejś niedzieli! – entuzjazmowała się Monika.

– E tam, szkoda twojego czasu dla mnie starej. Zresztą nie mam się w co ubrać.

– Przestań, mame. Każdy się ubiera w to, co ma. To nie rewia mody. Kapelusz nie będzie potrzebny. Ani rękawiczki.

– Dobrze już, dobrze. Powiedz mi lepiej, kiedy wreszcie zabierzesz się do nauki. Bo czas płynie.

Monika zasępiła się.

– Ale jak to zrobić?

– Normalnie. Studiowałaś prawo? Kontynuuj to.

– Gdzie? Kiedy? Nie stać mnie…

– A twoi koledzy, co robią?

– Już się gdzieś powkręcali. Jeden to nawet na Harvard!

– No proszę!

– Ale ja? Nie jestem taka zdolna i w ogóle…

– Skoro sama tak uważasz, to możesz oczywiście pomagać Chaimowi w sklepie, dopóki nie znajdziesz bogatego męża. Czy takie są twoje ambicje? Ale tak tu siedzimy może nie przypadkiem? O tam, widzisz ten budynek?

– New York Law School?

– Czy to nie przeznaczenie, że usiadłyśmy akurat w tej kafeterii? Zjemy ciastka, wypijemy kawę i pójdziemy tam.

Monika skrzywiła się, przerażona.

– Jak to: teraz? Ale ja nie mam dokumentów!

– Uzyskać informację możesz przecież bez dokumentów. Jeśli nie zapytasz, to się nie dowiesz. Jeśli nie będziesz wiedziała, nie rozpoczniesz starań o przyjęcie, a w konsekwencji nie wrócisz do nauki. Dość już tego gapienia się w telewizor, nie uważasz?

Gutowo,
wtorek 30 sierpnia 2016, 22:20

Helena była tak przejęta czytaniem księgi receptur przedwojennej cukierni Pod Aniołem, że o bożym świecie zapomniała. I dopiero usłyszawszy dzwonek do bramy, ocknęła się zdezorientowana. Sądziła, że to Zbyszek zapomniał lub zgubił pilota, więc trochę nadąsana zeszła na dół. Nacisnęła wiszący przy drzwiach mechanizm i brama zaczęła się z wolna rozsuwać. Na podwórku zapaliła się lampa i oczom zdumionej Heleny ukazał się samochód pomocy drogowej z autem Zbyszka na lawecie. Przerażona zbiegła ze schodów.

– Co? Co się stało?…

Kierowca wychylił się przez okienko. Zauważywszy jej minę, pośpieszył z wyjaśnieniami.

– Chuligański wybryk. Syn w porządku, proszę się nie denerwować.

– A gdzie on jest?!

– W szpitalu, zdaje się.

– Jak to: w szpitalu?! Nic mu nie jest i w szpitalu?

– Ja tam nie wiem. Gdzie mam zaparkować? – zapytał, zjeżdżając samochodem Zbyszka na ziemię.

– Tam, pod tą wiatą. – Helena wskazała dłonią.

– Proszę pokwitować, że auto dostarczyłem – zaparkowawszy, kierowca podał jej dokumenty.

Nie zagłębiając się w lekturę, Helena podpisała papiery i kiedy już samochód Zbyszka stał na podwórku, a brama była zamknięta, pobiegła na górę. Chwyciła telefon i wybrała numer syna. Oczywiście nie odbierał! Chwilę później oddzwoniła Iga.

– Nie denerwuj się, jestem z nim. Nic poważnego mu się nie stało, ma skręcony bark i przecięty łuk brwiowy, właśnie założyli mu szwy. Idziemy do auta, za pół godziny wrócimy do domu.

– Jakie szwy?! Co się właściwie stało?! Dlaczego nie zadzwoniłaś wcześniej?

– Przepraszam. Pobił się z jakimiś typami w Płocku.

– Pobił się?! Zbyszek? Nie, ja tego wszystkiego nie wytrzymam! Akurat dziś się pobił?!

Chyba od kilku chwil telefon trzymał już Zbyszek, bo to on odpowiedział matce:

– No dostałem po ryju, zadowolona jesteś?!

Helenie momentalnie żal się zrobiło syna.

– Pewnie, że nie. Bardzo cię boli?

– Umiarkowanie. Ale przygotuj się, że wyglądam, jakbym miał wypadek. I tak powiemy ludziom, bo nie zagoi się do pogrzebu. Jestem spuchnięty, będę miał ślady na twarzy.

– Jezus Maria! A co z nią?...

– Co ma być? Poszła do domu. Próbowała mnie ratować, ale jej nie wyszło.

Helena na końcu języka miała: „A nie mówiłam?!", powstrzymała się jednak przed tanim triumfalizmem. Jeśli obrażenia nie są poważne, może i warto było zapłacić taką cenę za rozstanie z tą dziewuchą.

– Weź telefon na głośnomówiący, mam wam coś do powiedzenia – oświadczyła tajemniczym tonem.

Pochylali się nad pamiątkami Cukiermanów znalezionymi przez Helenę, własnym oczom nie wierząc.

– Dlaczego nikt tego wcześniej nie odkrył? – zastanawiał się Zbyszek.

– Przed nami nikt nie kuł murów między kamienicami. Może nastąpiły jakieś wstrząsy, które spowodowały odpadnięcie tynku. My też do tej pory nie przejmowaliśmy się jakoś tą piwnicą. Była, to była, kiedyś malarze machnęli tu tynk i farbę, postawiliśmy szafkę i nikt się nad tym więcej nie zastanawiał.

– Zresztą nie było nad czym, szafka to szafka.

– Przynajmniej przez chwilę nie myślałam o Waldku.

– Co z tym zrobimy? – zainteresował się Zbyszek.

– Oddamy prawowitym właścicielom.

– Jak to?! Komu?!

– Wnuczce ostatniego Cukiermana.

– To ona jeszcze żyje?! – zdumiał się Zbyszek.

– Wyobraź sobie.

– Też uważam, że to jedyne rozsądne wyjście – przytaknęła Iga.

– Tylko bardzo was proszę o dyskrecję. Nie chcę tu mieć prasy. Żadnego rozgłosu, zwłaszcza teraz! – powiedziała Helena.

– A ten zeszyt to nam chyba zostawią? Bo im to na co? – zastanawiał się Zbyszek.

– Wystarczy, jeśli pozwolą skopiować. Oryginał wam niepotrzebny, a to jednak ich rodzinna pamiątka – stwierdziła Iga.

Helena widziała, że pasierbica jest zdenerwowana, ale domyślając się powodu jej złego samopoczucia, nie zapytała o przyczynę.

– Jedź już do domu, dziękuję, że pomogłaś Zbyszkowi! – pogładziła ją po ramieniu.

– Ktoś musiał. Zresztą zadzwonił do mnie.

– Sorry, siostra! I dzięki! – chłopak burknął pod nosem, zbyt zajęty przeglądaniem zeszytu z przepisami, ale też trochę zawstydzony całym wydarzeniem i swoim wyglądem.

– Odpocznijcie, jeśli dacie radę.

Helena bez słowa pokiwała głową, ale jej zaciśnięte usta i zaczerwienione oczy wystarczyły Idze za odpowiedź. Ona sama miała jeszcze jedno zmartwienie.

Wsiadła do auta i spojrzała na wyświetlacz komórki: dziesięć nieodebranych wiadomości i cztery próby połączenia. Wszystkie od Krzysztofa Zagańczyka.

Zbyszek miał znacznie więcej nieodebranych połączeń. Już w szpitalu czuł wibracje komórki, ale nie miał ochoty odbierać. Najpierw bał się o wynik badania głowy, bo go straszyli wstrząsem mózgu, potem chodził od jednej sali do drugiej, poddawany rozmaitym zabiegom, i nie myślał o komórce. Zresztą kto mógł dzwonić? Matka albo Martyna. W obu przypadkach nie zamierzał odpowiadać. Umówili się z Igą, że to ona poinformuje Helenę o wszystkim, a jeśli chodzi o Martynę, to Zbyszek musiał sobie wiele rzeczy przemyśleć. Czy chce z powodu dziewczyny, nawet takiej dziewczyny, dostawać w twarz, kiedy tylko zaparkuje pod jej domem? Był przekonany, że gdyby tylko chciała, mogła zakończyć bójkę. Miał do niej o to wielki żal. Dlatego nie odbierał połączeń z jej telefonu. Potem zajął się znaleziskiem matki, a komórka leżała gdzieś w kuchni i wibrowała.

Kiedy wreszcie poszedł do swojego pokoju z książką kucharską Cukiermanów, zabrał telefon ze sobą. Rzucił okiem na wyświetlacz. Było tam piętnaście nieodebranych połączeń od Martyny. Uśmiechnął się pod nosem. Dobrze jej tak! Niech się trochę pomartwi!

Do północy czytał zeszyt z zapiskami. Zapomniał o bożym świecie. Kiedy jednak podłączał telefon do ładowania, zauważył, że ma też kilka SMS-ów. Z ciekawości zajrzał, co pisała. Zdziwiła go ich treść:

MAMY JĄ – brzmiała pierwsza wiadomość.

MARTYNA JEST PORWANA – brzmiała druga wiadomość.

HCEMY OKUPU – brzmiała trzecia wiadomość.

MASZ ZAPŁACIĆ DWADZIEŚCIA TYSIENCY INACZEJ ONA ZGINIE – tu już przestał się uśmiechać.

Na szczęście w pokoju rodziców nadal paliło się światło, a Helena, siedząc na łóżku, oglądała jakieś zdjęcia.

– Mamo… – zawiesił głos. – Chyba mam problem.

– Co się stało?

Pokazał jej telefon z pogróżkami.

– Jesteś pewien, że to nie ona?

– To pewnie te typy, które mnie napadły. Od razu mi się wydawało, że to jacyś jej znajomi.

– Powinniśmy z tym iść na policję.

– Ale teraz? W środku nocy? – ociągał się Zbyszek.

– To twoja dziewczyna. Myślisz, że naprawdę mogą jej coś zrobić?

– Nie mam pojęcia.

– Zawsze możesz zapytać, czy to nie jakiś żart. Może to ona sama pisze, żeby rozładować atmosferę, czy ja wiem? Sonduje twój nastrój. A na policję możesz pójść o każdej porze.

Zbyszek przygryzł wargę.

– Jasne!

Kiwnął głową i wyszedł, żeby jeszcze pomyśleć. Usiadł na łóżku, przetarł dłonią usta i głęboko westchnął. Podobała mu się taka sytuacja, kiedy jego milczenie denerwuje drugą stronę. Po dzisiejszych doświadczeniach nabrał trochę wątpliwości. Jak sprawdzić, czy Martyna nie jest w to wszystko zamieszana? Dlaczego nie towarzyszyła mu do szpitala? Nawet nie zadzwoniła, żeby zapytać, jak on się czuje! Prawda, dzwoniła dwadzieścia razy! Tak czy inaczej, dopóki porywacze mają nadzieję na okup, nic jej się pewnie nie stanie.

Zajęty ostatnimi wydarzeniami, Zbyszek prawie zapomniał o ojcu. Teraz jednak jego śmierć wróciła bolesnym skurczem.

Zajmuję się duperelami! – skarcił się w myślach.

Skończył czytać zeszyt z przepisami Cukiermanów i spojrzał na zegarek.

Późno już. Pora się położyć.

W pokoju matki też światło było wyłączone, jakby jej nie obchodziły te dziwne SMS-y. Chociaż trudno uwierzyć, że spała... Może zresztą rzeczywiście nie ma się czym przejmować? Poszedł do łazienki i ostrożnie się umył. Chciał położyć się spać, ale spojrzał na ostatni tego dnia SMS z numeru Martyny, który brzmiał:

ONA JEST W CIONŻY.

Gdańsk, grudzień 1970

Najpierw sprzątała, a przez kilka pierwszych tygodni była również nocnym stróżem w żłobku. Szybko się jednak okazało, że jak na tamtejsze standardy Teresa świetnie gotuje, i została przesunięta do kuchni. Widać lekcje starszej pani Wypych były skuteczne, bo kiedy niecałe pół roku później na emeryturę odeszła żłobkowa intendentka, kierowniczka placówki nie zastanawiała się ani chwili i zaproponowała tę pracę Teresie.

Z zaopatrzeniem nie było za dobrze. W sklepach pustki, drożyzna, a Gdańsk to nie Gutowo, gdzie wszyscy ją znali jako prawą rękę towarzyszki Wypych. Tu trzeba było sobie radzić własnymi sposobami. Wyjeżdżała więc na wieś i tam u chłopów potajemnie kontraktowała ćwiartkę lub połówkę prosiaka. Potem z kucharkami przerabiały ją w żłobkowej kuchni i przy oszczędnym gospodarowaniu wystarczało na tydzień, czasem na dwa. Również ze wsi przyjeżdżało mleko, jajka, twarogi oraz warzywa. Trochę się trzeba było natrudzić przy rozliczaniu, ale papiery wydawały się mniej ważne od tego, aby dzieci nie chodziły głodne. Wcześniej dostawały jakieś obrzydliwe breje na bazie mąki z dodatkiem chudego mleka i cukru, na które Teresa nie mogła nawet patrzeć. A że ona z Eleną też się stołowały w tej placówce, starała się, jakby to była jej domowa kuchnia. Nagle wszyscy pracownicy zaczęli się również stołować w żłobku, a nawet w aluminiowych trojakach zabierali obiady do domu.

Pracując w komitecie, Teresa bezpośrednio tego nie doświadczała, chociaż docierało do niej, że ludzie w Fablaku kradną, co się da. Tu też niby nikogo za rękę nie udało jej się złapać, ale podejrzewała, że posady intendentki i kucharek to niezła fucha. Wychodząc, wynosiły ze żłobka całe siatki produktów: masło, mąkę, cukier, ryż, mięso. Nawet się nie zastanawiały, że okradają maluchy, które powierzono ich opiece. Jeśli udawało im się okroić porcje, czuły satysfakcję i może nawet rodzaj dumy, że potrafią dorobić do pensji. Kradzież zresztą kwitła na każdym stanowisku. Sprzątaczki wynosiły mydło, papier toaletowy, pastę do podłóg i płyn do mycia szyb. Wszystkiego zawsze trzeba było kupować znacznie więcej. Nowe szczotki tuż po zinwentaryzowaniu były wymieniane na przyniesione z domu stare i zużyte. Podobnie firanki, dywaniki, materacyki, nawet nocniki czy zabawki dla dzieci. Nie wiadomo, kiedy to się działo, ale wystarczyło kilka minut i w miejsce nowej rzeczy natychmiast pojawiała się stara. Nie było nic świętego i nikt nie walczył z tym procederem. Zresztą gdyby chcieć karać za to każdego pracownika każdego zakładu, szybko zabrakłoby ludzi do pracy, w dodatku jeśli chodzi o sztuki, wszystko się zgadzało. Nikt się chyba nie zastanawiał nad tym, że kradnie. Co to za kradzież: parę kostek masła czy butelka płynu do mycia naczyń, który rozrzedzano tak, że zostawała niemal sama woda.

Teresa nie kradła, co bynajmniej nie budziło podziwu koleżanek, a raczej pogardę i zaniepokojenie, że jest szpiclem. Zastanawiała się, czy dyrektorka wie, ale jak miała nie wiedzieć? To ona zlecała zakupy, musiała się domyślać, że produkty i sprzęty się tak podejrzanie szybko zużywają. Zresztą czy to w ogóle była kradzież, skoro według teorii wszystko w socjalizmie jest wspólne?

Czasami Teresa żałowała, że uciekła z Gutowa. Było jej w Gdańsku znacznie trudniej. Rzeczywiście opieka towarzyszki Wypych wiele spraw ułatwiała. Dopiero tutaj, gdzie musiała sobie od nowa wyrabiać chody, zobaczyła to z całą wyrazistością. Czasami myślała o Monice, którą stać było na to, aby matce przysłać sto dolarów. Ona sama ściboliła każdy grosz, żeby pomóc rodzeństwu, utrzymać siebie i dziecko. Brała każdą robotę: chodziła na sprzątanie, myła okna, robiła zakupy starszej pani, u której podnajmowała pokój. Zrozumiała, że jeśli nie znajdzie męża, nigdy nie uzbiera wkładu na mieszkanie spółdzielcze i może nigdy nie wygrzebie się z tej nędzy, która znowu stała się jej udziałem. Tu, w żłobku, choć dobrze jej się pracowało, wielkiej szansy na to nie miała. Odkurzyła więc swój stary dyplom ze szkoły zawodowej i przejeżdżając niedaleko stoczni, poszła pod koniec listopada do kadr.

Ale mimo że znalazłoby się dla niej miejsce, nie podjęła tam pracy. Po przeanalizowaniu wszystkich „za" i „przeciw" uznała, że Elena jest jeszcze na to za mała. W żłobku Teresa mogła do niej co jakiś czas zaglądać, utwierdzając córkę w przekonaniu, że cały czas znajduje się tuż obok.

Po pobycie w domu dziecka Elena bała się zostawać z obcymi. Natychmiast reagowała silnym płaczem, dostawała nawet gorączki. Długo się do każdego przyzwyczajała, z trudem akceptowała nowych ludzi w swoim otoczeniu. Dlatego Teresa na razie zrezygnowała z poszukiwania męża. Zresztą czyby tak od razu kogoś znalazła? Stawała się coraz bardziej wybredna, chciałaby mieć w mężu przyjaciela i ostoję, gdzie tu takiego znaleźć? Liczyć na przypadek nie na wiele się zda, a szukać przez znajome jakoś nie potrafiła. Nie miała tu przyjaciółek, a znajomych też nie za wiele.

I nagle te wszystkie rachuby stały się nieważne, bo trzynastego grudnia kierowniczka żłobka poprosiła ją do swojego gabinetu. Siedziała właśnie nad „Dziennikiem Bałtyckim" z informacją na pierwszej stronie dotyczącą podwyżek cen. Choć wcześniej nigdy tego przy szefowej nie robiła, Teresa z wrażenia usiadła i czytała z otwartymi ustami.

– Matko Przenajświętsza, co to będzie?! – zapytała wstrząśnięta.

– Koniec świata normalnie! Ludzie i tak nie wiedzą, jak związać koniec z końcem, a tu takie kwiatki!

– Co my zrobimy?

– Co, co? Będzie trzeba więcej kluchów dawać i tyle. Bo mięsa to już się chyba tylko raz w tygodniu kawałek zobaczy. Zresztą te kolejki ludzi i tak zniechęcają.

– Ale tam! Stoją, stoją w kolejkach! Wczoraj we Wrzeszczu ludzie w tym dużym samie kilka godzin za wędliną stali i nikt nie wiedział, co w końcu dostanie. I czy dostanie. Ale stali na mrozie!

– Może cynk jaki kto puścił o tych podwyżkach?

– I to już tak na zawsze?... Te ceny? – zastanawiała się Teresa.

– A co myślisz, że zaraz odwołają?! Chyba nie po to wprowadzali, żeby odwoływać?

Z poniedziałku na wtorek Teresa nie mogła zasnąć. I chyba nie ona jedna. Niemal każdej rodzinie podwyżka cen będzie musiała dać się we znaki. Następnego dnia, wychodząc z zaprzyjaźnionego sklepu, zauważyła jakiś dziwny ruch na ulicy. Mnóstwo ludzi szło środkiem jezdni jakby od strony stoczni. Coś pokrzykiwali, docierały do niej jakieś głosy z radiowozu, słyszała „Precz z podwyżkami!", „Strajk!", „Prasa kłamie!". Przerażona uciekła gdzieś w bok i klucząc zaułkami, okrężną drogą wróciła do żłobka.

Miasto było poruszone protestem robotników, którzy poszli wprost pod Komitet Wojewódzki. Nie mieli jednak z kim rozmawiać, bo pierwszego sekretarza Karkoszki nie było w Gdańsku. Na ulicach panowało ogromne poruszenie, spontanicznie tworzyły się kilkusetosobowe grupy, które pojawiały się w różnych miejscach, na przykład pod Politechniką Gdańską, gdzie nawoływano studentów do przyłączenia się do planowanego na piętnasty grudnia strajku. Ale wielu z nich nadal pamiętało rok 1968, kiedy to robotnicy odmówili młodzieży swojego wsparcia, nazywając ją „bananową" i na wiecach zaganiając do nauki.

Teresa nie wiedziała, co o tym wszystkim sądzić. Do domu przemykała z dzieckiem bocznymi uliczkami, bojąc się wpaść w tłum, który, jak niebezpodstawnie sądziła, na pewno zostanie rozproszony przez milicję. Następnego dnia po drodze do pracy widziała sceny jak z filmu wojennego. Skład choinek na rogu Rajskiej i Heweliusza spalony! Był to wstrząsający widok. Plotki o rozruchach, które przynosili do żłobka zdenerwowani rodzice, mówiły o wielu ogniskach buntu, o płonących gmachach publicznych, splądrowanych i podpalonych sklepach, o walce tłumu z policją na kamienie i strzelaniu do bezbronnych ludzi, o powołaniu komitetu strajkowego, o tym, że jest wielu zabitych i rannych.

Wieczorem w telewizji wicepremier Kociołek nazwał protestujących „bandami" i zdecydowanie odrzucił propozycję powrotu do cen sprzed podwyżki. Słysząc to, Teresa się popłakała. Nie miała kontaktu z Gutowem, nie wiedziała, czy tam wszystko w porządku. Nie chciała niepokoić rodzeństwa, bo Mietek jeszcze gotów przyjechać do Gdańska, zawsze się rwał do bitki. Bała się chodzić i jeździć po mieście z dzieckiem, najchętniej wzięłaby chorobowe, ale czuła odpowiedzialność za inne dzieci, które mimo wciąż trwających zamieszek jakoś docierały do żłobka.

Sytuacja była napięta i nikt nie wiedział, do czego doprowadzi. Matki z lękiem zostawiały swoje dzieci, nie wiedząc, jak po nie dotrą po południu. Jednocześnie wszyscy w skrytości ducha solidaryzowali się ze strajkującymi, słusznie uważając, że pensje w większości państwowych zakładów pracy są za niskie, a planowane podwyżki bardzo nadwątlą domowe budżety i obniżą już i tak skromny poziom życia większości ludzi.

Teresa żałowała, że opuściła Gutowo, tam czułaby się bezpieczna. Co się stanie z Eleną i jej rodzeństwem, jeśli wyjdzie na miasto i dosięgnie ją jakaś zbłąkana kula?

Podobno po obu stronach byli już zabici i ranni. Nigdy jeszcze nie czuła się tak samotna i bezbronna. Chociaż dawno tego nie robiła, zaczęła się modlić przed snem. To ją trochę uspokajało.

Jej gospodyni, mimo że trochę przypominała starszą panią Wypych, nie miała tej werwy i obycia politycznego, aby wytłumaczyć, o co tu chodzi. Intuicja podpowiadała jednak Teresie, że to odprysk niezakończonej rewolucji studenckiej, w wyniku której wyjechała Monika. Coś szwankowało w kraju, a partia, która sprawowała faktyczną władzę, potrafiła tylko mówić o wrogach politycznych i kontrrewolucji. Jacy wrogowie, skoro liczyła się tylko PZPR i tylko jej członkowie mieli szansę na jakiekolwiek stanowisko? To oni rządzili i oni mydlili ludziom oczy. Do niedawna i ona to robiła. Teraz patrzyła na wszystko od drugiej strony. Już nie słuchała tłumaczeń żadnej z pań Wypych, musiała się w otaczającej rzeczywistości orientować sama. Przyrządzając kolację lub śniadanie, trochę gadała ze swoją gospodynią, emerytowaną księgową Marią Marczuk, ale z braku telewizora to Teresa była jej oczami i uszami.

– I co tam na mieście? – dopytywała się pani Marczuk, ciekawa nowin.

– A bo ja wiem? Trochę się uspokoiło. Podobno już po strajku. Zamknęli stocznię.

– Jak to: zamknęli?

– Wojsko weszło czy coś… – odparła Teresa, całą uwagę poświęcając karmieniu Eleny.

Sama nie wiedziała, co się dzieje, ale w sobotę było już dość spokojnie, a w poniedziałek znów zastała kierowniczkę żłobka nad „Dziennikiem Bałtyckim".

– I po Gomułce… – powiedziała tamta, wpatrując się w zdjęcie nowego pierwszego sekretarza PZPR, Edwarda Gierka. – Nawet przystojny! – stwierdziła.

Teresa rzuciła okiem na portret i tytuł przemówienia inauguracyjnego. Gierek nawoływał do spokoju, powrotu do pracy, wzajemnego zrozumienia i zaufania.

– Właściwie o co mu chodzi? – zastanawiała się na głos.

– Żebyśmy przełknęli te podwyżki, siedzieli cicho i dalej żyli za nasze pensje, a oni żeby nie musieli ruszać wojska z koszar.

– Ja też bym chciała mieć spokój. Rano boję się wyjść z domu, rozglądam się dookoła, potem ze strachem wsiadam do tramwaju. I tak cały dzień z duszą na ramieniu.

Kierowniczka spojrzała na zdjęcie Edwarda Gierka.

– Ten mi wygląda na solidnego gościa. Może wreszcie za jego rządów coś się poprawi?

Miesiąc później Edward Gierek w Stoczni Gdańskiej zwrócił się do robotników pamiętnymi słowami: „Pomożecie?!", i niczego w zasadzie nie oferując, uzyskał dla PZPR kredyt zaufania na kolejne dziesięć lat. To, co nie udało się mężczyznom, wywalczyły dopiero kobiety. Podwyżki cen cofnięto w połowie lutego 1971 po strajku włókniarek łódzkich.

Warszawa, wtorek 30 sierpnia 2016, 22:28

Jeszcze dwie godziny temu w jadącym do Warszawy aucie było jej tak dobrze! Położyła dłoń na jego dłoni, spojrzeli na siebie i uśmiechnęli się. Czuła się taka spokojna i radosna przy boku Maćka, że chciało jej się śpiewać! Być szczęśliwym jest tak łatwo! Wystarczy tylko trafić na odpowiedniego człowieka! Do tej pory się nie udawało, ale jak widać cierpliwość popłaca. Ale on wydawał się jakiś zamyślony, odpowiadał półsłówkami, raz czy dwa nie dosłyszał pytania i prosił o powtórzenie.

Nie bała się spotkania z jego rodzicami, umówili się, że przedstawi ją po prostu jako koleżankę, a co sobie pomyślą, to ich sprawa. Tak się rzeczywiście stało. Nieco zaskoczeni wizytą syna, państwo Podedworscy przygotowali skromną kolację, której zresztą przesadnie nie celebrowali. Odzywali się do siebie półsłówkami, nieco więcej uwagi poświęcając gościowi. Pani Wiesława zadawała jakieś nieważne pytania, jakby chciała podtrzymać konwersację, ale robiła to z czystej grzeczności. Jednak ani Mii, ani Maćkowi to jakoś specjalnie nie przeszkadzało. Szybko zjedli i weszli do jego pokoju. Tam całowali się przez krótką, choć niezwykle namiętną chwilę, a potem on zaczął szukać pamiątek po dziadku. Chciał to zrobić dyskretnie, że niby czegoś potrzebuje z szafy, ale matka zauważyła, bo mieszkanie, choć trzypokojowe, było jednak dość małe i nie dało się ukryć poszukiwań.

– Co tak grzebiesz po szafach, szukasz czegoś?

– Gdzie jest ten zegarek dziadka? – od niechcenia zapytał Maciek.

– A po co ci on? – zainteresował się ojciec.

– Chciałem go na trochę zabrać.

– W jakim celu?

– Bo to on mnie tam wysłał, prawda? Nadal nie wiem, o co mu mogło chodzić.

– I zegarek ci to wyjaśni? – ironizowała matka. – Jakoś mętnie się tłumaczysz.

– Macie coś przeciwko temu?

– Skąd! – Ojciec Maćka wzruszył ramionami. – A bierz go sobie! Dziadek pewnie by się ucieszył, że chcesz go nosić w czasach, kiedy każdy ma zegarek w telefonie.

– Teraz jest moda na starocie – próbowała pomóc Mia. Zupełnie niepotrzebnie, bo rodzice Maćka zasiedli już przed telewizorem, poszukując jakiegoś serialu na Netfliksie.

– Przepraszam cię, czasem jak się wkręcą, to o całym świecie zapominają – uśmiechnął się Maciek.

– W końcu nie muszą nas bawić, prawda? – stwierdziła. – Jesteś jakiś smutny. Stało się coś?

– Nie, nie... Wydaje ci się – powiedział i pocałował ją w policzek.

Kiedy wsiedli do samochodu, Maciek zapytał:

– Byłaś kiedyś w Warszawie?

– Nigdy.

– To zanim ruszymy w drogę powrotną, pokażę ci kawałek miasta.

Zanim jeszcze przekręcił kluczyk w stacyjce, Mia położyła dłoń na jego prawej dłoni. I bardziej niż wszystkie najpiękniejsze nawet ulice, budynki, zabytki i parki Warszawy zachwycało ją ciepło jego ręki, trzymającej kierownicę.

– Coś cię trapi? – spytała po dłuższej chwili milczenia.

– Chyba musimy porozmawiać.

– O czym?

– Jeszcze mi nie powiedziałaś, czy jesteś wolna.

– Ty mi też nie powiedziałeś.

– No właśnie. I trochę się boję tej rozmowy.

– Nie przerażaj mnie!

Patrzyła za okno na miasto, ale nie potrafiła się skupić na budynkach, które mijali, to jedno zdanie Maćka odebrało jej całą radość. Bała się, co on powie, przekonana nagle, że to ich ostatnie spotkanie. Dlatego w panice zastanawiała się, czy wyznać prawdę o Althannie.

– Kto zaczyna?

Mia wciągnęła głęboko powietrze w piersi i powiedziała:

– Nazywa się Marco Althann, jest potomkiem zamożnej rodziny, choć nie tak jak w dziewiętnastym wieku, i pewnie chciałby to zmienić. Jestem dla niego nadzieją na bogate i beztroskie życie, jakie z pewnością lubi najbardziej, na odbudowę rodzinnego pałacu i spłatę zaciągniętych przez rodzinę długów.

Maciek zagryzł wargi. Przez chwilę milczał, ale wreszcie wydusił:

– Kochasz go?

– A jak myślisz?

– Co ja tu mogę myśleć albo nie myśleć?! – rzucił poirytowany.

– Nie rób scen – Mia odparła najłagodniej, jak umiała.

– Ja robię sceny?! Ja?! – niemal wrzasnął.

– To ty zacząłeś tę rozmowę, a na razie nie opowiedziałeś o sobie. Masz kogoś?

Maciek milczał dłuższą chwilę.

– Jeszcze tego nie wiesz? – powiedział asekuracyjnie.

– Na swoim Facebooku jesteś „w związku". Odkryłam dziś rano. Właśnie to chciałeś mi powiedzieć? A może to, że już z nią zerwałeś?

– Nie... Wszystko stało się zbyt nagle. Niczego nie żałuję, jest cudownie, ale...

– Masz na boku inną dziewczynę? Nie, przecież to ja jestem ta trzecia! – z przekąsem stwierdziła Mia, starając się opanować drżenie głosu.

– Anka przyjedzie jutro – rzucił Maciek, wyraźnie speszony. – Zerwę z nią, ale nie wiem...

– Czego?

– Niczego właściwie. Przez cały czas mam wrażenie, że mi się śnisz.

Mia westchnęła głęboko i pociągnęła nosem. Czuła, że się rozpłacze, ale bardzo tego nie chciała. Nie mogła teraz wyjść na idiotkę, która tak łatwo dała się poderwać i jest właśnie spławiana.

– Może byś się wreszcie obudził?! – powiedziała z całą stanowczością, na jaką ją było w tej chwili stać. – Ciągniesz mnie do Warszawy, żeby mi powiedzieć, że masz dziewczynę, a ją ciągniesz do Gutowa, żeby z nią zerwać? Przecież to jest jakiś absurd, nie uważasz?

– Nie mogę z nią zerwać SMS-em.

– To trzeba było mnie zostawić w hotelu i się z nią spotkać w Warszawie! Nie uważasz, że tak byłoby uczciwiej?

– Ale jej nie ma w Warszawie, przyjedzie z Olsztyna.

– Powiedz mi, czego ty właściwie chcesz? Masz jakiś plan? W związku z nią, w związku ze mną? W związku z czymkolwiek?! A może są jeszcze jakieś inne?

– Nie ma.

– Co za ulga, doprawdy, kamień z serca! – ironizowała Mia.

– Nie mogłem z nią zerwać przez telefon, zrozum…

– A ja wolałabym nie oglądać faceta, który mi wbija nóż w plecy. Zdecydowanie wolałabym zerwanie przez telefon.

– Nieprawda.

– Co jej powiesz? Sorry, ale zdradziłem cię z taką jedną… A może nas sobie przedstawisz? Zrobisz zawody, która jest lepsza w zapasach?

– Mia… Zrozum, to dla mnie cholernie trudne, ale ja nie wierzę w naszą przyszłość.

– Słucham?! Więc jesteś tylko prowincjonalnym donżuanem, który świetnie się maskuje, a ja durną panną, która się zakochała w uwodzicielu?! – podniosła głos niemal do pisku.

– Przecież wiesz, że to nie tak.

– A jak? Bo na razie jeszcze nie powiedziałeś.

– Naprawdę dużo o tym myślałem i wnioski są smutne, ale boję się, że nie pasuję do twojej rodziny.

– Co tu, do cholery, ma moja rodzina?!

– Bardzo wiele. Jesteś dziedziczką fortuny.

– Kto ci powiedział?! – krzyknęła, wyraźnie zła.

– Nikt. Masz imię i nazwisko, to wystarczy, żeby wklikać do Google'a.

– Jest wiele osób o tym nazwisku.

– Ale nie w Wiedniu. I nawet jeśli sprzedam tę moją działkę za dobrą kasę, dalej przy tobie będę nikim.

– Ach, więc chodzi o ten męski pogląd na świat, że dziewczyna musi być kopciuszkiem, a facet księciem, inaczej niebo się zawali?!

– Moje niebo się nie zawali, ale nie jest fajnie być biednym mężem bogatej żony. Nawet jeśli twoja mama i babcia będą mnie lubiły, i tak ciągle będę myślał, że wkręciłem się do bogatej rodziny fuksem.

– Co to znaczy „fuksem"?

– Szczęśliwym trafem.

– Moja babcia zrobiła to samo.

– Kobieta może.

– Co za staroświeckie poglądy! W jakim ty świecie żyjesz?! Mamy dwudziesty pierwszy wiek!

– Nie wiem, są moje. Przed chwilą mówiłaś o tym swoim facecie. I kiedy wspominałaś, że chciałby żyć bez wkładania w to wysiłku, czułem, że lekko nim pogardzasz.

– To nie to samo. Znam jego charakter, może dlatego mój ton był nieco pogardliwy. W rzeczywistości tak o nim nie myślę. Lubię go, ale wiem, że długo byśmy ze sobą nie wytrzymali, bo on za bardzo lubi się bawić.

– A skąd wiesz, że ja nie lubię się bawić?! Znamy się dopiero trzy dni!

– Bo pracujesz w tej winiarni, on nigdy nigdzie nie pracował. Do czego właściwie zmierzasz, bo się pogubiłam.

– Ja w sumie też. Kocham cię, ale mam wątpliwości, czy będę pasował do twojego świata.

– Co wiesz o moim świecie?!

– Nic, i to mnie przeraża. Ty również ryzykujesz. Nawet nie potrafię tańczyć walca.

– Myślisz, że to w Wiedniu obowiązkowe?

– A co, nie? – Maciek uśmiechnął się po raz pierwszy od godziny. Był to blady, przepraszający uśmiech, ale wydał mu się lepszy od ponurej miny i zagryzania warg.

– Sam musisz to sprawdzić. I nie odwiedzę cię dziś w twoim pokoju. Czułabym się bardzo głupio.

– Mia... Nie zrywaj ze mną.

– Warszawa to ładne miasto – powiedziała i to były jej ostatnie słowa aż do Zajezierzyc.

Gdańsk, wrzesień 1972

Mając dwadzieścia pięć lat, Teresa sądziła, że nic już w jej życiu się nie wydarzy. Co prawda dyrektorka wysłała ją na studia zaoczne kierunek żywienie zbiorowe, ale Teresa nie miała takiej zaciętości jak wtedy, gdy ciągnęła dwie szkoły w Gutowie. Czyżby wraz z wyjazdem Moniki zabrakło jej najważniejszej motywacji? Szła właśnie zasmucona po oblanym egzaminie, nic więc dziwnego, że nie usłyszała nadjeżdżającego samochodu. Dopiero pisk hamulców przywrócił ją do rzeczywistości.

– Gdzie się pchasz, krowo?! – krzyknął kierowca żółtego fiata 125p.

Teresa ocknęła się. Spojrzała na Elenę, którą prowadziła za rękę, ale małej nic się nie stało. Nie odpowiedziała ordynarnemu mężczyźnie, zbyt zajęta swoimi myślami. Prawda jest taka, że nie uczyła się dość długo. Sesja była mordercza i większość egzaminów jakoś zaliczyła, ale do pozostałych trzeba będzie jeszcze raz przystąpić. Na dodatek właścicielka mieszkania nieoczekiwanie trafiła do szpitala, a że nie miała w Gdańsku żadnej rodziny, Teresa musiała się nią zająć. W drodze do domu rozmyślała, czy nie powinna jej odwiedzić, bo może jej czegoś brakuje.

Ciężko stąpając, weszła na drugie piętro kamienicy, wyjęła klucze i otworzyła drzwi. Ledwie zdążyła rzucić torbę z zakupami na szafkę w kuchni, zdjąć płaszcz, a małej kurteczkę i wypakować swoje zdobycze, gdy usłyszała szczęk klucza w zamku. Pierwszą jej myślą było, że pani Marczukowa jakimś cudem wróciła ze szpitala. Zaciekawiona, Teresa wyszła do przedpokoju i stanęła oko w oko z mężczyzną, który jej o mały włos przed chwilą nie przejechał.

– To pan?!

– To pani?!

– Co pan tu robi?!

– Co pani tu robi?! – mówili jedno przez drugie. – Moja matka tu mieszka.

– Pana matka? Ja tu mieszkam!

– Pani tu mieszka?! – Mężczyzna cofnął się na korytarz, aby sprawdzić numer nad drzwiami.

– Nigdy pana nie widziałam.

– Ani ja pani! Ktoś do mnie zadzwonił, chyba jakaś sąsiadka, że matka jest w szpitalu.

– Pan jest synem pani Marczuk? Dlaczego pan nigdy jej nie odwiedził?

– To długa historia. A pani to?...

– Jej lokatorka. Pana matka ledwo wiąże koniec z końcem. Zresztą jest też bardzo samotna.

– I pani jej pomaga finansowo?

– Mamo, jestem głodna! – wtrąciła się Elena.

– Już, kochanie, już ci robię kanapkę!

– Ja też bym coś zjadł.

– No wie pan! – obruszyła się Teresa. – Przed chwilą omal nie zginęłam pod kołami pańskiego samochodu i teraz mam dla pana robić przyjęcie?!

– Moja matka coś chyba zostawiła w lodówce? Nie mogłaby pani poczęstować mnie choćby kanapką? Przecież nie żądam obiadu z dwóch dań.

– Dobrze się pan bawi jak na syna ciężko chorej matki.

– Jeśli czegoś nie zjem, zaraz i ja trafię do szpitala!

Cóż było robić? Teresa przestała się dąsać i zrobiła talerz kanapek z żółtym serem, konserwą tyrolską i pomidorem oraz trzy herbaty. Usiedli do stołu i jedli, milcząc. Mężczyzna się nie śpieszył.

– Mógłby się pan chociaż przedstawić.

– Pani też.

– Jestem Teresa.

– Sławek.

– Nie bardzo nam idzie ta konwersacja.

– Nie? Jemy, gawędzimy, pijemy herbatę, uważam, że jest miło.

– A pana matka leży w szpitalu.

– Myślę, że mi stamtąd nigdzie nie ucieknie.

– No nie wiem…

Chyba wtedy do niej dotarło, że on z nią flirtuje! I co gorsza nie miała nic przeciwko temu. Jeszcze się srożyła, robiła obrażoną minę, ale powoli miękła, zaczęła się prostować, dotykała bezwiednie włosów, chciała go jeszcze na trochę zatrzymać. Nie mogła jednak tego powiedzieć.

– Może by pan już poszedł? Późno się robi…

– Pozwoli mi pani zanocować w jej pokoju?

– A co ja mam tu do gadania? To jej pokój.

– Mamo, poczytaj mi bajkę! – marudziła Elena, szarpiąc Teresę za rękę.

– A gdzie tatuś dziecka? – lekceważąc konwenanse, zapytał mężczyzna.

– Tatuś dziecka jest nieobecny.

– Ja nie mam tatusia! Mam tylko mamusię! – poinformowała go Elena. – Mamusiu, poczytaj mi bajkę!

– Ach tak… – z wyraźnym zadowoleniem westchnął mężczyzna. – To ja już pojadę do tego szpitala.

– Tak będzie najlepiej! – Teresa pokiwała głową, udając, że bardzo jej na tym zależy.

Sławomir Marczuk mógł się podobać. Dobrze ubrany wysoki brunet z zaczątkami siwizny, ostrzyżony na jeża, zielonooki, mocno zbudowany czterdziestolatek. Szorstkość Teresy go bawiła. Gdyby robiła do niego słodkie oczy, pewnie by się od niej opędzał, nie miał przecież zamiaru tu nocować. Nie lubił tego mieszkania, jego sprzętów, zapachu, nie lubił wspomnień z dzieciństwa i młodości. Zamierzał szybko wracać do Warszawy. Gdyby sytuacja tego wymagała, planował zanocować w hotelu. Ale teraz myślał tylko o tym, żeby się jeszcze podroczyć z Teresą.

Wrócił po dwóch godzinach. Patrzyła na niego wnikliwie. Był trochę smutniejszy, ale nie przybity.

– Powiedzieli, że nie dają gwarancji, że matka przeżyje. Miała udar – powiedział i postawił na stole butelkę czerwonego wina. – Napije się pani ze mną?

– A z jakiej okazji? Chyba nie mamy czego świętować?

– Myślałem, że napijemy się na smutek.

– Chyba że.

Marczuk zauważył, że córka Teresy już śpi, a ona sama jest umalowana i ma na sobie jakąś inną odzież. Uznał to za dobry znak.

– Zaproponujesz mi przejście na „ty"? – zapytał.

– A to z jakiego powodu?

– Jesteśmy tu sami. *Strangers in the night*... – zanucił i wstał, aby włączyć stojące na stoliku pod oknem radio. Musiał zdjąć z niego szydełkową serwetkę, ale radio działało. Po chwili rozległ się w pokoju słodki głos jakiegoś amerykańskiego piosenkarza.

Teresa nie broniła się, kiedy podszedł, wziął ją za rękę i pocałował. Dała się prowadzić, gdy na niewielkiej przestrzeni dużego pokoju zaczął z nią tańczyć. Był to najbardziej romantyczny moment w jej dotychczasowym życiu. Jeszcze żaden mężczyzna jej tak nie adorował.

Powinnam zasłonić okno, jeszcze ktoś zobaczy! Co sąsiedzi pomyślą, słysząc akurat dziś muzykę?! – gonitwa myśli przelatywała przez głowę Teresy. Ale muzyka nie milkła, wciąż tańczyli, a ona miękła. I mimo że nie wszystkie piosenki nadawane tego wieczoru były wolne, oni nie przyśpieszali. Poruszali się wolno, zmysłowo, coraz bardziej w siebie wtuleni. Czuła zapach jego wody kolońskiej, a on jej szamponu do włosów. Skłoniła głowę na jego ramię i zamknęła oczy. Wtedy zgasło światło, a on wsunął jej rękę pod bluzkę. Ciepła dłoń rozpięła biustonosz i gładziła jej plecy. To było takie upajające! Marzyła, aby nie przestawał, ale program rozrywkowy się skończył i zaczęły wiadomości.

Pocałował ją w rękę, jakby chciał podziękować za taniec, i wyłączył radio. Potem pośród setek pocałunków pozwoliła się rozebrać i zaprowadzić do łóżka swojej gospodyni, które wcześniej zaścieliła dla jej syna świeżą pościelą. Teraz sama w niej leżała całowana i pieszczona. Niemal dotykała nieba. Czas przestał istnieć, nic się nie liczyło. Odbierała rozkosz wszystkimi zmysłami. Nagle zrozumiała, co to słowo znaczy: jego delikatne dłonie, pocałunki, szepty i to uczucie, początkowo trochę ból, a po chwili jakby pękał dojrzały owoc pełen soku. Nigdy tego nie doświadczyła, ale niespodziewanie dla siebie samej stała się rozpustna. Jęczała, sapała, dyszała, całowała go, lizała i gryzła. Odrzuciła wszelkie skrupuły i zahamowania, chcąc, by wchodził w nią raz po raz, aby ta noc trwała, nigdy się nie kończąc.

To po prostu niemożliwe, aby kiedykolwiek spotkało ją coś równie cudownego. I już na zapas Teresa zaczęła panikować na myśl, że on jutro odjedzie, zostawiając ją samą z tym pragnieniem, tym ogniem, tym szczęściem, co spadło tak nagle, niespodziewanie, niezaspokojoną, ciągle głodną, nagle bezwstydną, odartą ze wszystkiego, co ukrywała, oddającą się bez wahania, zakochaną bez pamięci.

Zasnęli dopiero nad ranem. Przy śniadaniu mówili niewiele, jakby wciąż jeszcze przeżywali chwile doznanego szczęścia.

– Podwieźć cię gdzieś? – zapytał.

– Nie trzeba, dam sobie radę.

– Pojadę do szpitala, wczoraj niczego konkretnego się nie dowiedziałem.

Pokiwała głową. Bała się przy dziecku zadać jakiekolwiek pytanie. Teraz dopiero zaczęła się wstydzić, że była zbyt łatwa. Chciała go całować, dotykać, wrócić do łóżka, ale nie pozwoliła sobie nawet na uśmiech, na przypadkowe muśnięcie, ranek całkiem pozbawił ją odwagi. Czekała, aż on coś powie, aż padnie jakaś deklaracja, bo przecież to nie mogło się tak skończyć, że on zaraz wstanie, pojedzie do szpitala, a potem wróci do Warszawy tym swoim fiatem yellow bahama!

Chciało jej się płakać, bo zanim zdążyła się upić szczęściem, już jej się wymykało z rąk. Dlaczego?!

– O której wrócisz z pracy? – zapytał Sławek.

– O piątej – odparła.

– Nie możesz się zwolnić? – zapytał i po raz pierwszy tego dnia spojrzał jej w oczy.

– Spróbuję.

– Będę czekał – zapewnił ją, a ona wiedziała, że zrobi wszystko, aby do niego jak najszybciej wrócić. Kiwnęła tylko głową, pocałowała go w policzek, bacząc, aby Elena tego nie zauważyła, i zaczęła ją ubierać do przedszkola.

Wróciła koło dziesiątej. Nieco przed południem usłyszała szczęk klucza w zamku i do mieszkania wszedł zszarzały na twarzy Sławomir.

– Jeszcze żyje, ale kiepsko z nią. Zostanę parę dni, jeśli pozwolisz.

Kiwnęła głową. Byli sami, Elena została w przedszkolu. Teresa nie śmiała niczego proponować, ale kiedy podszedł i ją objął, zaczęła się o niego ocierać jak mały kotek.

Nie wiedziała, skąd się to brało, ale wszystko było spontaniczne. Płynęło gdzieś z wnętrza. Przecież nikt jej nie mówił, jak wygląda miłość, co to jest seks, jak należy się zachowywać w obecności mężczyzny.

Kochali się do trzeciej. Ona musiała jechać po dziecko, a on chciał jeszcze skoczyć do szpitala. O szóstej znów usiedli we troje przy stole. Elena popatrywała z boku na Sławka, a wreszcie zapytała:

– Przeczytasz mi bajkę?

– Pewnie! – odparł bez wahania. – Ile tylko zechcesz! – dodał, spojrzawszy na Teresę.

Po kąpieli Elena położyła się grzecznie do łóżeczka, wcześniej wybrawszy ulubioną książkę. Po dwudziestu minutach zasłuchana usnęła, a oni znów kochali się niemal do rana.

Następnego dnia matka Sławka zmarła.

– Obiecałem jej, że wrócę. Nie zdążyłem... – powiedział zasmucony i usiadł ciężko na krześle w kuchni. – Masz matkę? – zainteresował się nieoczekiwanie.

Teresa pokręciła głową.

– Pojadę na pocztę, muszę poprosić szefa o urlop i zawiadomić telegraficznie rodzinę.

Teresa siedziała po drugiej stronie stołu zasmucona i rozczarowana. Biegła tu jak na skrzydłach, wyobrażała sobie, jak zasłania firanki, zdejmuje kapę z łóżka i pada w ramiona kochanka. Kręciło jej się w głowie od nadmiaru szczęścia, a tu nagle jedno zdanie i obojgu wszystko stało się obojętne.

– Pewnie jest wiele rzeczy do zrobienia. Mogę ci jakoś pomóc? – zapytała, a on wyciągnął do niej ręce, jakby mu wystarczyło, że ją przytuli.

Załatwianie formalności trwało jeden dzień, Sławomir Marczuk nie potrzebował pomocy. W piątek po południu wyjechał do Warszawy. Mówił, że ma zaległości w pracy i musi się tam przynajmniej pokazać. Wiadomo było, że przyjedzie na pogrzeb w połowie następnego tygodnia. Obiecywał, że zostanie wtedy do niedzieli. Co się stanie potem, Teresa nie śmiała pytać.

Zajezierzyce, wtorek 30 sierpnia 2016, 22:35

Iga Toroszyn usiadła za kierownicą auta, które parkowało na podwórzu cukierni, i odczytała wszystkie SMS-y od Zagańczyka, a potem po kolei je kasowała. Najbardziej ją denerwowało, że odczuwała jakieś dziwne, niechciane podniecenie. Wyrzucała je sobie, ale serce i tak biło jak pensjonarce. Wreszcie, kiedy ostatni SMS został skasowany, położyła telefon na siedzeniu pasażera i ruszyła w stronę Zajezierzyc. Kiedy kilka minut później usłyszała dźwięk połączenia, początkowo sądziła, że to znów Krzysiek. Ale rzut oka wystarczył, żeby stwierdzić, że się pomyliła. To był telefon od Dawida Czerpaka z lokalnej gazety „Obserwator Gutowski". Włączyła zestaw głośnomówiący.

– Cześć, co tam? – zapytała, nadając swojemu głosowi maksymalnie lekki ton.

– Wybacz, że tak późno, najpierw przyjmij wyrazy współczucia.

– Dziękuję.

– Twój tata to był porządny człowiek, chyba za porządny jak na nasze czasy.

– Jakoś mu się mimo wszystko udawało. – Iga westchnęła, trochę zniechęcona. Czuła, w jakim kierunku zmierza rozmowa, i było jej z tego powodu przykro. Nie, nie zamierzam wykupić nekrologu w twojej gazecie! – pomyślała zirytowana.

– Przykro mi bardzo, naprawdę, był w Gutowie instytucją.

– Kochałam mojego ojca, ale to chyba przesada? Moja babka była w Gutowie instytucją, tata był tylko jej słabym odbiciem.

– Wiesz, ja właściwie w tej sprawie.

– Nie rozumiem.

Dawid milczał przez chwilę, jakby chciał swoją sprawę ubrać w odpowiednie słowa, których mu jednak brakowało.

– Dotarły do mnie nieoficjalne informacje, że twój tata i twoja babcia zostaną jutro uhonorowani na Radzie Miasta.

– W jaki sposób? – zdumiała się Iga.

– Dostaną swoją ulicę. To znaczy ma się nazywać „Rodziny Hryciów", w uznaniu ich zasług dla naszego miasta.

– Co ty dziś piłeś, Dawid?! – parsknęła Iga. – Jakich zasług? Nie mieli żadnych. Chyba coś by mi się obiło o uszy?

– Radni są innego zdania. Trzeba wspierać przedsiębiorczość i tutejszość, a wasza cukiernia to, zdaje się, najdłużej w Gutowie działająca firma.

– Do dziedzictwa Cukiermanów nie mamy żadnego prawa.

– Radnym wystarczy dziedzictwo Hryciów.

– Daj spokój, to naprawdę niestosowne. Jestem przekonana, że ani moja babka, ani tym bardziej mój tata nie chcieliby, aby nasze nazwisko ludzie musieli wpisywać w swoich PIT-ach! Nie, to kiepski pomysł!

– Iga, przecież nie pytam o twoją zgodę, decyzja, zdaje się, jest już podjęta i ja nie miałem z nią nic wspólnego. Burmistrz szykuje przemówienie i dlatego dzwonię.

– A nie wydaje ci się, że właśnie powinni zapytać o naszą zgodę?! Może my nie chcemy żadnej ulicy?!

– My to znaczy kto?

– To znaczy ja na razie, bo pierwszy raz o tym od ciebie słyszę! Ale myślę, że Helena też się nie zgodzi. Nie, na pewno nie. Zresztą tuż przed pogrzebem to wstyd by mi było w ogóle zawracać jej głowę. Chyba że inni… – zawiesiła głos.

– Zlituj się, chcesz, żeby cię błagali? Zresztą nazywasz się Toroszyn.

– I co z tego?! Myślisz, że w związku z tym nie mam nic do powiedzenia? Od kiedy stałeś się sługusem Urzędu Miasta?!

– Bijesz poniżej pasa! Nie każ mi się na siebie obrażać, nie jestem niczyim sługusem, wiesz o tym dobrze!

– Tak? Podobno jesteś niezależny, ale przecież właśnie robisz robotę za burmistrza! Ciekawe, dlaczego miasto akurat teraz postanowiło uczcić rodzinę Hryciów? Czy to zakulisowe działania mojego stryja? On też należy do ro… – Iga nagle urwała. – Tak! To na pewno jego pomysł! Chce się wślizgnąć do historii miasta na śmierci mojego ojca! To parszywiec! Poczuł, że innej okazji nie będzie.

– Według twojej teorii jako były burmistrz ma swoje zasługi, więc nie musi o nic walczyć.

– Ale ludzie go raczej nie lubili, prawda? Pamiętam, że ciągle wybuchały jakieś afery. No i w końcu wykonał klasyczny manewr ucieczki do przodu... Wiesz co, dojechałam właśnie do Zajezierzyc. Jestem zmęczona, Zbyszek dostał dziś tęgie cięgi w Płocku, wracam ze szpitala. Odłóżmy tę rozmowę na inny dzień, dobrze?

– Ale Iga, ja muszę im dać coś do tego przemówienia! Błagam cię! – zdenerwował się redaktor.

– To sobie coś wymyśl! Wszystko jedno co, przecież masz w tym wprawę! – burknęła i wyłączyła telefon. Zaparkowała i opadła głową na założone na kierownicy ręce. – Matko Boska!

– A co to za ulica? Gdzieś w centrum? – zainteresował się Xavier.

– Tak mnie zaskoczył, że nawet nie zapytałam. Jeszcze tego brakowało, żeby teraz zmieniali nazwę jakiejś istniejącej ulicy, wkurzali ludzi, bo to się przecież łączy z mnóstwem niedogodności, żeby sobie wycierali gęby moim ojcem i moją babką! Niedoczekanie! – Iga chodziła po mieszkaniu, nie mogąc znaleźć sobie miejsca.

– Wydaje mi się, że to ładny gest – delikatnie powiedział Xavier. – Uhonorować rodzinę wrosłą w historię miasta od prawie stu lat.

– Jeśli miałaby to być ulica Rodziny Hryciów, to uhonorowany zostałby też mój dziadek, który zrobił naszej rodzinie, to znaczy rodzinie Cieślaków, więcej złego niż dobrego: pozbawił nas majątku, gdzieś wszystko rozpirzył, z babki zrobił sklepową i swoją nałożnicę. Z jakiej racji miałby być nagrodzony ulicą?! I stryjek Grzegorz! Uważasz, że złych Hryciów da się oddzielić od dobrych?

A ciotka Anita, też niezła intrygantka! Co ona ma wspólnego z cukiernią? Jakie są jej zasługi? A nałogowy alkoholik, stryjek Roman?

– Ta z drogerii? Nie wiem. A Romana w ogóle nie kojarzę, jest taki?

– Do diabła z tym! Jeśli to przejdzie, zrobię w urzędzie awanturę, jakiej świat nie widział! – pieklıła się Iga.

– Z tobą to strach zacząć – Xavier próbował rozbroić złe emocje, którym Iga poddawała się coraz bardziej. – I nigdzie już nie dzwoń, błagam… – powiedział, widząc, że żona sięga po telefon. – Naprawdę, już prawie jedenasta! Prześpij się z tym.

Iga westchnęła, znużona.

– Najgorsze, że nikt nas nie pytał o zdanie, rozumiesz?!

– Może zapytali twojego stryja?

– O tak, a jemu w to graj! Jeszcze nie umarł, a już ma swoją ulicę! Jego rozdęta do nieskończoności miłość własna nie sprzeciwiłaby się nawet w przypadku, gdyby nazwę Gutowo zamienili na Hryciowo.

Xavier zaczął się śmiać.

– Najważniejsze, że humor cię nie opuszcza!

– Boże, mój ojciec dopiero co umarł, a ja, zamiast przeżywać żałobę, muszę tu prowadzić jakieś polityczne gierki! Aż mi wstyd mówić o tym Helenie, ale przecież powinna wiedzieć!

– Zdecydowanie ma prawo do decyzji.

– Obawiam się, że decyzja została już podjęta i burmistrz tak nam to przedstawi, takimi kruczkami prawnymi się podeprze, że nie będziemy miały nic do powiedzenia. Taki wstyd, matko!

– Nie rozumiem, dlaczego wstyd? To chyba honor dla rodziny?

– Mój ojciec i moja babka byli skromnymi ludźmi, produkowali ciastka, nic więcej. Starali się to robić dobrze, najlepiej, jak umieli, ale jednak tylko piekli ciastka. Nie walczyli o wolność, nie wynaleźli cudownego leku, nie byli artystami ani nawet nauczycielami. Nie zrobili niczego wielkiego. Byłoby im wstyd, że ktoś nadaje nazwę ulicy od ich nazwiska.

– Wy, Polacy, to macie jakiś kompleks niższości chyba! – uniósł się Xavier. – Gutowo to małe miasto i ma prawo do swoich lokalnych bohaterów. Dlaczego w każdym mieście muszą być ulice Kościuszki, Mickiewicza czy Kopernika, a nie może być ulic nazywanych od zasłużonych mieszkańców? Przecież ci są ludziom znacznie bliżsi. Ich przykład może pociągnąć innych. Naprawdę, prześpij się z tym.

– Może powinnam… Ale nie obiecuję, że jutro zmienię zdanie.

– I za to właśnie cię kocham! Że nigdy nie obiecujesz niczego na wyrost! – Xavier roześmiał się i pocałował żonę w czoło.

Iga jednak nie wytrzymała. Włączyła laptop i sprawdziła, że Zbyszek jest obecny na Facebooku. Zapytała go, czy Helena już śpi, a kiedy odpowiedział, że do niedawna oglądała zdjęcia, puściła jej jeden sygnał. Helena natychmiast oddzwoniła.

– Tak, Iguniu?

– Dowiedziałam się, że miasto chce podarować Hryciom ulicę.

– Nie rozumiem.

– Chcą jakiejś ulicy nadać nazwę Rodziny Hryciów. Myślę, że to sprawka stryja. Oczywiście zaprzeczy, ale to zagranie bardzo w jego stylu.

– Chyba tak. Mógł w tym maczać palce.

– A co ty o tym myślisz?

– Nie wiem, nie mam zdania. To raczej nie jest temat na dziś – stwierdziła Helena, dotkliwie rozczarowując Igę.

– Masz rację, na pewno nie, tylko że prawdopodobnie będą to chcieli ogłosić podczas pogrzebu.

– Niech ogłaszają – odparła Helena głosem pełnym rezygnacji. – Straciłam męża, nic gorszego nie może mnie spotkać.

Iga nie potrafiła na to w żaden sposób odpowiedzieć. Swoim cierpieniem Helena ją zawstydziła. Ona sama w natłoku zdarzeń co jakiś czas zapominała o tym, że ojciec odszedł. Nie zdążyła jeszcze poczuć bólu, który tak długo jej towarzyszył po śmierci matki, nie zdążyła przywyknąć do tej myśli. Ale teraz nie będzie chyba tak samo. Wtedy koncentrowała się na potwornej, niesprawiedliwej rzeczywistości, która zabrała jej najbliższą osobę. Teraz jej najbliższymi osobami byli mąż i dzieci, miała o wiele więcej na głowie, nie mogła się poddać smutkowi, musiała zarządzać firmą, dać wsparcie Helenie i odpór reszcie Hryciów, jeśli znów próbowaliby uszczknąć ich majątku, powołując się na więzy krwi. Mimo wynajęcia firmy pogrzebowej miała też wciąż sporo do załatwienia w związku z pogrzebem i stypą. I jeszcze był Zbyszek z tym swoim nieszczęsnym romansem! Ledwo pomyślała o przyrodnim bracie, usłyszała dzwonek telefonu. Właśnie znów czegoś potrzebował!

– Zbyniu, jak się czujesz?

– Tak sobie. Dostaję dziwne SMS-y od Martyny. A właściwie chyba od kogoś innego, tylko z jej telefonu. Nie wiem, co z tym zrobić.

– Jakiej treści?

– Ktoś żąda ode mnie dwudziestu tysięcy za uwolnienie Martyny.

– Kiedy zdążyli ją porwać?

– Nie wiem. I jeszcze napisali, że jest w ciąży... – Zbyszek zawiesił głos, wyraźnie stremowany.

Iga przez dłuższą chwilę milczała.

– A myślisz, że może być?

– Jak każda kobieta...

– Ale czy z tobą?

– Jak mam to sprawdzić?! – odparł poirytowany.

– Może ją najpierw zapytaj?

– Ona jest moją narzeczoną, myślisz, że co odpowie?! – Zbyszek był coraz bardziej zniecierpliwiony. – Nie potrzebuję dobrych rad! To znaczy nie w tej sprawie. Nie wiem, co mam zrobić TERAZ. Zlekceważyć te SMS-y, lecieć na policję? Cholernie głupio się czuję. Z jednej strony wydaje mi się, że mnie nabierają, a z drugiej co, jeśli nie? A jeśli ona naprawdę jest w ciąży? W dodatku ze mną?! Jeśli jej zrobią krzywdę i coś się stanie dziecku, to sobie nie daruję!

– Na razie trzymaj ich w niepewności. Nie wiedzą, czy nie zostałeś w szpitalu, nie odzywaj się, niczego sam nie rób! Graj na zwłokę. Postaram się coś zadziałać – obiecała i rozłączyła się.

– Z kim rozmawiasz, kochanie? – Iga poczuła pocałunek w szyję. To Xavier wyszedł z łazienki. – Przytulisz się do mnie? – wyszeptał kusząco.

– Nie teraz, mam tu ogień! – odparła niecierpliwie.

– Ty masz zawsze ogień – Xavier nie zmieniał tonu. – I ja chciałbym go właśnie poczuć…

– Słoneczko, mam prawdziwy ogień. Narzeczona Zbyszka, która prawdopodobnie już jest z nim w ciąży, została porwana i porywacze żądają okupu.

– To ja się może jednak udam na spoczynek… – zażartował Xavier.

– Chyba tak będzie lepiej… – poważnie stwierdziła Iga. – Myślę, że powinnam zawiadomić o wszystkim policję.

Gdańsk, styczeń 1973

Studiowała, dostała podwyżkę, wszystko zaczęło się układać po jej myśli. Teresa czuła, że jest zdolna przenosić góry. Kochała i była kochana! Miała wreszcie prawdziwą rodzinę! Sławek spędzał z nią i Eleną coraz więcej czasu, do Warszawy jeździł tylko na dzień-dwa w tygodniu, kiedy już absolutnie nie było innego wyjścia. Jako architekt czasem musiał się pojawić w biurze. Obiecywał jednak, że znajdzie sobie pracę w Gdańsku, i już nawet zaczął szukać, na razie jednak bez rezultatu. W porównaniu z Warszawą dawali mu o wiele mniejszą pensję, a on nie chciał się zgodzić na – jak to nazywał – ochłapy. Zresztą z czegoś musieli żyć.

To, że jej czasem dawał pieniądze na jedzenie, było dla Teresy dowodem jego zaangażowania. Dlatego namawiała go na czasowe obniżenie aspiracji. Pragnęła, aby wreszcie nie musieli się rozstawać. Na dodatek Elena zaczęła do niego mówić „tato". Perspektywa posiadania tak przystojnego męża napawała Teresę dumą. Może trochę martwiło ją, że nigdy nie weźmie ślubu w kościele, bo Sławek był rozwodnikiem, ale za szczęście, jakie jej dawał, gotowa była na wiele ustępstw, choćby na przeprowadzkę do Warszawy. Sądziła, że znacznie łatwiej będzie jej zmienić pracę, w Warszawie jest przecież tak wiele przedszkoli i żłobków.

Ale on nie chciał o Warszawie nawet słyszeć. Mówił, że w porównaniu z gdańskim jego mieszkanie to klitka z ciemną kuchnią i dwoma małymi pokoikami. W dodatku na blokowisku, a nie w kamienicy z widokiem na zieleń. Cóż miała robić, gdy prosił o cierpliwość? Czekała, tęskniąc, a on przyjeżdżał na krótko i wracał do stolicy. Nie pojawił się na wigilii, chociaż obiecał, ale zadzwonił do niej do pracy, że musi przysiąść fałdów, bo narobił sobie zaległości i przyjedzie dopiero w drugi dzień świąt.

To było bardzo smutne Boże Narodzenie. Dwudziestego trzeciego grudnia wypadały jego imieniny i Teresa czekała z prezentem. Kupiła mu piękny krawat i koniak. Bardzo z siebie dumna, przygotowała mnóstwo jedzenia, wysprzątała każdy kąt, a on w ogóle nie przyjechał. Zadzwonił, tłumacząc się zawile i obiecując, że przyjedzie na sylwestra. Cóż było robić? Czekała, karmiła się nadzieją, to znów popadała w zwątpienie. Właściwie nie wiedziała o nim niczego, poza tym, co jej sam wyznał. Do tej pory zawsze była bardzo ostrożna, weryfikowała to, co ludzie mówili. Jemu uwierzyła na słowo. Kiedy jednak zostawił ją na święta samą, zaczęła podejrzewać, że może ma jednak w Warszawie kogoś, kto jest dla niego ważniejszy od niej i Eleny. Ale on wreszcie przyjechał i obsypał je taką ilością prezentów, takim bezmiarem czułości i tak znów byli ze sobą szczęśliwi, że zapomniała o obiekcjach.

Nowy Rok zastał ich rozleniwionych w łóżku. Spali do dziesiątej i nie zdążyli się jeszcze nawet ubrać, kiedy usłyszeli dzwonek do drzwi. Drapiąc się w głowę i ziewając, w szlafroku, Teresa, sądząc, że to sąsiadka, poszła otworzyć. W drzwiach stała elegancka kobieta pod czterdziestkę. Zdziwiła się na jej widok.

– Czy to mieszkanie Marii Marczuk? – zapytała.

– Tak.

– Czy mogę wejść?

– A kim pani jest?

– Justyna Marczuk, synowa.

Teresa, nie przeczuwając kłopotów, wpuściła kobietę do środka. W tej chwili z łazienki wyszedł Sławomir. Stali na wprost siebie i mierzyli się wzrokiem.

– Napije się pani herbaty? – Teresa starała się pełnić honory domu.

– Chętnie! – powiedziała przybyła i zaczęła rozpinać płaszcz.

Z małego pokoiku wybiegła Elena, wołając:

– Tato, tato, chodź, zbudujemy dom z klocków!

Zrobiło się niezręcznie.

– Tata? Jak miło! – z ironicznym uśmiechem skomentowała kobieta.

Nie wyglądała na zdenerwowaną, choć termin wizyty wybrała dość dziwny. Teresa przygotowała już śniadanie, wskazała więc pani Marczuk swoje miejsce i swój talerz, a sama stała przy kuchni, niby zajęta przygotowywaniem herbaty. Sławek nic jej nie mówił o tym, że ma brata. Czyżby to jego była żona? Trzęsły jej się ręce, kiedy nalewała wodę do szklanek.

– Chciałabym najpierw przywitać się z teściową – powiedziała pani Marczuk.

– Ale ona… – zająknęła się Teresa i spojrzała na Sławka.

– Mama nie żyje – rzucił nerwowo.

– Nie żyje?! Kiedy to się stało?

– No już przecież… – zaczęła Teresa.

– We wrześniu – ponuro oznajmił Sławomir.

– Ach tak… A ty się wciąż pocieszasz w ramionach tej pani? Przepraszam, kim pani właściwie jest? – pani Marczuk zapytała dociekliwie.

– Mieszka tu – próbował wyjaśnić Sławomir.

– Jestem lokatorką – doprecyzowała Teresa.

– Kiedyś to się nazywało kochanka – stwierdziła pani Marczuk.

– Wszystko ci wyjaśnię – powiedział Sławomir przepraszającym tonem, który nie spodobał się Teresie.

– Co tu wyjaśniać? Wypiję herbatę i wracam do Warszawy. A ty… – zwróciła się do stojącego wciąż męża – znajdziesz swoje rzeczy na wycieraczce.

Teresa czuła zamęt. Więc są czy nie są po rozwodzie? Nie chciała jednak dolewać oliwy do ognia i nie odzywała się. Nawet jeśli nie mają rozwodu, to wreszcie sprawa została postawiona jasno i teraz on będzie musiał zdecydować. Nie miała wątpliwości, którą z nich dwóch wybierze. Dobrze, że jego żona nie robi histerii, jest taka opanowana i kulturalna. Jakoś się dogadają.

– Ale, Justyna… To nie jest tak, jak myślisz… – w jego tonie był strach. Dlaczego się do niej łasi, zamiast skorzystać z okazji i kulturalnie się rozstać?

Pani Marczuk sięgnęła po chleb i wolno smarowała go masłem. Potem nałożyła sobie odrobinę twarogu i z obojętną miną żuła, udając, że nic się nie stało. Jej chłód przejmował Teresę jakimś nieokreślonym lękiem. Sławek, zdenerwowany, nie usiadł do śniadania, tylko stał niczym skazaniec oczekujący na wyrok.

Teresa podała gościowi herbatę.

– A gdzie moja herbatka? – zapytała Elena.

– Ile masz lat, dziewczynko?

Elena pokazała cztery palce, a Justyna Marczuk zmarszczyła brwi.

– Więc to trwa już pięć lat? Niewiarygodne!

– No skąd?! – niemal krzyknął Sławomir.

– Poznaliśmy się we wrześniu. To tylko moje dziecko! – Teresa pośpieszyła z wyjaśnieniami.

– Tatusiu, siadaj, dlaczego nie jesz?!

– Właściwie wszystko jedno! – Kobieta wzruszyła ramionami. – Róbcie, co chcecie. Wniosę sprawę o rozwód z twojej winy. Dość tych skoków w bok. Niech się pani nie łudzi... – zwróciła się do Teresy. – Nie jest pani pierwsza. Już straciłam rachubę, czwarta? A ile było takich, o których nigdy się nie dowiedziałam... – Spojrzała na męża, który jednak nie podjął tematu.

Teresa nadal stała przy kuchni, nie wierząc w to, co się działo. Dlaczego ją oszukał? Dlaczego od początku nie powiedział, że to tylko romans? Jaką decyzję teraz podejmie, którą z nich wybierze? Jego zdenerwowanie napawało ją przerażeniem.

– Wszystko zjadłam, ciociu, przeczytasz mi bajkę? – zapytała Elena.

– Zgoda! – pani Marczuk wstała od stołu. – Dziękuję za poczęstunek. Bardzo pani miła, zważywszy na sytuację – powiedziała i wyszła za Eleną, która już zdążyła wybrać książeczkę i przybiegła z nią do kuchni.

Teresa i Sławomir zostali sami.

– Co teraz będzie? – wyszeptała Teresa.

Siedział przy stole i nie podnosząc wzroku, nerwowo bębnił palcami w blat.

– Powiedz coś! – ponaglała. – O co tu chodzi? Jesteś rozwodnikiem czy nie?!

– Nie... – wyszeptał, wciąż na nią nie patrząc.

Teresie pociemniało przed oczyma. Usiadła na brzegu krzesła, walcząc ze łzami.

– Oszukałeś mnie...

– Ja cię kocham. – Złapał ją za rękę. – Moje małżeństwo już dawno... Już dawno nic... Nic dla mnie nie znaczy.

– Tu jesteście, gołąbki! – niemal wesoło powiedziała pani Marczuk, wracając do kuchni. – No cóż, ja się zbieram, niedługo mam powrotny do Warszawy. Chyba niełatwo wychowywać samotnie dziecko, ale żeby polować na cudzych mężów? No cóż, wygrała pani, zostawiam go i życzę szczęścia.

Słysząc to, Sławomir Marczuk poderwał się na równe nogi.

– Justyna, zaczekaj, zawiozę cię! Przecież ja też wracam!

– Tyle godzin w twoim towarzystwie? Chyba wolę pociąg.

– Nie wygłupiaj się!

Teresa siedziała przy stole bez ruchu. Nie była w stanie zareagować. Wiedziała już, że go straciła, że ją oszukał, czuła w piersi rozsadzający ból, który rozlewał się na całe ciało. Nie była w stanie się poruszyć ani nic powiedzieć, kiedy wychodzili. Tylko Elena towarzyszyła gościom w przedpokoju.

– Tata i ciocia poszli… – oznajmiła matce, kiedy za gośćmi zatrzasnęły się drzwi.

Teresa wstała i odkręciła gaz, ale nie zapaliła zapałki.

– Co tak syczy, mamusiu? – zapytała Elena.

– To gaz. Nie bój się.

Wtedy ktoś zapukał do drzwi. Ocierając łzy, Teresa przekręciła kurek i przybierając na twarz coś, co miało wyglądać jak uśmiech, poszła otworzyć.

– Pani Tereniu, przepraszam, że tak wcześnie, ale cukier mi się skończył. Poratuje pani? – patrząc błagalnym wzrokiem, sąsiadka wyciągała w jej stronę pustą szklankę. – A co to, płakała pani?

– Nie, skąd! Przeziębiłam się – odparła Teresa, pociągając nosem.

Sąsiadka weszła za nią do kuchni.

– A co tu tak gazem czuć? Pani otworzy okno. Trzeba będzie do gazowni zadzwonić, żeby sprawdzili rury, bo o nieszczęście nietrudno.

Teresa podała jej szklankę wypełnioną po brzegi cukrem.

– Szczęśliwego Nowego Roku, pani Biegałowa! – powiedziała, siląc się na lekki ton.

– A wzajemnie, wzajemnie! Samych dobrych zmian!

Zamknąwszy drzwi za sąsiadką, Teresa położyła się do łóżka z dziesięcioma tabletkami nasennymi, które wzięła z apteczki pani Marczuk. Elena budowała na podłodze domek z klocków, a Teresa patrzyła na dziecko i płakała. Czuła się przybita, upokorzona. Chciała umrzeć, gdyby nie dziecko, bez namysłu łyknęłaby te tabletki. Ale co by się stało z Eleną? Jaki los by ją spotkał? Znów trafiłaby do domu dziecka? Teresa musiałaby ją zostawić u Janiuka, inaczej sobie tego nie wyobrażała. Goniąc myśli, wreszcie zasnęła.

Obudziła się z drzemki przerażona, że Elena znajdzie tabletki, które wypadły jej z dłoni, i jeszcze, nie daj Boże, połknie, myśląc, że to cukierki. Dlatego dokładnie sprawdziła pościel, nie ustając, póki wszystkie dziesięć proszków nie znalazło się znów w jej dłoni.

Drugiego stycznia złożyła w pracy wymówienie za porozumieniem stron.

– Wyprowadzam się do Warszawy – skłamała na wszelki wypadek.

W rzeczywistości nie wiedziała jeszcze, dokąd wyjedzie. Bała się tylko, że będzie się musiała spotkać ze Sławkiem, że on się nagle zjawi i znów zacznie kłamać. Ale on nie przyjechał.

Trzydziestego pierwszego stycznia z dwiema walizkami i dzieckiem opuściła mieszkanie pani Marczukowej. Klucze od mieszkania wrzuciła do skrzynki na listy, sądząc, że prędzej czy później Marczuk przyjedzie, aby zażądać od niej czynszu lub prosić, aby się wyprowadziła. Tak się istotnie stało. Najpierw zadzwonił, ale Teresa już nie pracowała w przedszkolu. Kiedy przyjechał w połowie lutego, zastał puste mieszkanie i pęk kluczy w skrzynce na listy.

Zajezierzyce / Płock / Gutowo, wtorek 30 sierpnia 2016, 23:15

Mówił podczas tej podróży stanowczo zbyt wiele, poniżał się, błagał, a Mia trwała nieporuszona. Maciek nie wiedział, za co go karze. Chciało mu się krzyczeć, ale wiedział, że w ten sposób jej do siebie nie przekona. Czyżby musiał pozwolić jej odejść, aby gdzieś tam, w dalekim Wiedniu, zrozumiała, że są dla siebie stworzeni? A przecież on tylko chciał się po ludzku rozstać ze swoją byłą… Myślał, że Mia go zrozumie. Sądził, że pomoże mu zwalczyć opory, powie coś w stylu: „Nie martw się, zawsze będę przy tobie". Wiedział, że to banalne, ale czy naprawdę nie rozumiała, że można mieć opory przed wżenieniem się w majątek? Przecież to chyba też przemawiało na jego korzyść? A potem ona wysiadła z auta, jakby był tylko taksówkarzem, nawet się nie pożegnała. Czy naprawdę takie drobiazgi mogą poróżnić ludzi, którzy się kochają?!

Z głową opartą na kierownicy zastanawiał się, co dalej, gdy usłyszał sygnał przychodzącej wiadomości. Otworzył telefon. Monika Grochowska-Adams pytała, czy odnalazł zegarek dziadka.

TAK, MAM GO PRZY SOBIE – odpisał.

CZY MOGŁABYM GO ZOBACZYĆ?

PROSZĘ, STOJĘ PRZED HOTELEM.

Pojawiła się kilka minut później.

– Przepraszam, wiem, że jest prawie północ, ale nie ma pan pojęcia, jakie to dla mnie ważne. Być może właśnie odnalazłam ojca. Zegarek oddam najszybciej, jak to będzie możliwe.

Maciek podał jej niewielkie pudełeczko, które otworzyła delikatnie.

– Nie boi się pani rozczarowania? – zapytał.

– Trochę. Byłoby dla mnie wspaniałym darem losu, gdyby okazał się moim ojcem, chociaż nie robię sobie wielkiej nadziei. Ale chciałabym znać odpowiedź.

Minuty wlokły się niemiłosiernie, a oni nie wracali. Początkowo Martyna krzyczała, ale zaschło jej w gardle, zresztą zrozumiała, że to bezcelowe. Ludzie pewno poszli już spać albo siedzą w domach przed włączonymi telewizorami. O tej porze nikt nawet z psem nie wychodzi. Ile mogło minąć czasu, od kiedy ją zamknęli? Wydawało się, że wieczność, w każdym razie długie godziny. Matka się pewnie wścieka, trzeba jej było powiedzieć, dokąd idzie, ale kto mógł przypuszczać, że ci debile wpadną po pijaku na ten idiotyczny pomysł! Matko, co oni sobie wyobrażają, że są jakimiś Jamesami Bondami?! Przecież za takie rzeczy wsadzają do pierdla. Tak, tylko by ich najpierw musiała oskarżyć, a oni wiedzą, że tego nie zrobi... Co oni wymyślili? Mieli niedługo wrócić, dokąd poszli? A może leżą gdzieś nawaleni, zapomniawszy, że ona tu siedzi? Ale z drugiej strony muszą ciągle o tym gadać, więc jak mogliby zapomnieć?! I co ich zatrzymało? Chyba psy ich nie namierzyły? Co za debile! A jeśli zgubili klucze? Jezu! Ile da się wytrzymać bez jedzenia i picia? Trzeba krzyczeć, może wreszcie ktoś usłyszy?...

Dawid Czerpak skończył redakcję nowego numeru specjalnego „Obserwatora Gutowskiego", poświęconego cukierni Pod Amorem i Leonowi, Celinie oraz Waldemarowi Hryciom. Podrapał się w głowę. Czy Iga naprawdę nie chce ulicy imienia Rodziny Hryciów, czy wyłącznie tak mówi, żeby to nie była taka nędzna okolica, ale coś w lepszej części miasta? Bo rzeczywiście trochę wstyd, tak za mleczarnią, jakby to było za karę. On sam może nawet byłby dumny, gdyby to spotkało jego rodzinę. Cenił sobie przyjaźń Igi, ale to urząd jest jego partnerem strategicznym, ona się w „Obserwatorze" dawno nie ogłaszała. Zresztą tu nie ma za bardzo klientów dla jej hotelu, za wysokie ceny, coś tańszego by się przydało. Ciekawe, co Hryciowie wymyślą zamiast tej starej mleczarni? Pewnie mieszkaniówkę, bo i co innego?

Przez krótką chwilę Czerpak zastanawiał się jeszcze, czy zacząć robić skład numeru, ale ziewnął przeciągle i z rozkoszą pomyślał o odpoczynku. Jutro trzeba będzie dopiąć wszystko na ostatni guzik i wydrukować po konsultacji z burmistrzem, może będzie chciał, żeby w numerze znalazła się jego mowa?

Grzegorz Hryć wiedział, że akurat dziś nie wolno mu się wykręcać zmęczeniem. Anitę zawsze strasznie rozgrzewały kłótnie i teraz też pewnie czekała, aż on przyjdzie i wypełni swój małżeński obowiązek. Hryć wycisnął pastę z tubki i włożył do ust szczoteczkę. Myjąc zęby, przyglądał się w lustrze swemu odbiciu. Niemłody, ale i nie starzec, co prawda z dużymi zakolami, mógł się jeszcze podobać znacznie młodszym od siebie kobietom. Od swego wyjazdu do Warszawy nabrał światowych manier, ale też znacznie wyluzował, jeśli chodzi o pracę. Anita tego nie pochwalała, dla niej pieniądze były wszystkim. A przecież do grobu nic ze sobą nie zabiorą, więc po co tak tyrać? Nie lepiej wybrać się na wycieczkę? Coś przeżyć? W tym wieku mogliby już sobie dawać więcej luzu. Gdyby ona miała romans, on na pewno by nie zrzędził, niech przeżyje coś pięknego, w końcu ile im zostało? Dziesięć? Piętnaście lat? I do piachu.

Wygląda na to, że trzeba się będzie pożegnać z Renatą i wziąć sobie asystenta... Szkoda, sprawna była... Niby jest ten młody Wańko, ale to studenciak jeszcze, pewnie nic nie umie, raczej się nie nada, za dużo odpowiedzialności, może kiedyś... Chyba Renata nie będzie robić afer?! Trzeba by jej coś załatwić, może któryś z kolegów szuka asystentki? Chociaż lepiej, żeby już się nie pętała po sejmie... Jak jej to wyperswadować?

Wyjął z ust szczoteczkę i umył ją pod bieżącą wodą.

– Nie guzdraj się tak! – dobiegł z sypialni głos żony.

Nabrał wody i wypłukał usta.

– Już idę! – zawołał.

Nie lubił przymuszania. W tej chwili usłyszał charakterystyczny dźwięk wiadomości przychodzącej na Messengera. Sięgnął po telefon.

„Kiedy wracasz? Tęsknię!!!" – pisała Renata.

Skrzywił się, niezadowolony, przygryzł wargę i wyłączył telefon. Wychodząc z łazienki, zgasił światło i po ciemku dotarł do sypialni. Anita już tam czekała. Nagie ciało żony nie budziło w nim pożądania.

Mia rzuciła torebkę na łóżko i gdyby mogła, wybuchnęłaby płaczem, ale to pociągnęłoby nieuniknione pytania matki, więc tylko poszła do łazienki, żeby się odświeżyć. Była potwornie rozczarowana, co gorsza sama siebie rozczarowała. Czy ta rozmowa mogła się potoczyć inaczej? Dlaczego uznała, że Maciek jest skończonym ideałem? Ona sama nie była. Ale przecież mógł przy niej zadzwonić i powiedzieć tej dziewczynie, żeby nie przyjeżdżała. Mógł z nią raz na zawsze skończyć, wtedy przynajmniej byłoby wiadomo, na czym stoją.

– Co tam się ciekawego dzieje na podjeździe? – zapytała Elena, widząc, jak córka obserwuje kogoś, ukrywając się za firanką.

– Maciek rozmawia z panią Moniką. Oddaje jej zegarek swojego dziadka.

– Odsuń się od okna, to niepoważne.

– Masz rację – Mia nad wyraz łatwo przyznała słuszność matce i poszła pod prysznic, aby tam dać wyraz swemu bezgranicznemu rozczarowaniu.

W potokach wody przynajmniej nie będzie widać łez.

Zbyszek i Iga siedzieli kolejny kwadrans na posterunku policji w Gutowie. Jak zwykle biurokracja zwyciężała. Zbyszek napisał, co wiedział o napaści, skopiował wszystkie SMS-y, odpowiedział na wszystkie pytania, a wciąż nie stało się to, na co najbardziej czekał: że ktoś wsiądzie do radiowozu i pojedzie szukać Martyny. Tylko że jak na razie nieznane były nazwiska napastników ani adres ich zamieszkania. Policjant dyżurny sugerował niedwuznacznie, że to sama Martyna próbuje wywołać w nim wyrzuty sumienia i żeby najpierw się z nią skontaktował. Zbyszek pokazał mu SMS-y jeszcze raz. Potem zgodnie z dobrą radą dyżurnego zadzwonił, ale nikt nie odbierał, co miało być dowodem na tezę, że to Martyna, która nie chce, aby poznał ją po głosie.

– Nie uważa pan, że może być dokładnie na odwrót? To porywacze nie chcą, abyśmy usłyszeli ich głosy? – zdenerwowała się Iga.

– Państwo mogą już wracać do domu, zajmiemy się tą sprawą – znudzonym głosem powiedział dyżurny.

Iga i Zbyszek wyszli z posterunku. Stanęli obok auta i zaczęli się zastanawiać, co jeszcze powinni zrobić.

– Zrobiłeś, co do ciebie należało, resztę zostaw policji. Nawet nie wiesz, gdzie ją trzymają, o ile nie jest z nimi w zmowie.

– Teraz to już nawet nie wiem, czy ona sama tego nie wymyśliła – powiedział zrezygnowany. – Pójdę do domu na piechotę, i tak nie będę w stanie usnąć.

– Przejdę się z tobą.

Zbyszek popatrzył na Igę ze zdziwieniem.

– Chciałam ci tego zaoszczędzić, bo i tak kiedyś musiałbyś się dowiedzieć. Najlepiej byłoby, gdyby powiedziała ci to sama… Chociaż może już wiesz…

– O co chodzi? Że jest dziwką? – rzucił zezłoszczony.

Iga przygryzła policzek. Ostra reakcja brata nie wróżyła spokojnej rozmowy.

– Nie, że ma dwoje dzieci – odparła spokojnie. – Obiecałam Helenie, że ci to powiem. Teraz nie ma już sensu ukrywać.

Zbyszek nie potrafił ukryć przerażenia.

– Serio mówisz?! To pewne?!

– Tata dowiedział się tego w niedzielę po południu.

– Chcesz powiedzieć, że to ja go zabiłem?! – rzucił, niemal krzycząc.

– Nie. Wiedział, że prędzej czy później i tak poszedłbyś po rozum do głowy. A nawet gdybyś uparł się przy tej dziewczynie, rodzice za bardzo cię kochali, żeby stawać na drodze twojego szczęścia.

– Wyszedłem na idiotę? A jeśli ona naprawdę jest ze mną w ciąży?

– Postąpisz, jak ci serce podyktuje. Muszę wracać.

Iga ucałowała brata w policzek i wróciła do auta, a Zbyszek szedł wolno opustoszałymi uliczkami miasteczka, popatrywał w nieliczne okna, w których jeszcze paliły się światła, i czuł ciężar sytuacji bez wyjścia, w którą wplątał się, poszukując miłości. Na rynku było pusto. Stanął obok fontanny i patrząc na fasadę cukierni, powiedział półgłosem:

– Przepraszam, tato…

Helena obudziła się z drzemki i zauważyła, że wciąż trzyma album z fotografiami. Odłożyła go na stolik nocny i wstała, aby się napić wody. Wracając z kuchni, zajrzała do pokoju Zbyszka. Zdenerwowała się, widząc, że nie ma go w łóżku. Chwyciła za telefon, który leżał na stole w salonie, ale w tej samej chwili zauważyła przez firankę, że syn siedzi na murku fontanny z głową opartą na dłoniach. Chyba jej nie widział, bo wchodząc do salonu, nie zapalała światła, wystarczająco dużo go tu wpadało z oświetlonego rynku. Obserwowała syna, nieco zdziwiona. Co on tam robi o tej porze? I wtedy Zbyszek podniósł wzrok. Westchnął głęboko i popatrzył na dom spokojnym, poważnym spojrzeniem. Ucieszyło ją to, pomyślała, że dziedzictwo Hryciów będzie bezpieczne w jego rękach.

Nowy Jork, marzec 1973

„Żeby stanąć na własnych nogach, trzeba najpierw stracić pod nimi grunt" – mawiała mame Holzman. Trzymając się tej zasady, powiedziała Monice pewnego wieczoru, że daje jej miesiąc na znalezienie pracy i mieszkania.

– Młoda kobieta nie powinna zbyt długo przebywać ze starymi, bo jeszcze przejmie ich zwyczaje i nasiąknie lenistwem. Musisz sobie wreszcie ułożyć życie, choćby i na kocią łapę, kiedyś przecież rozwiedziesz się z tym Heńkiem.

Więc się wyniosła. Nie tak daleko, na początek o kilka ulic, bo nadal pracowała w sklepie u Holzmana. Musiała nauczyć się dysponować skromnym budżetem i czasami nie dojadała, ale to wszystko było niczym w porównaniu z wolnością, jaką odczuła. A potem jakoś szybko poszło: jeden z profesorów z uczelni, Kinsey Abbott, zapytał, czy nie chciałaby pracować jako pomoc sekretarki w kancelarii prawniczej. Oczywiście, że chciała! To było jak dar losu! Zaproponowano jej na początek niebotyczną kwotę pięciuset dolarów, a obowiązki, choć dość szerokie, od parzenia kawy przez kserowanie i bycie na posyłki kilkunastu prawników, tylko ją cieszyły. Czuła się doceniona i nie denerwowało jej, że musi siedzieć w pracy po dziesięć, a czasem nawet dwanaście godzin, aby wypełnić wszystkie polecenia. Ale i tak nie wychodziła ostatnia. Czasem miewała wrażenie, że w tej firmie drzwi się nigdy nie zamyka.

I pewnego dnia wszedł ktoś, kto rzucił na Monikę czar. Był to, jak się później okazało, Andrew Grochowski, syn emigrantów z Polski. Choć sam nigdy nie nauczył się mówić po polsku, od pierwszego wejrzenia wyczuła w nim Polaka. Ale nawet gdyby był samym diabłem, i tak nie udałoby się jej w nim nie zakochać. Ucieleśniał wszystko, co uważała za ważne u mężczyzny: urodę, wdzięk, siłę charakteru i pozycję w swoim środowisku. Był przedsiębiorcą i właśnie się rozwodził. Zamierzał zabezpieczyć żonę, jednak nie miał ochoty zostać przez nią oskubany. W grę wchodziło kilka milionów dolarów, firmowi prawnicy szukali więc byle potknięcia żony, aby uszczknąć coś z jej odszkodowania, bo to ona wniosła pozew. Zaangażowano detektywa, który ją przez dłuższy czas śledził, nie znajdując jednak w jej zachowaniu niczego nagannego. Katherine prowadziła się wzorowo i w firmie po godzinach w wąskim gronie rozważano nawet podstawienie jej jakiegoś przystojnego uwodziciela.

To wszystko nie podobało się Monice, co jednak nie przeszkodziło jej raz po raz patrzeć maślanymi oczyma na Andrew. W końcu był już prawie rozwodnikiem, a ona nie miała najmniejszych szans być przez niego zauważona. Była tylko studentką prawa i asystentką w tej firmie. Tacy ludzie są przezroczyści niczym szyba. Pogodziła się z tym, czekała na swoją szansę i na awans, wierzyła bowiem mocno, że kiedyś i ona zasiądzie w pokoju wspólników. Miała przed sobą wiele szczebli, na które musiała się wspiąć, ale nie rozpaczała z tego powodu. Wiedziała, że potrwa to pewnie do czterdziestki, a może i dłużej. Niewiele sobie z tego robiła, bo i tak czuła się wygrana. Wiodła skromne, ale szczęśliwe życie. Czasem spotykała się na drinku z kilkoma młodymi polskimi Żydami, którzy zostali w Nowym Jorku, bo większość wyjechała na różne uniwersytety. W weekendy się uczyła, a środowe wieczory spędzała z Holzmanami.

Ten ustalony tryb życia zrujnował pewnego dnia Andrew Grochowski, który najpierw zrobił nie wiadomo o co karczemną awanturę szefowi Moniki, a potem, wychodząc, niemal się nie zatrzymawszy, rzucił beztrosko:

– Jest pani jedynym powodem, abym się tu jeszcze kiedykolwiek zjawił.

Było to tak nieoczekiwane, że uśmiechnęła się tylko i zawstydzona opuściła wzrok, nie znajdując odpowiedzi. Zresztą chyba nawet żadnej nie oczekiwał, zniknął w drzwiach windy, nie zaszczyciwszy jej ostatnim spojrzeniem, więc postała przez moment, a potem otrząsnąwszy się, wróciła do pracy. Natychmiast podbiegł do niej asystent szefa, Derek Brown, i zapytał bezczelnie, co jej powiedział klient. Ale Monika nie zamierzała mówić prawdy, zresztą pewnie on i tak by nie uwierzył.

– Że ma wszystkiego po dziurki w uszach – odparła.

– Chyba w nosie? – zdziwił się Derek.

– Och, ta moja angielszczyzna! – Monika zrobiła minę słodkiej idiotki i uśmiechnęła się uroczo. – Na pewno w nosie!

To jedno niewinne zdanie Andrew bardzo ją poruszyło. Obudziła się w nocy i długo nie mogła zasnąć. Wmawiała sobie, że on tego nie powiedział, że się przesłyszała, a jednocześnie ściskała dłonie na kołdrze, marząc, żeby to jednak była prawda.

Ale kiedy następnym razem Grochowski pojawił się w biurze Kinsey-Strattmann-Belamy, nie zaszczycił jej nawet spojrzeniem. To było straszne! Czuła się tak, jakby przejechał po niej czołg. Tego dnia była wyjątkowo nieuważna, została dwukrotnie upomniana i musiała zostać w firmie prawie do północy, co zresztą dobrze jej zrobiło, bo zrozumiała, że można flirtować bez zobowiązań, można powiedzieć coś miłego i zapomnieć. Dotarło do niej, że nie powinna ludzi oceniać po tym, co mówią, tylko jak się zachowują. Zatem Andrew Grochowskiego w jej życiu nie było, bo nie zrobił dosłownie nic. Widać taki miał styl. Lubił uwodzić kobiety. To się pewnie nie spodobało jego żonie. Zapewne mówiąc kobietom komplementy, Andrew zyskiwał we własnych oczach.

Uzbrojona w takie przemyślenia, postanowiła następnym razem być twarda. Ale kiedy by ten następny raz miał nastąpić i wobec kogo miała być nieprzystępna, na razie nie wiedziała. To jedno zdanie Grochowskiego miało nieoczekiwany skutek – Monika uznała, że może się podobać. W zasadzie wiedziała, w końcu kiedyś Grzesiek, a potem Heniek dawali jej to wielokrotnie do zrozumienia, ale minęło pięć lat, była stara i co tu kryć: czuła się brzydka. Była duża, zbyt pulchna, sama sobie się nie podobała. Postanowiła coś z tym zrobić.

Z pomocą przyszła nieoceniona mame Holzman. Jedna z jej córek miała gabinet kosmetyczny. Monika spędziła tam zaledwie jedno popołudnie, ale wyszła odmieniona. Nowa fryzura i staranny makijaż dokonały cudu! Nagle zauważyła, jak bardzo można zmienić wygląd za pomocą kilku małych sztuczek. Nie była już tą pulchną Polką, nawet sama tak o sobie nie myślała. Patrzyła w okna wystawowe zafascynowana. Lubiła swój nowy wygląd, nie wiadomo, w jaki sposób, ale czynił ją odważniejszą.

W poniedziałek niemal wszyscy przystawali obok jej biurka. Nawet szef wezwał ją z błahego powodu. Tydzień później dostała stanowisko asystentki jednego z młodszych partnerów! Nie wierzyła swemu szczęściu! Wreszcie upragniony awans!

Niedługo potem zjawił się ponownie Andrew Grochowski. Ze swojego stanowiska Monika widziała biurko, przy którym dyżurowała dawniej, i to, jak przyglądał się dziewczynie zatrudnionej na jej miejscu. O coś ją zapytał, a ona z uśmiechem odpowiedziała. Treści rozmowy Monika nie mogła dosłyszeć, ale zrobiło jej się przykro.

A to podrywacz! – pomyślała, jakby Grochowski mógł się spoufalać tylko z nią.

Odwróciła się tyłem, udając, że niczego nie dostrzegła. Za chwilę jednak drzwi się otworzyły i do gabinetu wszedł Andrew.

– Tu się pani przede mną ukryła! – rzucił lekko.

– Tu mnie przeniesiono – poprawiła go. – Awansowałam.

– No proszę! Czy z tej okazji możemy zjeść lunch?

– Dziś jestem zajęta – odparła wbrew sobie. – Mam spotkanie.

– Chyba nie z narzeczonym? – zażartował Andrew Grochowski, a Monika z całą lekkością, na jaką ją było stać, odparła:

– Jestem mężatką, ale nie, nie z mężem. To sprawy zawodowe.

O mały włos nie zepsułaby wszystkiego, parskając śmiechem. Jego zaskoczenie było tak zabawne, że miała ochotę go pocieszyć, że w zasadzie jest w separacji, ale nie teraz, jeszcze nie teraz. Zresztą przecież nie była w separacji. Heniek mieszkał gdzieś w Izraelu, dokładnie nie wiedziała gdzie i dopiero Grochowski później uświadomił jej, że może powinna się dowiedzieć. On z kolei wciąż negocjował swój rozwód i nie było wskazane, aby się pokazywał publicznie z atrakcyjną dziewczyną.

– Czego chciał? – zapytał jej przełożony Mike Smith.

– Chyba pomylił drzwi – odparła, nie chcąc wchodzić w szczegóły, i trochę się jej żal zrobiło, bo najwyraźniej Mike miał w związku z Grochowskim jakieś oczekiwania.

– Nie pytał o mnie?

– Nie.

– Mniejsza z tym – próbował ratować twarz. – Co robisz podczas lunchu?

– To, co wszyscy.

– Może pójdziemy razem? – zaproponował, a ona kiwnęła głową bez entuzjazmu, jakiego być może oczekiwał.

– Wiesz, że jestem mężatką?

– No jasne, przecież to jest w twoich papierach. Czemu pytasz?

– Poświęcisz mi trochę uwagi?

– Ależ całą, złotko, całą! O co chodzi?

– Bo chciałabym się rozwieść.

– Brawo! Rozwiedziemy cię po kosztach!

– Nawet jeśli wyszłam za mąż w Polsce, mój mąż mieszka w Izraelu, ale nie wiem gdzie?

– Nie miałem pojęcia, że jesteś nie tylko ładna, ale też interesująca! – powiedział chyba szczerze. – To tylko kwestia czasu. Znajdziemy go. Jak godność szanownego małżonka?

– Krawczyk. Henryk Krawczyk.

– Dlaczego właściwie wszyscy mówiliśmy do ciebie „panno" zamiast „pani"?

Monika wzruszyła ramionami.

– Chyba przedstawiałam się jako panna. Nie zdążyłam się przyzwyczaić. To było krótkie małżeństwo.

– Krótkie i nieszczęśliwe? – dopytywał się Mike.

– Może pogadamy podczas lunchu?

– Spokojnie, muszę chyba poznać moją asystentkę?

– Nie, nawet nie nieszczęśliwe. Kochałam innego, ale on mnie nie kochał. Podsunął mi Heńka, na otarcie łez. Wszyscy wyjechaliśmy z Polski, chociaż ja nawet nie jestem Żydówką, ale nic mnie tam nie trzymało. A teraz moja matka już nie żyje, ojca nigdy nie poznałam, nie wiem nawet, kim był.

Mike patrzył na nią, jakby zobaczył pisklę, które wypadło z gniazda.

– Smutna historia.

– Nie bardzo. Znam wiele smutniejszych. To może ja wrócę do pracy. Ten lunch aktualny?

– Słucham? Tak, jasne!

Po wyjściu Mike'a Monika zajęła się porządkowaniem papierów i nawet nie zauważyła, kiedy spoglądając kilka razy w jej kierunku, z biura wyszedł Andrew Grochowski.

Zajezierzyce,
wtorek 30 sierpnia 2016, 23:58

Monika siedziała w swoim pokoju, gładząc trzymany w ręku zegarek, który należał niegdyś do Michała Podedworskiego. Choć był zapewne młodszy od jej najstarszych wspomnień, uśmiechała się czule.

Czy Michał okaże się moim ojcem? Czy mógłby kochać kogoś takiego jak Stefcia? Czy mógłby jej kiedykolwiek zapragnąć?

Od bardzo dawna nie szarpały nią tak sprzeczne uczucia. Pragnęła odnaleźć ojca, zwłaszcza takiego ojca, jednak byłby to jednocześnie koniec legendy Michała jako ponadprzeciętnie prawego, wiernego Ewie, szlachetnego rycerza. Z drugiej jednak strony – cóż, mężczyźni bywają mało wybredni. Dla nich pojedynczy stosunek znaczy o wiele mniej niż dla kobiet, zatem może…

Nie potrafiąc sobie poradzić z wątpliwościami, siadła przy stoliku, otworzyła laptop i zaczęła pisać codzienny mail do męża.

Tessa poczuła potworny ból. Miała wrażenie, że jej ciało wykręca jakaś niewidzialna spirala. Krzyk przyniósłby ulgę, ale nie mogła sobie na to pozwolić. Trzęsącą się ręką odłożyła książkę Moniki na stolik przy łóżku i usiadła.

A więc to już? – pomyślała. – Właśnie tak to będzie wyglądało?

Sięgnęła po leżące w niewielkiej kosmetyczce przepisane jej przez doktora tabletki. Na stoliku miała też butelkę wody, którą popiła lekarstwo. Aby uśmierzyć ból, wciągnęła głęboko powietrze i skupiając się na wydechu, wolno je wypuściła. Policzyła do stu. Po tym czasie tabletka rzeczywiście zaczęła działać. Ból z wolna ustępował. Tessa podniosła się z trudem i doczłapała do drzwi. Pokój córki znajdował się po przeciwnej stronie korytarza. Zapukała lekko. Elena odpowiedziała nieco zdziwiona:

– Proszę.

Widząc matkę, poderwała się z łóżka.

– Co się stało?! Dlaczego nie zadzwoniłaś?! – zawołała z wyrzutem, odkładając trzymaną w rękach książkę i zrywając się z łóżka. Podbiegła do niej i pomogła dotrzeć do stojącego nieopodal krzesła.

Tessa usiadła i przez dłuższą chwilę nie podnosiła wzroku, ciężko oddychając.

– Dać ci zastrzyk przeciwbólowy? A może wezwać pogotowie? – pytała zaniepokojona Elena.

– Już mi przechodzi.

– Nie rób takich rzeczy! Przecież masz telefon, przyszłabym do ciebie!

– Mia jeszcze nie wróciła?

– Już jest. Ale jeszcze wyszła na chwilę. Powiedziała, że musi się przejść.

Tessa pokiwała głową, po czym podniosła wzrok i uważnie spojrzała na córkę.

– Powiedz, ile jesteś… w stanie… mi wybaczyć?

– Wszystko, mamo. Wszystko.

– Więc zacznę od początku. Twoje prawdziwe imię brzmi Jadwiga…

Koniec tomu drugiego

Warszawa, 26 września 2017 – 17 czerwca 2018

Kto jest kim w Gutowie:

ABBOTT KINSEY (1907–2000) prawnik amerykański, założyciel i główny udziałowiec w firmie prawniczej Kinsey-Strattmann-Belamy, mentor Moniki Grochowskiej.

ADAMS FREDERICK (ur. 1940) Amerykanin, mąż Moniki Grochowskiej-Adams, partner w firmie prawniczej Adams-Downey-Brightstock.

ALTHANN MARCO (ur. 1992) potomek arystokratycznej rodziny austriackiej, wiedeński chłopak Mii Valente.

BĄK DANIEL (ur. 1988) chłopak Martyny Nowak i ojciec jej syna Daniela.

BERGMAN ZOFIA (ur. 1948) koleżanka Moniki Grochowskiej-Adams.

BIEGAŁA SABINA (1912–1994) sąsiadka Teresy w Gdańsku.

BIENIASZ JAGODA (ur. 1985) polonistka w liceum im. C.K. Norwida w Gutowie.

BROWN DEREK (ur. 1944) prawnik amerykański, wspólnik w kancelarii Strattmann-Bellamy-Brown w Nowym Jorku.

BYSŁAWSKA WANDA patrz: SIOSTRA EMILIA.

BYSTRY EDMUND (1945–1995) traktorzysta w Zajezierzycach, niedoszły mąż Teresy Kuszel.

CUKIERMAN IZRAEL (1924–2014) syn Natana; 1943–1968 pod przybranym nazwiskiem Ireneusz Gawryło; polonista, absolwent UMK w Toruniu. W marcu 1968 wraca do nazwiska rodowego oraz emigruje do Izraela, żona Marta, córki Olga i Milena, syn Piotr.

CUKIERMAN NATAN (1894–1943) syn Dawida, ojciec Mojry, Lilith i Izraela, prowadził wraz z ojcem cukiernię Pod Aniołem. Zginął tragicznie podczas ucieczki z getta w Gutowie.

CUKIERMAN PERLA (1899–1943) z domu Szreger, żona Natana, matka Mojry, Lilith i Izraela; zginęła podczas ucieczki z getta w Gutowie.

CZERPAK DAWID (ur. 1971) właściciel gazety „Obserwator Gutowski".

FABIAN AGATA (ur. 1981) z domu Zdunek; właścicielka winiarni, była żona Tadeusza.

FABIAN KATARZYNA (ur. 1945) z domu Zaręba; koleżanka szkolna Moniki Grochowskiej, matka Tadeusza.

FABIAN TADEUSZ (ur. 1976) właściciel Agencji Nieruchomości Perfekt w Gutowie, były mąż Agaty Fabian.

GAWRYŁO-FRAJNIC MICHALINA (ur. 1964) córka Daniela i Bibianny z Rossoszyńskich, matka Mariusza i Dominiki, prowadzi praktykę adwokacką w Gutowie.

GOMUŁKA WŁADYSŁAW pseud. „Wiesław" (1905–1982) pierwszy sekretarz KC PZPR (1956–1970).

GROCHOWSKA-ADAMS MONIKA (ur. 1947) z domu Prątka, primo voto Krawczyk; córka Stefanii, studentka Wydziału Prawa UW, obywatelka amerykańska, prawniczka.

GROCHOWSKI ANDREW (1935–1985) biznesmen amerykański polskiego pochodzenia, drugi mąż Moniki Grochowskiej-Adams.

GRZYB BARTOSZ (1898–1975) fornal z Zajezierzyc, członek „trójki parcelacyjnej", ojciec Benona.

GRZYB BENON (1920–1982) syn Bartosza, pierwszy sekretarz PZPR w Gutowie (1954–1965), ojciec Alicji Majcher.

GRZYB ZBIGNIEW (1877–1966) robotnik rolny w Zajezierzycach, przywódca strajku w 1919 roku, ojciec Bartosza.

GWARA MAREK (ur. 1975) wiceburmistrz Gutowa.

HOLZMAN CHAIM (1903–1989) amerykański Żyd polskiego pochodzenia, kupiec, opiekun Moniki Grochowskiej.

HOLZMAN SARA (1908–2006) żona Chaima, opiekunka Moniki Grochowskiej.

HRYĆ ANITA (ur. 1948) żona Grzegorza, matka Mariusza i Karoliny; właścicielka sklepów drogeryjnych w Gutowie i Płocku.

HRYĆ CELINA (1925–1995) z domu Cieślak; córka Pawła i Zyty; właścicielka firmy cukierniczej, ur. w Warszawie, zam. w Gutowie, matka Grzegorza, Marii, Amelii, Romana, Waldemara, Andrzeja i Katarzyny.

HRYĆ GRZEGORZ (ur. 1947) najstarszy syn Leona i Celiny, mąż Anity, ojciec Mariusza i Karoliny; absolwent Uniwersytetu Warszawskiego, nauczyciel historii i dyrektor liceum im. C.K. Norwida w Gutowie (od roku szkolnego 1995/1996), od 2010 burmistrz Gutowa, od 2015 poseł na Sejm RP.

HRYĆ HELENA (ur. 1959) z domu Nowakowska; primo voto NIERYCHŁO; druga żona Waldemara, matka Zbigniewa.

HRYĆ LEON (1898–1964) ur. w Gutowie; od 1931 mistrz cukierniczy, od 1946 mąż Celiny, współwłaściciel cukierni Pod Amorem, ojciec Grzegorza, Marii, Amelii, Romana, Waldemara, Andrzeja i Katarzyny.

HRYĆ WALDEMAR (1953–2016) syn Leona i Celiny, ojciec Igi, właściciel firmy cukierniczej Pod Amorem, absolwent Zasadniczej Szkoły Gastronomicznej w Gutowie.

HRYĆ ZBIGNIEW (ur. 1996) cukiernik, syn Waldemara i Heleny.

HRYĆ-TASAK KAROLINA (ur. 1977) córka Grzegorza i Anity z Karpowiczów, dyrektor gutowskiego liceum im. C.K. Norwida.

JANIUK PELAGIA (1885–1961) gospodyni dworu w Długołące, matka Kazimierza Janiuka.

JANIUK KAZIMIERZ (1905–1976) syn Pelagii Janiuk, robotnik w Fabryce Maszyn Rolniczych w Gutowie, członek PPR, później PZPR. Podczas wojny w partyzantce (AL). Konkubent Stefanii Prątki, opiekun prawny Moniki Grochowskiej.

Janiuk Lesław (ur. 1963) syn Kazimierza i Stefanii, przyrodni brat Moniki Grochowskiej-Adams.

Janiuk Stefania (1929–1969) matka Moniki Grochowskiej-Adams.

Karwacki Henryk (ur. 1959) wojewoda mazowiecki.

Kopeć Leokadia (1904–1970) handlarka mięsem.

Kovalchuk Jekatierina (ur. 1968) – pomoc domowa w domu Hryciów.

Kozik Jan (1900–1968) sołtys wsi Łapcie, burmistrz Gutowa (1945–1950).

Kozioł Wanda (1922–1995) nauczycielka biologii w liceum w Gutowie.

Krawczyk Henryk vel Chaim Schneidermann (1947–2008) profesor prawa, przyjaciel Stanisława Lisickiego, pierwszy mąż Moniki Grochowskiej.

Krawczyk Maria vel Mojra Schneidermann (1927–2000) matka Henryka Krawczyka.

Krawczyk Mieczysław vel Mosze Schneidermann (1920–1996) ojciec Henryka Krawczyka.

Kuszel Danuta (ur. 1955) córka Feliksa i Wiesławy, siostra Teresy Kuszel vel Tessy Steinmeyer.

Kuszel Feliks (1923–1963) ojciec Józefa, Teresy, Mieczysława i Danuty, mąż Wiesławy.

Kuszel Józef (1945–1947) brat Teresy Kuszel.

Kuszel Mieczysław (ur. 1953) syn Feliksa i Wiesławy, brat Teresy Kuszel vel Tessy Steinmeyer.

Kuszel Wiesława (1927–1968) z domu Paździoch, matka Teresy vel Tessy Steinmeyer oraz Mieczysława i Danuty.

LISICKI STANISŁAW (ur. 1943) nauczyciel w Zajezierzycach, przyjaciel Moniki Grochowskiej.

MAJCHER ALICJA (ur. 1941) z domu Grzyb, córka Benona, żona Krzysztofa.

MAJCHER KRZYSZTOF (1937–2015) inżynier rolnik, mąż Alicji, syn Ryszarda, wnuk Stanisława.

MAJCHER RYSZARD (1910–2000) gospodarz w Zajezierzycach, ojciec Krzysztofa.

MAJCHER STANISŁAW (1886–1959) jeden z najbogatszych gospodarzy w Zajezierzycach, ojciec Ryszarda, dziadek Krzysztofa.

MALCZYK MAGDALENA (ur. 1975) właścicielka księgarni w Gutowie, sąsiadka Hryciów.

MALCZYK KATARZYNA (ur. 2000) córka Magdaleny, koleżanka Zbigniewa Hrycia.

MARCINIAK JACEK (ur. 1967) przewodniczący Rady Miasta Gutowa.

MARCOVEANU MILENA (ur. 1958) z domu Cukierman, córka Izraela i Marty, żona Radu, absolwentka i profesor antropologii na Sorbonie, zam. w Paryżu.

MARCZUK JUSTYNA (1937–1999) żona Sławomira Marczuka.

MARCZUK MARIA (1900–1972) emerytowana księgowa, właścicielka mieszkania, w którym mieszkała Teresa Kuszel.

MARCZUK SŁAWOMIR (ur. 1932) architekt, syn Marii Marczuk, kochanek Teresy.

MOCZAR MIECZYSŁAW właśc. Mikołaj Demko (1913–1986) polityk komunistyczny czasów PRL.

MOLĘDA RENATA (ur. 1994) asystentka posła Grzegorza Hrycia.

NOWAK IRENA (ur. 1969) matka Martyny, babcia Daniela i Oliwii.

NOWAK MARTYNA (ur. 1990) ur. w Płocku, matka Daniela Bąka i Oliwii Wyrwał, dziewczyna Zbigniewa Hrycia.

PAWLAK KINGA (1872–1934) z domu Bysławska, primo voto Toroszyn, siostra Adrianny i Wandy, żona Zdzisława Pawlaka, matka Grażyny Toroszyn (pseud. Gina Weylen), babka Adama Toroszyna.

PAWLAK ZDZISŁAW (1875–1956) drugi mąż Kingi Toroszyn (z domu Bysławskiej), absolwent Wyższej Szkoły Rolniczej w Dublanach, rządca w Zajezierzycach (1905–1945), właściciel dworu w Długołące.

PAŹDZIOCH BRONISŁAWA (1908–1969) matka Wiesławy Kuszel, babka Teresy.

PODEDWORSKA WIESŁAWA (ur. 1963) urzędniczka, matka Macieja.

PODEDWORSKI JULIUSZ (ur. 1959) inżynier, syn Michała, ojciec Macieja.

PODEDWORSKI MICHAŁ ZBIGNIEW (1923–2008) syn Jana Podedworskiego i Stefanii z Jachimowiczów, wnuk Reginy Podedworskiej z domu Zajezierskiej, wychowanek Zdzisława Pawlaka, narzeczony Ewy Radziewicz, ojciec Juliusza Podedworskiego.

PODEDWORSKI MACIEJ (ur. 1990) wnuk Michała Podedworskiego, spadkobierca majątku Długołąka.

PRĄTKA STEFANIA patrz: JANIUK STEFANIA.

RACZKO WANDA (ur. 1960) właścicielka sklepu jubilerskiego w Gutowie.

RADZIEWICZ EDWARD (1899–1995) zwany Edusiem, herbu Nowina, dziedzic majątku Cieciórka; syn Agnieszki z Niewiadomskich i Joachima Radziewicza, ojciec Ewy, Jana, Jerzego i Zbigniewa.

RADZIEWICZ EWA (1928–1947) córka Edwarda Radziewicza i Marii z Łąckich.

RADZIEWICZ MARIA (1905–1980) z domu Łącka; żona Edwarda Radziewicza, matka Ewy, Jana, Jerzego oraz Zbigniewa.

ROZPARA WŁODZIMIERZ (1944–1960) syn właściciela sklepu ze starociami, pierwsza miłość Teresy Kuszel.

SIOSTRA EMILIA właśc. Wanda Bysławska (1871–1943), siostra Adrianny Zajezierskiej i Kingi Pawlak; od 1894 w Zgromadzeniu Sióstr Służek Matki Boskiej Kwietnej, przełożona klasztoru w Gutowie (1921–1943), zginęła śmiercią męczeńską.

SMITH MICHAEL (ur. 1942) prawnik amerykański, kolega Moniki Grochowskiej.

STEINMEYER EDVIN (1923–1990) Austriak polskiego pochodzenia, mąż Tessy Steinmeyer.

STEINMEYER TESSA vel TERESA KUSZEL (ur. 1947) obywatelka austriacka, dawna przyjaciółka Moniki Grochowskiej-Adams.

SUCHAR-MALIŃSKA ILONA (ur. 1947) koleżanka z roku Grzegorza Hrycia, nauczycielka historii w liceach warszawskich.

SUCHAR MIECZYSŁAW (1907–1991) przedwojenny działacz komunistyczny, członek PPR, sekretarz KC PZPR, ojciec Ilony.

TOROSZYN ADAM (1922–2009) syn Grażyny Toroszyn i Wiktora Grabnickiego, uczestnik powstania warszawskiego, od 1947 w Wielkiej Brytanii; mąż Madelain z domu Abercrombie, ojciec Maurice'a, dziadek Xaviera.

TOROSZYN IGA (ur. 1973) z domu Hryć, córka Waldemara i Bożeny, żona Xaviera, właścicielka hotelu Pałac Zajezierzyce, współwłaścicielka cukierni Pod Amorem.

TOROSZYN NATALIA (ur. 2003) córka Igi i Xaviera Toroszynów.

TOROSZYN OSKAR (ur. 2001) syn Igi i Xaviera Toroszynów.

VALENTE ELENA (ur. 1968) córka Tessy Steinmeyer, matka Mii.

VALENTE MIA (ur. 1995) córka Eleny, wnuczka Tessy Steinmeyer.

WALCZAK TOMASZ (ur. 1980) nauczyciel WF-u, radny miejski, od 2015 burmistrz Gutowa.

WAŃKO EDWARD (ur. 1966) prezes spółdzielni mleczarskiej w Gutowie.

WAŃKO CEZARY (ur. 1996) syn Edwarda, student politologii.

WYPYCH ALDONA (1930–2015) działaczka partyjna, pierwszy sekretarz POP Fabryki Farb i Lakierów w Gutowie, od 1968 pierwszy sekretarz PZPR w Gutowie.

WYPYCH MICHALINA (1908–1982) matka Aldony.

WYRWAŁ KRZYSZTOF (ur. 1985) ojciec Oliwii, córki Martyny Nowak.

ZAGAŃCZYK KRZYSZTOF (ur. 1973) właściciel cukierni Jaga w Gutowie.

ZAGAŃCZYK ROMAN (ur. 1945) inżynier w Fablaku, ojciec Krzysztofa.

ZAJEZIERSKA ADRIANNA (1875–1932) z domu Bysławska, siostra Kingi Toroszyn oraz siostry Emilii, żona Tomasza, matka Pawła.

ZAJEZIERSKI TOMASZ (1864–1943) herbu Dzierżybór, syn Henryka i Barbary z Sokołowskich, ojciec ks. Pawła Zajezierskiego i Paula Connora vel Pawła Cieślaka, właściciel dóbr zajezierzyckich.

ZAKRZEWSKA MARIA (1923–1986) nauczycielka języka polskiego w szkołach gutowskich.

Kalendarium wydarzeń

1945 – wyzwolenie Gutowa;

1946 – ślub Celiny z Cieślaków i Leona Hrycia;

1947 – rodzą się: Monika Grochowska, Teresa Kuszel i Grzegorz Hryć;

– śmierć Ewy Radziewicz;

1951 – Monika Prątka trafia do domu dziecka;

1952 – Stefania Prątka związuje się z Kazimierzem Janiukiem;

1953 – rodzi się Waldemar Hryć;

– grudzień – zaginięcie Stefanii Prątki;

1954 – Leon Hryć wynajmuje przy rynku w Gutowie lokal na cukiernię i od płaskorzeźby nad drzwiami przywraca jej nazwę Pod Aniołem;

– wrzesień; Monika Prątka i Teresa Kuszel rozpoczynają naukę w szkole podstawowej w Zajezierzycach;

– aresztowanie Kazimierza Janiuka;

1955 – cukiernia Pod Aniołem w wyniku nacisków politycznych zmienia nazwę na Pod Amorem;

1956 – październik – powrót Stefanii Prątki;

– październik – śmierć Zdzisława Pawlaka;
– grudzień – Kazimierz Janiuk wychodzi z więzienia;

1958 – lipiec – powrót do Zajezierzyc Wiesławy i Feliksa Kuszlów z dziećmi;

1960 – umiera Włodzimierz Rozpara;

1961 – umiera Pelagia Janiuk;

1961/62 – Monika Prątka choruje na gruźlicę;

1962 – Monika i Teresa spotykają się na weselu;
– Stefania Prątka wraca po raz drugi;

1963 – pałac w Zajezierzycach przejmuje państwowe przedsiębiorstwo Orbis;
– rodzi się Lesław Janiuk, przyrodni brat Moniki;
– umiera Feliks Kuszel, ojciec Teresy;
– Monika zaczyna naukę w liceum, a Teresa w szkole zasadniczej;

1964 – umiera Leon Hryć, cukiernią Pod Amorem zarządza jednoosobowo Celina Hryć;

1967 – Monika i Teresa przystępują do matury. Monika zdaje egzamin wstępny na studia.

1968 – marzec – zamieszki studenckie na Uniwersytecie Warszawskim;
– czerwiec – w wypadku komunikacyjnym ginie Mundek Bystry;
– sierpień – matka Teresy, Wiesława Kuszel, umiera na raka żołądka;
– wrzesień – Monika wychodzi za mąż za Henryka Krawczyka;
– listopad – Monika wraz z rodziną męża emigruje do Izraela;
– grudzień – Monika wyjeżdża do Rzymu;

	–	grudzień – Stanisław Lisicki emigruje wraz z rodzicami i rodzeństwem do Stanów Zjednoczonych;
1969	–	luty – Monika emigruje z Rzymu do Stanów Zjednoczonych;
	–	sierpień – Teresa wyprowadza się z Gutowa;
	–	wrzesień – umiera Stefania Janiuk;
	–	grudzień – umiera Bronisława Paździoch;
1970	–	rodzi się Xavier Toroszyn;
1973	–	rodzi się Iga Hryć;
1976	–	umiera Kazimierz Janiuk;
1990	–	rodzi się Maciej Podedworski;
1993	–	spółka Celina Hryć i Syn nabywa od władz miasta wystawione na przetarg dwa budynki w Gutowie, w których mieści się cukiernia Pod Amorem.
1995	–	lipiec – Celina Hryć doznaje rozległego udaru mózgu;
	–	lipiec – przypadkowe odkrycie zmumifikowanego ciała kobiety w korytarzu pod rynkiem w Gutowie;
	–	lipiec – Waldemar Hryć poznaje Helenę Nierychło;
	–	rodzi się Mia Valente;
1996	–	rodzi się Zbigniew Hryć;
1998	–	Iga Hryć kończy studia i wraca do Gutowa;
2008	–	umiera Michał Podedworski;
2009	–	umiera Adam Toroszyn;
2016	–	sierpień – Tessa Steinmeyer przyjeżdża z córką i wnuczką do Gutowa;
	–	sierpień – umiera Waldemar Hryć.